Sara Paretzky

Engel im Schacht

Sara Paretzky
Engel im Schacht

Aus dem Amerikanischen
von Sonja Hauser

Bechtermünz Verlag

Genehmigte Lizenzausgabe
für Weltbild Verlag GmbH, Augsburg 2000
Copyright © 1994 by Sara Paretsky
Copyright © der deutschsprachigen Ausgabe
by Piper Verlag GmbH, München 1995
Aus dem Amerikanischen von Sonja Hauser
Umschlaggestaltung: init GmbH – Büro für Gestaltung, Bielefeld
Umschlagmotiv: The Image Bank, München
Gesamtherstellung: Clausen & Bosse, Leck
Printed in Germany
ISBN 3-8289-6796-5

Für Dorothy

»Es passiert nicht oft, daß jemand daherkommt, der ein guter Freund ist und ein guter Schriftsteller obendrein.«   E. B. White, *Wilbur und Charlotte*

Inhalt

1 Stromausfall

Als der Strom ausfiel, beendete ich gerade einen zehnseitigen Bericht. Es wurde dunkel in meinem Büro; der Computer gab ächzend seinen Geist auf. Hilflos mußte ich mit ansehen, wie aus meinem Text Schemen wurden, die noch kurz auf dem Bildschirm schimmerten, bevor sie verschwanden wie die Grinskatze aus *Alice im Wunderland*.

Ich verfluchte mich selbst und die Hauseigentümer. Wenn ich der alten Olivetti meiner Mutter die Treue gehalten hätte, statt mich zu computerisieren, hätte ich meine Arbeit bei Kerzenlicht fertigstellen und nach Hause gehen können. Und wenn die Brüder Culpepper das Pulteney-Gebäude nicht so hätten verkommen lassen, wäre der Strom nicht ausgefallen.

Ich hatte mein Büro seit zehn Jahren in dem Haus, also schon so lange, daß mir seine zahllosen Mängel nicht mehr auffielen. Jahrzehntealter Ruß verdeckte die Basreliefs auf den Messingtüren und füllte die ausgeschlagenen Ecken des Marmorbodens im Foyer; in den Friesen der oberen Stockwerke fehlten große Gipsstücke; drei Damentoiletten, die öfter verstopft waren als funktionierten, mußten für das ganze Gebäude genügen. Und die Innenverkleidung des Aufzugs konnte ich im Traum nachzeichnen, so oft war ich schon steckengeblieben.

Lediglich die niedrige Miete im Pulteney machte diese Zustände erträglich. Eigentlich hätte ich schon längst merken müssen, daß die Culpeppers nur warteten, bis die Loop-Sanierung auch unseren südlichen Stadtteil erfaßte, und das Gebäude kaputt mehr wert war als intakt. Unser allherbstliches Feilschen, aus dem ich triumphierend ohne Mieterhöhung hervorging und das die Brüder ohne die Verpflichtung, neue Rohre oder Leitungen zu verlegen, hinter sich brachten, hätte eine Detektivin wie mich, die sich auf Betrügereien, Brandstiftung und Wirtschaftsverbrechen spezialisiert hatte, hellhörig werden lassen müssen. Doch wie bei vielen meiner Klienten war auch für mich die Sorge darüber, daß Geld in die Kasse

9

floß, größer als der Drang, die Zusammenhänge zu erforschen.

Das Gebäude stand bereits zu einem Drittel leer, als die Culpeppers zum neuen Jahr die Kündigung aussprachen. Sie versuchten uns restliche Mieter zuerst zu bestechen, dann mit Gewalt zum Verlassen des Hauses zu bewegen. Manche taten ihnen den Gefallen, aber Leute, die sich im Pulteney einmieteten, konnten sich nicht so ohne weiteres Räume anderswo leisten. Es waren harte Zeiten, und die, die sich früher gerade noch am Rand der Gesellschaft gehalten hatten, landeten jetzt schon auf der Straße. Als allein agierende Privatdetektivin machte mir die gegenwärtige Situation genauso zu schaffen wie allen anderen. Zusammen mit einem Hutmacher, einem Händler für orientalische Gesundheits- und Schönheitsmittelchen, einem Mann, der sein Geld wahrscheinlich als Buchmacher verdiente, einer Adressenhandelsfirma und noch ein paar anderen saß ich es bis zum bitteren Ende aus.

Ich nahm also meine Taschenlampe und bewegte mich ziemlich schnell, da geübt, durch den dunklen Flur zur Treppe. Der Bericht, an dem ich gerade gearbeitet hatte, mußte um acht Uhr am nächsten Morgen bei Darraugh Graham sein. Wenn ich das schadhafte Kabel oder die durchgebrannte Sicherung schnell genug fand, konnte ich die fehlenden Daten aus meinem Computer abfragen und so die wesentlichen Informationen rekonstruieren. Wenn nicht, mußte ich mit der Olivetti noch einmal von vorn anfangen.

Ich sperrte die Tür zum Treppenhaus auf, verschloß sie aber nicht wieder, damit ich problemlos zurückkonnte. Nachdem Tom Czarnik gekündigt hatte, hatte ich an den Türen Schlösser angebracht, die sich alle mit demselben Schlüssel öffnen ließen. Czarnik, der Hausmeister – der angebliche Hausmeister –, hatte in den letzten beiden Jahren nichts anderes getan, als die Mieter zu nerven, so daß sein Weggang kein großer Verlust war. Erst vor kurzem war mir aufgegangen, daß die Culpeppers ihn wahrscheinlich dafür bezahlt hatten, den Verfall des Pulteney Building zu beschleunigen. Die Brüder taten jedenfalls alles, um unser kleines Häuflein von Aufrechten noch vor dem Kündigungstermin loszuwerden. Sie gaben nicht einmal mehr vor, irgend etwas für die Wartung des Hauses zu tun. Als erstes hatten sie versucht, die Energieversorgung zu kappen; eine gerichtliche Verfügung sicherte uns wenigstens Elektrizität und Wasser. Jetzt standen ihre Nachlässigkeit und ihre Sabotageversuche unserer Gewitztheit gegenüber – oder besser gesagt, meiner. Zwar hatten die anderen Mieter den Eilantrag zum Wiederanschluß an das Stromnetz unterzeichnet, aber keiner von ihnen kam jemals mit mir nach unten, um sich mit Kabeln und Rohren zu beschäftigen.

An jenem Tag stellte ich mir durch meinen Übermut selbst ein Bein. Ich kannte die Kellertreppe so gut, daß ich die Stufen vor mir nicht mit der Taschenlampe ausleuchtete. Also stolperte ich über ein loses Stück Gips. Als ich mit den Armen ruderte, um das Gleichgewicht wiederzugewinnen, ließ ich die Taschenlampe fallen. Ich hörte das Glas splittern, als sie die Stufen hinunterpolterte.

Ich atmete tief durch. Lohnte es sich wirklich, sich jetzt noch Gedanken über Darraugh Grahams Zorn zu machen? War es nicht sinnvoller, nach Hause zu gehen und sich am nächsten Morgen mit einer neuen Taschenlampe den Drähten und Kabeln zu widmen? Außerdem wollte ich noch zu einer Sitzung des Frauenhausstiftungsbeirats, in dem ich Mitglied bin.

Das Problem war nur, daß Darraughs Honorar direkt in meine Kasse für ein neues Büro floß. Wenn ich nicht pünktlich ablieferte, hatte er keinerlei Grund, sich wieder an mich zu wenden – er arbeitete mit einer ganzen Anzahl von Detekteien zusammen, die meisten davon zwanzigmal so groß wie die meine.

Also bewegte ich mich wie ein Krebs nach unten. Ich hatte eine Arbeitslampe und einen Werkzeugkasten gleich neben dem Sicherungskasten am anderen Ende der Wand. Wenn ich den erreichte, ohne mir den Hals zu brechen, war alles in Ordnung. Doch meine eigentliche Angst galt den Ratten: Sie wußten, daß der Keller ihnen gehörte. Wenn ich sie mit der Lampe anleuchtete, verschwanden sie gemächlich aus dem Lichtkreis und wackelten dreist mit dem Schwanz, hörten aber deswegen noch lange nicht auf herumzuscharren, während ich arbeitete.

Ich tastete im Dunkeln herum und versuchte, nicht hinter jedem herunterhängenden Draht Schnurrhaare zu vermuten, als ich merkte, daß das Geräusch, das ich hörte, von einem Menschen stammte, nicht von einem Nager. Ich bekam eine Gänsehaut. Hatten die Culpeppers Schläger angeheuert, um mir einen Schreck einzujagen? Oder waren das Diebe, die glaubten, das Gebäude stehe leer, und die Kupferdrähte und andere halbwegs interessante Sachen von den Wänden entfernen wollten?

Ich kniete vorsichtig im Dunkeln nieder und bewegte mich langsam nach rechts, wo ich hinter einer Kiste mit Holzresten in Deckung gehen konnte. Ich spitzte die Ohren. Es befand sich mehr als nur ein Mensch im Keller. Einer davon klang, als stehe er kurz vor einem Asthmaanfall. Sie hatten genausoviel Angst wie ich. Aber das munterte mich auch nicht auf, denn ein verschreckter Einbrecher wird eher gewalttätig als einer, der glaubt, die Situation im Griff zu haben.

Ich bewegte mich noch weiter nach rechts, wo vielleicht ein paar alte Rohre lagen, die mir als Waffe dienen konnten. Einer der Eindringlinge wimmerte und wurde sofort zum Schweigen gebracht. Das Geräusch erschreckte mich so, daß ich gegen einen Stapel Rohre stieß; sie fielen klappernd herunter. Aber das war egal – das Wimmern stammte von einem kleinen Kind. Ich arbeitete mich zu meiner Lampe zurück, fand den Stecker und schaltete die Lampe an.

Auch nachdem sich meine Augen an das Licht gewöhnt hatten, dauerte es noch eine Weile, bis ich die Quelle des Geräuschs ortete. Ich stocherte vorsichtig zwischen Kisten und alten Büromöbeln herum. Ich schaute in den Aufzugschacht und unter die Treppe. Fast dachte ich schon, mir alles nur eingebildet zu haben, als ich das Wimmern wieder hörte.

Eine Frau kauerte hinter dem Boiler, neben ihr drei Kinder. Das kleinste davon zitterte stumm, das Gesicht gegen das Bein seiner Mutter gepreßt. Nur hin und wieder gab es ein quäkendes Geräusch von sich. Das größte, das mit Sicherheit nicht älter als neun oder zehn war, hustete asthmatisch, hemmungslos jetzt, wo sich ihre schlimmste Furcht bewahrheitet hatte: von jemandem entdeckt zu werden.

Wenn ich nicht das asthmatische Husten und das Wimmern gehört hätte, wäre ich in dem trüben Licht wahrscheinlich noch ein paarmal an ihnen vorbeigegangen, ohne sie zu bemerken.

Sie trugen mehrere Schichten von Pullovern und Jacken über ihren ausgemergelten Körpern, die sie wie Vogelscheuchen aussehen ließen.

»Die feuchte Luft hier unten ist sicher nicht gut für Ihren Sohn.« Die Bemerkung war ziemlich unpassend, das merkte ich selbst.

Die Frau starrte mich düster an. In dem trüben Licht konnte ich nicht beurteilen, was stärker war – Wut oder Furcht.

»Ist kein Junge«, sagte das mittlere Kind so leise, daß ich es kaum verstand. »Ist Jessie. Ist ein Mädchen. Ich bin der einzige Junge.«

»Tja, vielleicht sollten wir Jessie nach oben bringen, wo sie frische Luft kriegt. Wie heißt du denn, Kleiner?«

»Red nicht mit ihr. Hab' ich euch nicht gesagt, ihr sollt mit niemandem reden, bevor ich euch das nicht ausdrücklich sage?« Die Frau packte den Jungen an den Schultern und schüttelte ihn. Er sank mit einem halbherzigen Jammern gegen ihren Körper.

Die Schatten des Boilers ließen ihr Gesicht und ihre Haare grau erscheinen. Sie war höchstens dreißig, aber wenn ich ihr auf der Straße ohne ihre Kinder begegnet wäre, hätte ich sie wahrscheinlich für siebzig gehalten.

»Wie lange leben Sie schon hier unten?«

Sie starrte mich an, antwortete aber nicht. Vielleicht hatte sie mich schon ein dutzendmal hier unten beobachtet; vermutlich wußte sie, daß ich allein war, daß ich keine Bedrohung für sie darstellte.

»Sie wollen das Haus in sechs Wochen abreißen«, sagte ich. »Wissen Sie das?«

Sie starrte mich weiter an, bewegte den Kopf aber nicht.

»Hören Sie zu. Es geht mich ja nichts an, wenn Sie hier unten bleiben wollen, aber Ihren Kindern tut das sicher nicht gut. Das ist schlecht für die Augen, für die Lunge, für die Moral. Wenn Sie Jessie wegen ihres Asthmas zum Arzt bringen wollen, kann ich Ihnen einen empfehlen, der nichts dafür verlangt.«

Ich wartete eine ganze Weile, bekam aber keine Antwort. »Ich muß mich jetzt um die Kabel hier kümmern, und dann gehe ich wieder rauf in mein Büro. Das hat die Nummer Vier-Null-Sieben. Wenn Sie sich die Geschichte mit dem Arzt überlegt haben, kommen Sie doch zu mir, und ich bringe Sie hin. Jederzeit.«

Ich wandte mich dem Sicherungskasten zu. Die Culpeppers kappten manchmal Drähte oder unterbrachen das Heißwassersystem, um uns schneller aus dem Haus zu vertreiben. So hatte ich mir in meiner Freizeit ein beträchtliches Wissen über Elektrik angeeignet. Doch heute war ich nicht gefordert: Ein Brett hatte sich von der Decke gelöst, einige Drähte mit sich gerissen und unbrauchbar gemacht. Ich holte einen Hammer aus meinem Gürtel, suchte zwischen den Kisten nach ein paar alten Nägeln und stieg auf eine Holzkiste, um das Brett wieder festzunageln. Die Drähte zu reparieren erforderte mehr Geduld als Know-how – man mußte die empfindlichen Kupferdrähte freilegen, die losen Enden miteinander verknüpfen und sie dann mit Klebeband verzwirbeln.

Es nervte mich ziemlich, mit den stummen Zuschauern im Rücken zu arbeiten. Jessies pfeifendes Atmen hatte sich ein wenig beruhigt, als sie merkte, daß ich der Familie nichts tun würde, und auch das kleine Baby hatte aufgehört zu jammern. Ich bekam eine Gänsehaut, weil sie mich beobachteten, aber ich versuchte trotzdem, mir Zeit zu lassen und den Schaden so gut zu reparieren, daß ich die nächsten sechs Wochen Ruhe hatte.

Während ich Drähte freilegte, klebte und nagelte, überlegte ich, was ich mit den Kindern machen sollte. Wenn ich jemanden vom Sozialamt anrief, kamen die mit Polizisten und Bürokraten an und steckten die Kinder in ein Heim. Aber wie sollten sie hier unten bei den Ratten überleben?

Als ich fertig war, ging ich wieder hinüber zum Boiler. Die vier schraken zusammen.

»Hören Sie zu. Oben gibt es jede Menge leere Räume und auch ein paar Toiletten. Ich kann Sie in ein leerstehendes Büro lassen. Wäre das nicht besser als das hier unten?«

Sie gab keine Antwort. Warum sollte sie mir vertrauen? Ich versuchte sie zu überzeugen, aber meine Worte klangen so drängend, daß sie zurückwich, als habe ich sie geschlagen. Ich hielt den Mund und dachte eine Weile nach. Schließlich nahm ich einen Zweitschlüssel von meinem Schlüsselring. Wieso sollte sie mir vertrauen, wenn ich ihr nicht vertraute?

»Damit können Sie alle Treppenhaustüren aufschließen, auch die zum Keller. Ich sperre die Kellertür zu, um mein Werkzeug zu schützen, wenn Sie also doch nach oben kommen sollten, schließen Sie bitte die Tür hinter sich ab. In der Zwischenzeit lasse ich meine Arbeitslampe an – das hilft Ihnen gegen die Ratten. Okay?«

Sie gab immer noch keine Antwort, streckte nicht einmal die Hand nach dem Schlüssel aus. Jessie flüsterte: »Na mach schon, Mama.« Der Junge nickte hoffnungsvoll, doch die Frau nahm den Schlüssel immer noch nicht. Ich legte ihn auf einen Sims beim Boiler und wandte mich zum Gehen.

Dann tastete ich mich zur Treppe zurück, hob meine Taschenlampe auf und ging die Stufen hinauf. Obwohl ich wußte, daß die Frau mit ihren Kindern mehr Angst vor mir hatte als ich vor ihr – und aus viel besserem Grund –, stand mir doch der kalte Schweiß auf der Stirn. Als die Frau plötzlich den Mund aufmachte, zuckte ich zusammen und hätte fast laut aufgeschrien.

»Meine Kinder verhungern nicht, Lady. Vielleicht ist das nicht viel in Ihren Augen, aber ich kann für sie sorgen. Ich kümmere mich schon um sie.«

2   Einem geschenkten Gaul...

Ich glitt atemlos auf einen Stuhl, als Sonja Malek gerade über die Einnahmen des Frühjahrs berichtete. Marilyn Lieberman, die Geschäftsführerin von Arcadia House, winkte mir zu, und Lotty Herschel hob fragend eine Augenbraue, aber niemand unterbrach die Rednerin. Arcadia House ist wie die meisten gemeinnützigen Unternehmen auf die geringen Subventionen und Spenden angewiesen, die von außen kommen; die Hauptaufgabe des Beirats ist es, Geld aufzutreiben.

Die meisten von uns arbeiten schon seit Jahren in den unterschiedlichsten Frauengruppen zusammen. Lotty kenne ich am längsten, seit meiner Studentenzeit, als sie den Frauen in einer Untergrundgruppe zeigte, wie man abtreibt.

»Die aufregendste Neuigkeit habe ich bis zum Schluß aufgehoben«, meinte Sonja, die feisten Backen rosafarben vor Freude. »Die Gateway Bank hat uns einen Scheck über fünfundzwanzigtausend Dollar geschickt.«

»Hey, toll!« schloß ich mich den erregten Ausrufen an. »Wie hast du denn das hingekriegt?«

»Ehre, wem Ehre gebührt.« Marilyn Lieberman klopfte der Frau zu ihrer Linken auf die Schulter. »Deirdre hat eben Connections.«

Deirdre Messenger zog ein wenig den Kopf ein. Ihre glatten blonden Haare fielen nach vorn und verbargen ihre roten Wangen.

»Hast wohl den Vorsitzenden von Gateway für einen guten Zweck gebumst, was?« fragte jemand.

Als die Frauen um sie herum zu lachen anfingen, stieß Deirdre selbst ein kurzes, bellendes Lachen aus, das wenig Begeisterung verriet. »Mir kommt's fast so vor. Eigentlich hat Fabian das gedreht. Er hat ein paar juristische Fragen für sie geklärt...«

Ihre Stimme schweifte ab, so daß wir das Gefühl hatten, etwas Unanständiges gesagt zu haben. Anders als die meisten von uns hatte Deirdre keine besondere Fähigkeit, sondern nutzte die betuchten Kontakte ihres Mannes, um die Projekte zu unterstützen, bei denen sie im Beirat saß.

Sal Barthele, die Vorsitzende von Arcadias Stiftungsbeirat, kam wieder zur Tagesordnung zurück. »Vic, möchtest du jetzt über die Sicherheitsfragen reden? Oder brauchst du noch ein bißchen Zeit, um Atem zu holen?«

»Nein, nein, ist schon in Ordnung.« Arcadia House ist ein Frauenhaus, und viele Leute glauben, daß wir einen großen Teil unserer Energie darauf verwenden, die Männer der betroffenen Frauen abzuwehren. Aber um die Wahrheit zu sagen: Die meisten sind Feiglinge, die nicht wollen, daß jemand außerhalb der Familie erfährt, was sie daheim machen. In den sieben Jahren unseres Bestehens haben nur drei von ihnen versucht, das Frauenhaus zu stürmen.

Trotzdem wollen wir natürlich, daß Arcadia eine sichere Zuflucht für Frauen und ihre Kinder ist und bleibt. Vor zwei Wochen war es jemandem gelungen, über die Mauer zu klettern, mit einer Axt auf das Holzspielzeug im Hof einzuschlagen und sich aus dem Staub zu machen, bevor die Frau, die die Nachtschicht hatte, die Polizei rufen konnte. Daraufhin hatte Marilyn Lieberman vorübergehend einen Wachposten angeheuert, aber ich sollte Vorschläge für langfristige Lösungen machen. Keine davon war billig: Man konnte die Ziegelmauer abreißen und eine aus Stahl dafür hinstellen – aber möglicherweise kamen sich die Frauen dann vor, als säßen sie im Gefängnis; man konnte rund um das Frauenhaus Lichtsensoren installieren oder einen permanenten Sicherheitsdienst für die Nacht engagieren.

Ich hätte am liebsten die Mauer abgerissen. Obwohl die jetzige fast zwei Meter hoch war – mehr erlauben die Bauvorschriften in unserer Stadt nicht –, konnte man leicht drüberklettern. Und weil sie aus Backstein war, konnte man auch vom Haus aus nicht auf die Straße sehen. Zwar hatten wir eine Videokamera darauf installiert, aber es war ein Kinderspiel, sie auszutricksen. Kurzfristig gesehen war eine neue Mauer jedoch die teuerste Lösung. Die Diskussion wurde ziemlich leidenschaftlich fortgesetzt, bis Sonja Malek auf ihre Uhr sah, entsetzt etwas von ihrem Babysitter murmelte und ihre Unterlagen in ihrer Aktentasche verschwinden ließ. Auch alle anderen fingen an zusammenzupacken.

Sal klopfte auf den Tisch. »Mädels, seid ihr zur Abstimmung bereit? Nein? Na ja, kein Wunder. Wir streiten uns genauso leidenschaftlich darüber, welches Klopapier wir kaufen wollen, wie darüber, ob wir die Kinder zum Aidstest bringen sollen. Mädels, ihr solltet lernen, eure Kräfte einzuteilen, sonst habt ihr mit Fünfzig keine mehr. Wenn ihr nächsten Monat immer noch nicht wißt, was ihr wollt, nehmen Marilyn und ich euch die Entscheidung ab.«

»Yes, Ma'am!« grüßte jemand Sal zackig, als die Frauen sich in Richtung Tür drängten.

Deirdre Messenger kam zu mir herüber. »Wieso bist du denn erst um halb neun gekommen, Vic?«

Ihr scherzhafter Tonfall nervte mich, denn er deutete auf eine Nähe hin, die zwischen uns nicht existierte. Ich hatte sie in Collegezeiten flüchtig gekannt, weil ich zusammen mit ihrem Mann Jura studiert hatte – sie hatte immer im Tagesraum der juristischen Fakultät mit uns Mittag gegessen. Damals war sie hübsch gewesen, irgendwie verträumt, feenhaft. Zwanzig Jahre später war ihr maisblondes Haar nur einen Ton dunkler als damals, aber ihre Verträumtheit hatte sich in Anspannung und Verbitterung verwandelt.

Ich wurde also nicht ausfallend, denn solche Kränkungen verkraftete sie schlecht. »Ach, nur wieder die üblichen Problemchen mit dem Computer plus die Aufregungen um mein verfallendes Büro. Ich hab' einen ganzen Bericht neu schreiben müssen, weil der Computer abgestürzt ist. Zum Glück hab' ich meine Akten in letzter Zeit ordentlich geführt, also hab' ich ziemlich schnell eine Rohfassung von dem neuen Schrieb hingekriegt.«

Marilyn Lieberman und Lotty waren stehengeblieben, um sich meine Leidensgeschichte anzuhören. Ihnen erzählte ich auch noch von meiner Begegnung mit der obdachlosen Frau und ihren Kindern.

»Vic! Du hast sie doch nicht dort unten gelassen, oder?« rief Marilyn aus.

Ich wurde rot. »Was hätte ich denn sonst machen sollen?«

»Bei den zuständigen Behörden anrufen zum Beispiel«, meinte Lotty knapp. »Für was hast du denn deine Freunde bei der Polizei?«

»Und was hätten die dann gemacht? Die hätten sie wegen Vernachlässigung ihrer Kinder festgenommen und die Kids in Pflege gegeben.«

Lotty zog ihre dichten Augenbrauen zusammen. »Das eine Kind hat Asthma, sagst du? Wer weiß, wie die Lunge von den anderen aussieht. Manchmal denkst du einfach nicht mit, Vic: In so einem Fall wäre Pflege vielleicht nicht das Schlechteste.« Ihr Wiener Akzent wurde stärker; das war das sicherste Zeichen dafür, daß sie wütend war.

Marilyn schüttelte zweifelnd den Kopf. »Das Problem sieht doch folgendermaßen aus: Es gibt natürlich Frauenhäuser, in denen auch Kinder unterkommen können. Aber die sind nicht immer sicher. Die meisten haben auch nur nachts geöffnet, und die Frauen müssen sehen, wie sie über den Tag kommen.«

»Eigentlich wollte ich vorschlagen, daß sie hierherkommt«, sagte ich, »aber ich weiß, daß ihr nicht...«

»Das geht nicht«, fiel Marilyn mir ins Wort. »Wir können

keine Ausnahmen machen; wir brauchen alle Betten für Frauen, die von ihren Männern geschlagen werden.«

»Was willst du jetzt machen?« Deirdre war ein wenig abseits gestanden, während wir uns unterhalten hatten, als fühle sie sich nicht zu der Gruppe gehörig, wolle aber auch nicht gehen.

Ich atmete tief durch und sah die Frauen herausfordernd an. »Ich habe ihr gesagt, sie kann in eins von den freistehenden Büros oben ziehen. Schließlich wird der Kasten sowieso in ein paar Wochen abgerissen.«

Sal Barthele, die sich gerade mit der Leiterin unterhalten hatte, bekam das Ende unseres Gesprächs mit. »Du hast wohl deinen weißen Liberalenverstand verloren, Vic. Was sagt denn Conrad dazu?« Sal, selbst eine Schwarze, interessiert sich sehr für das Auf und Ab meiner Beziehung mit einem schwarzen Mann.

»Ich gehe mit dem Typ, aber ich bitte ihn nicht jedesmal, bevor ich mir die Nase putze, um Erlaubnis.«

»Mir geht's ja auch gar nicht um seine männliche Psyche, Schätzchen. Viel wichtiger finde ich: Was sagt seine Bullenpsyche dazu?«

»Wenn ich ihm das erzähle, stimmt er wahrscheinlich Lotty zu. Aber dann mischen sich die Behörden ein, die Kinder kommen in drei unterschiedliche Heime, wo mindestens eins sexuell belästigt wird. Die Mutter verliert das bißchen Realitätssinn, das sie noch hat, und wird auch eine von den Frauen auf der Michigan Avenue, die ständig vor sich hin schimpfen und so ausschauen, als würden sie dem nächstbesten Passanten, der sie anspricht, an die Gurgel gehen.«

Ich klang bitterer als beabsichtigt; die anderen traten beklommen von einem Fuß auf den anderen. Ich schlang die Arme um meinen Körper, versuchte, meine Wut loszukriegen. Als Deirdre laut ächzte, als habe ihr jemand in den Bauch getreten, klang das weit, weit weg.

»Immer mit der Ruhe, Vic.« Marilyns Stimme – professionell, ruhig, an verzweifelten Frauen und in Personalfragen geschult –, holte mich wieder in die Realität zurück. »Nicht alle Pflegeheime sind so schrecklich. Findest du nicht, daß du dem System in so einem Fall eine Chance geben solltest? Das ist doch sicher besser, als die Kinder ohne Essen oder sanitäre Einrichtungen da unten zu lassen.«

»Vielleicht könnte ich mit ihr reden«, meinte Deirdre vorsichtig, als habe sie Angst, ich könne ihr das nicht zutrauen.

»Gute Idee.« Marilyn hörte sich an wie eine Beraterin, die die erfolgreiche Bewältigung von Problemen lobt. »Weißt du, Deirdre erledigt ziemlich viel für Home Free, die Leute vom Obdachlosenprogramm.«

Das hatte ich nicht gewußt. Den Namen »Home Free« kannte ich nicht, denn die ganze Energie, die mir noch für ehrenamtliche Tätigkeiten bleibt, stecke ich in Frauengruppen, deshalb weiß ich auch nicht so gut Bescheid über das, was sonst noch so in anderen ebenso wichtigen Bereichen läuft.

Deirdre musterte mich angriffslustig, als wolle sie mich herausfordern, obwohl sie Angst vor mir hatte. Ihr Gesichtsausdruck zwang mich dazu, den Rückzug anzutreten.

»Wenn du sie überreden kannst, sich helfen zu lassen, um so besser. Ich dachte, Lotty könnte sich das asthmatische Kind anschauen – das würdest du doch machen, oder...?«

»Klar, Vic. Aber laß dich mal nicht von deinem Idealismus übermannen. Weißt du, warum wir die TB vor fünfzehn Jahren, als wir die Gelegenheit dazu hatten, nicht ausrotten konnten? Weil die Leute ihre Medikamente nur nehmen, wenn wir sie persönlich dazu auffordern. Ich kann mir hundert kranke, verzweifelte Menschen im Monat anschauen – und das tue ich auch –, aber das macht sie noch lange nicht gesund.«

Ich brachte ein Grinsen zustande. »Lotty, wenn ich die Kleine dazu überreden kann, zu dir in die Klinik zu kommen, bleibe ich mit meiner Smith & Wesson so lange bei ihr, bis sie alle Medikamente genommen hat, die du ihr verschreibst.«

»Nicht schlecht«, meinte Marilyn. »Und du stellst dich dann hin wie Dirty Harry und sagst: ›Make my day: Nimm deine Antibiotika.‹«

Sogar Lotty mußte lachen. Sal rundete den Scherz mit einer kleinen Zote ab, und Marilyn lachte schallend.

Im Schutz des Gelächters flüsterte Deirdre mir zu: »Ich weiß, du traust mir das nicht zu, aber sag mir doch einfach, wo dein Büro ist.«

Meine Angst, sie zu verletzen, ließ mich schneller, als ich

eigentlich wollte, auf ihr Angebot eingehen. »Klar. Versuchen wir's einfach. Ich habe mein Büro im Pulteney-Building, an der Südwestecke Wabash/Monroe. Wie wär's morgen so gegen drei?«

»Du kommst doch am Mittwochabend mit der ganzen Horde. Morgen stehe ich den ganzen Tag in der Küche.«

Ich zuckte zusammen bei der Gehässigkeit in ihrer Stimme. Sie und Fabian gaben eine Party für meinen Lieblingsprofessor in Jura. Ich war erstaunt, aber auch erfreut gewesen, eingeladen worden zu sein. Doch jetzt ärgerte ich mich, weil Deirdre mich so aus dem Gleichgewicht brachte und weil ich selbst versuchte, sie zu beschwichtigen. Jedenfalls fuchtelte ich wild mit den Händen herum, als ich ihr antwortete.

»Hoffentlich machst du dir nicht meinetwegen soviel Mühe; ich esse alles. Kalte Pizza, Sachen von McDonald's, alles.«

Sie fletschte die Zähne bei dem Versuch zu lächeln. »Ich mach' das nicht für dich, Vic: Die ganzen Schnösel aus der Stadt kommen, um zu sehen, wie Fabian Manfred Yeo um den Bart streicht, damit er die Stelle als Bundesrichter kriegt, auf die er's abgesehen hat. Und ich schnipsel den lieben langen Tag Gemüse und fülle so viele verdammte Windbeutel wie möglich, damit die Leute auch merken, was für ein toller Gentleman Fabian ist.« Sie schloß mit der grimmigen Parodie eines englischen Akzents.

Ich zuckte zusammen. »Wenn das alles so schrecklich ist, komme ich lieber nicht – dann mußt du einen Windbeutel weniger füllen.«

»Bitte nicht, Vic – du wirst das einzige menschliche Wesen im Haus sein. Außerdem wollte Manfred, daß du kommst. Fabian hat ihn gefragt, ob er irgend jemanden von seinen früheren Studenten sehen wolle, da hat er dich genannt. Natürlich werden alle da sein, die's zum Richter gebracht haben, aber an dich hätte Fabian sicher nicht gedacht, und das hat er gewußt.« Ihre Stimme und ihr Gesichtsausdruck wurden sanfter, sie sah jetzt beinahe zerbrechlich aus.

»Wie viele Leute kommen?«

»Fünfunddreißig. Der Sohn von Senator Gantner kommt auch. Wenn ich könnte, würde ich mich bei dir im Keller verstecken. Ich schaue am Freitagnachmittag bei dir vorbei.« Sie schlang den Mantel um ihre hochgezogenen Schultern, wartete, ob irgend jemand von den anderen sie begleiten würde, und ging dann allein hinaus.

»Irgendwas stimmt nicht mit der Frau«, meinte Sal, nachdem wir die Haustür hinter ihr ins Schloß hatten fallen hören. »Ich hab' das Gefühl, daß sie sich in einem der Betten oben wohler fühlen würde als hier unten bei uns am Tisch.«

»Sie ist einfach schüchtern«, erwiderte Marilyn. »Sie bereitet sich immer auf die Beiratssitzungen hier vor, und ich weiß, daß sie wertvolle Arbeit für Home Free leistet. Ist gar nicht so leicht, so ganz ohne Beruf dazustehen, wenn alle anderen einen haben. Wieso hat sie sich denn gerade so aufgeregt, Vic? Wegen deiner obdachlosen Familie?«

»Nein. Sie und Fabian geben am Mittwoch eine große Party, aber Deirdre macht ein solches Trara darum, daß ich schon überlege, ob ich mir kurzfristig eine Grippe zulege. Sie bereitet das ganze Essen für fünfunddreißig Leute vor. Er verdient doch nicht schlecht – warum können sie keinen Partyservice beauftragen?«

»Was, du bist bei Fabian Messenger eingeladen?« Sal lachte. »Ist das nicht dieser aufgeblasene Republikaner-Berater? Was habt ihr zwei denn gemein?«

Jetzt lachte ich. »Bloß die Tatsache, daß wir damals, in der Blütezeit der Studentenrevolte, zusammen studiert haben. Er hat während des berühmten Sit-ins die Namen für die Verwaltung aufgenommen, und ich habe zur gleichen Zeit drinnen mitgeholfen, die erste Frauengewerkschaft zu organisieren. Dann hat er drei Jahre lang als Assistent beim Obersten Gerichtshof gearbeitet und ist mit Glanz und Gloria an seine Alma mater zurückgekehrt. Jetzt sitzt er rechts von den Rechten, während ich in einem Rattenloch in der Innenstadt residiere. Apropos: Sal, hast du 'ne Ahnung, wie ich an ein neues Büro kommen könnte? Wenn ich nämlich nicht bald was finde, muß ich in dein Büro im Golden Glow ziehen.«

Sal legte mir den Arm um die Schulter. »Tja, das ist eine ernsthafte Drohung, meine Liebe. Aber ich hab' dir ja von Anfang an gesagt, daß das Golden Glow ein Glückstreffer ist: Die meisten Sachen, die ich kaufe und verkaufe, sind Sanierungsobjekte in Wohngebieten, in denen du wahrscheinlich nicht arbeiten möchtest. Vielleicht könnte ich was Passendes finden, aber im Moment läuft das Geschäft nicht so gut. Verlaß dich lieber nicht darauf.«

Sal hatte auch den Kauf und den Wiederaufbau von Arcadia House initiiert, aber das war am Logan Square, zu weit weg vom Loop, der Chicagoer Innenstadt, wo der größte Teil meiner Kunden sitzt.

»Was ich brauche, Sal, ist ein ganzes Haus. Ich könnte oben wohnen und unten arbeiten.«

Meine Stimme klang sarkastisch, aber sie hob interessiert eine Augenbraue. »Keine schlechte Idee, Vic. Mach dich mal lieber nicht drüber lustig.«

Wir gingen miteinander hinaus. Marilyn und Lotty, die sich gerade über die problematische Schwangerschaft einer Bewohnerin des Frauenhauses unterhielten – jemand hatte ihr im sechsten Monat in den Unterleib getreten –, zockelten hinter uns her. Ich hielt mich in der Nähe von Lotty, bis Marilyn und Sal weg waren.

»Warum warst du wegen der Frau im Pulteney so wütend auf mich?« wollte ich wissen.

»Bin ich wütend? Vielleicht. Manchmal habe ich den Eindruck, daß du zu selbstherrlich über das Leben anderer Menschen entscheidest.«

»Wenn eine Ärztin jemand anders selbstherrlich nennt, ist was im Busch.« Ich versuchte, das Ganze witzig klingen zu lassen, aber der Witz ging in die Hose. »Ich will mich der Frau gegenüber nicht als Göttin aufspielen; ich weiß einfach nicht, wie ich ihr helfen soll.«

»Dann mach eben nichts. Oder mach was Cleveres: Überlaß es den zuständigen Behörden, sich den Kopf zu zerbrechen. Vic, ich mache mir immer Sorgen, wenn du anfängst, dich in das Leben anderer Leute einzumischen. Dann muß gewöhnlich jemand leiden. Oft bist *du* das, und es fällt mir schwer, das mit anzusehen, aber letztes Jahr war ich die Betroffene, und das war noch schlimmer. Willst du wirklich warten, bis es diesen Kindern so schlechtgeht, daß du sie mir zum Zusammenflicken bringen kannst?«

Im orangefarbenen Schimmer der Natriumlampen sah ich die harten Linien in ihrem ausdrucksstarken Gesicht. Vor einem Jahr hatten ein paar Schläger Lotty mit mir verwechselt und ihr den Arm gebrochen. Ihr Zorn und mein schlechtes Gewissen hatten einen Keil in unsere Freundschaft getrieben, den wir erst nach Monaten harter Arbeit ein Stück herausgezogen hatten. Hin und wieder bricht die Wunde wieder auf. An jenem Abend war ich nicht in der Verfassung, mir schuldbewußt gegen die Brust zu schlagen.

»Ich versuche, sie nicht zu verletzen und dich nicht in die Sache hineinzuziehen.« Dann schlug ich die Autotür hinter mir zu.

3   Der verlorene Sohn

Ich kleidete mich sorgfältig für mein Treffen mit Darraugh Graham: mit einem schwarzen Wollrock, einer weißen Seidenbluse und meinen roten Magli-Pumps. Wenn man näher hinschaut, sieht man, daß das Leder schon ziemlich brüchig ist, so alt sind die Schuhe schon. Ich pflege sie nach Kräften mit Schuhcreme und Imprägniermitteln, neuen Sohlen und Absätzen, denn sie durch neue zu ersetzen, würde mich fast eine Monatsmiete kosten. Sie bringen mir Glück, diese Magli-Pumps. Vielleicht würde auch ein bißchen davon auf die Obdachlose in meinem Keller abfärben, wenn ich die Schuhe auf dem Weg in ihr Versteck trug.

Bevor ich wegging, kramte ich noch ein paar alte Decken und Pullover aus dem Schrank. Mittags hatte ich sicher ein bißchen Zeit, um sie ihr vorbeizubringen.

Es war erst zwanzig nach sieben, als ich die drei Stockwerke hinunterklapperte, so zeitig, daß ich die drei Häuserblocks von der Garage zu Grahams Büro nicht rennen mußte. Ich konnte es mir nicht leisten, mit heraushängender Zunge und wirrem Haar bei ihm anzukommen.

Die beiden Hunde, um die mein Nachbar unter mir und ich mich gemeinsam kümmern, hörten meine Schritte und begannen zu bellen. Bis Mr. Contreras endlich an die Tür kam, war ich schon zum Haus hinaus. Ich rief noch schnell zurück, daß ich am Abend mit den Hunden Gassi gehen würde, dann sprang ich in meinen Wagen und fuhr los.

Treffen mit Darraugh verlaufen im allgemeinen so trocken, daß ich das Gefühl habe, Kreide im Mund zu haben. Effiziente Untergebene und disziplinierte leitende Angestellte wurden hereingerufen, wenn es ihrer Sachkenntnis bedurfte, und sie verlasen ihre Berichte mit einer Ruhe, die einem Rolls-Royce-Getriebe alle Ehre gemacht hätte.

Wenn man früh dran ist, bekommt man im Sitzungssaal Kaffee und Brötchen. Bei der Gelegenheit höre ich die Geschichten von den Kindern, die ins Basketballtraining gehen, oder die Probleme mit der Schneefräse. Um Punkt acht schneit dann Darraugh höchstpersönlich herein, und alles eitle Geplauder verstummt. Es hat schon Tage gegeben, an denen ich noch schnell hinter ihm auf meinen Platz schlüpfte, mir einen frostigen Blick einhandelte und die spitze Aufforderung, etwas zu sagen, wenn ich noch dabei war, meinen Mantel auszuziehen und meine Unterlagen auf dem Tisch abzulegen. Aber die Zeiten sind vorbei. Schließlich werde ich bald vierzig. Und außerdem kann ich es mir nicht leisten, gefeuert zu werden.

Als Darraugh heute hereinmarschierte, hatte er einen ungepflegten jungen Mann im Schlepptau. Ich blinzelte. Selbst bei IBM hätte man in der absoluten Blütezeit nie so viele gestärkte Kragen und Nadelstreifen auf einen Haufen gesehen wie in Darraughs Sitzungszimmer. Jemand, der es wagte, mit einem Dreitagebart, schulterlangen Haaren, einem schmutzigen Sportsakko und Jeans zur Arbeit zu kommen, wäre sofort wieder in dem schwarzen Loch verschwunden, aus dem er gerade geschlüpft war. Ob der Typ wohl ein fehlgeleiteter junger Manager war, dessen Vertreibung aus dem Paradies wir nun alle persönlich beiwohnen durften?

Darraugh stellte ihn nicht vor, aber ein paar Männer neben mir begrüßten den Jungen mit einem vorsichtigen: »Hallo, Ken, wie geht's?« Während der ganzen Sitzung schenkte Darraugh Ken so viel Beachtung wie einem leeren Stuhl. Der junge Mann förderte diesen Eindruck noch, indem er mit runden Schultern seine Gürtelschnalle anstarrte.

Nachdem Darraugh uns über den Konsens der Gruppe informiert und seine Sekretärin versprochen hatte, daß wir die Protokolle bis zwei bekommen würden, hob Ken schließlich den Kopf und machte Anstalten, aufzustehen.

»Einen Augenblick«, bellte Darraugh. »MacKenzie, Vic, würdet ihr bitte noch dableiben? Ich komm' dann später zu dir runter, Charlie, um den Fall Netherlands zu besprechen. Ach ja, Luke, wir sehen uns um drei, oder? Wir müssen noch über die Anlage in Bloomington reden.«

Alle anderen verdrückten sich artig. Ken ließ sich wieder auf seinen Stuhl sinken, die Hände tief in den Taschen seiner Jeans vergraben, und stieß einen Seufzer aus, den die Linguisten weltweit als Zeichen der Verachtung für die gesamte Erwachsenenwelt deuten.

Darraugh hob die Hand, um seinen Krawattenknoten zurechtzurücken. »Darf ich vorstellen? MacKenzie Graham, mein Sohn. – Victoria Warshawski.«

»Dein Vertreter«, murmelte Ken in Richtung seiner Brust.

Darraugh tat so, als habe er ihn nicht gehört. »MacKenzie hat gerade Pause am College. Nur vorübergehend, wie wir hoffen.«

»Kann ich nachvollziehen«, rutschte es mir heraus.

Mein Klient machte ein finsteres Gesicht, aber Ken hob, plötzlich interessiert, den Kopf.

»Er studiert in Harvard. Das ist in unserer Familie seit zweihundert Jahren Tradition«, preßte Darraugh hervor.

»Wenn ich mit der Tradition gebrochen hätte und nach Yale gegangen wäre, sähe es jetzt auch nicht anders aus«, meinte Ken.

»Soll ich jetzt so was wie ein Frage- und Antwortspiel mit euch spielen oder was? Hätt's denn einen Unterschied gemacht, wenn er nach Berkeley gegangen wäre?«

»Na klar«, herrschte Darraugh mich an. »Wenn er nach Yale oder Berkeley gegangen wäre, hätte er keine Bewährung – dann müßte er jetzt selber sehen, wie er sich sein Geld verdient. Aber die in Harvard geben ihm ein Jahr frei. Nächstes Jahr im Januar kann er dann wieder zurück, wenn er sich ordentlich aufführt...«

»Soll heißen, wenn ich in Gedanken, Worten und Werken rein wie ein Lämmchen bleibe«, fiel sein Sohn ihm ins Wort. »Man hat mich beim Hacken erwischt. Das machen alle, aber bestraft werden nur die, die man erwischt.«

»Was du nicht sagst. Und die anderen tausend Sachen verschweigst du einfach, nach dem Motto: Unterschlagen tut doch jeder, nur Iwan Boeski hat sich erwischen lassen.«

Ken wurde rot und starrte wieder seine Gürtelschnalle an. »Es ist nämlich so«, meinte Darraugh, »daß der junge Mann auch beim Staat Bewährung hat. Er hat sich einige geheime Akten des Energieministeriums angeschaut. Wenn ich nicht ein paar Leute in Washington kennen würde, müßte er jetzt fünf bis zehn Jahre in Leavenworth absitzen.«

»Dann hat es sich wenigstens gelohnt, daß du Alec Gantner die ganzen Jahre über soviel Geld hast zukommen lassen. Eine deiner besten Investitionen«, murmelte Ken.

»Freut mich, daß alles so glimpflich verlaufen ist«, sagte ich, so höflich ich konnte. »Ich hoffe, daß Sie Ihren Abschluß schaffen. Sie studieren doch Informatik, oder?«

»Nein, russische Literatur. Computer sind bloß mein Hobby.«

»Ich erzähle Ihnen das alles nicht, damit Sie sich drüber lustig machen können, Warshawski. Ich brauche Ihre Hilfe. Ken muß zweihundert Stunden gemeinnützige Arbeit verrichten. Ich möchte, daß Sie das arrangieren.«

Ich schluckte ein paarmal. »Aber *Sie* sitzen doch in den ganzen Ausschüssen, oder? Im Förderkreis für die Symphoniker und so. Sie kennen doch sicher Dutzende von gemeinnützigen Einrichtungen, die ihn nehmen.«

»Um solche Sachen hat sich immer meine Frau gekümmert«, meinte Darraugh steif, als gestehe er eine Schwäche ein. »Und das Art Institute akzeptieren sie nicht als gemeinnützige Einrichtung. Ich zahle Ihnen natürlich Ihr übliches Honorar.«

Darraugh war seit fast zehn Jahren Witwer. Nach dem Tod seiner Frau hatte er sich in die Arbeit gestürzt, und irgendwann war das zur Gewohnheit geworden, er konnte nicht mehr anders.

»Ich wollte Schulkindern zeigen, wie man Hacker sein kann, ohne sich erwischen zu lassen, aber mein Bewährungshelfer hält das nicht für eine gute Idee.« Ken schaute mich so vielsagend an, als habe er mich eben auf eine Probe gestellt, die ich ohnehin nicht bestehen könne.

»Wie einfallslos. Tja, Darraugh, ich kenne eine ganze Reihe von Einrichtungen, die jemanden mit Computerkenntnissen brauchen könnten, aber ein Typ mit einem so lockeren Mundwerk kommt nicht gut an.«

»Die Sache ist mir wirklich wichtig, Vic.« Darraugh betonte seine Worte gerade genug, daß sie nicht nach einer Drohung klangen. »Ich möchte, daß ihr zwei auf einen Kaffee nach unten geht, um euch ein bißchen kennenzulernen. Überlegt mal, was euch einfällt.«

»Aye, aye, Captain.« Ken stemmte sich aus seinem Stuhl. »Müssen wir den Kaffee schwarz trinken, oder kann ich zwei Stück Zucker haben?«

Darraugh starrte ihn düster an, besaß aber genug gesunden Menschenverstand, um ihm nicht zu antworten. »Die Leute von der Bewährungshilfe werden allmählich ungeduldig. Bis nächste Woche müssen wir was vorweisen.«

Am liebsten hätte ich Kens militärisch-zackigen Gruß nachgemacht, aber schließlich war Darraugh nicht mein Vater – er war nicht verpflichtet, mich weiterhin zu bezahlen. Wir verließen das Sitzungszimmer schweigend zu dritt. Dann wandte sich Darraugh nach rechts und verschwand in Richtung seines Büros, während Ken und ich zum Aufzug gingen, wo wir wie Zombies auf den Lift zum Untergeschoß warteten. Dort hatte eine der neuen Caféketten eine Filiale eingerichtet. Wenigstens bekam ich da als kleinen Lohn für meine künftigen Bemühungen einen Cappuccino.

»Tja, dann sollten wir mal anfangen, uns kennenzulernen«, meinte Ken und lümmelte sich in eine Ecke. »Wie lange kennen Sie meinen Alten schon? Sie haben ja kaum den Mund aufgemacht, wenn er was gesagt hat.«

»Wie versessen sind Sie darauf, wieder an die Uni zurückzugehen?« konterte ich. »Ich weiß, daß Sie keinen Abschluß brauchen, um sich Ihren Lebensunterhalt zu verdienen – Ihr Vater läßt Sie schon nicht verhungern.«

»Beantworten Sie zuerst meine Frage, dann gebe ich Ihnen auch eine Antwort: So läuft das normalerweise.«

Ich nahm einen Schluck Kaffee. »Sie könnten Gruppen helfen, die Frauen und Kinder unterstützen, das ist das einzige, was mir einfällt. Da geht's um Gewalt in der Familie, Abtreibungssachen, Frauenhäuser. Aber ich werde Sie nicht empfehlen, wenn Sie von einer berufstätigen Frau sofort denken, daß sie mit Ihrem Vater schläft. Mit solch altmodischem Gedankengut wären Sie da einfach fehl am Platz.«

Bis etwa zur Hälfte dessen, was ich sagte, lächelte er süffisant, aber bei der Andeutung, daß er altmodisch sein könnte, riß er den Kopf erstaunt und auch ein bißchen verletzt zurück. Das konnte nicht wahr sein – er war nur halb so alt wie ich.

»Ich möchte nicht wie eine angeschlagene Tomate herumgereicht werden, die mein Alter unbedingt an die Hausfrau bringen möchte.«

»Das verstehe ich. Aber Sie haben sich strafbar gemacht. Machen wir uns doch nichts vor: Es ist nun mal passiert. Und wahrscheinlich wissen Sie genau, daß Sie längst im Knast säßen, wenn Sie arm oder schwarz wären. Ihre Strafe ist es nun mal, eine Tomate zu sein. Wenn Sie sich gut führen, versuche ich, Sie zu befördern – zur Avocado, vielleicht auch zur Aubergine.«

Plötzlich mußte er lächeln, und das ließ ihn jünger, verletzlicher wirken. Doch schon nach ein paar Sekunden runzelte er wieder die Stirn und starrte seine Hände an.

»Ich weiß nicht, ob ich wieder zurück nach Harvard will. Da wissen alle Bescheid. Außerdem kann ich den Abschluß nicht zusammen mit meinem Jahrgang machen.«

»Dann gehen Sie eben nicht zurück. Schließlich gibt's noch tausend andere Colleges im Land.«

»Aber bloß eins davon hat eine Bibliothek, wo ein ganzer Flügel nach den Grahams benannt ist. Für Darraugh wär's weniger peinlich, mich im Knast zu besuchen, als zu erleben, daß ich meinen Abschluß an einer staatlichen Uni mache.«

Tja, die Kümmernisse der Reichen und Berühmten unterscheiden sich halt doch von den Ihren und den meinen. »Machen wir einen Deal: Sie führen sich ordentlich auf, da, wo ich Sie hinvermittle, und ich überrede Ihren Dad, daß er Sie auf das College Ihrer Wahl läßt.«

Ich hob die Hand, um seine Einwände im Keim zu ersticken. »Ich mache ihm klar, daß das eine gute Idee ist. Schließlich hätten viele Schulen nichts dagegen, wenn sie ihrer Bibliothek einen Graham-Flügel hinzufügen könnten, oder? Abgemacht?«

»Tja, wenn Sie meinen.« Er trank seinen Kaffee aus. »Wir haben uns immer noch nicht kennengelernt. Aber wenigstens weiß ich, daß Sie keinen Zucker in den Kaffee tun. Gehören Sie vielleicht auch zu den Frauen, die ständig Diät machen?«

»Nee. Ich mag bloß keinen süßen Kaffee.« Ich stand auf. »Am besten geben Sie mir Ihre Telefonnummer, damit ich nicht immer Ihren Vater anrufen muß, wenn ich Sie erreichen will.«

»Eigentlich sollten Sie mich jetzt fragen, warum ich Zucker in den Kaffee nehme«, sagte er. »So lernen wir uns kennen. Ich wohne jetzt bei Darraugh.«

Ich lächelte. »Aber ich habe seine Privatnummer nicht. Jetzt wissen Sie also mit letzter Sicherheit, daß Ihr Papa und ich nichts miteinander haben. Beruhigt Sie das?«

Er kritzelte die Nummer auf eine Serviette und reichte sie mir. »Vielleicht verstellen Sie sich ja bloß.«

Ich lachte. »Aber tief in Ihrem Innersten wissen Sie, daß ich das nicht tue. Ich melde mich.«

Ich stapfte die Rolltreppe hinauf und spürte dabei das Metall durch die dünnen Sohlen meiner Pumps vibrieren. Im Foyer holte Ken mich ein. Mit gespielter Galanterie packte er meine linke Hand und drückte mir einen Kuß auf die Innenfläche. Dann flitzte er durch die Drehtür, bevor ich reagieren konnte.

4   Schwierige Verhandlungen

Inzwischen war es nach eins. Das hieß, daß ich noch zehn Minuten Zeit hatte, im Pulteney vorbeizuschauen, bevor ich mich am Nachmittag mit einer Frau traf, die sich als Risikofinancier betätigte. Hätte ich doch bloß einen Keks zu meinem Cappuccino gegessen: Jetzt schaffte ich es nicht mal mehr, ein Sandwich runterzuschlingen.

Ich rannte die drei Stockwerke in den Keller des Pulteney-Gebäudes hinunter, konnte aber keine Spur von der Frau und ihren Kindern entdecken. Keine Fußabdrücke, kein Fetzen Butterbrotpapier – es war, als hätten sie nie existiert. Ich stellte die Tüte mit den Decken hinter einen Boiler und steckte einen Umschlag mit dem ganzen Bargeld, das ich entbehren konnte, dazu, dann raste ich über den Loop zu Phoebe Quirks Büro.

Phoebe und ich kannten uns schon seit Jahren – seit unserer

Studienzeit, wo wir zusammen in einer Gruppe gegen die Kriminalisierung der Abtreibung arbeiteten, aus der ich auch Lotty kannte. Ich konnte sie damals ganz gut leiden, aber eng befreundet waren wir nie: Sie stammte aus den wohlhabenden Vororten, wo die Kids abgerissene Jeans anzogen und sich subversiven Gruppen anschlossen, um es ihren Eltern zu zeigen. In den Winterferien, wenn ich mir als Kellnerin ein paar Dollar verdiente, schloß sie gerade lange genug Frieden mit ihren Eltern, um mit der ganzen Familie am Mont Blanc Ski zu fahren.

Aber ihr Idealismus war echt: Nach einer wechselhaften beruflichen Laufbahn, in der sie nicht nur beim Friedenskorps gewesen war, sondern sich auch als Lehrerin an der High-School versucht hatte, war sie Neurologin geworden. Fünf Jahre lang war sie immer wieder mit dem Kopf gegen die unnachgiebe Wand der organisierten Medizin gerannt, bis sie dann eines Tages auf den Parkplatz des Lake Point Hospital fuhr, den Strom von Ärzten und Schwestern betrachtete, die ihren Autos entstiegen, umdrehte und wieder nach Hause fuhr.

Ein paar Monate später hatte sie sich einer kleinen Venture-Capital-Gesellschaft angeschlossen, Capital Concerns. Die Leute dort brauchten Phoebes Kontakte in der Welt der Medizin sowie ihr Know-how für die biotechnischen Ingangsetzungen, auf die sie sich spezialisiert hatten; natürlich hatten sie auch nichts gegen das Treuhandvermögen ihrer Großeltern. Phoebe gefielen die Aufregungen, die so eine Venture-Capital-Gesellschaft mit sich brachte. Sie bewies Talent, und Capital Concerns entsprach auch deshalb ihren Vorstellungen, weil das Unternehmen soziale Programme unterstützte.

Auf Anregung von Phoebe hatte sich Capital wegen Nachforschungen über einige ihrer möglichen zukünftigen Partner mit mir in Verbindung gesetzt. Im vergangenen Jahr war das Unternehmen zu einem meiner wichtigsten Kunden aufgestiegen. Beim heutigen Treffen ging es mehr um Projekte als um Kapital: Phoebe hatte sich bereit erklärt, einer von Conrads vier Schwestern, Camilla, bei der Gründung eines Handwerkerinnenkollektivs zu helfen.

Als ich in Phoebes Büro ankam, war Camilla bereits dort. Sie und Phoebe saßen lachend auf dem Sofa. Camilla trug ein schickes, figurbetonendes schwarzes Jerseykleid und sah nicht so aus, als hielte sie je etwas Schwereres als eine Nagelfeile in der Hand. Da hätte man eher Phoebe, die ihre teuren Kostüme heute so trug wie damals ihre abgerissenen Jeans, mit Schutzhelmen und Gerüsten in Verbindung gebracht. Sie hatte ein marineblaues Kostüm von Donna Karan an, an dessen Rock ein Knopf fehlte. Außerdem waren Kaffeeflecken auf ihrer Bluse.

»Komm rein, Vic. Camilla erzählt mir gerade von ihren ersten Erfahrungen mit sexueller Belästigung am Arbeitsplatz. Wenn sie als einzige Frau in der Schicht arbeitete, haben die Männer Tampons an rostigen Eisenteilen gerieben und die Dinger ins Waschbecken im Klo gelegt. Was glaubst du wohl, warum alle erfolgreichen Frauen eine Toilettengeschichte erzählen können, die ihre Initiation begleitet hat?«

Ich wollte gerade sagen, das bewiese wohl, daß ich keine erfolgreiche Frau war, doch dann fielen mir die Toiletten im Pulteney-Gebäude ein, die ständig verstopft und in den zehn Jahren, die ich nun schon dort war, noch kein einziges Mal repariert worden waren. Zum erstenmal wurde mir bewußt, daß die Herrentoiletten, obwohl auch alles andere als hübsch, immer irgendwie funktioniert hatten. Außerdem gab es davon in jedem Stockwerk eine.

»Das stärkt den Charakter. Oder doch zumindest die Muskeln. Apropos Toilettengeschichten: Ich bin inzwischen so was wie ein Klempner – ich kann einen vollen Werkzeugkasten drei Stockwerke hochtragen, ohne mit der Wimper zu zucken. Wie geht's, Camilla?«

»Kann mich nicht beklagen, Vic. Wie geht's Conrad? Ich hab' nicht mehr mit ihm geredet, seit er Nachtschicht schieben muß.«

Camilla war ein Jahr jünger als Conrad und stand ihm von seinen Familienangehörigen am nächsten. Sehr zum Kummer ihrer verwitweten Mutter hatte sie sich gegen eine Verwaltungstätigkeit entschieden, für die sie aufgrund ihrer High-School-Ausbildung prädestiniert gewesen wäre, und statt dessen als Schweißerlehrling in den alten South Works angefangen. Als es mit der Stahlindustrie bergab ging, hatte sie Bauschreinerin gelernt und bei einem kleinen Bauunternehmen angefangen.

»Jetzt muß ich was anderes probieren«, hatte sie mir im vergangenen Sommer mitgeteilt. »Ich hab' für anständige Kerle und für Arschlöcher gearbeitet; im allgemeinen haben die Arschlöcher überwogen. Aber keiner will mehr Frauen einstellen als unbedingt nötig. Wir werden das ändern und ein eigenes Unternehmen nur mit Frauen gründen. Wir müssen bloß irgendwo das Geld dafür herkriegen.«

Mein erster Gedanke war Sal gewesen, die ziemlich viele Immobiliengeschäfte abschloß, aber die Rezession machte ihr doch sehr zu schaffen, so daß sie keine neuen Projekte finanzieren konnte. Daraufhin hatte ich sie mit Phoebe zusammengebracht, die Camilla und fünf anderen Frauen dabei half, ihr Unternehmen zu gründen, dem sie den Namen Lamia gaben, nach einer alten, griechisch-libyschen Göttin.

Auf Phoebes Anregung hin hatten sie sich auf ein Projekt geeinigt, das sie alle interessierte: billige Wohnungen für alleinerziehende Mütter. Sie hatten einen Architekten gefunden, der ihnen die Pläne zeichnete, damit sie sich um Finanzierung, Baugenehmigung und alles andere kümmern konnten, was man so braucht, wenn man im Bauwesen gute oder auch schlechte Werke tun möchte.

»Wir haben gedacht, an der Baugenehmigung ist nicht mehr zu rütteln, aber plötzlich sieht das anders aus«, erklärte Camilla. »Und nicht nur das: Die Century Bank, die eigentlich einen großen Teil der Finanzierung übernehmen wollte, hat einen Rückzieher gemacht.«

»Und jetzt brauchen wir dich, Vic.« Phoebe grinste mich zahnlückig an, ein bewährtes Mittel, wenn sie etwas erreichen wollte.

»Nein«, sagte ich kurz angebunden.

»Was meinst du mit ›nein‹?« erkundigte sich Camilla.

»Ich meine, daß ich nicht in dem Rattennest im Rathaus rumstochern werde, um rauszufinden, wer da wem den Käse wegfrißt, um eure Genehmigung abzuwürgen.«

»Aber Vic«, fing Camilla an, doch Phoebe fiel ihr ins Wort.

»Vic, das ist ein wichtiges Frauenprojekt. Wir müssen herausfinden, was die Opposition zu solchen Handlungen treibt – liegt es daran, daß Lamia allein Frauen gehört? Oder geht's um die billigen Wohnungen? Denn, um ehrlich zu sein, wir können das Projekt entsprechend ändern.«

Als Camilla einwarf, das Projekt sei zu wichtig, um abgeändert zu werden, winkte Phoebe ab. »Ich weiß, daß alle bei Lamia unbedingt billige Wohnungen für Frauen bauen wollen. Aber zuerst müssen wir das Geld auftreiben und euch einen Ruf zurechtzimmern. Wenn ihr den erst mal habt, könnt ihr euch die Sachen auch aussuchen.«

»Phoebe, du kennst doch die Leute von der Century Bank. Die verlangen für ihre Beratung nichts. Warum willst du mir das Geld in den Rachen werfen?«

Phoebe beugte sich zu mir herüber. »Wenn Interessenkonflikte zwischen der Bank und leitenden Beamten im Rathaus bestehen, vielleicht sogar mit den Gewerkschaften, dann werden die nicht mit mir reden wollen. Aber das könntest du feststellen. Außerdem habe ich gedacht, daß du deine Arbeitszeit für das Lamia-Projekt kostenlos zur Verfügung stellst, genau wie ich. Natürlich ersetzen wir dir die Auslagen.«

»Laß dir das noch mal durch den Kopf gehen. Solche Nachforschungen können mehrere Wochen dauern. Das kann ich mir nicht leisten.«

»Ich erledige die Laufereien für dich«, bot Camilla an. »Ich kann schon ein paar Stunden am Tag für meine eigene Sache erübrigen.«

Ich zog Phoebes Schreibtischstuhl herüber und setzte mich vor die beiden. »Hört mal zu, ihr zwei. Ich habe sechs Wochen Zeit, um ein neues Büro zu finden. Wenn ich hundert Stunden einfach so übrig hätte, würde ich nicht so in der Tinte sitzen. Aber jeder einzelne Auftrag, den ich in den nächsten sechs Monaten übernehme, muß was einbringen – sonst bin ich die erste, die bei Camilla vor der Tür steht und sich um eine ihrer neu gebauten Wohnungen bewirbt.«

»Zuerst mußt du noch ein Baby kriegen«, widersprach Camilla. »Die Wohnungen sind für alleinerziehende *Mütter*, Vic, nicht für arbeitslose Schnüfflerinnen.«

»Capital zahlt dir einen anständigen Vorschuß.« Phoebe runzelte die Stirn, einen Augenblick lang verärgert über uns beide.

»Willst du meine Bücher überprüfen, selber nachschauen, wo mein Geld hingeht?«

Sie wurde rot, ein paar Sommersprossen kamen über ihren Wangenknochen zum Vorschein. »Ich möchte, daß du dich einer wichtigen Klientin gegenüber entgegenkommender verhältst.«

Ich merkte, wie ich unwillkürlich das Kinn vorreckte.

»Phoebe, ich weiß, du opferst deine Zeit für dieses Projekt als Zeichen deines guten Willens und deiner makellosen politischen Gesinnung. Aber ich würde wetten: Wenn ich *deine* Bücher prüfe, stelle ich fest, daß *dein* guter Wille von der Lamia-Gruppe honoriert wird, wenn die erst mal im richtigen Fahrwasser ist. Aber ich habe kein persönliches Vermögen, das ich dafür aufs Spiel setzen könnte. Du kennst ja das alte Sprichwort: Angestellte spielen zum Spaß mit dem Feuer; Arbeiterinnen verbrennen sich daran.«

»Das habe ich noch nie gehört«, herrschte sie mich an. »Und wenn du glaubst, daß ich bei der Sache nichts riskiere...«

»Nun hört mal zu, Mädels«, meinte Camilla. »Ich will nicht, daß ihr zwei euch wegen der Sache in die Haare kriegt und eure Freundschaft aufs Spiel setzt. Vic, warum investierst du nicht einfach mal – na ja, vielleicht zehn Stunden in die Sache und siehst dir an, wieviel Arbeit tatsächlich nötig ist? Wenn es wirklich so aufwendig ist, kann Phoebe dich ja dafür bezahlen.«

»Und wie sieht *dein* Beitrag zu deiner eigenen Sache aus?« wollte Phoebe wissen.

»Wenn jemand versucht, Vic abzuschießen, hole ich Conrad, schneller als die Bullen anrücken können.«

»Wofür wir dir beide sehr dankbar wären.« Conrads Reaktion auf eine solche Situation würde vermutlich folgendermaßen aussehen: Wenn ich wieder so unvorsichtig wäre, jemandem vor die Pistole zu laufen, würde er diese wahrscheinlich selbst in die Hand nehmen, um die Arbeit meines Angreifers zu beenden. Schließlich hatten wir beide uns schon zur Genüge über »unnötige« Risiken für Privatpersonen unterhalten.

Phoebe verzog das Gesicht. Sie wollte keinesfalls klein beigeben, obwohl sie genau wußte, daß ein Kompromiß unumgänglich war. »Fünfzehn Stunden, Vic, dann sehen wir weiter.«

»Na schön, Phoebe, aber das möchte ich schriftlich.«

»Camilla ist Zeugin.«

Ich schüttelte den Kopf. »Die unbezahlten Aufträge fressen einen auf, und am schlimmsten sind die gemeinnützigen Sachen. Schriftlich, sonst läuft nichts. Ich berechne dir auch keine volle Stunde für zehn Minuten Arbeit wie deine Rechtsberater. Bei mir sind fünfzehn Stunden fünfzehn Stunden.«

»Verdammt noch mal, Vic, du bist schon immer ein stures Aas gewesen.« Phoebe wies ihre Sekretärin über die Gegensprechanlage an, die nötige Vereinbarung zu tippen.

Während ich darauf wartete, daß Gemma den Vertrag hereinbrachte, notierte ich mir die Namen von ein paar Kontakten, die Phoebe bei der Bank und Camilla bei der Bezirksverwaltung hatten.

Weder Phoebe noch ich waren sonderlich glücklich, als ich Anstalten machte zu gehen, aber Camilla lachte und meinte: »Das erinnert mich an eine Nutte, die in der gleichen Straße gewohnt hat wie wir. Sie hatte das horizontale Gewerbe aufgegeben und eine Arbeitsvermittlung aufgemacht, aber sie riet uns Mädchen aus der Nachbarschaft immer, aufzupassen, daß der Kunde auch zahlt. ›So‹, hat sie immer gesagt, ›habt ihr nicht das Gefühl, daß ihr ausgenutzt werdet, und er fühlt sich nicht verpflichtet.‹«

»V. I. als Nutte? Der Gedanke gefällt mir«, sagte Phoebe und stand auf. »Ich hab' noch einen Termin. Ihr müßt mich entschuldigen.«

Camilla fuhr im Aufzug mit mir nach unten. »Gib meinem Bruder einen dicken Kuß, wenn du ihn das nächste Mal siehst.«

Ich grinste. »Worauf du dich verlassen kannst.«

»Ich wollte sagen, von mir. Bis dann, Vic.«

Auf meinem Weg zurück ins Pulteney kaufte ich mir schnell einen Bagel mit Schweizer Käse. Ich hatte eigentlich vorgehabt, Phoebe wegen einer Beschäftigungsmöglichkeit für Ken Graham zu fragen, aber meine Verärgerung über ihre Forderungen hatte mich das Problem völlig vergessen lassen. Ich schaute mit finsterem Gesicht in den Spiegel über der Theke in dem Sandwichladen. Ich hatte einfach den Verstand verloren. Noch vor zehn Jahren, vielleicht sogar vor fünf, hätte ich Darraugh und Phoebe gesagt, sie sollten sich zum Teufel scheren. Aber das drohende Mittelalter dämpfte meine Risikofreudigkeit. Dieser neue Zug an mir gefiel mir gar nicht.

Als ich wieder im Pulteney war, legte ich eine Akte für das Lamia-Projekt an und gab die Daten pflichtschuldig in den Arbeitsspeicher meines Computers ein. In den letzten zehn

Jahren hatte ich Hunderte solcher Jobs erledigt. Ich konnte das fast im Schlaf, aber das bedeutete nicht, daß es deswegen schneller ging. Im Gegenteil: Die Tatsache, daß mich die Tätigkeit anödete, machte mich langsamer.

Ich betrachtete den Bildschirm ein paar Minuten mit gerunzelter Stirn, als erschiene dadurch ein vollendeter Bericht auf seiner glänzenden Oberfläche. Mit bekümmertem Seufzen rief ich Lexis auf, die allwissende juristische Datenbank, und bekam eine Liste der Direktoren und leitenden Angestellten der Century Bank. Während diese Liste ausgedruckt wurde, befragte ich den Dow Jones News Service wegen Informationen zu Century. Im Elektronikzeitalter wäre die Sekretärinnenausbildung für einen Privatdetektiv viel nützlicher als mein Jurastudium und die Jahre bei der Pflichtverteidigung.

Century ist eine winzige Bank in Uptown, die nur selten in der Zeitung erwähnt wird. Sie feierte in diesem Jahr ihr hundertjähriges Bestehen: Sie war 1892 im Rahmen des »Century of Progress« – des Jahrhunderts des Fortschritts – gegründet worden und machte sich jetzt für ein zweites Jahrhundert bereit. In der *Sun-Times* fand ich ein Foto von den Feierlichkeiten – wenn ich bereit war, eine geringe Gebühr zu entrichten, konnte ich es mir ausdrucken lassen. Ich nahm das Angebot nicht an.

Berichten des *Herald-Star* zufolge bemühte sich Century um die Anliegen der Leute aus dem Uptown-Viertel. Ein Auszug aus der Liste ihrer Kunden war der Story beigefügt, unter ihnen Home Free, die Organisation der Obdachlosenanwälte, die Deirdre unterstützte. Dow Jones berichtete außerdem von einem Interesse der JAD Holdings Group, die Bank zu kaufen. Diese Informationen waren alles andere als weltbewegend, aber nichtsdestotrotz ließ ich sie mir ausdrucken, um etwas in der Hand zu haben.

Vielleicht war ja so etwas wie eine Verschwörung zwischen Rathaus und Bank im Gange, aber wahrscheinlich ging es dabei um so kleine Fische, daß die Zeitung es nicht für nötig hielt, darüber zu berichten. Vielleicht interessierte sich ein höherer Kommunalbeamter für den Grund, auf dem Lamia bauen wollte, und hatte seinen Kollegen veranlaßt, die Baugenehmigung für Lamia zurückzunehmen. Ende der Geschichte.

Weil der Drucker so laut war, hatte ich nicht gehört, wie die Tür aufgegangen war. Als eine Hand mich an der Schulter packte, sprang ich vor Schreck so hoch, daß ich mit dem Knie gegen das Bein meines Schreibtisches knallte. Das Gespenst aus dem Keller stand hinter mir.

»Jessie braucht einen Arzt«, sagte die Frau. Ihre Augen funkelten wild, und sie hatte das Kinn angriffslustig vorgereckt, aber ihre Hände, die sie gegen die dicken Pulloverschichten preßte, zitterten.

»Sofort? Ist es ein Notfall?«

»Sie kann kaum noch atmen. Sie keucht und schnappt nach Luft. Ich hab' sie nach oben gebracht, wie Sie gesagt haben, aber das hat ihr auch nicht geholfen.«

»Wo ist sie jetzt?« Es überraschte mich, daß sie die Kinder allein gelassen hatte, nach ihrer strikten Weigerung vom Vorabend, sie loszulassen.

»Zeigen Sie mir, wie Sie mir helfen können, dann sage ich es Ihnen.«

Ich schaute auf meine Uhr. Es war inzwischen halb sieben. Vielleicht war Lotty noch in der Klinik, aber der Gedanke an ihre wütenden Worte war mir unbehaglich.

»Ich bringe Sie in die Notaufnahme von...« Ich schwieg einen Augenblick und versuchte mir vorzustellen, welches der Krankenhäuser in der Gegend wohl auf eine solche Familie am wenigsten abschreckend wirken würde.

»Das geht nicht«, herrschte sie mich an. »Sie können sie nicht ins Krankenhaus bringen. Sie wissen doch, was dann passiert: Die rufen die Polizei, dann werde ich wegen Vernachlässigung der Kinder festgenommen, und wer kümmert sich dann um sie?«

»Sie haben keine Verwandten, die sich um sie kümmern könnten? Was ist mit ihrem Vater?«

»Wer sind Sie denn? Vielleicht eine Sozialarbeiterin? Ihr Vater hat mich verprügelt, immer wieder, aber das war nicht so schlimm. Wie er allerdings angefangen hat, auch Jessie zu verdreschen, habe ich mir gesagt, jetzt reicht's. Wenn Sie sie ins Krankenhaus bringen, heißt das, Sie schicken sie wieder zurück zu ihrem Vater, weil der eine feste Arbeit hat und sich um sie kümmern will. Ich weiß, wie er sie *anschaut*, aber kümmern tut er sich nicht um sie. Da geht sie mir nie wieder hin, damit Sie das nur wissen. Sie haben was von einem Arzt gesagt, der sie umsonst behandelt, nichts von einem Krankenhaus.«

»Okay. Kein Krankenhaus.«

Ich rief in Lottys Klinik an. Der Anrufbeantworter teilte mir mit, ich solle es in der Notaufnahme des Beth Israel versuchen. Ich legte auf und wählte Lottys Privatnummer. Ich wußte nicht, ob ich erleichtert sein sollte oder nicht, als sie abhob. Dann sagte ich ihr, daß ich die obdachlose Familie gefunden habe und daß sie dringend medizinisch versorgt werden müsse.

Sie klang nicht enthusiastisch, aber niemand, der so hart arbeitet wie Lotty, würde sich über so eine Bitte freuen. Sie sagte, ich solle die drei ins Beth Israel schicken. Als ich ihr erklärte, daß die Frau sich weigerte, in ein Krankenhaus zu gehen, seufzte sie müde und versprach, uns in der Klinik zu empfangen.

Als sie aufgelegt hatte, wandte ich mich wieder der Frau zu. »Okay. Eine Ärztin – eine der besten in ganz Chicago. Kein Krankenhaus. Keine Formulare. Holen Sie Jessie und kommen Sie wieder her. Ich muß noch ein paar Sachen erledigen.«

»Aber Sie rufen nicht die Polizei.« Das war ein Befehl, keine Frage.

»Nein. Ich muß einem Freund sagen, daß ich später komme. Und ich muß den Computer abstellen.«

Sie blieb neben mir stehen, während ich mit Mr. Contreras redete und ihm erklärte, daß ich doch nicht mit den Hunden spazierengehen könne, weil etwas dazwischengekommen sei. Als ich den Computer abschaltete, ging die Frau, um ihre Kinder zu holen. Während sie im Foyer warteten und Jessie nach Luft schnappte, fuhr ich mit einem Taxi über den Loop, um meinen Wagen zu holen.

5 Wie gewonnen, so zerronnen

»Diese Kinder müssen eine Woche ins Krankenhaus, um sich von der Austrocknung und der schlechten Ernährung zu erholen, ganz zu schweigen von den Lungenproblemen, die sie haben«, sagte Lotty in strengem Tonfall.

Sie hatte sich Jessie in der Klinik angeschaut und – nachdem sie ihr Epinephrin verabreicht hatte, um ihr das Atmen zu erleichtern – dann im Beth Israel angerufen, damit man sofort alles für die Aufnahme des Kindes vorbereitete. Anschließend hatte sie mich angewiesen, die Kinder zu baden, während sie sie nacheinander untersuchte. Ohne die Schichten schmutziger Kleider standen ihnen die Knochen heraus wie den Verhungernden in katastrophengebeutelten fernen Ländern.

Während Lotty auf Gelenke klopfte und die Brust der Kinder abhorchte, steckte ich ihre Kleidung in Lottys Waschmaschine im Büro. Dabei entdeckte ich einen gelben Pullover, der mir bekannt vorkam – einer von denen, die ich in der Tüte hinter den Boiler gestellt hatte. Er sah bereits genauso verdreckt aus wie die anderen Sachen.

»Die Lady hier hat mir versprochen...«, fing die Mutter an.

»Vic hat's gut gemeint, aber sie ist keine Ärztin. Es wäre eine Todsünde, wenn ich Sie mit den Kindern wieder in den Keller lassen würde.«

Die Mutter stieß ein gequältes »Nein« aus, sagte aber nichts weiter. Ich erzählte kurz, was sie mir über den Vater der Kinder gesagt hatte.

»Es muß doch jemanden geben, an den Sie sich wenden können, wenigstens wegen der Adresse«, meinte Lotty. »Ich verlange ja gar nicht, daß Sie die Kinder wieder zu Ihrem gewalttätigen Mann bringen, aber Sie müssen auch verstehen, daß das Leben so für sie unerträglich ist.«

»Ja glauben Sie denn, daß ich nicht bei diesem Jemand wäre, wenn es einen solchen Jemand geben würde?« Dabei wischte sich die Frau die Zornestränen weg.

»Hören Sie«, sagte Lotty. »Es gibt Frauenhäuser für Frauen mit Kindern. Ich werde versuchen, Sie in einem davon unterzubringen. Und ich verspreche Ihnen, daß ich nicht die Polizei informiere. Wir geben einfach Vics Adresse an – du kannst ihre Tante spielen, meine Liebe –, das ist doch genau die richtige Rolle für dich.«

»Na schön, *touché*.« Ich wandte mich der Frau zu. »Dann spiele ich eben das Tantchen Ihrer Kinder. Aber Sie müssen auf Dr. Herschel hören. Wenn Ihre Kinder sterben, verlieren

Sie sie für immer, wissen Sie, nicht bloß für die Zeit, in der jemand anders sich um sie kümmert.«

Das gefiel der Frau zwar nicht, aber sie merkte, daß wir nicht vorhatten, klein beizugeben. Lotty entlockte ihr sogar ihren Namen, während wir darauf warteten, daß die Kleider trockneten: Tamar Hawkings. Während die Frau mit argwöhnischem Blick zuschaute, rief Lotty bei den Frauenhäusern an und erklärte Tamars Fall. Alle waren hoffnungslos überfüllt, aber sie versprachen, die Hawkings ganz oben auf die Warteliste zu setzen.

»Vic telefoniert morgen weiter. Aber jetzt müssen Sie ins Krankenhaus.«

Das Gesicht der Mutter wirkte plötzlich hoffnungslos und verzweifelt. Als Lotty noch einmal im Beth Israel anrief und mit dem zuständigen Arzt in der Notaufnahme alle nötigen Einzelheiten besprach, hörte Tamar Hawkings mit angestrengtem Gesicht zu, als wolle sie wirklich ganz sichergehen, daß Lotty sie nicht an die Behörden verriet. Ich persönlich war mir ziemlich sicher, daß die Leute im Krankenhaus sich mit ebendiesen Behörden in Verbindung setzen würden, denn niemand konnte sich diese aufgeblähten Bäuche und krummen Beine anschauen, ohne sofort die entsprechenden Stellen zu informieren. Und danach? Würden sie wieder zu ihrem Vater zurückmüssen?

Lotty machte sich daran, ihr Büro abzuschließen. »Der Arzt heißt Dr. Haroon; er hat versprochen, mit der zuständigen Schwester zu sprechen. Wenn's Probleme gibt, dann frag nach Rosa Kim. Ich schau' mir die Kinder morgen früh noch mal an. Und wo sollen wir Mrs. Hawkings heute nacht unterbringen?«

Ich verzog das Gesicht. »Tja, sie könnte ja mit zu mir kommen.«

Tamar Hawkings schüttelte heftig den Kopf. »Nein. Darauf fall' ich nicht rein. Sie trennen mich nicht von meinen Kindern. Ich kenne meine Rechte: Ich weiß, daß die Mutter im Krankenhaus bei ihren Kindern bleiben darf.«

Während der kurzen Fahrt zum Beth Israel sagte sie kein Wort. In der Zwischenzeit hatte es zu regnen begonnen, ein eiskalter Regen, der sich mit Schnee vermischte und das Fahren zu einer heimtückischen Angelegenheit machte. Ich spürte die Angst der Kinder hinter mir. Angesteckt von der Angst ihrer Mutter redeten sie nichts, aber die Anspannung in ihren kleinen Körpern übertrug sich auf die Sehnen in meinem Nacken.

Da Tamar Hawkings weder eine Green Card noch einen Bürgen hatte, verliefen die ersten Minuten, die wir in der Notaufnahme verbrachten, ziemlich chaotisch. Endlich spürte ich Schwester Rosa Kim auf, die die Sache fähig, wenn auch ziemlich unpersönlich in die Hand nahm. Das Beth Israel war das größte Krankenhaus in Uptown; Kim war es gewöhnt, mit Notfällen aller Art fertig zu werden, bei denen die Betroffenen nicht versichert waren. Als sie Tamar versprach, sie würde die zuständigen Behörden nur dann informieren, wenn sich unerwartete Probleme ergäben, glaubte ich, gehen zu können.

Ich rief Lotty vom Foyer aus an, um ihr zu danken.

»Vic, warum hast du nicht sofort Hilfe geholt, als du sie gestern gefunden hast? Die Kinder befinden sich in einem schrecklichen Zustand.«

»Ich habe ihr Hilfe angeboten, aber sie wollte sie nicht. Ich hätte bloß die Polizei rufen können, und das wäre ein Vertrauensbruch gewesen. Außerdem hat sie sich gut versteckt – ich hab' sie erst wiedergesehen, als sie plötzlich bei mir im Büro stand.«

»Trotzdem wäre es die einzige verantwortungsbewußte Reaktion gewesen, die Polizei zu rufen. Du weißt, daß ich nicht viel davon halte, wenn sich die Polizei in das Leben der Leute einmischt, aber in solchen Situationen kannst du dich nicht einfach zu einem Gott aufspielen.«

»Immer mit der Ruhe, Lotty. Nach zwei Tagen hat Tamar gemerkt, daß sie mir vertrauen kann, also ist sie aus freien Stücken zu mir gekommen. Und jetzt werden die Kinder so versorgt, wie es nötig ist. Ich glaube nicht, daß das selbstherrliches Verhalten war. Das bedeutet nur, daß ich der Mutter eigenverantwortliches Handeln zutraue.«

»Aber gestern abend hättest du Deirdre bitten können, sie in einem der Home-Free-Häuser unterzubringen. Ich glaube nicht, daß die Leute vom Krankenhaus ihr die Kinder wieder zurückgeben werden. Ich würde das jedenfalls nicht.«

Ich verkniff mir eine wütende Antwort. Vielleicht hatte

Lotty recht. Vielleicht wehrte ich mich nur so gegen ihre Anschuldigungen, weil ich nicht zugeben wollte, daß ich am Montag einen Fehler gemacht hatte.

»Ich frage Deirdre morgen beim Abendessen. Der Abend scheint sowieso die Hölle für sie zu werden – vielleicht kann sie dann etwas Nützliches machen und ihn retten.«

Lotty lachte trocken. »Sozusagen das ideale Gastgeschenk. Ich schaue mir die Kinder an, wenn ich meine morgendliche Runde mache.«

In etwas friedlicherer Stimmung als noch vor ein paar Minuten legten wir auf. In den vergangenen zwölf Monaten war es immer wieder zu solchen Auseinandersetzungen und schmerzlichen Ausweichmanövern gekommen.

Auf der ganzen Heimfahrt überlegte ich, was ich hätte machen sollen, als ich Tamar und ihre Kinder fand. Die Frage verfolgte mich bis in meine Träume; ich wachte fiebernd auf in einer Welt voller Eis, das jeden Ast, jede keimende Knospe der Bäume vor meiner Wohnung überzog. Alles schien kristallisiert, und unten auf dem Gehsteig schlitterten die Menschen dahin. Während ich zitternd aus dem Fenster schaute, schleuderten zwei Autos auf der Kreuzung Barry/Racine ineinander.

Meinen ersten Termin hatte ich erst um zehn. Vielleicht war der Zustand der Straßen bis dahin besser. Ich zog Jeans und Pullover an und ging runter, um die Zeitungen zu holen. Hinter Mr. Contreras' Tür hörten mich Peppy und Mitch, die beiden Hunde, und fingen erfreut zu jaulen an. Der alte Mann machte die Tür auf, die Hunde kamen schwanzwedelnd heraus. Ich nahm ihre Pfoten, als sie an mir hochsprangen und mir das Gesicht leckten.

»Ich weiß schon, ich weiß schon«, sagte ich zu Mr. Contreras. »Die brauchen Auslauf. Aber schauen Sie sich mal die Straßen an – wir können nicht raus. Im Lauf des Tages wird's sicher wärmer, schließlich haben wir April. Ich geh' heut abend mit ihnen. Großes Indianerehrenwort. Egal, welche Katastrophen mich heute wieder erwarten... Ich wollte mir grad' einen Kaffee machen. Kommen Sie auf eine Tasse rauf?«

»Ich hab' mir schon einen gemacht, Schätzchen. Warum kommen Sie nicht rein und trinken bei mir 'ne Tasse?«

Der Kaffee des alten Mannes schmeckte immer wie Teer

versetzt mit Benzin. Deswegen erklärte ich ihm schnell, daß ich schon das Wasser aufgesetzt hätte und unbedingt hoch müßte. Zehn Minuten später stand er mit einem Teller klebrigen Gebäcks in der Hand in meiner Küche, und die Hunde strichen um seine Beine.

Das war die letzte Freude, die mir dieser Tag bescherte. Zwischen den verschiedenen Terminen versuchte ich mittags, ein gewisses Interesse für Phoebes und Camillas Problem aufzubringen. Ich schaltete den Computer ein und bemühte mich, ein paar Fragen zusammenzustellen, aber mein Kopf schien absolut leer. Ich sah zu, wie ein Angestellter in dem Gebäude drüben auf der anderen Seite der Hochbahngleise Briefe sortierte. Der nie enden wollende Strom von Papier, raus aus der Post, rein in die Akten, dann wieder rein in die Post, glich sehr meiner eigenen monotonen Aufgabe. Fragen zusammenstellen, Termine ausmachen, Lexis abfragen, die Berichte des Börsenaufsichtsamts lesen. Ein Zug fuhr vorbei. Die Tauben flogen hoch, verdeckten die Sicht auf den Angestellten.

Als das Telefon klingelte, war ich froh, doch dann übermittelte mir Lotty die schlechte Nachricht. »Deine Freundin Mrs. Hawkings ist verschwunden. Sie hat nicht nur ihre Kinder, sondern auch noch Schuhe anderer Leute mitgenommen.«

Einen Augenblick weigerte sich mein Gehirn, diese Information aufzunehmen. Als Lotty das, was sie gesagt hatte, in scharfem Tonfall wiederholte, bat ich sie matt um weitere Einzelheiten.

Offenbar war so gegen zehn eine Sozialarbeiterin zu Tamar und den Kindern gekommen, um sie zu befragen. Sie hatte der Forderung der Mutter zugestimmt, den Vater nicht zu benachrichtigen, jedoch gesagt, die Kinder müßten in ein Heim, wenn Tamar nicht nachweisen könne, daß sie ein solides Zuhause für sie habe, und wenn es sich dabei auch nur um eine Obdachlosenunterkunft handle.

»Na großartig«, sagte ich. »Genau die richtigen Worte. Als ich gestern abend gegangen bin, habe ich gedacht, daß die Leute eben das nicht als Drohung benutzen würden. Tamar hat alles drangesetzt, um die Kinder behalten zu können. Sie wird sie nicht hergeben.«

»Das war keine Drohung, Vic, sondern die Realität. Sie

wollen ihr die Kinder nicht wegnehmen, aber sie kann nicht weiter in Kellern leben mit ihnen.«

»Leider ist Tamar Hawkings da anderer Meinung.« Meine Schultern waren so schwer, als hätte jemand Bleigewichte daran befestigt. »Ich schaue mal nach, ob sie wieder hier ist. Und ich gebe eine Vermißtenmeldung bei der Polizei auf. Aber ich weiß nicht, wie wir sie daran hindern können, wieder abzuhauen. Sollen wir sie vielleicht ins Gefängnis stecken? Wir müssen einen Ort finden, wo sie mit den Kindern hinkann.«

»Dazu fällt mir ein chinesisches Sprichwort ein«, meinte Lotty in ihrem trockensten Tonfall: »›Wenn du jemanden vor dem Ertrinken rettest, bist du dein ganzes Leben für ihn verantwortlich.‹«

Mit diesem unheilverkündenden Ausspruch legte sie auf.

6   Kotz und Co.

Der Rest des Tages verlief wie ein verwaschener Alptraum und kulminierte in einem Chef d'œuvre, Deirdres Abendeinladung. Jegliche Hoffnung, Tamar Hawkings' Probleme dort zu lösen, schwand beim ersten Anblick meiner Gastgeberin.

Ich kam ungefähr eine Stunde zu spät in ihrer Villa in der South Side an und konnte von Glück sagen, daß es nicht noch später geworden war. Nachdem Lotty aufgelegt hatte, hatte ich Kevin Whiting angerufen, einen befreundeten Beamten in der Abteilung, die die Vermißtenanzeigen bearbeitete. Tamar, so erklärte er mir, war im engeren Sinne des Wortes natürlich nicht vermißt – schließlich war sie erst seit einer Stunde abgängig. Aber er versprach, die Loop-Patrouillen zu benachrichtigen, für den Fall, daß sie wieder zurück ins Pulteney kam.

Schon ein paar Minuten später rief Whiting zurück: Tamar Hawkings *war* bereits vermißt gemeldet. Leon Hawkings, der in der West Ninety-fifth Street wohnte, hatte die Behörden vor sechs Monaten informiert, daß seine Frau zusammen mit drei Kindern verschwunden sei. Wenn sie also zufällig gefunden wurde, würde ihr Mann als erster davon erfahren.

»O nein, Kevin – das könnt ihr doch nicht machen. Schließlich ist sie ja deswegen weggelaufen, weil ihr Alter sie und die Kinder geprügelt hat.« Ich ging davon aus, daß sie die Wahrheit sagte – warum sollte sie sonst ein solches Hundeleben führen?»Kannst du mir einen Gefallen tun und nachschauen, ob ihr da schon mal was zu tun hattet – wegen Ruhestörung, Gewalt in der Familie oder so?«

»Stehe ich jetzt bei dir auf der Gehaltsliste, Warshawski? Du weißt doch, daß wir keinen Computer haben. Ich kann das hier nicht nachprüfen. Du mußt schon zum zuständigen Revier und dich da erkundigen.«

Ich nagte an meiner Unterlippe. »Kannst du die Jagd abblasen, bis ich mir ganz sicher bin? Ich will der Frau nicht noch mehr Kummer machen.«

»Die sind doch immer noch vermißt, oder? Warum sollten wir dann den Mann benachrichtigen? Beweg mal deinen Hintern rüber nach Chicago Lawn und frag im Revier nach. Wenn irgendein Streifenpolizist eine Familie sieht, auf die die Beschreibung paßt, kannst du sie dir anschauen, bevor wir ihren Alten verständigen.«

»Danke, Kevin, du bist ein Schatz.«

Die Wahrheit sah anders aus: Er war faul. Er hatte nichts dagegen, wenn er den besorgten Verwandten nicht benachrichtigen mußte, denn das brachte Termine und Formulare mit sich. Ich rief bei Chicago Lawn an, aber da draußen kannte ich niemanden, und heutzutage bekommen Privatschnüffler nicht mehr so leicht Gratistips. Ich dachte eine Weile daran, Conrad um Hilfe zu bitten, entschied mich aber dann dagegen. Wenn ich herausfand, daß sich Tamar Hawkings nie offiziell über ihren Mann beschwert hatte, half mir das auch nichts. Schließlich ruft nicht jede mißhandelte Frau die Polizei. Letztlich tun das die wenigsten. Sie kommen nur immer wieder in die Notaufnahmen der Krankenhäuser und erzählen, sie seien die Treppe hinuntergefallen oder gegen eine Tür gelaufen.

Ich rief Marilyn Lieberman, die Geschäftsführerin von Arcadia House, an. »Du erinnerst dich doch noch, daß ich was von einer Obdachlosen in meinem Keller erzählt habe, oder?«

»Klar. Du wolltest sie mir aufhalsen, und ich hab' dir gesagt, es geht nicht. Daran hat sich nichts geändert.«

»Und was ist, wenn ich dir sage, daß sie vor einem gewalttätigen Ehemann weggerannt ist?«

»Stimmt das auch?« wollte Marilyn wissen.

»Sie sagt es jedenfalls. Und wir sagen doch immer, daß wir den Frauen glauben, oder?«

Marilyn stieß einen langen Seufzer aus. »Mein Gott, Vic. Wir sind absolut voll, aber wenn sie nur die Wahl zwischen deinem Keller und einem engen Zimmer hat, das sie mit einer anderen Frau teilt, dann ... Wenn die Kinder jetzt seit sechs Monaten auf der Straße sind, sind die sicher ziemlich wild. Ich weiß nicht so recht. Bring sie mal vorbei, dann arrangiere ich ein Interview mit Eva.«

Eva Kuhn war die Psychotherapeutin von Arcadia House. »Es gibt da ein kleines Problem«, mußte ich zugeben. »Sie ist erst mal untergetaucht.«

Marilyn hörte sich die Geschichte mit Tamar ohne großes Mitleid an. »Sie braucht mehr Hilfe, als wir ihr geben können, Vic. Aber wenn sie tatsächlich wieder auftaucht und wenn du sie überreden kannst, noch irgendwo mit dir hinzugehen, sage ich Eva, daß sie ein diagnostisches Profil erstellen soll. Sprich lieber erst mit Deirdre: Sie hat Kontakte zu den Obdachlosenheimen.« Dann legte sie auf.

Ich nahm meine zweitbeste Taschenlampe und ging damit hinunter in den Keller. Vergebene Liebesmüh. Selbst wenn Mrs. Hawkings tatsächlich wieder hierher zurückgekehrt war, wartete sie sicher nicht darauf, daß ich sie fand. Ich verdrängte meine Angst vor den Ratten und drückte mich hinter den Boiler, wo ich die Familie am Montag entdeckt hatte.

Bei dem Boiler handelte es sich um ein großes schmiedeeisernes Ungetüm aus den zwanziger Jahren, aus der Zeit also, in der das Pulteney gebaut worden war. Zuerst hatte man die Heizung von Kohle auf Öl, dann, zu Anfang meiner Zeit als Mieterin in dem Gebäude, auf Erdgas umgestellt. Irgendwann, lange bevor ich eingezogen war, hatte man eine Wand zwischen Boiler und Fundament eingezogen, so daß gerade noch genug Platz für einen durchschnittlich großen Menschen – oder sechs Ratten nebeneinander – blieb.

Nachdem die dritte an mir vorbeigehuscht war, ließ ich den Strahl der Taschenlampe über die Wand gleiten. Vielleicht steckten die Hawkings hinter der falschen inneren Wand – dort schienen auch die Ratten zu nisten –, aber ich konnte keine Öffnung entdecken. Ich zog mich hastig zurück und ging wieder in mein Büro. Sogar die Monotonie der Berichte und Rechnungen war noch besser, als zusammen mit den Ratten hinter dem Boiler herumzukriechen.

Ich stellte fest, daß ich in den vergangenen Wochen genug gearbeitet hatte, um ein paar Rechnungen stellen zu können. Um drei hatte ich schließlich Rechnungen im Gegenwert von zweitausend Dollar ausgedruckt und in Umschläge gesteckt. Das hieß, daß ich noch ein paar Sachen für Phoebe Quirk erledigen konnte, bevor ich nach Hause fuhr, um mich umzuziehen. Ich machte einen Bekannten im Rathaus ausfindig, der mir vielleicht ein paar Hinweise darauf geben konnte, warum die Stadt die Genehmigungen für Lamia zurückgezogen hatte.

Als Cyrus Lavalle meine Stimme hörte, flüsterte er mir theatralisch zu, daß ich seinen Mitarbeitern meinen Namen nicht hätte angeben sollen. Nein, ich konnte nicht zu ihm ins Büro kommen, aber er würde mich gern um fünf im Golden Glow treffen.

»Ach, komm schon, Cyrus. Inzwischen solltest du mich eigentlich kennen. Ich werde nicht in der Öffentlichkeit versuchen, dich mit Bildern von Andrew Jackson zu erpressen – ich will dir nur ein paar Fragen stellen.«

»Keine Chance, Warshawski«, flüsterte er. »Hier gibt's jede Menge Leute, die ziemlich wenig von dir halten. Es könnte mich meinen Job kosten, wenn ich mit dir gesehen werde.«

Mit anderen Worten: Er wollte auf einen Drink eingeladen werden und noch ein bißchen Geld rausschlagen für seine Informationen über Camillas Projekt. Ich gab widerwillig nach und machte mich wieder an die Arbeit.

Ich hatte einen lukrativen Auftrag von Phoebe – ich sollte die Eigentümer eines kleinen pharmazeutischen Betriebes überprüfen, für den sie sich interessierte und der nur ein einziges Produkt herstellte, einen T-Zellen-Aktivator, für den noch die Genehmigung von der Food and Drug Administration fehlte, damit die Versuche am Menschen beginnen konnten. Eigentlich hieß das Unternehmen »Cellular Enhancement Technology«, aber in meinen Akten verwendete ich den Spitznamen, den Phoebe ihm gegeben hatte – Mr. T. Mr. T. hatte die letzten beiden Jahre keinen rechten Erfolg gehabt, aber wenn die Genehmigung endlich erteilt wurde, konnte das ziemlich viel Geld für Phoebe bringen.

Die biologischen Fragen, um die es dabei ging, verstand ich nicht einmal annähernd, etwas anderes war das mit den Referenzen der Biologen. Ich rief bei den Universitäten an, wo sie angeblich studiert hatten, überprüfte ihre akademischen Grade und erkundigte mich bei verschiedenen Kreditinstituten, ob es um ihre Bonität genausogut bestellt war wie um ihre akademischen Würden.

Das war genug Arbeit für einen Tag. Ich schaltete den Computer ab und sperrte die Tür hinter mir zu. Auf dem Weg nach draußen schaute ich noch ein letztes Mal in den Keller, aber die Ratten waren noch immer unter sich. Natürlich erwartete ich nicht, Tamar Hawkings dort zu entdecken: In ihren Augen hatte ich sie wahrscheinlich an die Sozialarbeiterin verraten. Sie würde sich nicht noch mal aufs Glatteis führen lassen.

Die Temperatur war im Verlauf des Tages beständig gestiegen, so daß das Eis von den Bäumen und Autos schmolz. Die Luft war erfüllt von entsetzlichem Gestank; auf dem Weg über den Loop zum Golden Glow verwandelten sich meine Socken in meinen Nike-Turnschuhen zu nassen Wollappen.

In dem kleinen Lokal setzte ich mich an einen Tisch bei der Heizung und streckte dankbar die Beine aus. Die Wärme der Tiffany-Lampen schenkte mir einen Augenblick die Illusion der Ruhe.

Ich war früh dran, früher als Cyrus Lavalle und früher auch als die Leute, die nach der Arbeit noch schnell einen Drink kippten. Sal Barthele, die das Lokal persönlich führt, kam mit einer Black-Label-Flasche hinter der Theke hervor. Den hufeisenförmigen Mahagonitresen hatte sie im alten Regent's Hotel entdeckt, als das vor zwölf Jahren abgerissen wurde. Sal hatte ihn eigenhändig abgebeizt und poliert, so daß er jetzt wieder so glänzte wie damals, als er die Fabrik des englischen Herstellers anno 1887 verließ. Sal feuert jeden Kellner, der nicht sofort jeden Tropfen, der darauf fällt, wieder wegwischt.

Ich winkte ab. »Heute lieber nicht. Ich muß noch zu Deirdre, wenn ich mit Cyrus Lavalle fertig bin.«

»Mädchen, du brauchst einen Drink, wenn du eine Stunde mit Cyrus überstehen willst. Fehlt dir was?«

Ich tat so, als wolle ich ihr einen Kinnhaken versetzen. – »Ja. Die Krankheit heißt ›Midlife-crisis‹. Ich muß noch mit den Hunden Gassi gehen, mich umziehen und Small talk machen. Das schaffe ich nie, wenn ich jetzt einen Whisky trinke.«

Sie plauderte ein bißchen mit mir, bis Cyrus endlich kam – zwanzig Minuten zu spät. Was für ein Anblick für meine müden Augen: Er trug ein purpurfarbenes Nehru-Hemd und eine lavendelfarbene Seidenhose. Er gab sich höchst erfreut, nicht nur mich, sondern auch Sal und all die anderen Leute zu sehen, die er bei seinen regelmäßigen Barbesuchen traf. Als es mir schließlich gelang, ihn ein wenig zu bremsen, hatte ich trotzdem kein Glück. Das wunderte mich nicht – schließlich sorgten Camillas Frauen nicht für genug Gerede, als daß kleine Angestellte wie Cyrus schon etwas von ihnen gehört hätten. Doch er erklärte sich bereit, umsichtige Nachforschungen anzustellen.

»Und für einen Hunderter sage ich dir sogar, was ich erfahre, Warshawski.«

»Vergiß es, Cyrus. Für einen Hunderter kann ich mir ein richtiges Stadtratsmitglied kaufen.«

Er lächelte süffisant. »Sicher. Aber das würdest du nicht. Du wirst ja gleich rot, wenn du jemanden bestichst, und das verdirbt alles.«

Das sollte vermutlich ein Kompliment sein, doch in Chicago ist es eher eine Schande, wenn man nicht weiß, wie man einen Beamten schmiert. »Aber solche Probleme habe ich bei dir nicht, mein Freund. Fünfzig ist mein letztes Angebot. Mehr ist mir die Sache nicht wert.«

Er handelte mich auf fünfundsechzig hoch und war wahrscheinlich ganz glücklich, als er sich von mir verabschiedete. Ich jedoch joggte mit dröhnendem Kopf durch die Pfützen zu meinem Wagen zurück. Tamar Hawkings, Darraugh Graham, Phoebe und Camilla – das war einfach zu viel. Ich war Privatdetektivin geworden, weil ich meine eigene Herrin sein wollte. Doch in letzter Zeit schien ich nur noch nach der Pfeife anderer zu tanzen.

Ich drehte die Heizung des Trans Am voll auf und versuchte,

während der langsamen Fahrt nach Hause trockene Füße zu bekommen. Der Nebel war so dicht geworden, daß der Verkehr sowohl auf dem Kennedy- als auch auf dem Lake Shore Drive stockte. Ich kämpfte mich durch die Seitenstraßen, aber trotzdem dauerte die Fahrt eine halbe Stunde.

Ich sehnte mich nach meiner Badewanne und dem Drink, den ich bei Sal ausgeschlagen hatte, aber auch daheim war mir keine Ruhe vergönnt. Ich zog meinen Jogginganzug an, holte die Hunde von Mr. Contreras ab und brachte sie mit dem Wagen hinüber zum Lake – der Abendnebel war so dicht, daß ich lieber nicht mit ihnen durch die Straßen laufen wollte. Wir jagten uns gegenseitig ein paarmal um die Lagoon – das reichte zwar für keinen von uns, um richtig wohlig müde zu werden, aber immerhin gaben die Hunde dann bis zum nächsten Morgen Ruhe.

Als ich mich schließlich geduscht und angezogen hatte – Wollkrepphose und elegante Seidenbluse –, war es schon nach sieben; Deirdres Party hatte bereits begonnen. Ich zog meinen alten Wintermantel über und klapperte wieder die Treppe hinunter. Als ich im Wagen saß, sträubte sich erneut alles in mir. Ich mußte an Deirdres gebeugte Schultern denken, an diese verlorene Seele voller Gehässigkeit, und fuhr gemächlich nach Süden.

7 Die Cocktailparty

Als Fabian Messenger seine Professur an der juristischen Fakultät der University of Chicago antrat, kaufte er sich ein Haus im alten Kenwood-Viertel, das etwa eineinhalb Kilometer nördlich des Campus liegt. In Kenwood steht eine Villa neben der anderen – Paläste mit dreißig Zimmern, die auf riesigen Grundstücken im letzten Jahrhundert gebaut wurden, überladen mit allen Holzvertäfelungen und Buntglasfenstern, die sich der Viktorianer nur wünschen konnte. Ziemlich lange befand sich das Viertel auf dem absteigenden Ast, weil die Leute, die sich solche Häuser leisten konnten, Angst vor dem Zuzug Farbiger hatten. Heutzutage jedoch war die Gegend ein gefundenes Fressen für die Immobilienhändler, weil reiche Ärzte und Juristen wie Fabian ihr Ego mit Villen aufpäppelten, die an Größe, Opulenz und pittoresker Umgebung direkt am Lake Michigan nichts zu wünschen übrig ließen.

Es war acht, als ich vor dem Haus – dem Palast – der Messengers vorfuhr. Ich atmete tief durch und ging durch die offenen Eisentore. Ich hatte befürchtet, daß die Gäste schon mit dem Essen angefangen hätten und ich mich so unauffällig wie möglich auf einen Platz setzen müßte, während alle die Gabel fallen ließen und mich anstarrten. Doch das fröhliche Gemurmel beruhigte mich. Offenbar legte Deirdre Wert auf eine lange Cocktailstunde. Bei dem Lärm hörte niemand das Klingeln, also drückte ich einfach die Tür auf und mischte mich unter die Leute.

Frauen in Cocktailkleidern und Männer in Abendanzügen kamen aus einem hell erleuchteten Raum zu meiner Linken. Ein paar Leute musterten mich neugierig, wandten sich aber sofort wieder ihren Gesprächspartnern zu, als sie merkten, daß sie mich nicht kannten. Ich schaute mich nach einem Ort um, wo ich meinen Mantel ablegen konnte. Der Tag war nach dem eisigen Anfang so warm geworden, daß ich ihn nicht gebraucht hätte.

An einer Wand stand eine alte Garderobe aus Eiche, wohl mehr zur Zierde als zur praktischen Nutzung, denn an den Haken hingen nur zwei Strohhüte mit Blumen. Ich wußte nicht, ob ich meinen schäbigen alten Wollmantel dorthin hängen sollte. Als ich zögernd davor stand, entdeckte ich einen Schirmständer, ebenfalls nur zur Zierde: Statt Schirmen befand sich darin ein alter Baseballschläger, handsigniert von Nellie Fox.

Gerade wollte ich meinen Mantel wieder zum Wagen zurücktragen, als ein kleiner Junge mit blonden Ponyfransen in den Flur kam, die ganz ähnlich aussahen wie die von Deirdre zu der Zeit, als ich sie kennengelernt hatte. Er reichte ein Tablett mit Deirdres Windbeuteln herum, war aber so aufgeregt, daß er nie lange genug verweilte, als daß jemand einen davon hätte nehmen können. Ich legte ihm die Hand auf die Schulter; er war so überrascht, daß er das Tablett fallen ließ.

Er schluckte. Die Lebhaftigkeit wich aus seinem Gesicht, und er begann zu zittern.

»Tut mir leid, Kleiner«, sagte ich. »War meine Schuld. Ich hab' dich erschreckt. Komm, ich heb' sie auf – das merkt doch niemand, daß die schon mal auf dem Boden waren –, und dann hilfst du mir dabei, meinen Mantel loszuwerden.«

Er hielt sich die Hand vor den Mund, nickte nervös, rannte zum hinteren Teil des Flurs und rief »Emily! Emily!« durch seine Finger hindurch.

Ich kniete nieder und ordnete das Chaos – Blätterteigdeckel auf schiefe Pilz- und Speckklackse. Deirdre mußte einen ganzen Tag gebraucht haben, sie vorzubereiten, wenn sie genug gemacht hatte, um fünfunddreißig hungrige Mäuler damit zu stopfen. Sie waren ein bißchen zu zäh und ein wenig verbrannt. Warum hatte sie sich überhaupt die Mühe gemacht, wo es eine gute Auswahl an Partyservices gab?

Als ich gerade die letzten Windbeutel abwischte, kam der Junge durch die Schwingtür am anderen Ende des Flurs zurück. An der Hand hatte er eine junge Frau, die wohl sein Kindermädchen war – die Emily, nach der er gerufen hatte. Sie hatte ein teures Wollkleid an, das jedoch für eine Frau mit größerem Busen und schmaleren Hüften bestimmt war. Offenbar trug sie Deirdres abgelegte Kleider auf, ohne sich darum zu scheren, wie sie an ihr aussahen, denn auch das kräftige Pink paßte nicht sonderlich gut zu ihren braunen Wildlederschuhen.

Sie kam verlegen auf mich zu und murmelte etwas, das ich bei dem Lärm nicht verstand. Als sie mir schließlich das Tablett abnahm, merkte ich an dem Babyspeck an ihren Handgelenken, daß sie viel jünger war, als ich gedacht hatte, mit Sicherheit noch ein Teenager.

»Was soll ich mit meinem Mantel machen?« versuchte ich, den Lärm zu übertönen. »Soll ich ihn raufbringen?«

»Josh nimmt ihn Ihnen ab. Sei vorsichtig«, sagte sie, als der Junge ihn packte. »Laß ihn nicht am Boden schleifen.«

Sie sah ihm ängstlich zu, wie er die Stufen hinaufrannte und der Mantel dabei doch über den Teppich schleifte. Sie wollte ihm nach, sah mich jedoch zuerst an, als fürchte sie eine Rüge.

»Der ist schon alt«, meinte ich. »Schmuddeliger, als er ohnehin schon ist, wird er nicht mehr.«

Sie lächelte nicht zurück. Unter ihren dichten, schlecht geschnittenen Haaren wirkte ihr Gesicht langweilig; einen Moment überlegte ich, ob sie vielleicht ein bißchen zurückgeblieben war.

»Die Getränke sind da drin. Soll ich Ihnen etwas bringen?« Ihre Stimme war so leise, daß ich mich anstrengen mußte, sie zu verstehen.

»Ist schon recht. Ich hole mir selber was. Ist Mrs. Messenger da drin?«

Sie schüttelte wortlos den Kopf und brachte dann immerhin heraus, daß Deirdre sich in der Küche aufhalte. Ich schlug das Angebot aus, sie dort zu besuchen, denn Chaos in der Küche vor einem großen Abendessen belastet Gast und Gastgeberin gleichermaßen. Mit einem, wie ich hoffte, freundlichen Lächeln drängte ich mich ins Wohnzimmer.

Fabian Messenger hielt beim Kamin hof, den linken Arm auf dem Sims, mit dem rechten leicht Manfred Yeos Schulter berührend. Etwa ein halbes Dutzend Männer lachten über etwas, das er gesagt hatte.

Ich kämpfte mich durch die Menschenmenge, die sich um die Drinks drängte. Zwei Barkeeper, die einzigen schwarzen Männer im Raum, taten ihr Bestes, um dem Durst der Gruppe Herr zu werden. Ich verlangte einen Whisky und konnte zwischen Red Label und Jim Beam wählen. Ich persönlich würde meinen Gästen nie einen so dünnen, rauhen Scotch anbieten, und dabei verdiene ich wahrscheinlich höchstens ein Zehntel von dem, was Fabian monatlich einstreicht. Murrend nahm ich den Scotch – ich hatte einen zu langen Tag hinter mir, als daß mir ein Glas Chardonnay noch geholfen hätte.

Mit meinem Glas verdrückte ich mich an den Rand des Geschehens. Eine Bedienstete bot mir *hors d'œuvres* von einem Tablett an, aber ich lehnte ab – sie sahen zu sehr nach denen aus, die ich gerade erst vom Boden aufgehoben hatte. Jetzt tauchte auch Josh wieder auf, mit fröhlichem Gesicht und einer Schale Nüssen. Ich nahm eine Handvoll und sah ihm zu, wie er seine Runden im Raum drehte.

Offensichtlich hatte Fabian nach ihm gerufen, denn eine der Frauen tippte Josh auf die Schulter und deutete in Richtung seines Vaters. Sofort hörte er auf, seine Nüsse herumzureichen, und ging hinüber wie ein Ministrant, der zum Papst gerufen wird. Fabian legte ihm eine Hand auf den Kopf, schien ihm eine

Frage zu stellen. Die Gruppe um die beiden lachte, und auch Fabian lachte, aber Josh wand sich zwischen ihren Beinen. Dann entfleuchte er durch eine seitliche Tür, die Schale mit den Nüssen an den Bauch gepreßt.

»Süßer Junge«, sagte ein Mann neben mir.

»Er sieht fast so aus wie Deirdre damals, als ich sie kennengelernt habe – er ist genauso verträumt wie sie.«

»Ach, Sie sind eine alte Freundin von Deirdre? Ich hab' ein paarmal mit Fabian zusammengearbeitet, aber sie kenne ich kaum.«

Wir wechselten die üblichen Floskeln, die man bei einem solchen Gespräch von sich gibt, und schafften es schließlich sogar, uns gegenseitig vorzustellen. Mein Gegenüber war Donald Blakely, der Präsident der Gateway Bank.

»Ich gehöre zu Ihren glücklichen Nutznießern«, sagte ich. »Ich bin zusammen mit Deirdre im Stiftungsbeirat von Arcadia House – wir sind Ihnen wirklich dankbar für Ihren großzügigen Scheck.«

»Arcadia House?« Blakely sah mich verständnislos an.

»Ein Frauenhaus am Logan Square. Sie – oder besser gesagt Ihre Bank – haben uns gerade fünfundzwanzigtausend Dollar überlassen.«

Er lächelte. »Ach so, ja. Wir freuen uns immer, wenn wir wichtigen städtischen Gruppen helfen können. Arbeiten Sie auch für diese Gruppe, Ms. ... äh?«

»Warshawski«, wiederholte ich. »Nein. Ich bin nur im Stiftungsbeirat.«

Er sah sich auf der Suche nach bedeutenderen Gesprächspartnern im Raum um. Als er niemanden finden konnte, wandte er sich wieder mir zu und fragte mich, was ich tue, immerhin so höflich, daß ich ihm in kurzen Worten meine Tätigkeit beschrieb. Man konnte nie wissen – vielleicht brauchte Gateway ja einmal eine selbständige Privatdetektivin.

»Tja, irgendwie verbringe ich in den letzten Wochen zu viel Zeit mit unbezahlten Nachforschungen. Vielleicht könnten Sie mir ja in einem Fall helfen.«

Er wich einen Schritt zurück. »Nein, Ms. ...., das kann ich sicher nicht. Meine Tätigkeit für gemeinnützige Unternehmungen beschränkt sich auf das gelegentliche Ausschreiben eines Schecks. Außerdem wollte ich nie Dick Tracy sein und mit einer Waffe in der Hand in der Stadt rumlaufen.«

Ich mußte lachen. »Die Art von Hilfe habe ich nicht gemeint. Aber ich dachte mir, möglicherweise kennen Sie jemanden von der Century Bank, der sich mit mir unterhalten möchte.«

Wieder sah er sich im Raum um und fragte mich dann, warum ich ihn um diesen Gefallen bat. Als ich ihm von Camillas Problem erzählte, hörte er aufmerksamer zu, aber als ich fertig war, meinte er, er kenne niemanden von Century gut genug, als daß er mich hinschicken könne. Er fragte mich statt dessen, wie ich in so einem Fall vorgehen würde. Ich schilderte ihm kurz meine üblichen Methoden.

»Was, bei einem gemeinnützigen Projekt wenden Sie so viel Zeit auf?« wollte er wissen.

»Wenn ich etwas mache, mache ich es gründlich. Nur so kann ich mit den großen Firmen konkurrieren.«

Wieder schaute er sich um und entdeckte endlich jemanden, der ihn von mir erlöste. Nachdem er kurz meinen Unterarm berührt hatte, wünschte er mir Glück und eilte auf die andere Seite des Raums.

Emily tauchte auf und stolperte über ihre abgewetzten Pumps, als sie Fabian etwas mitteilte. Fabian lächelte huldvoll und ließ die Gruppe um den Kamin allein, um in den Flur zu eilen. Auch die anderen zerstreuten sich, so daß Manfred Yeo einen Augenblick allein blieb. Ich ergriff die Gelegenheit, um zu ihm hinüberzugehen.

Er erkannte mich sofort. »Victoria! Wie schön, Sie wiederzusehen. Wie geht es Ihnen denn, meine Liebe? Viele angesehene Juristen haben an unserer Universität ihren Abschluß gemacht, und eine ganze Menge von ihnen sind heute abend hier, aber mir bereitet es besonderes Vergnügen, über Ihre Arbeit zu lesen – von Brücken zu springen ist viel aufregender, als Revisionsanträge abzuheften.«

Ich hatte im zweiten Studienjahr einen Kurs über Verfassungsrecht bei Yeo belegt. Mit dem Jurastudium hatte ich ziemlich früh begonnen, weil die Universität mir im Rahmen eines Sonderprogramms die Möglichkeit dazu eingeräumt hatte. Mein Vater war damals krank geworden, fünf Jahre

später war er gestorben, und ich wollte unbedingt meine Ausbildung beenden, um eine gewisse finanzielle Sicherheit zu
haben. Yeos Esprit und Verständnis hatten mir das Gefühl
gegeben, daß Jura mir obendrein noch Spaß machen könnte.

Auch er hatte mich gerne gemocht, und so hatte er mir
Ferienjobs in Fabriken oder Büros erspart und mir ein paar
attraktive Praktika vermittelt. Er schickte mir nach wie vor
handsignierte Weihnachtskarten, aber ich hatte immer das Gefühl gehabt, ihn verraten zu haben, weil ich Privatdetektivin
geworden war, noch dazu eine, die am Hungertuch nagte.

Als ich ihm das ein bißchen verlegen erklärte, legte er mir den
Arm um die Schultern. »Meine Liebe, ich bin stolz darauf, daß
Sie Ihre Prinzipien nicht verraten haben, denn auf das Recht
kann man heutzutage nicht mehr stolz sein. Es ist nicht mehr
das, was ich vor fünfzig Jahren voller Freude studiert habe. Ich
schäme mich dafür, daß für viele Juristen heute die Honorarab-
rechnung wichtiger ist als die Gerechtigkeit.«

Ganz unerwartet traten mir Tränen in die Augen. Die Monotonie meiner Arbeit, ja sogar meine Müdigkeit, schwanden
ob seines Lobs. Ich empfand so etwas wie einen schändlichen
Triumph: Donald Blakely, der Banker, deutete von der
Gruppe, in der er jetzt stand, zu mir herüber. Meine Aktien
waren ganz schön gestiegen durch die Berührung von Manfreds Arm. Bei dem Gedanken mußte ich kichern.

»Ach...«, sagte Manfred gerade und ließ meinen Arm los,
»deswegen geht's hier so zu. Es gibt was zu essen.«

Fabian kam eben mit einem Mann ungefähr in meinem Alter
zurück, der Typ Mann, der so gut aussieht, daß er immer sich
selbst mehr lieben wird als jeden anderen Menschen. Irgendwie
kam er mir bekannt vor; einen Augenblick überlegte ich, ob ich
ihn vom Kino kannte.

»Alec Gantner«, erklärte mir Manfred. »Sein Vater war einer
meiner ersten Studenten. Fabian hat den jungen Alec als Vertreter der Familie eingeladen. Ich glaube, ich muß rüber, ihn
begrüßen.«

Natürlich. Alec senior, der republikanische Senator aus Illinois, hatte das gleiche fein ziselierte Gesicht, das nur noch
distinguierter wirkte durchs Alter. Kein Wunder, daß Fabian
so lange mit dem Essen gewartet hatte. Wenn Deirdre recht

hatte und er Bundesrichter werden sollte, war es sicher richtig, Senatoren zu umwerben.

Als Manfred hinüberging, um dem jungen Gantner die Hand zu schütteln, flüsterte Emily uns anderen Gästen nacheinander zu, daß wir jetzt in den Speisesaal gehen könnten.

8 Von Reichen, Säufern und Ratten

Ein langer Tisch beherrschte den Speisesaal. Er war mit Leinen gedeckt, so weiß, daß es mich blendete. Fast hätte man bei dem ganzen Silber, den Blumen und den Kandelabern irgendwo ein Schild mit der Aufschrift »Nur für wichtige Gäste« erwartet, denn die anderen waren an kleinere Tische an den Seiten verbannt.

Natürlich suchten alle zuerst am Haupttisch nach ihrem Namensschild, weil sie hofften, zu den Auserwählten zu gehören. Enttäuschung machte sich bei denen breit, die feststellten, daß sie nicht als wichtig eingestuft wurden. Sogar ich fühlte mich verraten, als ich sah, daß Manfreds herzliche Begrüßung nicht automatisch seinen Wunsch nach sich gezogen hatte, während des Essens neben mir zu sitzen: Ich landete mit dem Bodensatz am Katzentisch neben der Küchentür. Irgendwie mußte ich über mich selbst lachen – schließlich hatten alle meine beruflichen Entscheidungen ganz bewußt von Wohlstand und Macht weggeführt. Wie konnte ich mich jetzt darüber aufregen, wenn sie mich nicht in ihre Reihen aufnahmen.

Plötzlich trat Deirdre durch eine Schwingtür in der Nähe meines Tisches. Sie blieb wie angewurzelt in der Mitte des Raumes stehen, den Kopf in den Nacken geworfen wie eine Kobra, die Augen funkelnd. Die Gäste drängten an ihr vorbei und begrüßten sie, doch sie sagte nichts, bis jemand sie tatsächlich bat, ihr beim Finden seines Platzes behilflich zu sein.

Deirdre verzog den Mund zu etwas Ähnlichem wie einem Lächeln. »Wenden Sie sich doch bitte an mein Töchterchen, wenn Sie Hilfe brauchen; sie hat die Sitzordnung arrangiert. Das war wie in dem alten Georgie-Price-Comic: Ja, du kannst tatsächlich helfen: Stell doch bitte die Platzkarten auf – während die liebe Ehefrau in der Küche werkelt.«

Sie sprach laut genug, daß die Gäste in der Nähe der Küche sie verstehen konnten. Die meisten lachten, doch Emily, die mittlerweile mit einem Kleinkind auf dem Arm hereingekommen war, wurde rot und ließ den Kopf hängen.

Plötzlich wurde mir klar, daß Emily also nicht das Kindermädchen, sondern Deirdres Tochter war. Ihre breite Stirn und die starken Wangenknochen stammten unbestreitbar von Fabian. Die Ähnlichkeit war auffallend; im nachhinein konnte ich es kaum glauben, daß ich das nicht gemacht hatte, als sie vorher neben ihm stand.

Ich versuchte, mich zu erinnern, ob ich irgend etwas Verräterisches gesagt hatte. Gleichzeitig fragte ich mich, wie Deirdre so grausam sein konnte, ihre Tochter in eins ihrer eigenen Kleider zu stecken. Das pinkfarbene Wollkleid paßte der jungen Frau nicht nur schlecht, sondern war eindeutig auch für eine ältere Frau bestimmt, für eine Matrone, nicht für ein Kind. Das führte nur zu Verwirrung über Emilys Status innerhalb der Familie, insbesondere deshalb, weil sie sich ständig um die Kinder kümmerte.

Der etwa zweijährige Junge wand sich in ihren Armen. Emily versuchte ihn abzulenken, indem sie ihm den Kronleuchter zeigte, ein riesiges Ding, dessen Gehänge das Licht in glitzernd blauen und gelben Splittern zurückwarf. Doch das Kind wollte sich nicht beruhigen lassen. Die fortgeschrittene Stunde, der Lärm, die Fremden, all das machte den Jungen aufsässig. Er jammerte und versuchte, sich aus den Armen seiner Schwester zu befreien, doch weder Deirdre noch Fabian schenkten dem Schauspiel Beachtung.

Endlich saßen alle am Haupttisch, am einen Ende Fabian, am anderen Manfred Yeo. Donald Blakely, der Präsident der Gateway Bank, und Alec Gantner hatten Plätze neben Fabian. Die Frauen waren am Tisch verstreut plaziert wie Mohnblumen unter Pinguinen. Möglicherweise waren sie angesehene Juristinnen und Geschäftsfrauen, aber sie sahen aus, als seien sie lediglich als hübsches Beiwerk eingeladen worden.

Zwei kleine Tische mit jeweils sechs Stühlen standen in den Erkern am südlichen Ende des Raumes. Das waren offenbar die neuen Sterne am Himmel des Big Business, diese jungen, gut-gekleideten, selbstbewußten Leute, die sich fröhlich über das Ende der Skisaison unterhielten und sich schon aufs Segeln freuten.

Joshua saß auf ein paar Wörterbüchern neben einem leeren Stuhl am Haupttisch. Ich dachte, seine Mutter würde sich neben ihn setzen, doch nachdem Fabian seine Tischnachbarn gebührend begrüßt hatte, ließ sich Deirdre demonstrativ an meinem Tisch nieder. Vielleicht war das *die* Gelegenheit, die Sache mit Tamar Hawkings und ihren drei Kindern zu bespre-chen, aber so wie Deirdre aussah, konnte man sie höchstens mit der Bitte um eine weitere Flasche Wein belasten.

Emily war mit dem kleinen Jungen in meiner Nähe geblie-ben, während sich die anderen Gäste setzten. Sobald Fabian Platz genommen hatte, brachte sie ihm das Kind. Ihr Vater machte eine ungeduldige Geste und deutete zum anderen Ende des Tisches, zu Manfred. Emily errötete und schleppte den Jungen zu ihm hinüber. Der Professor zeigte gebührende Be-geisterung, und nach einem kurzen Blick auf ihren Vater, der sie nicht beachtete, verließ Emily den Raum.

Deirdre rief sie zurück und fummelte ungeschickt am Py-jama des Kindes herum. »Ja, Nathan. Jetzt, wo dein Daddy Manfred bewiesen hat, wie potent er ist – ist schließlich gar nicht so leicht, mit vierzig noch einen Sohn zu zeugen –, darfst du ins Bett.«

Sie sprach so laut, daß alle Gäste des langen Tisches es hören konnten. Es trat kurzes Schweigen ein. Die Frau zu Fabians Rechter kicherte laut, und alle begannen nervös durcheinan-derzureden. Auch Fabian lachte, aber ein paar Sekunden lang grub die Wut furchterregende Falten um seine Augen und seinen Mund.

Wieder stolperte Emily aus dem Raum. Die beiden Barkee-per halfen der Kellnerin, die kalte Karottensuppe zu servieren. Als Emily wieder zurückkam und sich auf den leeren Stuhl neben Joshua setzte, brachte das Personal bereits den Haupt-gang auf den Tisch. Das Essen war ausgezeichnet – erstaunli-cherweise, wenn man Deirdres angetrunkenen Zustand und die zähen *hors d'œuvres* bedachte.

Deirdre saß mit dem Rücken zum Haupttisch, nahe genug

bei Fabain und Gantner, um den größten Teil ihres Gesprächs mitbekommen zu können. Die beiden Männer unterhielten sich über die Köpfe der beiden Frauen hinweg, die zwischen ihnen saßen, und Donald Blakely schloß sich ihnen an. Die Frauen unternahmen den einen oder anderen Versuch, sich ebenfalls am Gespräch zu beteiligen, aber man schnitt ihnen so erfolgreich das Wort ab, daß sie sich über den Tisch beugen und miteinander vorliebnehmen mußten. Das sah aus, als flögen Propellermaschinen unter riesigen Jumbojets dahin.

Jedesmal, wenn Fabian etwas sagte, zuckte Deirdre auf ihrem Stuhl zusammen. Sie gab sich keine Mühe, ein Gespräch mit ihren Tischnachbarn anzufangen, sondern stocherte in ihrem Essen herum, während sie ein Glas nach dem anderen trank. Wir, die wir an ihrem Tisch saßen, gaben uns größte Mühe, in dieser peinlichen Situation noch erfreut auszusehen. Ich kam mir vor, als schwimme ich einen Wasserfall hinauf.

Am meisten zu bedauern war eine junge Frau namens Lina, die links von Deirdre gelandet war. Sie war mit einem von Fabians Studenten verheiratet – dem Herausgeber der *Law Review* – und vertraute den anderen Gästen an, daß sie gerade erst einundzwanzig geworden war, als sie Brian an Weihnachten geheiratet hatte. Ihre Gastgeberin versuchte, ihre Aufmerksamkeit gleichmäßig zwischen ihrem Weinglas und Fabians Bemerkungen aufzuteilen, während Lina bemüht war, sich mit ihr zu unterhalten – über das Essen, das Haus, die Chicagoer Oper, alles und jedes, um nur ja zu beweisen, daß es Deirdre gutging, daß ihre wütenden Zuckungen nichts anderes waren als ein vorübergehender Alptraum.

Ich tat meine Pflicht und Schuldigkeit, indem ich Brian nach seinen Kursen und seinem und Linas Haus fragte. Eine Frau gegenüber von uns, die in der Gateway Bank für Donald Blakely arbeitete, begann eine lahme Diskussion über einen Klienten in Cedar Rapids. Sonderlich aufregend war das alles nicht, aber an der Oberfläche konnte es durchaus so aussehen, als fühlten wir uns nicht allzu unwohl auf dieser Party. Da brachte Lina die Rede auf Deirdres Kinder.

»Sie sind sicher sehr stolz auf sie«, meinte sie verzweifelt. »Man hört immer wieder, wie klug sie sind. Und Ihre Tochter kümmert sich rührend um ihre kleinen Brüder.«

Deirdre zuckte zusammen. »Mein Töchterchen ist eine richtige kleine Heilige.« In ihrer Stimme klang Sarkasmus mit. »Ich wüßte nicht, was ich ohne sie täte, und ihr Daddy würde sicher sterben, wenn er sie verlöre.«

Lina wandte den Kopf und wischte sich verstohlen eine Träne aus den Augen. Wir anderen saßen einen Augenblick verblüfft da. Schließlich beugte ich mich zu ihr hinüber.

»Brian hat mir von Ihrem Hobby erzählt, dem Reiten. Ich bin nur ein einziges Mal auf einem Pferd gesessen. Das war damals, als mein Dad einen Freund von der berittenen Polizei gebeten hat, mich vor sich in den Sattel zu setzen und mit mir durch den Grant Park zu reiten. Ich hab' das schrecklich aufregend gefunden, aber ich habe auch Angst gehabt. Wann haben Sie angefangen mit dem Reiten?«

Lina biß sich auf die Lippe, antwortete mir aber tapfer. Eleanor Guziak, die Bankerin, schloß sich unserem Gespräch an. Sie redete und gestikulierte ziemlich übertrieben, man merkte deutlich, wie peinlich ihr die Situation war. Als Brian und einer der anderen Männer sich zu unterhalten anfingen, sah ich an Deirdre vorbei hinüber zu Emily. Das Mädchen stocherte im Hauptgang herum, tat aber nicht einmal so, als wolle es tatsächlich etwas essen.

»Was machen Sie, Vic?« erkundigte sich Lina. »Sind Sie auch Juristin?«

»Ich habe zusammen mit Fabian Jura studiert und eine Weile als Pflichtverteidigerin in Mord- und Totschlagfällen gearbeitet, aber seit zehn Jahren bin ich Privatdetektivin.« Meine Zunge war schon ganz dick von dem leeren Gefasel, das ich hier inmitten des Messenger-Chaos von mir geben mußte.

»Tja, Vic ist eine unserer bekanntesten Wohltäterinnen«, mischte sich Deirdre, die offenbar gemerkt hatte, daß sie sich zu wenig um ihre Gäste kümmerte, scherzend ein. »Sie hat auch nicht aufgehört, sich für die Armen und Schwachen einzusetzen, seit sie die Pflichtverteidigung aufgegeben hat. Sie bringt sogar obdachlose Familien in ihrem Büro unter.«

Lina wandte sich mit weitaufgerissenen Augen mir zu. »Tatsächlich? Das ist ja toll von Ihnen. Ich bin immer geknickt, wenn ich in die Stadt fahre und auf der Straße die vielen Obdachlosen sehe, aber ich komme mir so hilflos vor ...«

»Ich bin auch hilflos«, fiel ich ihr ins Wort. »Das Elend nimmt einfach überhand, und ich bin weder mutig noch klug noch reich genug, um zu wissen, was ich dagegen machen soll.«

»Aber wenn Sie eine Familie in Ihrem Büro unterbringen...«, widersprach Lina.

»Das habe ich nicht getan. Deirdre übertreibt.«

»Ach, Vic. Du bist einfach zu bescheiden«, mischte sich Deirdre ein. »Du hast uns doch am Montag erzählt, daß du eine obdachlose Familie untergebracht hast.«

Sie war zu betrunken, um ihre Stimme in der Gewalt zu haben. Die Gespräche am Haupttisch verstummten allmählich, die Leute begannen uns zuzuhören.

»Was sagen denn die anderen Mieter zu Ihrer Großzügigkeit?« Alec Gantner, der Sohn des Senators, hatte sich auf seinem Stuhl herumgedreht, um mich anzusehen.

Ich zwang mich zu einem Lächeln. »Deirdre macht wieder mal einen Elefanten aus einer Mücke. Ich habe eine Frau mit drei kleinen Kindern hinter dem Boiler im Keller meines Bürohauses gefunden, als ich ein Kabel reparieren wollte. Das Haus wird am fünfzehnten Mai abgerissen; es sind nur noch ein paar Mieter da. Ich dachte mir, vielleicht kann die Frau statt da unten bei den Ratten oben in einem der leerstehenden Büros wohnen in den verbleibenden sechs Wochen – wie Sie sich vorstellen können, wimmelt's da unten bloß so von den Viechern. Aber als wir ihre Kinder gestern abend ins Krankenhaus gebracht haben, hat sie Angst bekommen, daß man sie ihr wegnehmen könnte, und ist verschwunden. Ende der Geschichte.«

»Sie haben nicht dran gedacht, die Eigentümer zu benachrichtigen?« mischte sich Donald Blakely, der Gateway-Banker, ein.

»Genau aus diesem Grund war ich unten im Keller: Den Eigentümern sind die Mieter so egal, daß sie nicht mal die nötigsten Reparaturen durchführen lassen. Und ich mache mir nicht genug aus den Eigentümern, um ihnen von dieser Frau zu erzählen. Sie hätten ja doch bloß die Polizei geholt und sie wegen Hausfriedensbruch festnehmen lassen.«

»Das wäre ihr gutes Recht gewesen«, meinte Gantner.

»Eigentlich ist das doch ein Problem der Haftung«, sagte

Eleanor Guziak. »Donald möchte, glaube ich, sagen, daß die Eigentümer dafür haften, wenn die Frau oder jemand anders sich verletzt, selbst wenn sie das Gebäude sträflich vernachlässigt haben.«

Ich war zwar nicht der Meinung, daß Donald das hatte sagen wollen, aber Eleanor befolgte nur das erste Gesetz des Arbeitnehmers: Stell den Chef immer besser hin, als er eigentlich ist. Donald unterstützte sie nach Kräften und wollte dann wissen, wo das Gebäude sich befand.

»Damit Sie die Polizei rufen? Nein danke. Außerdem ist die Frau verschwunden. Ich weiß nicht, ob sie zurückkommen wird, weil sie das Gebäude kennt, oder ob sie wegbleiben wird, weil sie Angst hat, festgenommen zu werden.«

»Donald will nicht die Polizei rufen. Er will der Frau helfen, stimmt's nicht, Donald?« meinte Deirdre.

»Deirdre.« Fabians Stimme klang drohend.

»Nein, komm mir nicht mit deinem ›Deirdre‹. Ich weiß, wovon ich rede. Die Gateway Bank ist der größte Förderer von Unterkünften für Obdachlose in der Stadt. Das haben wir bei Home Free gesehen.« Sie hob ihr Glas und prostete Blakely zu. »Also kann Vic Donald ruhig ihre Geschäftsadresse geben. Es ist das Pulteney-Gebäude gleich in der Nähe der Monroe Street, stimmt's, Vic?«

Ich war überrascht, daß sie sich noch an meine beiläufige Bemerkung erinnerte, und wütend, daß sie mein ganz privates Problem plötzlich ins Licht der Öffentlichkeit zerrte.

Blakely lächelte Deirdre mit ausdruckslosem Gesicht an und warf dann Fabian einen Blick zu. »Das größere Problem sind die vielen Betrunkenen und Verrückten, die sich auf den Straßen rumtreiben.«

»Schon merkwürdig, daß sich die Zahl der Betrunkenen und Verrückten ausgerechnet in den letzten zehn Jahren so erhöht hat«, herrschte ich ihn an.

Gantner und Blakely taten so, als hörten sie mich nicht. Gantner wandte mir wieder den Rücken zu und referierte laut eine Studie der Konservativen, die bewies, daß der größte Teil der Obdachlosen sich freiwillig auf den Straßen herumtrieb. Ich ließ meine Gabel so heftig auf meinen Teller fallen, daß ein Stück Lachs davon hochsprang und auf meiner Seidenbluse landete. Als ich aufstand, um einen der Bediensteten um ein Glas Wasser zu bitten, sah ich, daß Emily zuerst mich, dann Deirdre besorgt anschaute.

Ich ging zu ihr hinüber. »Was ist denn los, Süße? Machen Sie sich Gedanken, weil ich mich mit Ihren Eltern streite?«

Sie zupfte an den Enden ihrer zerzausten Haare herum. »Würde die Polizei die Mutter festnehmen, wenn sie sie fände?«

Wahrscheinlich war es nicht das, was ihr im Kopf herumging, aber ich gab ihr trotzdem eine ernsthafte Antwort. »Könnte schon sein. Die meisten Leute würden behaupten, daß sie eine schlechte Mutter ist, weil sie ihre Kinder in einem Keller untergebracht hat.«

»Und Sie meinen das nicht?«

»Ich weiß nicht genug über sie. Ich denke, vielleicht tut sie nur, was sie kann für die Kinder. Viele Alternativen wird sie nicht haben.«

»Was haben sie dort gemacht?« murmelte sie.

»Sie meinen, wie sie da runtergekommen sind? Das weiß ich nicht – das habe ich mich auch schon gefragt. Ich habe mir heute noch mal den Keller angeschaut, aber ich habe keine versteckten Eingänge finden können.«

»Wovon lebt die Frau denn mit ihren Kindern?«

»Das weiß ich auch nicht, aber irgendwie treibt sie Essen für sie auf.«

»Sind die Ratten nicht gefährlich?« Sie bekam große Augen.

»Die Ratten lassen sie in Ruhe, solange sie etwas zu fressen haben«, antwortete ich überzeugter, als ich war. »Ich gehe oft in den Keller, um Kabel zu reparieren, und sie kommen mir nie zu nahe. Ich halte die Mutter für klug genug, daß sie den Kindern dort nichts zu essen gibt, wo die Ratten sind.«

Fabian musterte uns mit finsterem Gesicht von seinem Ende des Tisches. Emily, die sich auf mich konzentrierte, konnte ihn nicht sehen.

»Aber was ist denn mit dem Vater? Was macht der?«

»Ich weiß es nicht. Vielleicht hat er seinen Job verloren und schämt sich, weil er seine Kinder nicht ernähren kann.« Emily schien so bedrückt, daß ich sie nicht noch mit der Brutalität von Tamars Mann belasten wollte.

»Emily!« schallte es von Fabian herüber. »Laß Ms. War-shawski in Ruhe.«

Emily wurde wieder rot, ihre Angst verschwand hinter der Maske der Dummheit, die sie so problemlos aufsetzen konnte.

»Sie stört mich nicht. Ich unterhalte mich gern mit ihr.«

Ich legte der jungen Frau die Hand auf die Schulter, um sie zu beruhigen. Durch das Wollkleid hindurch spürte ich ihre Anspannung. Ich zog die Hand weg und fühlte, wie sie sich etwas entspannte. Wovor hatte sie Angst? Bestimmt nicht davor, daß ich sie anmachte – sondern vor Fabians Reaktion.

»Sie brauchen sich wegen den Hawkings keine Gedanken zu machen«, sagte ich zu Emily. »Das ist meine Aufgabe. Okay?«

»Wahrscheinlich haben Sie recht.«

Sie starrte mich an, wollte etwas von mir hören, vielleicht so etwas wie eine Bestätigung, daß ihre eigene Familie in Ordnung war, eine Bestätigung, die ich ihr nicht geben konnte. Nach einer ganzen Weile schaute sie ihren Bruder an, der sich an ihren Ärmel klammerte. Sie drehte ihn sanft auf seinem Stuhl herum und erzählte ihm flüsternd Geschichten, wie sie die Ratten mit Stöcken und bösem Gesicht vertreiben würden, wenn ihnen je welche begegneten. Der kleine Junge lachte. Ich wünschte, ich hätte seiner Schwester ebenso einfach Trost spenden können.

9   Ende der Festlichkeiten

Fabian gab mir ein so herrisches Zeichen, daß ich mich versucht fühlte, ihm keine Beachtung zu schenken und auf meinen Platz zurückzukehren, aber Emilys stumme Qual ließ mich dann doch zu ihm hinübergehen.

»Ich habe deine Unterhaltung mit Emily mitbekommen.«

»So wie du die Ohren gespitzt hast, wär's auch ein Wunder gewesen, wenn du nichts mitbekommen hättest.«

»Ich habe gehört, daß du ihr gesagt hast, es sei deine Aufgabe, dich um diese obdachlose Frau zu kümmern. Mir wäre es lieb, wenn du Deirdre nicht damit belasten würdest; sie hat genug am Hals, auch ohne die Sozialfälle, die du aufgabelst.«

Ich machte große Augen angesichts dieser Bemerkung, die so offensichtlich fehl am Platz war, aber bevor mir eine passende Antwort einfiel, fuhr er schon fort.

»Du solltest die Sache Jasper Heccomb übergeben.«

»Jasper Heccomb?« plapperte ich ihm wie ein verwirrter Papagei nach.

»Dem Leiter von Home Free«, sagte Fabian ungeduldig.

»Aber... das ist doch nicht der gleiche Typ, der damals zu unserer Studentenzeit die Antikriegskampagne auf dem Campus angeführt hat, oder?«

»Heccomb?« mischte sich Blakely ein. »Tja, in seiner Jugend war er wohl so was wie ein Radikaler, aber das scheint er hinter sich zu haben. Er leitet Home Free ziemlich effektiv.«

»Ach, Donald – wenn er das nicht schon längst hinter sich hätte, würde er jetzt Schuldscheine zeichnen«, meinte Alec Gantner.

»Kennen Sie ihn denn, Ms. ... äh...«

»Warshawski«, half ich ihm auf die Sprünge. »Er war im letzten Studienjahr, als ich neunundsechzig mit dem Studium angefangen habe. Ich kannte ihn also nicht, bin aber sozusagen hinter ihm hergezockelt. Ich habe bis heute nicht gewußt, was aus ihm geworden ist. Seit wann ist er denn bei Home Free?«

»Seit fünf Jahren«, antwortete Deirdre hinter mir mit lauter Stimme, jede einzelne Silbe sorgfältig betonend. »Und dort macht er genau die Sachen, die Alec und Donald gut gefallen.«

Donald wandte sich auf seinem Stuhl um und lächelte seine Gastgeberin an. »Danke, Deirdre. Das freut mich zu hören. Schließlich gehört Home Free zu den gemeinnützigen Einrichtungen, die Gateway unterstützt, und in Zeiten, in denen das Geld knapp ist, ist es besonders beruhigend, wenn die Einrichtungen, die man fördert, gut geführt werden.«

Inzwischen hatte ich mich wieder auf meinen Stuhl gesetzt und bedachte Deirdre mit einem erbitterten Blick. Nachdem sie mich, ihre Tochter, Gantner und Blakely in Rage gebracht hatte, aß sie jetzt in aller Seelenruhe ihren Salat fertig. Fast als habe unsere Wut sie ernüchtert, unterhielt sie sich nun fröhlich mit Lina. Ich hatte die Nase voll von diesem Affentheater. Ich war gekommen, weil Manfred – wahrscheinlich – darauf bestanden hatte, mich einzuladen. Ich hatte diesen Moment des

Triumphs ausgekostet, aber meine weitere berufliche Laufbahn hing mit Sicherheit nicht davon ab, daß ich ihm oder Fabian oder dem Sohn eines amerikanischen Senators um den Bart ging.

Bevor ich den Raum verlassen konnte, klopfte Fabian mit einem Löffel gegen sein Weinglas, um die Anwesenden zum Schweigen zu bringen. Dann erhob er sich, um selbst etwas zu sagen.

»Ich weiß, daß die meisten von euch morgen früh raus müssen, um so viele honorarträchtige Stunden wie möglich aus ihrem Tag herauszupressen« – höfliches Lachen –, »deshalb möchte ich euch jetzt allen danken, daß ihr gekommen seid. Nach Deirdres grandiosem Grand-Marnier-Soufflé werdet ihr euch mein Gequassel sowieso nicht mehr anhören wollen.«

Er lächelte, ganz der perfekte Familienvater und Gastgeber. Natürlich hätten sie sich einen Partyservice leisten können, wurde mir jetzt klar, aber dann hätte sich Fabian nicht mit einer Frau brüsten können, die daheim blieb, um perfekte Soufflés zu machen.

Er fuhr mit einem geschickten Toast auf Manfred fort. Als er zu sprechen anfing, wurden unsere Gläser mit Dom Perignon gefüllt. Offenbar war das Geld, das er am Whisky gespart hatte, für den Champagner ausgegeben worden.

»Unsere kleine Zusammenkunft heute abend ist eine Referenz an Manfred und an die Gerechtigkeit im allgemeinen«, schloß Fabian. »Er hat Anwälte und Richter, Ankläger und Verteidiger gleichermaßen unterrichtet, und irgendwie ist es ihm gelungen, sowohl Liberale als auch Konservative heranzuzüchten. Manche von uns haben sich bitter bekämpft, aber, wie Shakespeare sagt: Heute sind wir zusammengekommen, um als Freunde miteinander zu essen und zu trinken und dem besten Freund, den wir und das Gesetz jemals gekannt haben, die Ehre zu erweisen.«

Wir erhoben uns alle, um Manfred mit Champagner zuzuprosten. Ich schaute auf meine Uhr. Es war halb elf, doch meine Hoffnungen, mich hinauszustehlen, wurden zunichte gemacht, als Fabian wieder zu reden begann.

»Andere Leute wollen auch noch etwas sagen, aber bevor sie zu Wort kommen, möchte der jüngste Anwesende hier etwas zum besten geben. Er ist zwar kein Jurist, jedenfalls noch nicht, aber er weiß, um mit Daniel Webster zu sprechen, daß es ›ganz oben immer Platz gibt‹. Und Manfreds Abschied hat natürlich eine große Lücke ganz oben hinterlassen. Joshua?«

Als der kleine Junge von seinem Stuhl rutschte, fielen die Wörterbücher, auf denen er gesessen hatte, auf den Boden. Diejenigen, die gesehen hatten, was passiert war, lachten. Joshua wurde rot. Emily biß sich auf die Lippe und half ihrem Bruder, sich aus dem Bücherhaufen hochzurappeln. Dann drehte sie ihren Stuhl so, daß er ihr Gesicht sehen konnte.

Joshua legte die Hände hinter den Rücken und begann, Prosperos Abschiedszeilen an Ferdinand und Miranda aufzusagen. Er sprach schnell, mit hoher, leiser Stimme:

»Das Fest ist jetzt zu Ende; unsre Spieler,
Wie ich Euch sagte, waren Geister und
Sind aufgelöst in Luft, in dünne Luft.
Wie dieses... dieses...«

»Scheines«, soufflierte Emily.

»...Scheines lockrer Bau, so werden
Die wolkenhohen Türme, die Paläste,
Die hehren Tempel, selbst der große Ball,
Ja, was daran... was daran...«

»Nur teilhat«, half seine Schwester ihm wieder auf die Sprünge.
»Nur teilhat«, wiederholte der kleine Junge. »Nur teilhat.«
»Ja, was daran nur teilhat, untergehn«, flüsterte Emily.

Joshua verzog das Gesicht, während er die Worte nachsprach. »Ich kann's nicht«, platzte es schließlich aus ihm heraus. »Ich weiß es nicht mehr. Ich schaff's nicht.«

Er fing an zu weinen. Emily stand auf und legte die Arme um ihn, wandte den Blick jedoch nicht von ihrem Vater. Fabian lächelte, aber ich glaubte, ein häßliches Glitzern in seinen Augen zu entdecken.

»Es ist viel zu spät für so einen kleinen Jungen, noch dazu, wenn er öffentlich etwas aufsagen soll«, hörte ich mich selbst sagen. »Ich glaube, wir wissen alle, daß er den Text gut gelernt hat. Schenken wir ihm doch seinen wohlverdienten Applaus und lassen wir ihn ins Bett gehen.«

Fabian schaute mich überrascht an, als habe einer der Kerzenleuchter plötzlich gesprochen, doch die anderen Anwesenden begrüßten meinen Vorschlag erleichtert. Wir applaudierten dem Jungen, der aus dem Raum ging, die Schwester dicht hinter ihm. Ich beobachtete Deirdre, während sie wegeilten. Sie machte kein Hehl aus ihrer Schadenfreude. Weil Fabian verlegen gewesen war oder wegen ihrer Tochter oder wegen beiden? Mir drehte sich der Magen um, ich mußte wegschauen.

Die Kellner servierten Dessert und Kaffee, und die Leute begannen sich wieder zu unterhalten.

Eleanor Guziak beugte sich über den Tisch zu mir herüber. »Glück gehabt. Fabian führt gern seine Kinder vor – sie sind alle genial –, aber was für eine Qual für so einen kleinen Jungen.«

Gegen elf, als ich dachte, ich würde es keine Sekunde länger aushalten in dem Raum, erhob sich Manfred, um sich bei Fabian und Deirdre für den wunderbaren Abend zu bedanken – warum auch nicht, schließlich hatte er bei ihnen am Tisch gesessen. Dann überraschte er mich, indem er das wiederholte, was er mir früher am Abend bereits im Wohnzimmer gesagt hatte.

»Die Juristerei hat sich sehr verändert, seit ich vor einem halben Jahrzehnt mit dem Studium begonnen habe. Die Menschen scheinen sich heute mehr fürs Geld als für die Gerechtigkeit zu interessieren. Wenn ich irgendeinem von den heute Anwesenden Gerechtigkeitssinn vermittelt habe, scheide ich zufrieden aus dem Berufsleben. Wir haben heute abend die hehren Worte eines bekannten Dichters gehört. Ich würde Sie gern an die Worte seines Zeitgenossen Francis Quarles erinnern. Er schrieb die folgenden Zeilen vor fast vierhundert Jahren, aber sie sind noch nicht so veraltet, daß wir nicht davon profitieren könnten:

›Wende Recht und Medizin nur im Notfall an; wer sie anders verwendet, macht sich selbst zum Schwächling und Verschwender; Recht und Medizin sind gute Heilmittel, taugen schlecht zur Muße und führen zu ruinösen Gewohnheiten.‹«

Als er sich wieder setzte, schwiegen die Anwesenden verblüfft. Ich erhob mich schnell und ging zu ihm hinüber.

»Heute sind schon mehr Lobesworte auf Sie gesprochen worden, als mir jemals einfallen würden. Ich will Ihnen bloß das eine sagen: Jedesmal, wenn ich Sie sprechen höre, sagen Sie etwas Wichtiges. Danke dafür, daß das auch heute abend so war.«

»Viel Glück, Victoria. Ich werde jetzt viel Zeit haben, um Freunde einzuladen. Kommen Sie doch mal auf eine Tasse Kaffee vorbei, wenn Sie grade in der South Side unterwegs sind, um Gangster aufzuspüren.«

Er drückte mir kurz die Hand. Dann umringten ihn seine anderen Exstudenten. Ich verschwand, ohne mich von meinem Gastgeber und seiner Frau zu verabschieden. Als ich den Trans Am wendete, um wieder nach Norden zu fahren, sah ich, daß auch die anderen Gäste allmählich den Heimweg antraten.

Erst am McCormick Place, vielleicht fünf Kilometer nördlich von Kenwood, erinnerte ich mich wieder an meinen Mantel. Ich seufzte verärgert. Wenn ich ihn nicht gleich holte, mußte ich anrufen und einen Zeitpunkt vereinbaren, wann ich ihn abholen konnte. Und dann mußte ich mich entweder freundlich mit Deirdre unterhalten oder ihr klipp und klar erklären, was ich von ihren Kapriolen an diesem Abend hielt. Keine der beiden Alternativen war sonderlich attraktiv. Also lenkte ich den Wagen auf die linke Spur, fuhr an der Twenty-third Street heraus und kehrte in den Süden zurück.

Durch die Läden an den vorderen Fenstern schimmerte noch Licht. Ich rüttelte an der Tür, aber die war inzwischen zugesperrt. Ich läutete und klopfte ungeduldig mit dem Fuß auf den Boden, als eine oder zwei Minuten vergingen. Ich klingelte noch einmal.

Endlich bequemte sich einer der Barkeeper zur Tür.

»Die Party ist vorbei, Miss – es sind alle gegangen.«

»Tut mir leid. Ich hab' meinen Mantel vergessen. Eins von den Kindern hat ihn nach oben gebracht – ich laufe schnell rauf und hole ihn. Ich bin schon so gut wie weg.«

Er musterte mich von oben bis unten. Offenbar überzeugte ihn mein offenes und ehrliches Gesicht davon, daß ich weder eine Einbrecherin noch eine Mörderin war. Er machte die Tür auf und deutete in Richtung Treppe. Auf halber Höhe erst merkte ich, daß ich keine Ahnung hatte, wo ich oben eigentlich hinwollte. Ich rief hinunter, um ihn zu fragen, aber er war bereits wieder im hinteren Teil des Hauses verschwunden.

Alte Wandleuchter erhellten die Treppe und den oberen Flur und ließen die graue Velourstapete samtig schimmern. Dicke Teppiche schluckten meine Schritte.

Oben zögerte ich einen Augenblick, weil ich die Kinder nicht wecken wollte, indem ich irgendwelche Türen öffnete. Stimmen drangen aus einem Zimmer am anderen Ende des langen Flurs. Die Tür stand einen Spaltbreit offen, so daß zusammen mit den Geräuschen auch ein Lichtstrahl herausdrang. Auf halber Höhe des Flurs merkte ich, daß es sich bei dem Geräusch um Fabians Stimme handelte.

»Wie kannst du es nur wagen?« fauchte er. »Mich so vor den Gästen zu blamieren. Ich habe dir schon vor Wochen gesagt, was ich will, und du hast dich bereit erklärt, ihm den Text beizubringen. Du hast mir gesagt, er kann ihn perfekt. Wie lange hast du schon vorgehabt, mich auflaufen zu lassen? Wann ist dir eingefallen, daß das die ideale Methode ist, mich zu blamieren?«

Ich blieb vor der Tür stehen. Emily murmelte etwas Unverständliches als Antwort.

»Steckst du mit ihr unter einer Decke?« wollte Fabian jetzt offensichtlich von Deirdre wissen, weil diese sagte: »Nein, ich stecke nicht mit ihr unter einer Decke. Ich habe Emily sogar heute nachmittag noch einmal gefragt, ob sie sich sicher ist, daß Joshua seinen Text kann, und sie hat ja gesagt.«

Ich hatte gerade die Tür aufdrücken wollen, aber der Schreck über dieses Gespräch ließ mich in der Bewegung erstarren. Sie setzten also Emily unter Druck, obwohl sie selbst ihren Sohn dazu gezwungen hatten, länger aufzubleiben, als gut für ihn war, und sich vor einer Menge von Fremden zu produzieren?

»Und was hast du dir eigentlich dabei gedacht, als du Donald und Alec mit diesem ganzen Scheiß von wegen den Obdachlosen um den Bart gegangen bist? Wenn Warshawski ihre Zeit und Energie in der Gosse verschwenden will, statt ihre juristische Ausbildung sinnvoll einzusetzen, ist das ihre Sache. Aber wieso läßt du dich in so was reinziehen?«

»Ich lasse mich nicht da reinziehen.« Deirdre sprach laut und bedacht, aber ihre Stimme klang brüchig. »Vielleicht erinnerst du dich: Ich bin mit ihr im Stiftungsbeirat des Frauenhauses und arbeite in einem Ausschuß, der sich um Obdachlose kümmert. Schließlich wolltest *du* doch, daß ich mich für wohltätige Zwecke einsetze, statt einem richtigen Beruf nachzugehen. Du hast gedacht, das läßt dich in hellerem Glanz erstrahlen.«

Lautes Klatschen, eine Hand auf menschlichem Fleisch. »Ich rede nicht von Home Free, Deirdre, sondern von dem Scheiß über die Obdachlosen, die in Warshawskis Bürohaus untergekrochen sind. Warum hast du das unbedingt ansprechen müssen?«

»Ich habe es angesprochen, weil ich versuchen werde, der Frau zu helfen. Ich habe mit Vic darüber geredet, und sie meint, ich könnte vielleicht was tun.«

»Du?« Fabian lachte wütend. »Du kannst dich doch nicht mal um dein eigenes Haus und deine Kinder kümmern. Was willst du da mit anderen Leuten? Und du, junge Frau, versuch ja nicht, dich zu verdrücken. Mit dir hab' ich auch noch ein Hühnchen zu rupfen.«

Ich klopfte laut an die Tür und drückte sie auf. Fabian stand vor einem kalten Kamin und sah seine Frau und seine Tochter an wie ein verknöcherter Lehrer seine unartigen Schüler. Emily, die immer noch das absurde pinkfarbene Kleid anhatte, zupfte am unteren Teil herum. Deirdre hatte den Kopf zurückgeworfen wie eine Kobra, aber der rote Fleck von Fabians Hand war immer noch auf ihrer linken Wange zu sehen. Sie waren so vertieft in ihre Auseinandersetzung, daß sie über mein Auftauchen nicht einmal überrascht wirkten.

Wir standen im großen Schlafzimmer – im Schlafzimmer für große Züchtigungen. Es war groß genug für einen Schreibtisch und eine Chaiselongue, und dann war noch immer Platz für eine Tanzveranstaltung. Ich sah meinen schwarzen Wollmantel hinten auf dem extragroßen Bett liegen.

»Laßt jetzt mal Emily in Ruhe«, sagte ich. »Wie alt ist sie überhaupt?«

Deirdre stellte sich neben Fabian. Sie hörten auf, einander haßerfüllt anzustarren, und schauten statt dessen mich voller Wut an.

»Was geht dich das an, Warshawski? Warum sparst du dir deine Neugierde nicht für Männer auf, die dir was dafür *zahlen*, daß du durchs Schlüsselloch ihrer Frau schaust?« fauchte Fabian mich an.

»Mein Gott, Fabian, vielleicht deshalb, weil ich mir Manfreds Worte zu Herzen genommen habe und mich ein bißchen nützlich machen möchte. Ich habe einen entsetzlichen Abend in eurem Haus verbracht, Deirdre hat sich sinnlos betrunken, und du hast dich aufgeführt wie der Gockel auf dem Mist. Ich kann's nicht mehr mit ansehen, wie ihr eure Tochter behandelt – wie ein Kindermädchen. Ihr fragt noch nicht mal, ob eure Anschuldigungen nicht absurd sind.«

»Ich kann mich nicht erinnern, daß ich dich gebeten habe, zu bleiben.« Fabian versuchte es mit Hochmut. »Wenn du uns schon so zum Kotzen findest, warum gehst du dann nicht?«

Ich ging hinüber zum Bett und holte meinen Mantel. »Das würde ich ja gern, aber ich mache mir Sorgen, was du mit Emily anstellst, wenn ich jetzt gehe.«

»Mach dir keine Sorgen um Emily«, meinte Deirdre. »Sie ist Papas Liebling; der passiert schon nichts.«

Emily hatte mittlerweile angefangen zu weinen. Sie versuchte es unauffällig zu tun, aber bei Deirdres Worten schluchzte sie laut auf und weinte: »Ich hasse euch. Ich hasse euch beide! Warum hört ihr nicht auf und laßt mich in Frieden?« Sie rannte aus dem Zimmer und knallte die Tür hinter sich zu.

»Herzlichen Dank, Warshawski«, meinte Fabian sarkastisch. »Danke dafür, daß du meine Tochter durcheinandergebracht und Manfred das Fest versaut hast. Vielleicht solltest du jetzt heimgehen.«

Mir wurde fast schwindelig bei dem Versuch, seiner verqueren Logik zu folgen. »Ja, ich geh' ja schon. Aber Deirdre: Wir müssen uns unterhalten. Morgen, wenn du wieder einen klaren Kopf hast.«

»Danke, ich habe einen völlig klaren Kopf«, fing sie an, aber ich hatte die Nase voll von beiden; ich folgte Emily und knallte die Tür hinter mir zu, so fest es ging.

Auf dem Flur versuchte ich zu erraten, in welches Zimmer Emily geflüchtet war. In keinem war Licht zu sehen, also blieb ich vor jedem Schlüsselloch stehen, um zu lauschen – ich machte genau das, was Fabian mir vorgeworfen hatte –, bis ich hinter einer Tür ersticktes Schluchzen hörte.

Ich klopfte leise an die Holzvertäfelung. »Ich bin's, V. I. – Vic Warshawski. Darf ich reinkommen?«

Als sie nicht antwortete, machte ich die Tür auf und tastete mich in der Dunkelheit bis zum Bett vor. Sie lag voll bekleidet auf der Tagesdecke und schluchzte heftig.

»Na, Mädchen, jetzt nimm's mal nicht so schwer. Du schadest dir nur selber, wenn du so weitermachst.«

»Das wäre mir nur recht«, keuchte sie. »Am liebsten würde ich mich umbringen.«

Ich kniete neben dem Bett nieder und legte ihr die Hand auf die bebende Schulter. »Ich glaube nicht, daß du dich zu Tode weinen kannst, aber du könntest dir eine Rippe brechen dabei... Bloß aus Neugierde: Wie alt bist du eigentlich?«

»Vier... zehn.«

»Ziemlich jung für das, was du machst. Wie alt sind deine Geschwister?«

»Josh ist sechs, und Natie ist zwei.« Durch die Beantwortung dieser einfachen Fragen war sie gezwungen, mit dem Schluchzen aufzuhören.

Ich ließ meine Hand auf ihrer Schulter liegen und massierte sie leicht, während ich darüber nachdachte, wie ich ihr helfen könnte. Lottys Worte schossen mir durch den Kopf, daß immer, wenn ich beschließe, mich in das Leben anderer Menschen einzumischen, jemand verletzt wird. Meine Sorge, Lotty könnte wieder einmal recht behalten, hielt mich davon ab, Emily drastischere Maßnahmen vorzuschlagen.

»In ein paar Jahren kannst du hier weg und aufs College. Ich weiß, in deinem Alter ist es bis achtzehn noch ewig lange hin, aber jedenfalls kannst du dich an dem Gedanken festhalten, dich darauf freuen.« Ich verübelte ihr nicht, daß sie keinen Luftsprung vor Freude machte – es war ein zu schwacher Trost.

»Deine Eltern haben große Probleme«, fügte ich hinzu. »Meiner Meinung nach sind sie sogar verrückt. Glaubst du, du kannst dir das ins Gedächtnis rufen, wenn's wieder hart wird für dich – daß das zwei Menschen mit einem Riesenproblem sind, daß aber nicht du dieses Problem bist?«

»Woher wollen Sie das wissen?« fragte sie wütend in die Tagesdecke hinein. »Sie haben mich doch noch nie zuvor gesehen.«

»Ja, aber ich kenne deine Eltern seit fast zwanzig Jahren. Hör zu, Emily, ich hab' euch den ganzen Abend beobachtet – euch alle drei. Du warst die einzige von euch dreien, die sich in der Situation wie ein erwachsener Mensch aufgeführt hat, obwohl du noch ein Kind bist. Vielleicht ist das normal für dich, weil du nichts anderes kennst, aber glaube mir, die meisten Leute reagieren nicht so. Okay?«

Sie sagte nichts darauf, hörte aber allmählich zu schluchzen auf. Ich kramte in meiner Handtasche und zog eine Visitenkarte heraus. Meine Augen hatten sich in der Zwischenzeit an die Dunkelheit gewöhnt, und ich konnte die Umrisse der Möbel erkennen. Ich streckte die Hand nach etwas aus, das nur ein Schreibtisch oder eine niedrige Frisierkommode sein konnte.

»Mein Name und meine Telefonnummer stehen auf der Karte. Ich lege sie hier auf den Tisch. Wenn du mit mir reden willst, ruf mich an. Oder wenn du denkst, du hältst es hier nicht mehr aus, kann ich dir vielleicht helfen, über Alternativen nachzudenken. Ich weiß zwar auch noch nicht, wie die aussehen könnten, aber das könnten wir ja zusammen feststellen.«

Sie drehte sich auf die Seite, damit sie sich besser mit mir unterhalten konnte. »Das kann ich nicht machen. Ich kann die Jungs nicht im Stich lassen. Sie brauchen mich.«

»Du hast auch ein Recht auf ein eigenes Leben, Emily. Denk drüber nach... Soll ich dir ein Glas Wasser bringen, bevor ich gehe?«

»Ist schon okay«, murmelte sie.

Ich machte die Tür leise zu und versuchte dabei, Emilys Eltern nicht auf mich aufmerksam zu machen. Am anderen Ende des Flurs stritten sich Deirdre und Fabian noch immer lautstark. Sogar auf diese Entfernung und bei geschlossener Tür hörte ich ihre wütenden Stimmen. Unten hatten die Bediensteten mittlerweile alles aufgeräumt und die Lichter ausgemacht. Ich schob den Riegel der massiven Haustür zurück und ging hinaus.

Ich sah mir das Haus noch einmal vom Gehsteig aus an. Das große Schlafzimmer ging auf die Straße. Plötzlich erlosch das Licht hinter dem Fenster. Nach ein paar Sekunden schimmerte dafür schwaches Licht aus einem Zimmer auf der Südseite. Das war Emilys Zimmer. Sie war aufgestanden, oder ein Elternteil hatte sich zu ihr gesellt. Mir wurde fast schlecht, so ohnmächtig kam ich mir vor. Ich floh hinaus in die Nacht.

Es war eins, bis ich endlich zu Hause war. Als ich meine Ausgehkleidung aufhängte, sah ich den Lachsfleck, der immer noch meine weiße Seidenbluse verunzierte.

10   Ein verängstigter Maulwurf

Im Traum hörte ich Emily immer noch schluchzen. Ich folgte dem Geräusch einer reich verzierten Treppe hinunter. Anfangs erhellten mir üppige Wandleuchter noch meinen Abstieg. Mit der linken Hand tastete ich über die reliefartig erhöhten Blumen in der roten Tapete, und meine Füße versanken im Plüsch. An einer Biegung der Treppe ging das Licht plötzlich aus, und ich mußte im Dunkeln weitertappen. Der Samt unter meinen Händen verwandelte sich in Stein; die Treppe verengte sich, der Teppich verschwand. Emilys Schreie hörten nicht auf, aber die Treppe wollte kein Ende nehmen. Als ich schwindelnd nach unten stolperte, fiel sie in sich zusammen. Ich stürzte, scheinbar stundenlang, bis ich vor dem Zimmer landete, in dem das Mädchen weinte. Ich rappelte mich hoch und drückte die Tür auf.

Lotty Herschel stand vor mir. »Versuch ja nicht, sie anzurühren«, meinte sie. »Du verletzt sie bloß.«

Ihre wütenden Worte weckten mich auf. Ich lag eine ganze Weile still da und beobachtete die geisterhaften Schatten, die das graue Licht an die Decke zeichnete. In einer Ecke hatte eine Spinne ihre letzte Ruhestätte gefunden. Sie schwang an einem Faden ihres Netzes in der Luft, die durch meine schlecht schließenden Fenster drang.

In vier Monaten wurde ich vierzig. Die Träume, die ich mit Zwanzig gehabt hatte – eine Sehnsucht nach Ruhm und Menschenfreundlichkeit gleichermaßen –, erschienen mir jetzt genauso gespenstisch und sinnlos wie das letzte Stück schmutzigen Fadens, den die Spinne im Todeskampf gesponnen hatte.

Wieso wollte ich eigentlich das massige Pulteney-Gebäude zusammenhalten, wenn es sowieso in ein paar Wochen zusammenkrachte? Das war wieder einmal typisch für mich. Ich vergeudete ungeheure Energiemengen bei dem Versuch, das Leben fremder Leute zu kitten oder unlösbare Probleme zu lösen. Hinter jeder Naht klaffte wieder ein Riß.

Sogar die Kommode vor meinem Bett, die ich damals mit dem festen Vorsatz, sie abzubeizen und neu einzulassen, auf dem Flohmarkt gekauft hatte – unter den zahlreichen Schichten Firnis verbirgt sich massives Walnußholz, hatte mir die Freundin, die mich begleitete, eine Expertin für solche Sachen, gesagt –, gehört zu dieser Kategorie. Nach fünf Jahren war die abgeblätterte braune Farbe zu einem Teil meines Lebens geworden.

Ich zog mir die Decke über den Kopf und versteckte mich vor dem Anblick der Spinne und der Kommode. Als das Telefon klingelte, ging ich erst mal nicht ran, in der Hoffnung, der Anrufer würde aufgeben. Schließlich streckte ich, die Augen immer noch verklebt, den Arm aus und hob ab.

»Guten Morgen, Baby. Na, wie war's bei den Reichen und Schönen?«

Das war Conrad Rawlings, der in letzter Zeit immer Nachtschicht schieben mußte. Ich setzte mich auf, allmählich regte sich wieder Leben in mir. »Sie haben mich genervt. Ich bin noch im Bett. Wie war's bei dir heute nacht?«

»Sechs Schußverletzungen, eine davon tödlich, eine Messerstecherei, eine Fahrerflucht – der Fahrer hat den Verletzten noch die halbe Western Avenue runtergeschleift – und ein Baby in der Mülltonne. Ich habe den Typ mit dem Wagen erwischt und einen von den Schießwütigen. Und da willst du sagen, *du* warst genervt. Du willst mir doch wohl nicht weismachen, daß die Topjuristen sich so aufführen, oder?«

»Nee, natürlich nicht. Das sind bloß Typen, die ihre Frau und die Kinder ein bißchen piesacken, und die Frauen heben hin und wieder einen über den Durst, das ist alles.« Ich gab mich barsch, um meine brüchige Stimme zu kaschieren.

»Ha, Ms. W. Nimm dir das nicht so zu Herzen. Soll ich vorbeikommen?«

Ich war versucht, ja zu sagen, aber es war schon nach zehn, und ich hatte meinen ersten Termin um elf. Eigentlich hatte ich die Schnauze voll, mich immer antreiben zu lassen, aber irgendwie wurde ich die altmodische Moral des fleißigen Arbeiters einfach nicht los. Vielleicht war das aber auch nur die Stimme meiner verstorbenen Mutter. Als ich einmal mit acht Jahren Schwierigkeiten in der Schule hatte, wollte ich am nächsten Tag nicht mehr hin. Tränenüberströmt sagte ich, ich habe Bauchweh. Mein zartbesaiteter Vater wollte mich mit einem Buch und einem Teddybären ins Bett stecken, aber Gabriella zwang mich dazu, mich anzuziehen. In gebrochenem Englisch, nicht wie sonst auf italienisch – um mir zu zeigen, daß es ihr ernst war –, erklärte sie mir, nur Feiglinge liefen vor ihren Problemen davon, insbesondere vor solchen, die sie sich selbst eingebrockt hatten. Aber nach der Schule wartete sie mit einer Tüte voll Baiser vor dem Schultor auf mich, um mir zu zeigen, daß Tapferkeit belohnt wurde.

Ich schwang meine bleischweren Beine über die Bettkante. »Ach, nichts wäre mir lieber, aber es geht nicht. Wann kriegst du denn wieder eine menschliche Schicht? Nächste Woche?«

»Am Dienstag. Halt den wunderbaren Gedanken, den du jetzt hast, ganz fest und laß dich nicht von diesen großspurigen Bankern und Anwälten anmachen. Ich würde ungern den Rest meines Lebens wegen dir in Joliet verbringen – das würde mir meine Mama nie verzeihen.«

»Wenn du meinetwegen in Schwierigkeiten geraten würdest, würde ich nicht mehr lange genug leben, um mir darüber Gedanken zu machen«, meinte ich trocken. Um der Wahrheit die Ehre zu geben: Conrads Mutter fände wahrscheinlich jede Freundin von Conrad gräßlich, aber die Tatsache, daß ich weiß bin, verstärkte ihre Zuneigung zu mir nicht gerade.

Er lachte leise. »Apropos: Du hast doch nicht vergessen, daß Camilla am Sonntag Geburtstag hat? Glaubst du, du packst das?«

»Schließlich hast du's mit Supergirl zu tun. Für nichts auf der Welt würde ich mir das entgehen lassen. Stell dir vor – ich arbeite sogar an einem Projekt für sie. Ich versuche rauszufinden, warum Stadtrat Lenarski die Baugenehmigung für Lamia zurückgezogen hat.«

»Du hast Zeit für solchen Blödsinn, Ms. W.? Das hälst du dir doch nicht etwa meinetwegen auf, oder? Wenn ja, rufe ich sofort Zu-Zu an und sage ihr, sie soll die Sache abblasen.«

Zu-Zu war Camillas Kosename innerhalb ihrer Familie. »Nein. Das ist nur wieder mal mein schlechtes Gewissen, das mir erbarmungslos im Nacken sitzt.«

»Nicht so trübselig, Baby. Wenn wirklich alles so schlimm ist, wird's Zeit, daß du dir ein bißchen frei nimmst. Kannst du nicht ein paar Tage wegfahren?«

»Nein, dazu sitze ich zu tief in einem finanziellen Loch. Natürlich könnte ich den Trans Am verkaufen und einen billigeren Wagen fahren. Dadurch würde ich ungefähr fünfhundert Dollar im Monat sparen. Ich könnte auch alles verkaufen und ein paar Monate in der Toskana herumreisen. Ein paar Freunde von mir haben das gemacht – sind einfach in Italien und Frankreich rumgefahren, bis ihnen das Geld ausgegangen ist, und dann sind sie wieder nach Chicago zurückgekommen und haben sich eine Arbeit gesucht.«

»Toll!« Conrad war voller Bewunderung. »Woher nehmen die Leute nur den Mut für so was? Vielleicht kommt man, wenn man so aufgewachsen ist wie ich und sein Lebtag Geld für die Familie rangeschafft hat, nie zu einer so lockeren Lebenseinstellung.«

»Mag sein«, stimmte ich ihm zu. »Aber dann sollte ich mir vielleicht doch lieber einen Hund anschaffen.«

»Ich ruf' dich heut abend wieder an, Baby. Laß dich nicht unterkriegen. Hast du gehört?«

Wir legten auf. Das Gespräch hatte mich nicht unbedingt belebt, aber es hatte mir immerhin genug Kraft gegeben, um den Tag zu überstehen – die üblichen Treffen mit Klienten, Nachforschungen im County Building, Besuche beim Grundbuchamt, Nachfragen bei einem Freund bei Motor Vehicles. Was ich eben jeden Tag mache wie ein Hamster im Rad.

Um drei kam ich ins Pulteney, um ein paar Telefonate zu erledigen und das, was ich im Verlauf des Tages herausgefunden hatte, in den Computer einzugeben. Bevor ich in den dritten Stock hinaufging, schaute ich noch kurz im Keller vorbei. Keine Spur von Tamar Hawkings und ihren Kindern, aber als ich im Büro meinen Anrufbeantworter abhörte, erlebte ich eine Überraschung: Kevin Whiting hatte angerufen. Ich erreichte ihn gerade noch im Büro, bevor er weggehen wollte.

Einer der Streifenpolizisten im Loop hatte eine Familie gesehen, auf die meine Beschreibung paßte und die vor dem Coffee-Shop an der Ecke bettelte. Als er sie ansprechen wollte, waren sie im Pulteney verschwunden. Er war ihnen nach drinnen gefolgt, hatte sie aber nicht mehr finden können – wahrscheinlich waren sie die Treppe hinauf. Er war bis in den ersten Stock gegangen, hatte dann aber beschlossen, daß er das Haus nicht allein durchsuchen konnte.

»Du sagst uns Bescheid, wenn du sie siehst, ja, Vic? Wir können nicht zulassen, daß eine Familie einfach in einem Abbruchhaus lebt.«

»Gut, Kevin, danke.« Solange er nicht rüberkommen und die Familie selber aufspüren mußte, spielte er gern den besorgten, pflichtbewußten Bullen am Telefon.

Ich überlegte, ob ich das Gebäude selbst von oben bis unten durchsuchen sollte. Aber um ehrlich zu sein, war meine Begeisterung darüber auch nicht größer als die von Kevin. Ich hinterließ Lotty eine Nachricht auf dem Anrufbeantworter und teilte ihr mit, daß Tamar und die Kinder wieder aufgetaucht waren, dann schaltete ich meinen Computer an und ging die unerledigten Fälle durch. Ich hatte eine nette kleine Datenbank, in der ich die Entwicklung der Fälle eintrug und den Abschluß mit der Bemerkung »abgeschlossen« und dem Datum markierte. Doch in der letzten Zeit hatte ich das leider zu selten eingeben können.

Ich ging in die Datei von Lamia, Camillas Frauengruppe. Die Anzahl der erledigten Aufgaben war ziemlich gering: Ich hatte bei Lexis die Direktoren der Century Bank abgerufen, und ich hatte mich mit Cyrus Lavalle vom Rathaus unterhalten. Jetzt rief ich Cyrus in seinem Büro an. Als er sich meldete, sprach ich in rauh flüsterndem Tonfall.

»Hast du schon was über das Lamia-Projekt rausgefunden?«

»Wer spricht da?« wollte er wissen. »Was wollen Sie?«

»Ich kann dir meinen Namen nicht am Telefon sagen, sonst bekommst du Schwierigkeiten. Deine Bosse könnten rauskriegen, daß du Bildchen von deinen Lieblingspräsidenten gesammelt hast, ohne sie mit ihnen zu teilen, und du weißt, daß sie das nicht mögen.«

»Sagen Sie mir sofort Ihren Namen, sonst benachrichtige ich die Sicherheitskräfte.«

»Und was willst du denen sagen?« fragte ich mit normaler Stimme. »Daß ich dein Gehalt ein bißchen aufbessere?«

»Ach, du bist's, Warshawski. So lustig finde ich das auch wieder nicht.«

»Dann bleibe ich also lieber bei der Schnüffelei und gehe nicht in die Talkshow von David Lettermann. Hast du was Interessantes über Lamia gehört?«

»Ich weiß nicht, wovon du redest.«

Ich schaute den Tauben draußen auf meinem Fensterbrett zu. Die eine suchte gerade auf ihrem Rücken nach Läusen. Die anderen saßen frierend und nicht sonderlich glücklich herum. Cyrus hatte offenbar Angst, daß jemand lauschte.

»Wann bist du allein? Dann rufe ich dich noch mal an.«

»Ich bin dann nicht mehr da.«

»Cyrus, was ist los?«

»Du stellst Fragen, die die Leute nicht beantworten wollen«, zischte er. »Das ist los.«

Ich konnte mir vorstellen, wie er zusammengekauert an seinem Schreibtisch saß wie die Tauben draußen, als könne er sich so nicht nur unhörbar, sondern auch unsichtbar machen. »Dann hast du mein Geld gestern also unter völlig falschen Voraussetzungen genommen. Jemand hat dir mehr als ich geboten, damit du den Mund hältst. Ich habe keine Lust, deine Gedanken zu ersteigern, Cyrus.«

»Ich gebe dir dein Geld wieder zurück. So dringend brauche ich es nicht.« Er legte auf, bevor ich noch etwas sagen konnte.

Na großartig. Das Lamia-Projekt war also zu heiß, als daß man sich hätte dranwagen können. Ich hatte doch gleich am Dienstag, als Phoebe das erstemal darüber sprach, gewußt, daß ich mir nur Ärger einhandeln würde. Ich tippte ihre Nummer so heftig ein, daß mir der Zeigefinger weh tat.

Als ihre Sekretärin mir freundlich mitteilte, Phoebe sei in einer Sitzung, bestand ich darauf, daß sie sie herausholte. Ja, es sei ein Notfall. Ich buchstabierte ihr meinen Familiennamen wie jedesmal wieder, wenn ich mit Gemma redete.

Phoebe kam ziemlich wütend ans Telefon. »Was ist denn los, Vic? Du hast mich aus einer wichtigen Besprechung geholt.«

»Und ich hab' gedacht, die Sache mit Camilla und ihren Frauen ist wirklich wichtig«, meinte ich vorwurfsvoll.

Phoebe schwieg eine ganze Weile. »Ach so, darum geht's.« Ihre Lockerheit hörte sich gekünstelt an. »Ich hätte dich ohnehin noch angerufen. Wir haben uns mit Century geeinigt.«

»Toll. Wie hat sich denn das ergeben?«

»Sie haben mir ihre Situation erklärt: Sie haben der Kommune schon zuviel Geld geliehen. Aber sie haben Home Free überredet, Lamia eins von den Obdachlosenheimen sanieren zu lassen. Willst du mir eine Rechnung schicken für die Arbeit, die du bisher geleistet hast?«

»Nein, nicht nötig.« Ich zeichnete einen Kreis auf meinen Notizblock und verzierte ihn mit ein paar Punkten. »Wir hatten uns ja darauf geeinigt, daß ich fünfzehn Stunden umsonst mache. Ihr habt immer noch dreizehneinhalb gut.«

»Ich werd's mir merken. Danke für deinen Anruf, Vic.«

»Nicht so schnell, Phoebe. Mein Informant im Rathaus, der normalerweise Geld schluckt wie ein kaputter Automat, hat so viel Angst, daß er nicht mal den Namen des Projekts in den Mund nimmt. Und jetzt erklärst du mir ganz nebenbei, daß du dich mit den Leuten von Century getroffen hast. Vor zwei Tagen hast du noch gesagt, du kennst niemanden dort, mit dem du reden könntest. Da hat sich aber mächtig was geändert, findest du nicht auch? Ich hab' dich angerufen, um dir den Kopf zu waschen, weil du mich in eine heiße Sache reingeritten hast, aber jetzt machst du mich wirklich neugierig.«

Phoebe lachte. »Du bist schon zu lange Privatdetektivin, Vic: Dir kommt eben alles verdächtig vor. Camilla hat mich gegen Mittag angerufen und mir gesagt, daß sie mit einem neuen Partner ein anderes Projekt ausarbeitet. Ich habe den ganzen Nachmittag zu tun gehabt, deswegen habe ich dich noch nicht angerufen. Das ist keine große Sache.«

Ich attackierte meinen gepunkteten Kreis mit einer Reihe scharfer Linien. Vielleicht hatte sie recht. Vielleicht war ich einfach nur deprimiert über all die gräßlichen Sachen um mich herum – die materiellen wie die psychischen. Das verrottende Pulteney-Gebäude machte sich in meinem Gehirn breit, ließ mich ausdörren und versauern.

»Okay, Phoebe. Ich treffe Camilla am Sonntag. Dann kann sie mir ja alles erzählen.«

»Das wird sie sicher mit Freuden tun.« Wir legten auf, aber Phoebe hatte einen Augenblick zu lange geschwiegen, bevor sie das Gespräch beendete. Ich konnte fast hören, wie es in ihrem Gehirn ratterte. Sie würde mit Conrads Schwester sprechen, damit sie mir dieselbe Geschichte erzählte wie Phoebe.

Ich tippte den ersten Eintrag in die Akte Lamia: »Cyrus hat Angst, und Phoebe lügt.«

11 Alte Collegebande

Camilla war nicht an ihrem Arbeitsplatz. In dem kleinen Bauunternehmen, für das sie als Bauschreinerin tätig war, hieß es, es habe an dem Tag nichts für sie zu tun gegeben. Auch zu Hause erreichte ich sie nicht. Ich hinterließ ihr sowohl bei ihrem Chef als auch auf ihrem Anrufbeantworter dringende Nachrichten.

Ich hatte vor der Beiratssitzung von Arcadia am Montagabend noch nie etwas von Home Free gehört, aber plötzlich wimmelte es von Hinweisen darauf wie im Lincoln Park von Löwenzahn. Merkwürdig, daß ausgerechnet Jasper Heccomb Home Free leitete. Ich war mal verliebt in ihn gewesen, als wir noch studierten, denn er hatte Klasse, und er war mit den coolsten Typen auf dem ganzen Campus zusammen. Einmal hatte er mich nach einem Treffen zu einer Tasse Kaffee in der Swift Hall eingeladen. Ich war im siebten Himmel, bis mir jemand erzählte, daß er mich nur benutzt hatte: Er hatte seine Freundin mit mir eifersüchtig machen wollen. Sie hatte mit einem anderen Typ an einem Ecktisch gesessen; aber das wußte ich nicht, bis meine Zimmergenossin mich darauf hinwies.

Danach hatte mich Jasper ziemlich links liegengelassen; ich durfte nur hin und wieder Briefe für ihn tippen und in Umschläge stecken. Ich hatte immer gedacht, daß er ein zweiter

Jerry Rubin werden würde, ein Yippie, der sich allmählich in einen Yuppie verwandelte. Jedenfalls hatte ich nicht erwartet, daß er sich mit einer kleinen Anwaltskanzlei zufriedengeben würde.

Während ich noch überlegte, ob er sich überhaupt an mich erinnern würde, schlug ich die Nummer von Home Free im Telefonbuch nach. Das Büro befand sich in der Edgewater Avenue, circa eineinhalb Kilometer nördlich von Lottys Klinik. Ich nahm den Hörer in die Hand und legte ihn wieder auf die Gabel, ohne gewählt zu haben. Wenn ich einfach so anrief, um Heccomb aus heiterem Himmel über Lamia auszuquetschen, verdarb ich den Frauen damit vielleicht ein gutes Geschäft.

»Erinnerst du dich noch an mich?« konnte ich sagen. »Ich hab' mich immer beim C-Shop rumgedrückt, in der Hoffnung, daß ich dich da zufällig treffe. Ich war eine von den vielen Frauen, die die Routinearbeit für die Friedensbewegung erledigt haben, während ihr Männer in die Schlagzeilen gekommen seid. Dafür hofften wir mal eine Nacht mit euch verbringen zu dürfen. Und jetzt würde ich gern wissen, wie du zum Retter von Lamia geworden bist.«

Natürlich konnte ich mich erkundigen, ob er keine Unterkunft für Tamar Hawkings wußte. Ich nahm den Hörer noch einmal in die Hand und wählte. Es meldete sich eine Frauenstimme. Natürlich.

»Warum wollen Sie mit ihm reden?« fragte sie mich unwirsch wie jemanden, den man sofort abwürgen mußte.

»Weil ich ihm ein paar Fragen über Obdachlosenunterkünfte stellen möchte.«

»Wir vermitteln nicht. Rufen Sie doch bei der Stadt an.«

»Trotzdem würde ich mich gern mit Jasper unterhalten. Möglicherweise könnte er mir einige Fragen beantworten.«

»Sind Sie von der Zeitung?« wollte sie wissen.

Allmählich wurde ich sauer. »Machen Sie sich strafbar, wenn Sie Nachrichten annehmen in Ihrem Büro? Jasper und ich kennen uns aus der Studienzeit – es könnte durchaus sein, daß er sich mit mir unterhalten möchte.«

Wie viele angriffslustige Menschen entschuldigte auch sie sich, als ich sie meinerseits angriff. »Bei uns rufen einfach zu viele Leute an, die eine Unterkunft suchen oder einen Bericht über uns schreiben wollen. Er muß aufpassen, daß er nicht zu viele Anrufe entgegennimmt, weil er sonst überhaupt nicht mehr zum Arbeiten kommt.«

»Tja, dann versuchen Sie's mal. Ich bleibe dran, während Sie fragen.«

»Er ist nicht da. Kann ich ihm was ausrichten?«

»Na, sehen Sie. Warum haben wir nicht gleich vernünftig miteinander geredet?« Ich buchstabierte ihr meinen Namen und fragte mich gleichzeitig, ob sie sich die Mühe machen würde, ihm von meinem Anruf zu erzählen.

Da er nicht zurückrief, schaute ich am Morgen noch schnell in der Edgewater Avenue vorbei, bevor ich in die Innenstadt fuhr. Ich nahm mir fest vor, nichts zu sagen, was Camillas Projekt schaden könnte. Ich wollte lediglich herausfinden, wie Home Free arbeitete, sehen, ob an der ganzen Sache nicht doch ein Haken war.

Das Büro war zwischen einem koreanischen Kuriositätenladen und einer arabischen Bäckerei untergebracht. Ein altmodischer Lieferwagen, wie er früher zum Ausfahren von Brot verwendet worden war, nahm den größten Teil der Parkplätze vor dem Haus weg. Wahrscheinlich gehörte der Wagen der Bäckerei. Warum konnten die ihn nicht um die Ecke abstellen? So mußte ich meinen geliebten Trans Am also in der Nähe der Leland Avenue abstellen, wo ihn die Teenager in meiner Abwesenheit vielleicht auseinandernahmen.

Es war kalt, wie es Anfang April nun mal sein kann. Da ich nur einen Wollblazer über meiner Jeans trug, fröstelte mich, als ich an dem Kuriositätenladen vorbeitrottete.

Home Free gab der Öffentlichkeit keinen Hinweis auf seine Existenz. Kein Name stand über der unauffälligen Schablonenschrift, in der die Hausnummer auf die Tür gepinselt war. Die Jalousien hinter den Fenstern wehrten neugierige Passantenblicke ab und verdeckten die weißen Plastikabdeckungen des Alarmsystems fast völlig. Ich schaute auf meinem Zettel nach, ob die Nummer stimmte, und drückte die Tür auf.

Eine ungefähr dreißigjährige Frau saß an einem Schreibtisch gleich beim Eingang und tippte etwas in einen Computer. Sie war über die Tastatur gebeugt wie ein Bogen, und ihr formloses Kleid hing an ihrem knochigen Körper wie ein Sack. Die goldbraunen Haare standen ihr vom Kopf ab wie Wellblech. Als sie mit gerunzelter Stirn hochblickte, sah ich die beiden winzigen Zöpfe an beiden Seiten des Kopfes, ein Tribut an die gängige Mode, die fast unter den dichten Haaren verschwanden.

»Was wollen Sie?«

Das war dieselbe unwirsche Stimme, die mich am Telefon begrüßt hatte. »Mein Name ist V. I. Warshawski. Ich habe gestern angerufen. Ich würde mich gern mit Jasper unterhalten.«

»Sie haben keinen Termin. Er hat sehr viel zu tun.« Ihre fahle Haut wurde einen Ton dunkler, als sie errötete.

Der Raum war winzig, kaum groß genug für ihren Schreibtisch und ein paar Aktenschränke. Der Drucker war zwischen die Fenster gezwängt. Ich suchte nach einem zweiten Stuhl, konnte aber keinen entdecken. Die Tür zwischen den Aktenschränken an der hinteren Wand führte vermutlich zu Jaspers Raum. Ich überlegte kurz, ob ich mir gewaltsam Zutritt verschaffen sollte, aber damit bewies ich nur, daß ich mehr Kraft hatte als die junge Frau, und um das zu beweisen, mußte ich keine Türen einrennen.

»Ich warte. Ich werde ihn nicht lange belästigen.« Wenn sie mich ganz normal gefragt hätte, was ich von Jasper wollte, hätte ich vielleicht ein paar magische Worte gesagt, aber ihr Mißmut ging mir allmählich auf die Nerven.

Sie runzelte die Stirn noch heftiger und überlegte offensichtlich, wie sie mit mir umgehen sollte. Das Problem löste sich plötzlich in Luft auf, als die hintere Tür aufging und ein massiger Mann mit Schaffelljacke und finsterem Blick herauskam. Die Kunden von Home Free waren offenbar nicht die fröhlichsten Leute.

»Ich warne Sie, Heccomb: Lassen Sie mich lieber nicht auf dem trockenen sitzen«, meinte er über die Schulter.

Jasper Heccomb kam nach ihm in den Raum und legte die Hand auf seine Schulter. »Ich dachte, Sie wollen den Job jemand anderem geben, Gary.«

Ich hatte ganz vergessen, wie tief und klangvoll seine Stimme war – sie hatte ein Timbre, mit dem er Fahnenflüchtige bei der Stange halten konnte. Aber Gary schien das nicht zu beeindrucken. Vielmehr begann er zu brummen, daß es egal sei, ob er selbst oder einer seiner Männer den Job erledigte, er erwartete jedenfalls – da sah er mich und redete nicht mehr weiter.

Ich möchte nicht behaupten, daß ich Jasper wiedererkannt hätte, wenn ich ihm auf der Straße begegnet wäre – schließlich war es zwanzig Jahre her, daß ich ihn das letzte Mal gesehen hatte. Aber da ich sein Auftauchen erwartete, erkannte ich ihn sofort. Das güldene Haar, das seinen Kopf umrahmt hatte wie einen präraffaelitischen Jesus, war immer noch lang, aber zu einem Pferdeschwanz zusammengebunden. Daß es an den Schläfen bereits dünner wurde, verlieh seinem schmalen, verträumten Gesicht nur einen distinguierteren Ausdruck.

»Wer ist das?« fragte er die Frau am Schreibtisch über meinen Kopf hinweg.

»V. I. Warshawski«, antwortete ich für sie. »Ich habe gestern angerufen. Hast du meine Nachricht bekommen?«

»Haben wir ihre Nachricht bekommen, Tish?«

»Sie wollte mir nicht sagen, was sie wollte; da habe ich mir gedacht, ich belästige Sie lieber nicht damit«, murmelte sie, die Hände ringend.

Tishs verändertes Verhalten, der Wechsel von Aggressivität zu Verlegenheit, schien zu beweisen, daß die Frauen immer noch aus Liebe für Jasper arbeiteten.

»Wir haben früher mal an der University of Chicago zusammengearbeitet – du hast damals Sit-ins organisiert, und ich habe geholfen, Briefe in Umschläge zu stecken«, sagte ich. »Jetzt bin ich Privatdetektivin und ... mit Deirdre Messenger befreundet. Ich habe mir gedacht, vielleicht kannst du mir ein paar Fragen beantworten.«

Garys Gesicht wurde noch düsterer. »Deirdre Messenger? Also, Heccomb – was ist jetzt?«

»Ich kümmere mich schon drum, Gary.« Jasper legte ihm wieder die Hand auf die Schulter. »Sie können beruhigt sein. Wir haben Sie doch noch nie im Stich gelassen, oder?«

Gary wollte etwas sagen, schaute mich dann aber frustriert an und stapfte aus dem Büro. Er kletterte in den Lieferwagen und fuhr mit knirschendem Getriebe los.

»Dann steckst du also jetzt keine Briefe mehr in Umschläge, sondern arbeitest für Deirdre Messenger? Da bist du ja die

Karriereleiter ganz schön raufgefallen.« Sein flüchtiges Lächeln entschärfte seine Worte etwas.

»Bei dir hat sich wohl auch einiges getan: Keine Sit-ins mehr, aber dafür dieses Büro hier. Erwartet die University of Chicago nicht mehr von ihren Ehemaligen?«

Er grinste. »Wenn ich mir die finanziellen Vorstellungen der Uni so ansehe, erwartet sie wohl um einiges mehr.«

Tish schob, offenbar wütend, eine Schublade mit einem Knall in den Schreibtisch. Sie tat mir leid. Hatte ich damals auch so offensichtlich die Stirn gerunzelt, wenn Jasper eine andere anlächelte?

»Was sollst du also für Deirdre machen?«

»Sie hat mir keinen richtigen Auftrag gegeben. Sie und Donald Blakely haben mir gegenüber nur deinen Namen erwähnt.«

»Donald Blakely?« Er hob die Augenbrauen. »Tish – hat Blakely in letzter Zeit angerufen wegen... Tut mit leid, ich sollte mich eigentlich an deinen Namen erinnern, wenn wir zusammengearbeitet haben, aber da waren so viele...«

»Ja, allerdings«, sagte ich, als seine Stimme abschweifte. »V. I. Du kannst mich Vic nennen.«

Tish mischte sich ein: »Ich kann Mr. Blakely anrufen, wenn Sie wollen.«

»Nein, machen Sie sich nicht die Mühe – das können wir später erledigen. Wir unterhalten uns kurz, und dann werden wir sehen, wie wir das Problem lösen können. Aber bleiben Sie lieber da. Es könnte ja sein, daß das eine Sache ist, in der Sie besser Bescheid wissen als ich.« Wieder lächelte er. »Ich bin erst seit drei Jahren bei Home Free. Davor, in den mageren Jahren, hat Tish Home Free am Leben gehalten.«

Sonderlich üppig war dieses Lob nicht, aber die junge Frau errötete trotzdem vor Stolz. Sogar ihre runden Schultern strafften sich für einen Moment.

Das Hinterzimmer war dadurch entstanden, daß man einfach in der Mitte des Raumes eine Wand gezogen hatte, die solide und absolut schalldicht war. Das Zimmer hatte keine Fenster, weshalb ich das Gefühl hatte, eine Gruft zu betreten, wenn auch eine ziemlich moderne: Hier war die gesamte elektronische Ausrüstung von Home Free versammelt – ein Faxgerät, noch ein Computer und der neueste Hewlett-Packard-Drucker. Jasper dirigierte mich zu einem Klappstuhl vor dem Schreibtisch. Tish nahm auf einem alten Ohrensessel in der Ecke Platz.

»Was für eine Detektivin bist du denn, Vic?«

Seine Stimme klang so herablassend, daß ich pampig wurde. »Eine gute und gründliche.«

Er lächelte amüsiert. »Das glaube ich dir gern. Aber ich möchte eigentlich eher wissen, welche guten, gründlichen Nachforschungen du im Zusammenhang mit mir anstellen möchtest.«

»Blakely und Deirdre meinten, ich solle mich mit dir in Verbindung setzen wegen einer obdachlosen Frau, die ich in meinem Bürohaus gefunden habe.«

Jasper wandte sich an Tish. »Sie hätten Vic die Fahrt ersparen können. Hätten Sie ihr doch gesagt, daß wir nicht vermitteln.«

»Das hat sie«, versicherte ich ihm. »Das hat sie mir gleich als erstes gesagt. Aber ich habe gedacht, das sei der Auftrag von Home Free: Obdachlose unterzubringen.«

»Wir *bauen* die Unterkünfte für sie«, erwiderte Jasper. »Deswegen halten wir uns auch zurück und gehen nicht an die Öffentlichkeit. Früher haben die Leute hier vor der Tür Schlange gestanden, um einen Platz zum Übernachten zu kriegen. Und außerdem arbeiten wir noch als Anwaltskanzlei – eigentlich ist das mein Hauptjob – in Springfield.«

»Und wo kriegt ihr das Geld für eure Häuser her?«

»Ach ja, ich hätte auch noch was von den Spenden sagen sollen – aber es liegt auf der Hand, daß das die Hauptaufgabe eines jeden gemeinnützigen Unternehmens ist.«

»Und die meisten Spenden kommen woher...?«

»Von schuldbewußten Geschäftsleuten – Männern wie Frauen –, die lieber nicht so genau hinschauen, wenn sie abends, auf dem Heimweg nach Lake Forest oder Olympia Fields, einen Obdachlosen am Bahnhof sitzen sehen. Warum willst du das wissen?«

Er warf einen Blick auf seine Uhr, um mir zu zeigen, wie wenig Zeit er hatte. Von meinem Platz aus konnte ich es nicht mit hundertprozentiger Sicherheit sagen, aber die Uhr sah mir nach massivem Gold aus – eine Rolex vielleicht oder eine Patek Philippe.

»Ich bin bloß neugierig. Ihr baut doch normalerweise neue Häuser, oder? Aber ihr saniert auch alte Häuser, stimmt's?«

Er lächelte, wenn auch nicht mehr ganz so herzlich. »Vielleicht hat man von der Schnüffelei genausowenig Abstand wie von der Organisiererei, wenn man erst mal drinsteckt – wahrscheinlich kann man einfach nicht aufhören, die Nase in Dinge zu stecken, die einen nichts angehen.«

»Möglicherweise.« Auch ich lächelte, um ihm zu zeigen, daß ich ihm wohlgesonnen war. »Anhand welcher Kriterien entscheidest du, ob du ein altes Gebäude hochpäppelst oder ein neues errichtest?«

»Wir kalkulieren die Baukosten, den Wert des Grundes und die Bausubstanz des betreffenden Gebäudes – das und noch einige andere Sachen.«

»Und dann schreibst du das Projekt aus?«

Jasper beugte sich über den Schreibtisch. »Vic. Warum bist du wirklich hier? Ich habe heute morgen nicht sonderlich viel Zeit.«

»Ich bin gekommen, weil ich sehen wollte, wie deine Arbeit wirklich ausschaut.«

Er lehnte sich wieder auf seinem Stuhl zurück. »Du leistest also gute, gründliche Arbeit.«

Ich lachte. »Könnte ich mir mal eins deiner Sanierungsprojekte anschauen?«

Jasper hob die Augenbrauen. »Du klingst ja wie eine potentielle Investorin, Vic. Obwohl du nicht so aussiehst.«

»Laß dich nicht von Äußerlichkeiten täuschen. Wenn ich nur nach deiner Uhr gehen würde, würde ich sagen, daß du eigentlich nicht nur Seniorpartner einer Anwaltskanzlei mit geringem Budget sein kannst.«

Er warf einen Blick auf seine Uhr. »Ach, die. Eine Erbschaft. Und ich habe einen Augenblick Selbstmitleid mit mir gehabt, weil ich nicht Mediziner geworden bin oder Investment-Banking gemacht habe wie so viele meiner alten Freunde. Wir haben ein paar Projekte am Laufen, die du dir gern anschauen kannst. Sprich das mit Tish ab; sie kann die Termine für dich arrangieren.«

»Sind die Sachen im Bau?«

»Da läuft im Moment nicht viel. Aber laß mich jetzt bitte

weiterarbeiten, Vic. Wir können uns ja mal auf einen Drink treffen, über die alten Zeiten klönen.«

Ich wollte ihn fragen, was er Century Bank schuldete, womit sie ihn veranlaßt hatten, Lamia das Sanierungsprojekt zu geben. Außerdem wollte ich ihn fragen, wie er die Ausschreibung der Projekte handhabe, weil Lamia den Job so plötzlich bekommen hatte. Aber beide Fragen hätten meine Verbindung mit der Gruppe offengelegt, und dafür hatte ich, abgesehen von meiner Verärgerung über Phoebe, keinerlei Grund. Also ließ ich mich von ihm wieder in den vorderen Teil des Gebäudes dirigieren.

»Gary hat nicht sonderlich glücklich ausgesehen«, meinte ich, als er wieder in sein eigenes Büro zurückwollte. »Er ist doch wohl kein Investor, den ihr über den Tisch gezogen habt, oder?«

Wieder spielte ein Lächeln um Jaspers Mund. »Nein, natürlich nicht. Das ist einer unserer Bauunternehmer, der geborene Pessimist. Wenn du unbedingt alles über unsere Investitionen wissen willst, solltest du dir unsere Akten im State of Illinois Center ansehen. Es ist alles in Ordnung. War schön, dich nach all den Jahren wiederzusehen.«

Tish grinste süffisant, als sie sich meine Telefonnummer notierte, erfreut darüber, daß Jasper mich in meine Schranken gewiesen hatte. Sie sagte, sie würde mich anrufen, wenn sie ein Projekt hätten, das ich mir anschauen könnte. Irgendwie hatte ich das Gefühl, nie wieder etwas von ihr zu hören.

Auf dem Weg zurück zum Wagen sah ich ins Schaufenster des Kuriositätenladens. Sollte ich mir jemals etwas aus dem Laden aussuchen dürfen, würde ich die Lampe mit dem Fuß in Form eines Babys wählen, auf deren Schirm in unterschiedlichen Purpurtönen »O Mama« zu lesen war.

12 Rückkehr der Gastgeberin

Es war schon fast fünf, als ich wieder im Büro war. Ich hatte den Nachmittag zum Teil im State of Illinois Center und zum anderen Teil im City Hall and County Building verbracht, um

Akten einzusehen. Da ich schon mal in Helmut Jahns gläserner Kuchenform war, ließ ich mir auch gleich die Akte von Home Free heraussuchen. Das Unternehmen machte größere Geschäfte, als aufgrund seines winzigen Büros zu vermuten war, aber da sehr vieles davon mit der Vergabe von Bauverträgen und Lobbyismus zu tun hatte, war das kein Wunder.

Zuwendungen und private Schenkungen hatten dem Unternehmen im vergangenen Jahr zu einem Einkommen von fast zehn Millionen Dollar verholfen. Ein Drittel davon war direkt in Neubauten geflossen, ein weiteres Drittel in die Weiterführung bestehender Projekte, der Rest in die Verwaltung, in ein Büro in Springfield und die Einrichtung eines Treuhandvermögens. Das sah alles sehr solide aus. Wenigstens mußten sich die Lamia-Frauen keine Sorgen wegen der Bezahlung machen. Home Free verdiente sich vermutlich eine goldene Nase mit seinen Baustellen. Ich war jetzt ziemlich neugierig darauf geworden.

Die Konten des Unternehmens wurden von Strong und Ardmore geprüft, einer ziemlich großen Chicagoer Wirtschaftsprüfungsgesellschaft. Alec Gantner und Donald Blakely fungierten als Direktoren. Wieder keine große Überraschung.

Zu Hause gab ich diese Informationen zusammen mit den Daten, die ich für andere Aufträge gesammelt hatte, in meinen Computer ein. Ich war so vertieft in meine Arbeit, daß ich vor Schreck fluchend hochsprang, als Deirdre Messenger neben meiner Schulter etwas zu mir sagte. Ich hatte nicht mal gehört, daß die Tür aufgegangen war.

»Jetzt bist du also da, Vic. Ich hab' mich schon gefragt, wann du endlich auftauchen würdest. Ich wollte nicht mehr länger in dem Coffee-Shop unten in der Straße sitzen.«

Ich starrte den Bildschirm an und wartete darauf, daß mein Herz wieder anfing zu schlagen. »Sind wir verabredet, Deirdre?«

»Ich habe mich am Montag mit dir darüber unterhalten, daß ich gern was für die Frau tun würde, die bei dir im Keller wohnt. Ich dachte, wir hätten für heute abend was ausgemacht. Oder hab' ich mich im Tag geirrt?« Ihr scherzhafter Tonfall wirkte noch gezwungener als sonst.

»Ich glaube, wir haben keine Zeit ausgemacht. Egal, nach dem Mittwochabend ist die Geschichte sowieso gestorben.«

Sie setzte sich auf einen Gästestuhl. In meinem Büro war schon so lange niemand mehr gewesen, daß die Sitzfläche ganz verdreckt vom Staub der EL, der Hochbahn, war. »Du kannst dir also bei mir den Bauch vollschlagen, aber ich darf dich nicht im Büro besuchen?«

Ich schaute ihr ins Gesicht. »Laß uns nicht so tun, als ob Mittwochabend nicht gewesen wäre, Deirdre.«

»Was soll denn das heißen?« Sie klang angriffslustig, aber sie konnte mir nicht in die Augen schauen.

»Ich hab' dich und Fabian und Emily zusammen erlebt. Ich habe nicht den Eindruck gehabt, daß ihr die Kraft habt, euch um eine Familie in Not zu kümmern.« Als sie nichts darauf sagte, fügte ich hinzu: »Du erinnerst dich doch noch, wie ich nach der Party meinen Mantel holen wollte, oder?«

»Ich erinnere mich, daß du in mein Schlafzimmer gekommen bist und Emily so aus der Fassung gebracht hast, daß sie ihren Vater und mich angeschrien hat. Das hat weder mir noch Fabian sonderlich gefallen.«

»Ich bin erst dazugestoßen, als die Hauptsache schon vorbei war. Ich will nicht so tun, als wüßte ich, was vorgeht zwischen dir und deinem Mann – wer wen dazu bringt, was zu tun –, trinkst du, weil du ihn nicht mehr erträgst? Ist er unerträglich, weil du trinkst? Schlägt er dich oft? Opferst du deine Tochter seiner Wut? Ich kann nicht so tun, als hätte ich nicht gesehen, wie du Emily den ganzen Abend herumgestoßen hast.«

Die Venen rund um ihre Nase leuchteten rot. »Mit einer Vermutung hast du recht, Vic: Du weißt nicht, was zwischen Fabian und mir los ist. Wenn du jemals verheiratet gewesen wärst...«

»Ich war verheiratet«, unterbrach ich sie.

»Ach, ja – du und Dick Yarborough. Aber du hast nicht das nötige Durchhaltevermögen gehabt, deswegen hat es nicht geklappt. Eine Ehe fordert Opfer, weißt du.«

Fast wäre mir die Kinnlade runtergefallen. »Liest du in deiner Freizeit Rush Limbaugh oder was? Ich bin bis jetzt noch nicht auf die Idee gekommen, daß die Menschlichkeit der Ehe geopfert werden muß.«

»Nicht alle haben ein so hehres Ideal von der Ehe wie du, Vic. Ich habe gedacht, es würde sich lohnen, meine eigene Karriere aufzugeben, um Fabian beim Aufbau der seinen zu helfen. Das heißt aber nicht, daß ich mich nicht als Freiwillige nützlich machen kann. Du weißt, daß ich nicht nur für Arcadia House arbeite, ich helfe auch bei Home Free mit. Ich habe Kurse in Sozialarbeit gemacht. Diese Frau würde vielleicht mit *mir* reden, auch wenn *du* kein Wort aus ihr rausbringst, insbesondere deshalb, weil wir eine Gemeinsamkeit haben. Außerdem finden die meisten Leute, daß ich großes Einfühlungsvermögen besitze.«

Ich preßte die Hände gegen mein Gesicht und versuchte, meine auseinanderdriftenden Gefühle wieder in den Griff zu bekommen. Alles, was Deirdre jetzt sagte, stand in krassem Gegensatz zu dem, was sie am Mittwochabend zur Schau gestellt hatte. Ich konnte gar nicht glauben, daß sie das nicht merkte, daß sie im Grunde ihres Herzens um die Mühe wußte, die sich ihre Tochter mit den kleinen Jungen gab, und daß sie wußte, wie fremd sie selbst ihnen war. Es ist eine Binsenweisheit, daß Psychologen im Regelfall selbst ein chaotisches Familienleben haben, aber ich konnte mir nicht vorstellen, daß Deirdre jemandem helfen konnte, dem es so schlecht ging wie Tamar Hawkings.

»Ihr Karrierefrauen seid doch alle gleich«, platzte es plötzlich aus Deirdre heraus. »Ihr könnt euch nicht vorstellen, daß wir Frauen, die daheim geblieben sind und unsere Kinder und Ehemänner an die erste Stelle gesetzt haben, auch was taugen.«

Ich ließ die Hände sinken, zu erschöpft, um sie noch länger hochzuhalten. »Mein Gott, Deirdre, ist dir eigentlich bewußt, was du da sagst?« fing ich an und schwieg dann eine Weile. »Vielleicht hast du recht. Vielleicht kannst du wirklich auf eine Weise mit dieser Frau reden, die mir verschlossen ist. Wenn man ihren Worten Glauben schenken kann, hat sie ihren Mann verlassen, weil er sie selbst verprügelt und ihre ältere Tochter bedroht hat. Da hättet ihr noch eine Gemeinsamkeit.«

Ich bedauerte meine Worte in dem Moment, wo ich sie ausgesprochen hatte. Deirdre zuckte zusammen und schien völlig in ihrem Mantel zu verschwinden. Ihr Gesicht versteinerte. Ohne ihre aufgesetzte Fröhlichkeit und ihre Aggressivität schien sie keine Persönlichkeit mehr zu besitzen. Unwillkürlich empfand ich Mitleid mit ihr.

»Warum bist du hergekommen, Deirdre? Was hast du dir von mir erhofft?«

Ihr Gesichtsausdruck blieb undurchdringlich. Ich hatte das Unverzeihliche getan – ich hatte zwei unaussprechliche Worte im Zusammenhang mit ihrem Mann gesagt, und das auch noch voller Verachtung. Wie so oft, wenn ich nervös bin oder verlegen, fing ich an, zu viel zu reden. Ich erzählte ihr, wie ich Tamar Hawkings' Kinder am Dienstagabend ins Krankenhaus gebracht und wie Tamar mit ihnen am Mittwochmorgen verschwunden war.

»Und die Polizei meint, daß sie vermutlich wieder hierher zurückgekehrt ist. Ein Streifenpolizist hat eine Frau, die Tamar Hawkings ähnlich sieht, beobachtet, wie sie zusammen mit den Kindern hier im Haus verschwunden ist. Aber es ist schwierig, sie zu finden – sie scheint einen geheimen Zugang zu haben, den ich nicht kenne. Ich an deiner Stelle würde es aufgeben, es sei denn, du hast genügend Leute mitgebracht, um das Haus von oben bis unten zu durchsuchen. Sonst ist sie nämlich weg, bevor irgend jemand sie findet.«

Deirdre nickte, als ich ausgeredet hatte. »Glaube mir, Vic, ich weiß mehr über obdachlose Frauen, als du meinst. Egal, was sie macht, sie wird auf jeden Fall versuchen, einen sicheren Ort für ihre Kinder zu finden.«

»Ich war heute morgen bei Jasper Heccomb. Du und Donald, ihr habt nicht...«

»Warum bist du zu ihm? Ich hab' gedacht, du überläßt das mir.«

Ich knirschte mit den Zähnen. »Du glaubst, daß wir uns über gewisse Dinge unterhalten haben, aber das stimmt nicht. Außerdem: Wenn du schon so viel Arbeit für die erledigst, dann müßtest du eigentlich wissen, daß sie nicht vermitteln, deshalb war mein Besuch sowieso zwecklos. Ich hab's bei Marilyn im Arcadia House versucht, und Lotty hat bei Fiona's Place angerufen. Aber beides war Fehlanzeige.«

»Jasper kennt mich. Für mich macht er Dinge, die er für dich nicht tun würde. Ich finde das nicht gut, daß du das alles hinter meinem Rücken machst.«

Sie sprach ziemlich laut, genau wie auf der Party, als sie versucht hatte, sich gegen ihren Mann zu wehren. Ich begann, selbst wütend zu werden, als sie die Hände so fest zusammenballte, daß ihre Knöchel weiß hervortraten.

»Na schön«, meinte ich. »Mach, was du willst. Versuch du, Jasper dazu zu bringen, daß er eine Unterkunft für Tamar Hawkings findet.«

Ihr Gesicht nahm einen verschlagenen, fast triumphierenden Ausdruck an. Mir schoß der Gedanke durch den Kopf, daß sie und Jasper damals möglicherweise ein Verhältnis gehabt hatten – vielleicht war es auch noch gar nicht so lange her. Wenn sie nicht so wütend und verkniffen dreinschaute, war sie immer noch eine schöne Frau.

Während ich sie noch nachdenklich ansah, sprang sie plötzlich auf die Füße und legte ihren Mantel über den Stuhlrücken. »Ich sehe mich nach Tamar um. Ich bin in ein paar Minuten wieder da.«

»Ich gehe gleich. Und wegen meiner Geräte muß ich mein Büro zusperren.« Deirdre hatte mich nur deshalb überraschen können, weil ich irgendwie gehofft hatte, Tamar würde zurückkommen.

»Ich brauch' nicht lange.« Bevor ich noch etwas sagen konnte, war sie schon draußen im Flur.

Ich ärgerte mich immer noch über ihre Unverfrorenheit, als sie schon wieder den Kopf zur Tür hereinstreckte. »Wenn jemand nach mir suchen sollte, dann sag ihm, ich bin gleich wieder da.«

Ich rannte ihr nach. »Einen Augenblick mal, Deirdre. Hast du etwa eine Verabredung in meinem Büro? Und das, ohne mich vorher zu fragen?«

In dem dunklen Flur konnte ich ihr Gesicht nicht erkennen, nur die Konturen ihres Körpers. Sie schaute aus wie am Mittwochabend und hatte den Kopf wie eine Kobra zurückgeworfen.

»Komm runter von deinem hohen Roß, Vic. Ich habe keine Verabredung in deinem wunderbaren Büro. Ich lasse... die Leute... nur wissen, wo ich bin.«

Ich sog die Luft pfeifend ein. Also hatte sie sich mit Fabian gestritten und war hierhergekommen, um ihm ihre Unabhängigkeit zu beweisen. Ich gehe zu Vic, um dir zu zeigen, was für eine Heldin ich bin, versuch ja nicht, mich aufzuhalten, oder so ähnlich. All dieser Quatsch, den sie über Tamar Hawkings und Jasper Heccomb erzählt hatte, war also genau das: Quatsch. Ich machte auf dem Absatz kehrt und schlug die Tür zu meinem Büro hinter mir zu.

Dann setzte ich mich wieder an meinen Schreibtisch und starrte meinen Computer an. Jedesmal, wenn ich zu arbeiten aufhörte, flimmerte mein Name in Blau über den Bildschirm, wie um mich zu verhöhnen. Ich drückte auf die Leertaste und sah mir noch einmal die Akte Lamia an.

Vor Deirdres Eintreffen hatte ich gerade die offiziellen Daten von Home Free eingegeben. Jetzt mußte ich nur noch die Namen der Direktoren von Century Bank aus der Liste, die ich am Dienstag von Lexis erhalten hatte, archivieren. Damit wäre meine Arbeit am Projekt Lamia abgeschlossen.

Die Namen der Direktoren waren in alphabetischer Reihenfolge erschienen. Ziemlich weit oben stand Eleanor Guziaks Name. Ich staunte. Das war die Bankerin, die am Mittwochabend bei Deirdres Party gegenüber von mir gesessen hatte. Die rechte Hand von Donald Blakely, dem Präsidenten von Gateway, der mir erklärt hatte, er kenne niemanden bei der Century Bank sonderlich gut. Soso. Wie wenig wir doch von unseren eigenen Untergebenen wissen.

Gateway war eine große Bank im Zentrum der Stadt. Zwar hatte Gateway nicht das gleiche Format wie die Ft. Dearborn Trust oder First Chicago, gehörte aber zur Gruppe der Erwählten, die – sowohl privat als auch öffentlich – in der Stadt etwas zu sagen hatten.

Century hingegen war eine kleine Bank, deren einziges Büro im Forty-eighth Ward lag, genau dort also, wo Camillas Gruppe ihr experimentelles Projekt plante. Es war nichts Ungewöhnliches, wenn ein leitendes Mitglied einer großen Bank auch im Vorstand einer kleineren saß. Merkwürdig war nur, daß Donald Blakely diese Verbindung abstritt.

Ich pfiff tonlos durch die Zähne. Ich konnte bei Eleanor Guziak anrufen, in der Hoffnung, ihren Anrufbeantworter oder ihre Sekretärin anzutreffen und vielleicht später zurückgerufen zu werden.

»Laß die Finger davon, Vic«, warnte mich eine innere Stimme. »Oder willst du Lamia das Geschäft verderben?«

Es war fast halb sechs. Wenn ich mich beeilte und wenn ich richtig vermutete, konnte ich Eleanor Guziak auf ihrem Weg aus dem Gateway-Gebäude abfangen. Also stellte ich den Computer ab, steckte meine Papiere in die Aktentasche und schaltete die Schreibtischlampe aus.

Als ich aufstand, fiel mein Blick auf Deirdres Mantel. In meiner Aufregung über Eleanor Guziak hatte ich Deirdre völlig vergessen. Sollte sie doch Fabian allein ärgern. Sie konnte ja ihren Mantel von meinem Türknauf holen, wenn sie tatsächlich irgendwann wiederkäme. Schließlich war das hier keine öffentliche Garderobe.

Sie kam zurück, gerade als ich den Mantel an den Knauf hängen wollte. »Ach, willst du weg, Vic? Ich hatte gehofft, daß ich von hier aus telefonieren kann.«

»Tut mir leid. Ich hab' einen Termin auf der anderen Seite des Loop.« Ich reichte ihr den Mantel. »Na, hast du was entdeckt?«

»Könnte sein, daß ich den Platz gefunden habe, wo sie ein paar Nächte geschlafen haben. In einem Büro im fünften Stock. Hast du einen Ersatzschlüssel? Den könnte ich dir durch den Briefschlitz stecken, wenn ich gehe.«

Ich war so verblüfft über ihre Dreistigkeit, daß ich tatsächlich in der Reißverschlußtasche meiner Aktenmappe nach dem Ersatzschlüssel suchte und ihn ihr wortlos reichte. Wenn sie vergaß, ihn durch den Briefschlitz zu stecken, war es auch egal; ich würde mein Büro morgen ohnehin nach Hause verlegen, denn dieses zerfallende Gebäude deprimierte mich.

»Gibt's eine Toilette auf diesem Stockwerk?« erkundigte sie sich, als sie den Schlüssel einsteckte.

»Da mußt du rauf in den sechsten Stock. Aber wenn's nicht sehr dringend ist, würde ich das daheim erledigen: Es ist ziemlich duster da, und, na ja ... die Hygiene ... Oder geh doch in den Coffee-Shop, wo du heute nachmittag schon mal warst. Die haben sicher nichts dagegen.«

Sie folgte mir den Flur entlang. »Ich komme schon zurecht. Mit der Hygiene, meine ich. Außerdem habe ich eine Taschenlampe mitgebracht.«

»Ich würde dir raten, die Treppe hochzugehen«, fügte ich hinzu. »Der Aufzug hat seine Macken; wenn du ihn doch benutzt und steckenbleiben solltest, kannst du die Falltür oben aufdrücken und da rausklettern. Das mache ich immer.«

Sie wirkte erstaunt, wollte mir aber beweisen, daß sie genauso hart im Nehmen war wie ich. Also drückte sie auf den Aufzugknopf, und schon setzte sich der Lift ächzend in Bewegung.

Am oberen Ende der Treppe rief ich ihr zu: »Und bitte schließ mein Büro ab. Wenn der Computer morgen früh weg ist, wirst du ihn mir ersetzen müssen.«

Deirdre gab keine Antwort, aber als ich über die Schulter noch einmal zurückblickte, sah ich, wie sie mich mit einem kokettmilitärischen Gruß verabschiedete. Ich rannte die Treppe, immer zwei Stufen auf einmal, hinunter, damit ich nur ja nicht umkehrte, um sie zu erwürgen.

13   Kein schöner Anblick

Die Gateway Bank wählte diesen Namen vor einem Jahrhundert, als Chicago noch »the Gateway to the West«, das Tor zum Westen, hieß. In einem neueren Anflug geschäftlichen Wagemuts hatte die Bank einen der ersten Wolkenkratzer erbaut, als sich der Loop Anfang der achtziger Jahre westlich des Chicago River verlagerte. Seitdem rühmte sich Gateway in der Werbung immer wieder seines frisch aufgekeimten Pioniergeistes.

Es war Viertel vor sechs, als ich keuchend das Gebäude der Bank betrat. Es war die Zeit, wo der größte Teil der Angestellten bereits nach Hause strebte. Das hieß, daß lediglich ein Wachmann, ein paar Überstundensammler und ich uns im Foyer aufhielten. Natürlich bestand durchaus die Möglichkeit, daß Eleanor Guziak schon nach Hause gegangen war, aber die meisten leitenden Angestellten blieben länger – selbst wenn sie eigentlich nichts mehr zu tun hatten, denn eine solche Hingabe an die Arbeit hebt den Manager vom Fußvolk ab.

Das Gateway-Foyer war ein Traum aus rotem Marmor und Messing, aber viele Beschäftigungsmöglichkeiten gab es dort nicht. Die Eigentümer hatten nicht daran gedacht, das Erdgeschoß mit Läden zu beleben, und das einzige Kunstwerk weit und breit war eine Fotoserie mit Bankangestellten, die ihre Kunden fröhlich angrinsten. Ich betrachtete lächelnde Schalterbeamte, die alten Damen Bargeld aushändigten, lachende leitende Angestellte mit Schutzhelmen auf Bohrinseln, kernige Manager in guten Anzügen am Steuer von Mähdreschern, bis mir ob all der Grinserei selber der Mund weh tat.

Um zehn nach sechs schlenderte der Wachmann zu mir herüber, um sich zu erkundigen, ob ich Hilfe benötigte. Ich lächelte höflich und erklärte, ich warte auf eine Freundin, die Überstunden machen müsse. Er lieh mir seine *Sun-Times*. Um halb sieben hatte ich der Zeitung alle Informationen entnommen, die sie zu bieten hatte, und kam zu dem Schluß, daß ich Eleanor Guziak wohl verpaßt hatte. Ich gab dem Wachmann seine Zeitung zurück und ging.

Mein Instinkt ließ mich noch einmal zurückschauen, als ich gerade einen Bus nach Osten bestieg. Eleanor Guziak schritt durchs Foyer, Aktentasche in der Hand, den Kopf respektvoll schräggelegt, während sie alle Weisheiten dieser Welt aus Donald Blakelys Mund vernahm. Ich stieg wieder aus. Der Fahrer fluchte und fuhr mit aufheulendem Motor davon.

Als Eleanor und Donald auf den Lift zugingen, der in die Tiefgarage des Gebäudes führte, biß ich mir auf die Lippe. Es gibt keine halbwegs natürliche Methode, jemandem zufällig zu begegnen, der mit dem Auto wegfährt, es sei denn, man baut einen Auffahrunfall, was den Betroffenen nicht eben aufgeschlossen macht für die gespielte Überraschung und Freude über das Zusammentreffen, die man selbst an den Tag legt.

Der Lift kam. Donald betrat ihn. Eleanor winkte ihm zum Abschied und gesellte sich zu mir, um auf den Bus zu warten. Ich spielte Überraschung und Freude.

»Ach, sind Sie nicht Eleanor Guziak? Ich bin Vic Warshawski – wir haben uns Mittwochabend bei den Messengers kennengelernt.«

Natürlich erinnerte sie sich an mich, welche Freude, mich so bald schon wiederzusehen, was für ein Zufall, daß ich gerade bei einem Klienten gleich gegenüber von ihrem eigenen Büro gewesen war.

Jetzt, wo sie tatsächlich neben mir stand, war ich mir nicht so sicher, wie ich vorgehen sollte. Ich fragte sie, wo sie hinwollte, hoffend, daß es sich um einen Ort handelte, zu dem ich ihr folgen konnte, ohne ihre Aufmerksamkeit zu erregen, nicht zum Beispiel in den Kindergarten, wo sie ihre Sprößlinge abholte. Doch ihr Ziel erwies sich als die zweitschlechteste Alternative – sie wollte zu ihrem Fitneßklub.

»Haben Sie davor noch Zeit auf einen schnellen Drink?« fragte ich hoffnungsvoll, doch Eleanor ließ sich nicht von ihren Plänen abbringen: Sie war die ganze Woche noch nicht im Fitneßklub gewesen.

Da der letzte Bus gerade erst weggefahren war, hatte ich mit ein bißchen Glück ungefähr fünfzehn Minuten hier mit ihr an der Haltestelle. Das war natürlich nicht der ideale Befragungsort, aber immerhin besser als gar nichts. Wir unterhielten uns darüber, wie hart es war, Vollzeit zu arbeiten und Überstunden zu machen und obendrein noch was für den Körper zu tun, aber natürlich funktioniert der Geist besser, wenn man körperlich fit ist, bloß war es im Winter ziemlich umständlich, ins Studio zu kommen, weil man dann nicht, wie im Sommer, mit dem Fahrrad am Lake Michigan entlangfahren konnte.

»Haben Sie denn überhaupt noch Zeit für andere Aktivitäten?« erkundigte ich mich. »Ehrenamtliche Tätigkeiten und so?«

Eleanor hatte keine Zeit für ehrenamtliche Tätigkeiten, gestand sie verschämt. Wir Frauen glauben immer, eine Vollzeitbeschäftigung sei keine ausreichende Rechtfertigung für unser Dasein. Wenn wir keine zusätzlichen Projekte am Laufen haben, die ebenfalls den Charakter einer Vollzeitbeschäftigung annehmen, schämen wir uns für unsere Trägheit.

»Aber Sie sind doch noch in anderen Ausschüssen, nicht wahr? Ich habe mich gerade mit einer Freundin unterhalten, die mir erzählt hat, daß Sie ein wichtiges Wort bei der Century Bank mitzureden haben. Wie läuft's denn so? Uptown ist nicht der allerbeste Ort für Hypotheken.«

»Tja, das ist wirklich traurig. Aber sie haben sich einfach übernommen mit dem Geld, das sie der Kommune geliehen haben. Wir haben keine Ahnung, wie oder ob wir sie überhaupt retten können.«

»Haben Sie deshalb das Lamia-Projekt abgeblasen? Schließlich waren alle Unterlagen doch schon unterzeichnet. Ich könnte mir vorstellen, daß die Frauen ziemlich aus der Fassung waren, als der Kredit so plötzlich zurückgezogen wurde.«

Sie erstarrte und wich einen Schritt von mir zurück. »Woher wissen Sie die Sache mit Lamia?«

»Na ja, Sie wissen schon, von Freunden, wie das immer so ist. Warum, ist das ein großes Geheimnis?« Ich versuchte, so locker wie möglich zu klingen.

»Geheimnis? Nein, nein.« Sie schaute die Straße hinauf. »Wo bleibt denn der verdammte Bus? Wahrscheinlich geht's schneller, wenn ich rüber zum Wacker Drive schaue und mir da ein Taxi nehme: So spät am Abend krieg' ich westlich vom Fluß sicher keins mehr. Schön, Sie wiedergesehen zu haben, Vic.«

Ein oder zwei Minuten nachdem sie über die Brücke verschwunden war, hielt der Bus Nummer zwanzig vor mir. Als wir Ecke Wacker/Washington vorbeifuhren, sah ich Eleanor in den Portikus der Oper gekauert. Sie winkte kein Taxi heran, sondern sprach in ihr Mobiltelefon. Vielleicht war ihr gerade eingefallen, daß ihre Mutter Geburtstag hatte, aber irgendwie hatte ich das Gefühl, daß sie da etwas anderes besprach.

Ich fuhr mit dem Bus bis zur Michigan Avenue und rannte in die Tiefgarage, um meinen Wagen zu holen. Wenn ich jemals wieder Geld übrig hätte, würde ich es in ein eigenes Handy investieren. Auf lange Sicht war es mit Sicherheit billiger und einfacher als mein gegenwärtiges Kommunikationssystem: In meiner Eile, nach Hause zu meinem Telefon zu kommen, wurde ich angehalten, weil ich statt der auf dem North Lake Shore Drive vorgeschriebenen sechzig Stundenkilometer fast hundert fuhr. Manchmal habe ich Glück und treffe auf einen Streifenpolizisten, der meinen Vater noch kannte, aber immer mehr von diesen Männern gehen allmählich in den Ruhestand. Der Polizist, mit dem ich es zu tun hatte, war jedenfalls jung, eifrig und unbestechlich. Und er ließ sich Zeit dabei, meinen Strafzettel auszuschreiben. Es war halb acht, als ich endlich in meinem Wohnzimmer stand und Camilla anrufen konnte.

»Hallo, ich hab' gehört, du willst mit mir sprechen«, sagte sie. »Komisch, ich wollte auch mit dir reden. Weißt du noch, wie wir uns am Dienstag in Phoebes Büro darüber unterhalten haben, daß die Baugenehmigung und die Finanzierung futsch sind? Tja, heute ist fast so was wie ein Wunder passiert. Vielleicht sollte ich das Ganze eher eine Begnadigung nennen. Die Frauen stehen nicht alle hundert Prozent hinter der Sache.«

»Ich hab' gehört, daß ihr vielleicht was für Home Free machen könnt. Ist das was Konkretes?«

»Du meinst, ob wir eine hundertprozentige Garantie haben? Das weiß ich nicht. Ich glaube, es geht um die Sanierung eines Wohnhauses mit zwölf Einheiten. Ecke Lawrence/California. Wir sind heute hingefahren, um's uns anzuschauen. Wenn ich ganz ehrlich bin, sieht die Sache nicht besonders gut aus. Die elektrischen Leitungen und die Rohre sind ziemlich im Eimer, und Home Free will da seine eigenen Handwerker einsetzen.«

Ich suchte unter den Papieren neben dem Telefon einen Chicagoer Stadtplan heraus und sah nach, wo das Haus war, von dem sie redete. »Das liegt ungefähr eineinhalb Kilometer südlich von dem ursprünglichen Objekt. Mitten im Drogenviertel. Wollt ihr das wirklich machen?«

»Wie Phoebe neulich schon sagte: Wir müssen uns erst mal einen Namen machen, einen Fuß in die Tür kriegen, zeigen, was wir können, uns eine Kapitalbasis aufbauen.«

»Und was ist mit den Frauen, die nicht hinter dir stehen?«

»Die wollten was Neues bauen. Wir haben eine Elektromeisterin, die wir nicht einsetzen können. Weißt du, im Elektrogewerbe ist es sogar noch schwieriger für eine Frau, sich durchzusetzen, als in allen anderen Handwerksberufen. Die Klempner mal ausgenommen. Die Gewerkschaft ist so dicht... na egal, das interessiert dich wahrscheinlich nicht.«

Ich faltete den Plan wieder zusammen und versuchte, mir darüber klarzuwerden, was an der Sache faul war. »Wer hat das arrangiert?«

»Wahrscheinlich Century – die Bank. Jasper Heccomb, der Leiter von Home Free, sitzt auch im Vorstand bei denen, da sind sie zu ihm gegangen, um ihn zu fragen, ob er was für uns tun kann, weil sie uns doch sozusagen den Boden unter den Füßen weggezogen haben.«

»Zu-Zu, die Sache stinkt doch zum Himmel.«

Camilla lachte. »Phoebe hat schon recht, Vic. Du bist einfach schon zu lange Detektivin. Warum sollte was faul dran sein?«

»Ach, komm, Camilla, du weißt ganz genau, in Chicago heißt das Motto: ›Eine Hand wäscht die andere.‹ Hier tut einem keiner einfach so einen Gefallen. Am allerwenigsten im Baugewerbe. Und schon dreimal nicht, wenn Frauen was machen wollen.«

Camilla verteidigte ihren Finanzberater, einen wirklich guten Banker, der lediglich das Pech gehabt hatte, ihr die schlechte Nachricht überbringen zu müssen, daß die Finanzierung nicht klappte. Vielleicht hatte er noch was gut bei Jasper Heccomb. Warum wollte ich nicht glauben, daß jemand etwas Uneigennütziges tat? Warum mußte ich immer überall herumstochern, bis das ganze Gerüst zusammenbrach?

Tja, warum, fragte ich mich selbst. Insbesondere deshalb, weil Camilla und Phoebe mich von den weiteren Nachforschungen für Lamia entbunden hatten. Aber statt mich darüber zu freuen, daß ich diesen Job los war, den ich ohnehin nie gewollt hatte, ärgerte ich mich. Die Leute warfen ständig schöne bunte Ostereier in die Luft, um mich vom Jongleur abzulenken.

Ich wollte Camilla von meiner merkwürdigen Begegnung mit Eleanor Guziak erzählen, überlegte es mir dann aber anders. Sie war nicht in der Laune, um sich Kritik an dem Deal anzuhören. Und außerdem ist es wirklich nicht so leicht für Geschäftsfrauen, Kredite zu bekommen. Das Baugewerbe in Chicago stagnierte, genau wie im Rest des Landes. Durch den Job hätte der größte Teil des Lamia-Teams ein paar Monate lang Arbeit.

»Hör mir mal zu, Vic«, unterbrach Camilla mein Schweigen. »Ich möchte jetzt ein bißchen Begeisterung von dir, nicht bloß diese Unkenrufe. Phoebe und ich haben uns geeinigt, daß du deine Nachforschungen nicht mehr fortzusetzen brauchst. Na schön, vielleicht hat tatsächlich jemand was für uns geschoben. Aber warum sollten wir das Angebot nicht annehmen? Warum sollten die Frauen nach all den Jahren nicht auch mal ein Stück vom Kuchen bekommen? Und wenn die mitkriegen, daß du rumschnüffelst, entzieht man uns den Auftrag wieder.«

Sie hatte recht. Völlig recht. Ich gratulierte ihr halbherzig und legte auf.

Ich trommelte mit den Fingern auf das Telefontischchen. Ja,

natürlich wollte ich die Frauen unterstützen. Aber wenn jemand sie als Vorwand benutzte für ... irgendwas ... Ich zerbrach mir den Kopf, aber mir fiel einfach keine Schurkerei ein, die Home Free mit Lamia im Sinn haben konnte. Doch Eleanor Guziak hatte nichts Besseres zu tun gehabt, als sofort ihr Mobiltelefon zu bemühen, nachdem ich Lamia erwähnt hatte. Das mußte doch heißen, daß es Probleme gab. Und wenn Lamia sich auf ein getürktes Projekt einließ, hieß das vielleicht, daß die Gruppe nie wieder einen Kredit bekam.

Außerdem war da noch die unumstößliche Tatsache, daß Cyrus Lavalle im Rathaus von einer so heißen Sache erfahren hatte, daß er mir das Bestechungsgeld zurückgeben wollte, das ich ihm erst vierundzwanzig Stunden zuvor gezahlt hatte. Ich wußte nicht, wo Cyrus sein Geld ausgab – so ungefähr ein Tausender pro Monat ging in die Boutiquen in der Oak Street –, aber so viel war sicher: Er wollte mit dem Geld eines kleinen Beamten den großen Macher mimen. Wenn er Geld zurückschickte oder das ankündigte, bedeutete das, daß ihm jemand einen ordentlichen Schreck eingejagt hatte.

Am Montagmorgen würde ich ein paar Telefonate erledigen, egal, wie sehr ich damit Camilla oder Phoebe vergrätzte. Jedenfalls würde ich Tish von Home Free Feuer unterm Hintern machen.

Doch am Samstagmorgen wurden meine Überlegungen unversehens in eine andere Richtung gedrängt. Als ich mit einem ganzen Stapel Kartons in mein Büro ging, um meine Siebensachen zusammenzupacken und alles nach Hause zu transportieren, bot sich mir ein häßlicher Anblick: Deirdre Messenger saß, den Oberkörper auf meinem Schreibtisch, auf meinem Stuhl. Einen Augenblick lang war ich zornig, weil ich dachte, sie hätte sich sinnlos betrunken und dann das Bewußtsein verloren.

Doch dann merkte ich, daß sie tot war, mausetot. Jemand hatte sie zu Tode geprügelt, rund um ihren Kopf waren Blut und Reste ihres Gehirns geronnen.

Graue Kleckse tanzten vor meinen Augen, Lichtblitze durchzuckten die Ränder meiner Netzhaut. Plötzlich lag ich auf dem Boden, die linke Hand in einer klebrigen Masse. Ich schaffte es gerade noch, einen der Kartons vor mich zu halten, bevor ich kotzen mußte.

Mit meinem Frühstück verloren sich auch die Nebelschwaden in meinem Gehirn. Während ich versuchte, meine linke Hand so weit wie möglich vom Körper wegzuhalten, rappelte ich mich hoch. Ich drückte mich rückwärts aus dem Raum und rannte die drei Treppen zur Damentoilette hoch. Wie durch ein Wunder gab es tatsächlich einmal Wasser, wenn auch nur kaltes. Das Stück Seife, das ich erst vor drei Tagen hingelegt hatte, war verschwunden, genauso wie die Papierhandtücher. Ich hielt meine Hand unters Wasser, bis meine Finger ganz rot und geschwollen waren vor Kälte. Die letzten Spuren von Blut und Gehirn waren da schon längst in dem verrosteten Ausguß verschwunden. Ich trocknete mir die Finger an meiner Jeans ab.

In der Toilette stank es nach Faulschlammgas und Urin. Wieder mußte ich würgen. Ich hielt den Atem an, bis ich ein offenes Büro auf der anderen Seite des Flurs fand, wo ich versuchte, das Fenster hochzudrücken. Da aber der Rahmen so oft gestrichen war, daß es nicht aufging, schlug ich mit einem Schuh so lange dagegen, bis das Glas brach. Dann sog ich die kalte Aprilluft ein, dankbar sogar noch für den rußigen Gestank der Hochbahnkabel.

In dem leeren Raum mit den rissigen Wänden und freiliegenden Kabeln konnte ich endlich wieder klar denken. Ich mußte die Polizei rufen, und zwar bald. Meine Kotzerei würde ihre Arbeit nicht unverhältnismäßig verzögern, aber je schneller sie anfangen konnten, desto besser. Das Blut, in dem ich gelandet war, war kalt gewesen, mit einer dicken Kruste, aber nicht hart. Deirdre war also schon länger tot, ich hatte ihren Mörder nicht überrascht.

Mich fröstelte bei dem Gedanken, daß der Mörder sich vielleicht noch in der Nähe aufhielt, denn meine Smith & Wesson lag daheim in der Schublade – schließlich bin ich nicht Philip Marlow, der ständig die Waffe aus dem Schulterholster oder dem Handschuhfach zieht. Wahrscheinlich fiel Marlowe auch nicht in Ohnmacht, wenn er den zertrümmerten Schädel einer Toten sah.

Die Tür zu meinem Büro war verschlossen gewesen. Deirdres Mörder hatte also meinen Ersatzschlüssel. Er konnte jeden Augenblick zurückkommen, aber ich machte ihm einen

Strich durch die Rechnung – denn ich brachte meine Sachen heim. Vielleicht kannte der Mörder mich ja gar nicht und hatte geglaubt, er bringe *mich* um, nicht Deirdre. Aber mir fiel eigentlich niemand ein, der in letzter Zeit einen solchen Zorn auf mich haben mußte, daß er mir gleich den Kopf einschlagen wollte.

Noch am ehesten konnte ich mir vorstellen, daß jemand von der Straße reingekommen war, weil er glaubte, Drogen oder Geld zu finden. Die Brutalität des Angriffs schien mir eher auf Zorn als auf Planung hinzuweisen. Aber warum hatte der Mörder sich die Mühe gemacht, Deirdre meinen Schlüssel aus der Tasche zu nehmen und abzuschließen? Dieses rationale Vorgehen wollte nicht so recht zu der Heftigkeit passen, mit der sich jemand auf Deirdre gestürzt hatte. Und warum hatte er meinen Computer nicht mitgenommen? Dafür hätte er sich doch ein bißchen Koks kaufen können. Vielleicht hatte Deirdre ein dickes Bündel Scheine dabeigehabt. Für Leute von der Straße waren Banknoten immer besser als Naturalien. Aber wenn sie ihm einen Hunderter gegeben hatte, warum war er dann so wütend, daß er ihr den Kopf einschlug?

Tamar Hawkings war in dem Gebäude gewesen, und Deirdre hatte nach ihr gesucht. Vielleicht war es Tamar nicht recht gewesen, daß Deirdre sich einmischte. Konnte ein so zierlicher Mensch wie Tamar so kräftig zuschlagen? Um die Kinder zu schützen vielleicht...

Andererseits hatte Deirdre auch kein Hehl daraus gemacht, daß sie jemanden erwartete, wahrscheinlich Fabian. Und ich hatte persönlich erlebt, wie schnell Fabian in Rage geraten und sie verprügeln konnte.

Ich zog meinen Schuh wieder an und ging die Treppen zum Foyer hinunter. Um die Polizei anzurufen, mußte ich das Telefon im Coffee-Shop benutzen, damit ich die Fingerabdrücke, die sich vielleicht auf meinem eigenen befanden, nicht verschmierte.

14 Tabula rasa

»War nicht deine beste Vorstellung, Vic.« Terry Finchley unterhielt sich in einem Vernehmungszimmer im First District mit mir.

Mary Louise Neely, die gerade die Polizeischule absolviert hatte, führte Protokoll. Wie immer hielt sie sich kerzengerade, und ihre kupferfarbenen Haare klebten so platt an ihrem Kopf, als seien sie aufgemalt.

»Ich weiß. Ein richtiger Profi würde am Tatort nie kotzen, und ich bedaure mein Fehlverhalten zutiefst.« Neely zögerte keinen Augenblick, meine Antwort zu Protokoll zu nehmen.

Finchley schüttelte den Kopf. »Spar dir deinen Witz für den Lieutenant – der mag's, wenn du ihn hochnimmst. Das Haus, in dem dein Büro ist, kracht schon fast zusammen. Warum läßt du eine Frau wie Deirdre Messenger, die sich da nicht auskennt, allein dort?«

Es war schon das dritte Mal, daß er mir die gleiche Frage stellte. Allmählich hatte ich die Nase voll. »Okay, ich sage alles, Detective. Ich habe Deirdre in das Gebäude gelockt – aus Gründen, die ich Ihnen nicht verraten werde, damit Sie bei meiner Verhandlung auch noch was zu staunen haben – und ihr den Kopf eingeschlagen.«

Finchley lächelte nicht, runzelte nicht die Stirn, machte keinen Mucks, sondern starrte mich an wie ein Tierchen im Labor – eins, das er schon mindestens eine Million Mal gesehen hatte. Undurchdringliches Schweigen kann eine sehr effektive Vernehmungstechnik sein. Das Opfer versucht, sich vorzustellen, was der Polizist denkt, welche Beweise er möglicherweise noch in der Hinterhand hat, bis das Schweigen beängstigende Ausmaße annimmt und das Opfer zu plappern anfängt. Ich machte es mir auf meinem Stuhl bequem und konzentrierte mich auf »Vissi d'arte«.

Ich kenne Terry Finchley seit Jahren, seit damals, als er ganz frisch im Team von Bobby Mallory anfing – das war der Lieutenant, der sich ab und zu ganz gern von mir auf den Arm nehmen ließ. Finchley und ich hatten uns immer gut verstanden. Aber seit ich mit Conrad zusammen war, hatte sich seine Einstellung mir gegenüber verändert.

Terry ist Conrads bester Freund bei der Polizei – sie sind zusammen auf die Polizeischule gegangen und haben einander gegenseitig über die Kümmernisse hinweggeholfen, mit denen Pioniere eben zu kämpfen haben: Sie gehörten zu den ersten schwarzen Beamten in taktischen Einheiten. Finchley meint, daß ich auf so einem weißen Liberalentrip bin und Conrad wie eine heiße Kartoffel fallenlasse, wenn sich der Tick wieder gibt. Sein Lächeln ist nun immer ziemlich frostig, wenn er mich sieht. Aber heute lächelte er überhaupt nicht.

Ich wich seinem Blick aus und beobachtete statt dessen Mary Louise Neelys linke Hand, während ich mich auf Puccini zu konzentrieren versuchte. Ich war beim tragischen Höhepunkt der Arie angelangt, wo Tosca den Himmel fragt, warum ihre Frömmigkeit so schlecht belohnt wird, als Finchley endlich sein Schweigen brach.

»Ich hacke immer wieder auf diesem Punkt herum, weil du trotz deiner ganzen anderen Fehler eigentlich nicht grausam bist. Ich versuche einfach herauszukriegen, warum du Ms. Messenger allein dort gelassen hast, wenn nicht aus Rachsucht.«

»Das würde doch voraussetzen, daß ich von dem Schicksal wußte, das sie erwartete«, wehrte ich mich. »Ich arbeite sogar jetzt, wo in dem Gebäude nur noch fünf oder sechs Mieter sind, oft noch am Abend. Der südliche Loop ist in der Nacht gespenstisch, das gebe ich zu, aber er gehört zu den sichersten Teilen der Stadt – das weißt du so gut wie ich.

Deirdre hat unbedingt in meinem Büro bleiben wollen, als ich meine Sachen zusammengepackt habe, um heimzufahren. Ich bin nicht sonderlich gut mit ihr zurechtgekommen – sie konnte gleichzeitig ziemlich aggressiv und schrecklich verletzt sein. Gestern abend hat sie die beiden Emotionen so geschickt ausgespielt wie Paganini. Außerdem hat sie – und das werden dir alle bestätigen, die uns beide kennen – immer wieder gesagt, daß sie unglaublich gut mit obdachlosen Frauen zurechtkommt. Sie war sich ganz sicher, sie würde Tamar Hawkings dazu überreden können, sich helfen zu lassen.«

Es fiel mir schwer, in Worte zu fassen, wie sehr mich das Gespräch mit Deirdre am Vorabend verwirrt hatte. Ich hatte ihr den Schlüssel gegeben, weil sie mich aus dem Gleichgewicht gebracht hatte – ich hatte nichts wie weggewollt von ihr. Es beunruhigte mich, daß sie mich so durcheinandergebracht hatte. Ich hatte nicht darauf geachtet, in welcher Verfassung sie selbst war. Hatte sie Angst gehabt, war sie aufgeregt gewesen, euphorisch? Ich konnte es einfach nicht sagen.

»Ich wüßte gern, wen sie im Pulteney erwartet hat«, fügte ich hinzu. »Ich hatte den Eindruck, daß sie ihrem Mann den Fehdehandschuh hingeworfen hat. Er hatte sich über ihre mangelnden Fähigkeiten lustig gemacht – wenn du einen wirklich grausamen Menschen kennenlernen willst, dann warte, bis du *ihn* siehst –, und sie wollte ihm beweisen, daß sie nicht nur mutig, sondern auch fähig war.«

Während der ganzen Befragung hatte Mary Louise Neely auf ihrem Stuhl gesessen wie eine Puppe mit einer batteriebetriebenen linken Hand. Bei meiner letzten Äußerung veränderte sich ihr Gesichtsausdruck ein wenig. Ich hatte den Eindruck, daß sie gequält zusammenzuckte, aber die Veränderung war so flüchtig, daß ich sie mir gut und gern eingebildet haben konnte.

Endlich hörte Finchley auf, mich zu fragen, warum ich Deirdre so schmählich allein gelassen hatte, und wandte sich den Prüfungen der Tamar Hawkings zu. Sobald ich ihm erklärt hatte, warum Deirdre im Pulteney bleiben wollte, hatte er natürlich sofort einen Trupp losgeschickt, der Tamar suchen sollte. Wenn sie nicht selbst Deirdre den Kopf eingeschlagen hatte – aus Zorn über diese reiche Besserwisserin, die ihr sagen wollte, was sie tun sollte –, hatte sie vielleicht wenigstens den Mörder gesehen.

Ich mußte mir immer wieder bewußtmachen, daß Tamar Hawkings keine Fata Morgana gewesen war, daß ich tatsächlich mit ihr gesprochen hatte. Denn selbst mit drei Kindern im Schlepptau bewegte sie sich wie ein Insekt auf dem Wasser – sie hinterließ nicht die geringste Spur.

Ich machte mir Sorgen um sie und ihre drei kranken, hungrigen Kinder. Trotzdem freute ich mich über ihr Verschwinden. Halt dich fern von den Polizisten, beschwor ich ihr Phantom: Es wäre ein leichtes für die Staatsanwaltschaft, einer labilen Obdachlosen Deirdres Tod anzuhängen.

»Na schön, Vic«, meinte Finchley schließlich. »Schluß damit. Du hast Glück gehabt, daß man mich und Neely benachrichtigt hat. Wenn ein Fremder dich mit einer Toten in deinem Büro angetroffen hätte, würdest du hier ohne Kaution nicht wieder rauskommen.«

»Herzlichen Dank, Terry. Es ist beruhigend zu wissen, daß wir in einem Polizeistaat leben, in dem man nur dann geschützt wird, wenn man die richtigen Leute kennt... Aber bevor ich gehe, habe ich noch eine Frage an dich. Steht Fabian Messenger auch auf eurer Liste der Verdächtigen?«

Terry kniff den Mund zusammen. »Du brauchst uns nicht zu sagen, wie wir unseren Job machen sollen, Vic. Jedes Kind weiß, daß die nächsten Verwandten die besten Verdächtigen abgeben. Wir schicken jemanden hin, der sich mit ihm unterhält – nachdem wir ihm mitgeteilt haben, daß seine Frau tot ist.«

Ich schenkte ihm ein Lächeln. »Ich bin mir sicher, daß ihr sanft und diskret vorgehen werdet. Ich hoffe nur, daß die ganzen Richter und Senatoren, die er kennt, euch nicht blenden werden.«

»Anders als die öffentliche Meinung diskriminieren wir niemand aufgrund seines Reichtums oder seines Einflusses«, meinte Finchley steif. »Neely wird dir heute noch was zum Unterschreiben vorlegen, ich wäre dir also dankbar, wenn du noch mal vorbeischauen könntest.«

Das versprach ich ihm, obwohl ich nicht vorhatte, seinem Wunsch nachzukommen: Wenn sie etwas von mir wollten, sollten sie gefälligst zu mir kommen.

»Übrigens«, meinte Finchley ganz beiläufig, doch ich wußte: Diese Beiläufigkeit deutete darauf hin, daß er mir eine wichtige Frage stellen wollte. »Wir würden gern wissen, wo die fehlenden Beweise sind. Du hast genug Zeit gehabt, sie verschwinden zu lassen, bevor du uns gerufen hast.«

Ich lächelte ihn im Stehen an. »Das ist ein billiger Trick, Terry. Ich habe nicht den blassesten Schimmer, wovon du redest. Aber wenn du so weitermachst, rufe ich nicht zuerst meinen Anwalt an, sondern ein paar Zeitungsreporter. Die wollen meine Story sowieso.«

»Deine Akten, Warshawski. Wir würden sie uns gern ansehen, um festzustellen, ob wir so etwas Erhellendes über den Mord rausfinden können.«

Jetzt war es an mir, ein finsteres Gesicht zu machen. »Besorgt euch einen Haussuchungsbefehl, dann könnt ihr meine Akten einsehen. Aber darauf kannst du Gift nehmen: Nur über meine Leiche. Ihr könnt nicht beweisen, daß meine Arbeit mit Deirdre Messengers Tod zu tun hat.«

»Möglicherweise schon. Wenn du deine Daten auf der Festplatte löschst, bevor die Polizei den Computer mitnehmen kann...«

»Ihr habt meinen Computer mitgenommen? Und so erfahre ich davon? Ich verdiene mir meinen Lebensunterhalt damit. Und ihr untersucht ihn auf Fingerabdrücke – ich stelle mir lieber nicht vor, was das Pulver auf meiner Tastatur anrichten wird.«

»Auch nichts Schlimmeres als das Gehirn, das schon drauf gelandet ist«, fiel Finchley mir ins Wort. »Außerdem wollen wir das Ding ja nicht behalten. Die Leute von der Spurensicherung haben schon gesehen, daß der Computer abgewischt ist, da hat es nicht sonderlich viel Sinn, ihn zu behalten. Wir bringen ihn am Montag zurück. Ich würde gern wissen, wo deine Sicherungskopien geblieben sind.«

Ich starrte ihn ausdruckslos an.

Deirdres Mörder hatte also meine Informationen gelöscht. Sonst konnte sich niemand dafür interessieren, denn in letzter Zeit hatte ich in anderen Fällen keinerlei belastendes Material gefunden. Es sei denn, die Sache hatte mit Lamias Problemen zu tun und Deirdres Mörder wollte keinerlei Risiko eingehen...

»Was ist mit den Disketten?« fragte ich schließlich Terry. »Alles, was ich in letzter Zeit gemacht habe, ist da drauf.«

»Wir haben keine Disketten gefunden.«

Ich atmete tief durch und versuchte, Ordnung in meine wirren Gedanken zu bringen. Natürlich sichere ich meine Daten jedesmal, wenn ich den Computer benutze. Und dann stecke ich die Diskette in die Tasche. Das Pulteney zwang mich zu dieser Vorsichtsmaßnahme. Ich machte die Augen zu, versuchte, mich daran zu erinnern, was ich am vergangenen Abend als letztes getan hatte. Hatte ich eine Kopie gemacht? Hatte ich die Diskette mitgenommen oder nicht? In meiner Eile, Deirdre loszukriegen, hatte ich das vielleicht vergessen.

»Na, Vic? Soll ich mir jetzt einen Haussuchungsbefehl für deine Wohnung holen? Oder hast du die Sachen Dr. Herschel oder deinem Anwalt geschickt?«

Ich hatte Finchley noch nie so voller Verachtung erlebt. Zorn stieg in mir auf. Ich ballte die Fäuste in den Taschen meiner Jeans und beherrschte mich, um mich nicht auf ihn zu stürzen. Aber man kam nicht weit, wenn man einen Bullen verdrosch.

»Versuch das mal, Detective. Versuch's, dann wirst du ja sehen, wer dir in Zukunft bei deinen Fällen hilft.« Ich zitterte vor Wut, und in meiner Stimme schwang plötzlich ein heiseres Tremolo.

Auf dem Weg nach draußen stieß ich einen Stuhl mit dem Fuß weg und schlug die Tür hinter mir zu. Ich marschierte die eineinhalb Kilometer zum Pulteney mit einer unsäglichen Wut im Bauch über Finchleys Benehmen und den Verlust meiner Unterlagen. Die Einkommensteuererklärung war in elf Tagen fällig, fiel mir plötzlich ein. Wie sollte ich meine Einkünfte des vergangenen Jahres aus dem Chaos in meinem Büro rekonstruieren?

Als ich die Monroe Street überquerte, ließ mein Zorn ein wenig nach, statt dessen machte sich so etwas wie Depression breit. Meine Beziehung mit Conrad war ohnehin schon alles andere als einfach. Und eine Auseinandersetzung mit Terry Finchley würde sie mit Sicherheit nicht leichter machen.

Ich hoffte, daß Terry mir meinen Computer tatsächlich am Montag zurückschicken würde – denn bei der Polizei entwickeln elektronische Geräte die merkwürdige Neigung zu verschwinden. Ich schnaubte verächtlich: Zum Glück hatte ich Gabriellas alte Olivetti nicht weggegeben, als ich auf den Computer umgestiegen war. Ich hatte sie in meine Wohnung mitgenommen, weil ich die wenigen Erbstücke meiner Mutter nicht einfach wegwerfen wollte.

Ich marschierte mit vorgerecktem Kinn ins Pulteney – bereit, es mit jedem Bullen aufzunehmen, der vielleicht dort Wache schob. Aber nachdem sie das Gebäude nach Tamar abgesucht hatten, hatten sie offenbar beschlossen, niemanden dort zu postieren. Die einzige Spur, die sie hinterlassen hatten, war eine Tüte von McDonald's, die einer von ihnen in einer

Ecke des Foyers abgestellt hatte. Bevor sie gegangen waren, hatten sie das Treppenhaus abgesperrt, aber ich hatte meine Schlüssel. Also ging ich hinauf in den dritten Stock und erbrach das Polizeisiegel an meiner Bürotür.

15 Senatorenprivilegien

Ich war so erschrocken gewesen, Deirdre tot in meinem Büro zu finden, daß mir überhaupt nicht aufgefallen war, wie es dort ausschaute. Nachdem die Leute von der Spurensicherung sich darüber hergemacht hatten, war es schwer zu sagen, wieviel davon durch den Mord verursacht worden war und wieviel die Polizei dazu beigetragen hatte. Natürlich hatte niemand Deirdres Blut weggewischt. Große geronnene Klumpen klebten an meinem Schreibtisch und meinem Stuhl, und der Abdruck meiner Hand war noch immer zu sehen in den getrockneten Resten ihres Gehirns auf dem Boden.

Überall lag Papier herum. Jemand hatte sich die Akten aus zehn Jahren mit lockerer Hand angesehen und das, was ihn nicht interessierte, einfach auf Stühle und Boden, ja sogar aufs Fensterbrett geschleudert. Und über allem lag eine dicke Schicht von dem Pulver, mit dem die Fingerabdrücke sichergestellt worden waren. Die Hüter von Recht und Ordnung hatten es sogar über mein Nell-Blaine-Poster gestreut.

Ich schluchzte laut auf. *»Ti calmi«*, sagte ich laut und imitierte dabei die Stimme meiner Mutter, um das Gewitter, das sich in mir zusammenbraute, zurückzudrängen. Ich lieh mir Gabriellas festen Blick und betrachtete das Chaos. Vielleicht hatte ich nicht viel Zeit: Schließlich wußte ich ja nicht, ob die Polizei wiederkommen würde.

Jedenfalls hätte mich im nachhinein die Angst fast dazu gebracht, aus dem Zimmer zu rennen, in dem die vor kurzem Verstorbene gelegen hatte. Die Haut hinter meinen Ohren begann zu prickeln, als atme Deirdres Geist noch immer die Luft dieses Raums. Ich kratzte mich am Ohr und ging auf Zehenspitzen zum anderen Ende meines Schreibtischs.

Ich suchte die Schublade, in der ich normalerweise meine

Disketten aufbewahre. Finchley hatte recht: Sie waren verschwunden. Ich schaute auch in die anderen Schubladen in der vergeblichen Hoffnung, daß ich sie vielleicht nur verlegt hatte, fand aber nichts. Sogar die Schachtel mit meinen unformatierten Disketten war verschwunden.

Wenn ich keinen Computer mehr hatte, was brauchte ich dann noch, um mir zu Hause ein Büro einzurichten? Ganz bestimmt nicht meinen Drucker. Und wie sollte ich meine wichtigen Akten aus dem Chaos auf dem Boden heraussortieren? Lediglich meine Rollkartei würde sich wahrscheinlich als hilfreich erweisen. Also packte ich sie zusammen mit dem Telefon und sah mich ein letztes Mal um. Auf dem Weg nach draußen nahm ich noch das Nell-Blaine-Poster und Gabriellas Kupferstich von den Uffizien von der Wand.

Nachdem ich alles in einen Karton gesteckt hatte, ging ich so schnell ich konnte die Stufen zum Foyer hinunter. Ich war darauf gefaßt, mir meinen Weg durch einen Polizeikordon zu bahnen und hinaus in die Freiheit zu sprinten, aber im Foyer war noch immer kein Mensch zu sehen. Trotzdem rannte ich den ganzen Weg bis zur Garage wie von Furien gehetzt. Ich wünschte mir nichts sehnlicher als ein Bad, um den Schmutz des Aufzugs, die Überreste von Deirdres Gehirn, den Mord und die Verwüstung, abzuwaschen.

Mr. Contreras kam mir im Flur entgegen, als ich das Haus betrat. Seine ausgewaschenen braunen Augen schauten mich voller Panik an.

»Alles in Ordnung, Kleines? Ich hab' die Nachrichten im Radio gehört, beim Essen. Was ist denn passiert? Wer war die Lady? Warum war sie in Ihrem Büro?«

Die Hunde gesellten sich zu uns. Mitch, der schon fast fünfzig Kilo wog und immer noch weiterwuchs, sprang an mir hoch und brachte mich aus dem Gleichgewicht. Der Karton fiel mir aus der Hand. Telefon, Rollkartei und Bilder klapperten auf den Boden. Das Glas des Uffizienbildes brach. Der Holzrahmen splitterte und löste sich von dem Kupferstich. Mein Vater hatte meiner Mutter den Walnußholzrahmen einmal zu Weihnachten selbst gemacht, er hatte das Holz mit Sandpapier abgeschliffen, bis es glänzte. Gabriella hatte das Bild übers Klavier gehängt, wo sie es sehen konnte, während sie den

Nachbarskindern dabei zuhörte, wie sie »Old MacDonald Had a Farm« oder »Alle meine Entchen« spielten.

Ich drückte den Hund mit schwerer Hand weg. Der Magen tat mir weh. Ich wünschte mir nichts sehnlicher, als mich im Bett und in der Welt des Schlafes zu verkriechen, einen Ort zu finden, wo mich hundert Jahre niemand mehr stören würde.

Mr. Contreras packte mich am Arm und zog mich in seine Wohnung. »Setzen Sie sich, Kleines. Sie sind erschöpft, und die Hunde strengen Sie nur an. Ruhen Sie sich ein bißchen hier im Sessel aus. Ich bringe Ihre Schätze wieder in Ordnung. Keine Sorge, ich mach' nichts kaputt. Aber zuerst mach' ich Ihnen einen schönen heißen Tee. Haben Sie schon was zu Mittag gegessen? Wollen Sie ein paar Spiegeleier?«

»Geben Sie mir doch bitte den Bilderrahmen.« Ich setzte mich auf das durchgesessene Polster und versuchte, einer kaputten Feder auszuweichen. »Gehen Sie vorsichtig damit um. Vielleicht kann ich den Rahmen noch reparieren.«

»Keine Sorge, Kleines. Ich sehe schon, daß der Ihnen wichtig ist. Machen Sie einfach die Augen zu und überlassen Sie alles andere mir.«

Ich konnte dem alten Mann gar keine größere Freude machen, als ihm das Gefühl zu vermitteln, daß ich ihn brauchte. Ich lehnte mich in dem Sessel zurück. Er roch muffig, aber nach dem morgendlichen Trauma war ich zu müde, um darauf zu achten. Im Gegenteil: Der Geruch wirkte sogar beruhigend auf mich, als umarme mich der alte Mann selbst.

Mitch hatte mich noch immer nicht ausreichend begrüßt. Also drückte er seinen riesigen schwarzen Kopf jetzt gegen meine Beine. Als ich darauf nicht reagierte, rannte er zum Sofa, holte ein Seil mit Knoten, begann es in die Luft zu werfen und es anzuknurren, in der Hoffnung, mich zum Tauziehen zu animieren. Seine Mutter Peppy bellte ihn einmal an und versuchte, ihn zur Räson zu bringen. Da sie meine Stimmung erspürte, ließ sie sich neben dem Sessel nieder und leckte meine Hand, die über die Armlehne hing.

»Ist schon gut, altes Mädchen«, meinte ich. »Heut war einfach zuviel los. Aber das eine sag' ich dir: Wenn dein doofer Sohn den Bilderrahmen so kaputtgemacht hat, daß man ihn nicht mehr reparieren kann, ziehe ich ihm das Fell über die

Ohren. Warum hast du bloß ein solches Monster in die Welt gesetzt? Warum keinen wohlerzogenen Hund wie dich selbst?«

Peppy leckte meine Hand heftiger, was ich als Zustimmung deutete.

»Ich sehe einfach keinen Sinn in Deirdres Tod. Nicht, daß Mord jemals Sinn ergeben würde, aber warum bringt er sie um und löscht dann meine Daten? Wenn jemand mich wegen der Daten killen wollte, hätte er gewußt, daß das nicht ich war in dem Büro. Aber wenn jemand tatsächlich *sie* töten wollte, dann hatte er doch keinen Grund, meine Daten zu löschen.«

Peppy hörte auf, mich zu lecken und setzte sich mit aufmerksamem Blick hin. Ich streichelte eins ihrer Ohren. Vielleicht hatte jemand Angst gehabt, daß ich in einem Fall zuviel herausfand, und war gekommen, um meine Daten zu löschen. Und dann hatte er Deirdre in meinem Büro überrascht und umgebracht, um seine Spuren zu verwischen.

»Lächerlich«, erklärte ich Peppy. »Ich hab' in letzter Zeit wirklich nichts Brisantes gemacht. Das einzige waren meine Fragen über die Century Bank, aber damit habe ich erst gestern angefangen. Natürlich hat sich Eleanor Guziak über meine Fragerei aufgeregt, aber ich glaube nicht, daß sie so schnell einen Killer angeheuert hat.« Außerdem war es lächerlich zu glauben, daß eine Bankmanagerin überhaupt auf den Gedanken kam, einen gedungenen Mörder zu beauftragen.

»Was ist los, Kleines?« meinte Mr. Contreras, als er ins Zimmer geschlurft kam. »Ach so, Sie reden mit dem Hund. Machen Sie sich mal keine Sorgen um Ihren Bilderrahmen. Er ist zwar an den Ecken gebrochen, aber das kann man kleben. Es fehlen nur ein paar kleinere Splitter. Ich kenne einen Schreiner, der macht Ihnen den wie neu. Sie brauchen nur was zu sagen.«

Ich schaute mir die Kerben in dem dunklen Holz an. Ja, ich würde Mr. Contreras' Freund den Auftrag geben, den Rahmen zu reparieren, aber ich wußte, daß ich ihn nie wieder ohne Trauer anschauen könnte.

Der alte Mann trippelte in die Küche, um Tee zu machen, und kam mit einer Tasse zurück. Während ich das süße, schwarze Gebräu trank, briet er Eier mit Speck. Der Geruch erinnerte mich daran, daß ich mein Frühstück schon vor sieben Stunden eingenommen und zudem nicht behalten hatte.

Mr. Contreras rückte ein Fernsehtischchen neben den Sessel und fütterte mich wie ein Storchenvater. Während ich eine zweite Tasse Tee trank, erzählte ich ihm das, was er noch nicht im Radio gehört hatte. Ich ließ auch Terry Finchleys Drohung nicht aus, meine Wohnung zu durchsuchen.

Mein Nachbar reagierte angemessen entrüstet. »Er hat nicht den geringsten Grund, so rüde zu sein, Kleines... Haben Sie Conrad schon davon erzählt?«

Ich drückte die Hand des alten Mannes. Die Eifersucht, die er gegenüber jedem meiner Freunde empfand, verstärkte sich noch durch die Vorstellung, daß ich in den Armen eines schwarzen Mannes liegen könnte, aber er bemühte sich redlich, das Leben so zu nehmen, wie es nun mal war.

»Ich war noch keine Minute allein, seit ich Deirdres Leiche gefunden habe. Es wird Zeit, daß ich raufgehe und ihn anrufe.« Ich winkte ab, als mein Nachbar mir anbot, ich könne sein Telefon benutzen, denn ich wollte endlich ein Bad nehmen. Aber am meisten sehnte ich mich nach dem Alleinsein. Ich gab Mr. Contreras einen Kuß auf die Backe und ließ ihn die Reste der Eier an die Hunde verfüttern.

Nachdem ich gebadet hatte, hüllte ich mich in ein Handtuch und setzte mich im Schneidersitz auf meinen Sessel, um in die Luft zu starren. Die Morde in Chicago – und in ganz Amerika – ergeben immer weniger Sinn. Menschen werden erschossen, weil sie nicht schnell genug fahren, weil sie lächeln, wenn sie die Stirn runzeln sollten, weil sie grüne Klamotten tragen, wo doch Gelb in ist. Jemand war in mein Büro gekommen und hatte Deirdre den Kopf eingeschlagen. Und ich wollte einen Sinn darin entdecken.

Es wurde allmählich dunkel hinter meinen Wohnzimmerfenstern, und ich konnte mich wie in einem Spiegel darin sehen: eine tropfnasse Raupe in ihrem unordentlichen Kokon. Ich schaltete die Lampe auf dem Tisch ein und rief Conrad an.

Er hatte bereits aus drei verschiedenen Quellen von dem Mord gehört, hatte aber gewartet, bis ich selbst in der Verfassung war, ihn anzurufen. »Und Finch hat mir auch schon erzählt, daß ihr nicht im allerbesten Einvernehmen auseinandergegangen seid. Das mußt du mir also gar nicht erst verschweigen, Ms. W. Wie geht's dir?«

»Ist schon mal besser gegangen. Weißt du schon was von der Spurensicherung? Und hat Terry was gesagt, was er von Fabian Messenger erfahren hat?«

»Er hat mir nicht gesagt, daß er den Ehemann verdächtigt. Ich denke, er will die Obdachlose finden, die du in dem Haus hast wohnen lassen.«

»Als Zeugin oder als Hauptverdächtige?« wollte ich wissen.

»Immer mit der Ruhe, Vic. Ich kann nichts dafür, und ich habe auch keine Meinung dazu... Wahrscheinlich kann ich dich nicht dazu überreden, daß du dich da raushältst, oder?«

Ich dachte nach. »Wenn Finchley mit Fabian redet, ich meine, *richtig* mit ihm redet, und rausfindet, ob er gestern abend im Pulteney war, könnte ich es mir überlegen. Aber versprechen kann ich dir nichts.«

Conrad hüstelte, was bei ihm immer ein Zeichen von Nervosität war.

»Was ist los?« fragte ich.

»Wenn ich dir das sage, gehst du sicher in die Luft, und das verkrafte ich vor der nächsten Schicht nicht.«

Ich verzog das Gesicht und sah, wie das Fenster mein Spiegelbild als verzerrte, striemige Grimasse zurückwarf. »Ich verspreche dir, daß ich es für mich behalte, wenn ich in die Luft gehe.«

»Alec Gantner hat schon mit Finch telefoniert.«

»Papa oder Sohnemann?«

»Der Senator höchstpersönlich. Er hat gesagt, wie erschüttert er über den Todesfall in der Familie eines so angesehenen Bürgers ist und wie sehr er hofft, daß die Polizei nichts unversucht läßt, um den Mörder zu finden. Du weißt schon, so wird ein Fall draus, für den jede Menge Mittel zur Verfügung stehen, aber die Sache wird zum Alptraum für den zuständigen Beamten. Terry muß die Frau finden, Vic. Er wird sie nicht überrollen, aber sie ist die einzige, die möglicherweise was gesehen hat gestern abend. Wenn du weißt, wo sie steckt, dann rück bitte raus mit der Sprache. Du brauchst wirklich nicht glauben, daß du sie vor der Brutalität der Polizei schützen mußt.«

Ich rieb mir die Stirn und sagte nichts, bis Conrad wieder hüstelte und mir bewußt wurde, daß er wahrscheinlich dachte, ich sei auf hundertachtzig. »Ich bin nicht wütend, Conrad. Nur

verblüfft. Warum sollte ein Senator der Vereinigten Staaten ...
ach so, wahrscheinlich, weil Fabian scharf ist auf eine Stelle als
Bundesrichter. Aber ich schwöre dir bei allem, was mir heilig
ist, daß ich nicht weiß, wo Tamar Hawkings steckt.«

»Ich wünschte, ich könnte dich persönlich sehen«, brummte
er. »Du kennst tausend Wege, die Wahrheit zu verdrehen, aber
wenn ich dein Gesicht sehe, weiß ich Bescheid.«

Das brachte mich zum Lachen. Vor dreißig Minuten hätte
ich das noch für unmöglich gehalten. »Das ist die Wahrheit und
nichts als ... ich habe keine Ahnung, wo sie jetzt gerade ist, im
Loop oder in Uptown oder vielleicht sogar wieder an der
Southwest Side ... Ach, ja – ich glaube, ihr wißt das noch
nicht –, sag Finchley doch, daß ihr Mann schon vor ein paar
Monaten eine Vermißtenanzeige aufgegeben hat. Sie sagt, er
hat angefangen, das älteste Kind zu belästigen.«

Terry würde bestimmt einen Anfall bekommen, weil er
dachte, ich hätte ihm diese Information absichtlich vorenthalten. Die Bullen glauben einem nie, daß man etwas vergessen
könnte, was sie für wichtig halten.

Als Conrad und ich einigermaßen locker auflegten, zog ich
meine Jeans an und ein Baumwollhemd im Stricklook. Vielleicht konnte Alec Gantner die Stadt dazu zwingen, einen
Fabian Messenger mit Glacéhandschuhen anzufassen, aber gegen mich hatte er keine Handhabe. Schließlich war ich nicht
scharf auf einen Posten beim Staat.

16   Ein hingebungsvoller Vater

Fabian öffnete die Tür zu seiner Villa selbst. »Ach, du bist's,
Warshawski. Wenn du Deirdre sprechen möchtest – die ist
tot.«

Seine Begrüßung schockierte mich. »Das weiß ich. Ich hab'
ihre Leiche heute morgen in meinem Büro gefunden. Es war
schrecklich; wahrscheinlich stehst du auch unter Schock.«

»Warum bist du hergekommen, wenn du weißt, daß sie tot
ist?« wollte er wissen.

»Um dich zu sehen, Fabian. Können wir reingehen?«

Ich hätte gewettet, daß er mir die Tür vor der Nase zuschlagen würde. Aber zu meiner Überraschung trat er in den Flur zurück und ließ mich hinein. Als wir drin waren, sah er sich so unsicher um, als sei ihm das Haus fremd. Allmählich hatte ich den Verdacht, daß seine merkwürdigen Bemerkungen vielleicht von einem echten Schock über Deirdres plötzlichen Tod herrührten.

»Wo sind die Kinder?« fragte ich.

»Die Kinder? Ach so. Die sind oben bei Emily. Wolltest du sie sehen?«

»Nein, eigentlich nicht. Aber vielleicht sollte ich doch mit Emily reden. Der Tod ihrer Mutter muß sie schwer getroffen haben.«

»Meinst du?« Fabian sah mich erstaunt an. »Sie und Deirdre sind, glaube ich, nicht so gut miteinander ausgekommen.«

Der Tod meiner eigenen Mutter war der Wendepunkt in meinem Leben gewesen. Ich war damals ein Jahr älter gewesen als Emily jetzt. Vermutlich habe ich mich in vielerlei Hinsicht nie ganz davon erholt. Aber wie hätte die Sache ausgesehen, wenn Gabriella so wie Deirdre gewesen wäre – eine Trinkerin, die nicht nur der Welt im allgemeinen, sondern mir im besonderen feindselig gegenüberstand? Ich versuchte mir das vorzustellen. Der Tod hätte mich nicht von ihrer Wut erlöst. Im Gegenteil – er hätte die Katastrophe noch verschlimmert, denn mein eigener Wunsch, sie loszuwerden, meine Schuldgefühle deswegen hätten mir wahrscheinlich keine Ruhe gelassen.

»Hat sie denn keine Großmutter oder Tante, bei der sie bleiben könnte?« fragte ich Fabian. »Sie kann sich nicht allein um deine Söhne kümmern.«

»Emily behält in Krisensituationen erstaunlich kühlen Kopf. Ich will nicht, daß Deirdres Mutter sinnlos hier herumhängt, und meine eigene Mutter ist schon vor Jahren gestorben. Ich kann es mir im Moment nicht leisten, Emily gehen zu lassen. Vielleicht können wir uns nach der Beisetzung noch mal drüber unterhalten.«

Ich blinzelte ein paarmal, um die Realität nicht aus dem Blick zu verlieren. »Stell doch ein Kindermädchen ein, damit deine Tochter sich ein bißchen fangen kann.«

»Bist du deswegen hergekommen? Um mir einen Vortrag

darüber zu halten, was ich als Vater zu tun habe? Tja, du hast ja nie selbst Kinder gehabt – es sind immer die Leute, die sich nicht die Mühe gemacht haben, selber Kinder in die Welt zu setzen, die meinen, sie könnten uns arme Schweine belehren. Damit du beruhigt bist: Wir haben eine Haushälterin, aber die Jungen können sie nicht sonderlich leiden, weil sie nicht Englisch spricht. Sie wollen sie nicht als Babysitter.«

»Deirdre war gestern abend bei mir im Büro.« Fabian behandelte mich mit einer solchen Mischung aus Arroganz und Vertraulichkeit, daß ich meine wichtigsten Fragen einfach nicht mit der nötigen Finesse vorbringen konnte. »Sie wollte dich dort treffen, stimmt's?«

»Nein, Warshawski, das wollte sie nicht. Ich hatte keine Ahnung, daß sie in der Stadt war. Das habe ich erst gemerkt, als ich von der Arbeit nach Hause gekommen bin. Nach einer Besprechung, die ziemlich lange gedauert hat, hatte ich eigentlich erwartet, das Essen auf dem Tisch stehen zu sehen. Statt dessen hat sie mich angeblafft und ist verschwunden. Ihr nachzujagen, wäre mir nie in den Sinn gekommen. Jetzt weiß ich, daß das besser gewesen wäre – aber zu dem Zeitpunkt jedenfalls habe ich Emily heruntergerufen.«

»Also hat Emily dir das Abendessen gemacht. Und dann bist du in die Stadt, um Deirdre zu finden, um ihr zu sagen, was du davon hältst, wenn sie einfach so abhaut. Aber sie hat dich bloß ausgelacht, und du hast die Nerven verloren und ihr den Schädel eingeschlagen. Bevor du gewußt hast, was passiert ist, war sie schon tot. Und heute morgen hast du deinen Senator angerufen, damit der ein gutes Wort für dich einlegt bei der Polizei.«

»Wie bitte? Willst du damit andeuten, daß ich Deirdre etwas angetan habe? Ich war die ganze Nacht hier. Mrs. Sliwa hatte frei, und Deirdre hat mich mit den Kindern allein gelassen. Ich konnte gar nicht weg. Ich habe sogar...«

Er schwieg. Was hatte er sogar?

»Du hast sogar die Polizei gerufen? Oder bist du neben der Tür gesessen, um Deirdre zu verprügeln, wenn sie endlich nach Hause käme?« stichelte ich.

Er sah wütend aus, sagte aber nichts. Statt dessen ging er zum Fuß der Treppe und rief hinauf: »Emily! Emily! Komm mal runter. Ich möchte mit dir sprechen!«

Zuerst war nichts zu hören, aber als er ihren Namen noch einmal in schärferem Tonfall rief, hörte ich leise Schritte auf dem Teppich im Obergeschoß. Dann kam seine Tochter die Treppe herunter, die krausen blonden Haare auf der einen Seite am Kopf klebend, auf der anderen in einem riesigen Büschel wegstehend. Sie trug eine Jeans und eine schlechtsitzende gelbe Bluse, die ihre fleckige Haut fahl erscheinen ließ. Fünf Stufen über uns blieb sie stehen. Hinter ihr drückten sich ihre kleinen Brüder wie Mäuse in die Schatten.

»Das ist Miss Warshawski, Emily. Sie ist mit ein paar Fragen zu uns gekommen, deren Beantwortung sie eigentlich nichts angeht, aber wir wollen ihr trotzdem Rede und Antwort stehen, in der Hoffnung, daß sie uns dann in Ruhe um eure Mutter trauern läßt.«

»Hallo, Emily. Ich heiße Vic. Wir haben uns am Mittwochabend schon mal gesehen.« Ich ging eine Stufe hinauf und streckte ihr die Hand hin, aber sie reagierte nicht; ihr Gesicht hatte einen so trüben Ausdruck angenommen, daß sie beinahe zurückgeblieben aussah.

Ich ging noch ein paar Stufen hinauf und setzte mich neben sie. »Deine Mutter ist gestern abend in mein Büro gekommen. Hat sie dir gesagt, wo sie hinwollte? Oder ist sie einfach davon ausgegangen, daß du dich um alles kümmerst, wenn sie weg ist?«

Emily sah ihren Vater an, der sie in scharfem Tonfall ermahnte, meine Frage zu beantworten.

»Sie war weg, als ich von der Schule nach Hause kam.« Ihr Flüstern war so leise, daß ich sie kaum verstand, obwohl ich nur einen halben Meter von ihrem Gesicht entfernt saß.

»Hat sie dir eine Nachricht hinterlassen?«

Emily nickte leicht. »Sie hat nur geschrieben, daß sie weggeht und nicht weiß, wann sie wiederkommt. Aber wir könnten uns die Reste zum Abendessen aufwärmen. Es ist ziemlich viel übriggeblieben von der Party.«

»Hast du den Zettel noch? Vielleicht finde ich mehr über ihre Pläne raus, wenn ich ihn sehe.«

»Wir haben ihn nicht aufgehoben, Warshawski. Da wir keine Hellseher sind, konnten wir nicht ahnen, daß wir ihn vierundzwanzig Stunden später als Beweismittel brauchen würden«, mischte sich Fabian mit brüchiger Stimme ein, und seine Tochter zuckte zusammen.

Ich schenkte ihm keine Beachtung, weil ich hoffte, Fabians Einfluß auf Emily zu mindern, wenn ich den Blickkontakt zu ihr nicht unterbrach. »Sie wollte deinen Vater gestern abend in meinem Büro treffen. Ist er aus dem Haus gegangen?«

Emily bewegte den Mund, aber es kam nichts heraus. Ihre Schultern senkten sich unter der Last ihrer zurückgehaltenen Tränen.

»Sag es ihr, Emily«, befahl Fabian. »Sag ihr, ob ich gestern abend weggegangen oder hiergeblieben bin.«

Sie schluckte, sah Fabian an, begann zu weinen.

»Du mußt nicht für ihn lügen«, sagte ich sanft.

»Sag ihr einfach die Wahrheit, Emily«, drang Fabian weiter in sie. »War ich gestern abend daheim oder nicht?«

»Doch!« kreischte sie. »Du warst hier! Ich weiß, daß du hier warst!«

In ihrer Eile, wieder die Stufen hinaufzukommen, stolperte sie über meine linke Hand. Die Mäuse lösten sich aus den Schatten, als sie an ihnen vorbeilief, und hängten sich an ihre Blusenzipfel. Zusammen huschten sie den oberen Flur entlang.

»Bist du nun zufrieden, Warshawski?« lächelte Fabian triumphierend.

»Ja, ich bin zufrieden, Messenger.« Ich erhob mich langsam. »Ich bin zufrieden, weil du deiner Tochter so viel Angst eingejagt hast, daß sie dich deckt. Ich werde dem zuständigen Beamten, der den Mord an deiner Frau untersucht, diese Information weitergeben.«

»Aber vergiß nicht, ihm auch noch folgendes zu sagen: Ich werde es nicht mehr zulassen, daß du dich in meine Privatangelegenheiten einmischst. Ich habe vor, Schritte gegen dich einzuleiten.«

»Und wie willst du das machen? Willst du vielleicht noch mal die gleiche Waffe verwenden wie bei Deirdre? Ich werde die Polizei auf diese Möglichkeit hinweisen.«

»Ich weiß nicht, wie du es schaffst, im Geschäft zu bleiben, Warshawski – ich weiß es wirklich nicht. Anscheinend läßt du dich eher von deinen Hormonen als von deinen Synapsen leiten.«

Ich blieb stehen, die Hand auf dem Türknauf. »Soll das eine Beleidigung sein, Fabian? Hast du so versucht, Deirdre fertigzumachen? Hast du ihr erklärt, daß sie sich nur von ihren Gefühlen leiten läßt statt von der göttlichen Kraft deines männlichen Intellekts? Und war sie so schlecht drauf, daß sie dir tatsächlich zugehört hat? Sie tut mir schon lange leid, aber mit diesem traurigen Grabspruch hatte ich nicht gerechnet: Ich habe auf meinen eigenen Verstand verzichtet, um das schwache Ego meines Mannes zu stärken.«

»Ja, ja, die alte Feministinnenleier. Wenigstens war Deirdre clever genug, nicht darauf reinzufallen. Du hast, was du wolltest – und jetzt geh.«

»Laß deine Wut nicht an Emily aus, wenn ich weg bin. Sie ist noch zu jung, um gegen dich anzukommen.«

Sein überhebliches Lächeln verschwand, er wurde wütend. »Laß meine Tochter in Ruhe. Du bist kein gutes Vorbild für ein Mädchen, so unsolide, wie du lebst. Ich hab' rausgefunden, daß du dich nach der Party mitten in der Nacht in ihr Zimmer geschlichen hast. Wenn du ihr noch einmal zu nahe kommst, ohne mir vorher was zu sagen, zeig' ich dich an, Miss Besserwisserin, das kannst du mir glauben.«

Völlig überraschend für mich selbst rannte ich plötzlich hinauf in Emilys Zimmer. Fabian blieb im Flur stehen, so verdutzt, daß er mir nicht einmal nachrief.

Ich klopfte an Emilys Tür, wartete aber nicht, bis sie aufmachte, sondern drückte sie gleich selbst auf. Die drei Kinder saßen zusammengekauert auf dem ungemachten Bett mit den zusammengeknüllten Laken und Decken. Nathan hatte sich, den Daumen im Mund, unter den rechten Arm seiner Schwester gedrückt. Sein älterer Bruder Joshua lehnte im Schneidersitz an ihrer anderen Schulter und las laut aus einem Buch vor.

Er hörte auf, als ich reinkam. Die drei starrten mich verängstigt an wie kleine Vögel in einem zerrupften Nest. Ich schob einen Stapel Bücher und Papiere auf dem Boden weg, um mich neben das Bett knien zu können.

»Emily, ich möchte mit dir reden. Ich mache mir Sorgen darüber, was mit euch passiert, wenn ich euch mit Fabian – eurem Vater – allein lasse.«

Sie sah mich wieder mit diesem leicht debilen Gesichtsausdruck an, aber inzwischen wußte ich, daß es nur eine Maske war. Auch Joshua hatte schon gelernt, diese Maske aufzusetzen; nur der Kleine fing an, mit dem Daumen im Mund zu wimmern. Emily zog ihn näher zu sich heran.

»Ihr müßt nicht hierbleiben und euch weh tun lassen«, sagte ich. »Es gibt sichere Orte für euch. Wenn ihr mit mir kommen wollt – jetzt oder später –, sorge ich dafür, daß man euch hilft.«

Plötzlich stürzte Fabian ins Zimmer. »Ich habe dir gesagt, du sollst dich nicht mehr an meine Tochter ranmachen.«

Ich blieb neben Emily knien. »Glaubst du, daß du mit den Jungen bei eurer Großmutter bleiben könntest? Wenn du ihr vertraust, dann ruf sie an. Oder mich. Oder ihr könnt auch jetzt mit mir kommen. Ich warte, bis ihr eure Zahnbürsten eingepackt habt.«

»Das werdet ihr nicht tun«, brüllte Fabian. »Warshawski, du verläßt auf der Stelle mein Haus. Und du, junge Dame: Wenn du noch ein Wort mit der Frau sprichst . . .«

»Dann was?« fauchte ich ihn an. »Dann beweist du uns, was für ein starker Kerl du bist, oder? Emily, mein roter Trans Am steht draußen vor der Tür. Ich warte da eine Weile auf dich, falls du dich doch noch entscheidest, mit mir zu kommen. Und wenn nicht, schaue ich jeden Tag oder so vorbei, um sicherzugehen, daß alles okay ist. Hast du meine Visitenkarte noch?«

»Nein, die hat sie nicht mehr. Ich habe sie gestern auf ihrer Frisierkommode gefunden und ihr rausgekitzelt, daß du hier drin gewesen bist und dich an sie rangemacht hast. Du brauchst ihr keine neue Karte mehr zu geben.«

Ich erhob mich. »Mein Gott, Fabian, bist du langweilig. Und so einfallslos. Ich würde gern vor Gericht gegen dich aussagen – es würde mir Spaß machen zuzusehen, wie du einen Haken nach dem anderen schlägst. Wie bist du nur an die Professur gekommen? Hast du deine Verbindungen spielen lassen?«

Ich sah, wie seine Hand zurückzuckte, und hob den Arm rechtzeitig, um seinen Schlag abzublocken. Dann packte ich seinen Arm und zog ihn mit einem Ruck herunter, so daß er vor Schmerz zusammenzuckte.

»Versuch nicht, mich anzugreifen, Fabian – ich hab' das Kämpfen auf den Straßen von Chicago gelernt. Da kennt niemand den Knigge . . . Ich warte vor der Tür, Emily.«

Als ich aus dem Zimmer war, knallte Fabian die Tür hinter mir zu. Ich blieb noch ein paar Minuten im Flur, um sicherzugehen, daß er sie nicht verprügelte, hörte aber nur leises Gemurmel. Ohne schlechtes Gewissen beugte ich mich zum Schlüsselloch. Ich sah, daß Fabian neben seinen Kindern auf dem Bett saß. Zwar konnte ich nicht erkennen, was er machte, aber die Wortfetzen, die ich mitbekam, klangen mitfühlend, sogar liebevoll. Während ich zum Wagen ging, kratzte ich mir den Kopf. Ich hatte gehört, wie er seine Frau geschlagen und seine Tochter behandelt hatte, doch diese unvermutete Zärtlichkeit ließ mich an der Zuverlässigkeit meines eigenen Gedächtnisses zweifeln.

Ich wartete fast eine volle Stunde vor dem Haus. Niemand kam heraus.

17 Eine Familienangelegenheit

»Hör zu, Vic, ich will dir nicht vorschreiben, was du zu tun oder zu lassen hast. Ich möchte dir lediglich erklären, wie das Leben wirklich ist. Du meinst also, Fabian ist ein Fall für den Psychiater – nach allem, was du sagst, sollte man dem Kerl eine Zwangsjacke und ein paar Beruhigungsmittel verpassen. Aber er hat nun mal mächtige Freunde hier in der Stadt. Du hast ihn gestern abend um sechs gesehen, stimmt's? Und um neun hat Kajmowicz schon mit Finch telefoniert. Da hat jemand ziemlich schnell reagiert.«

Ted Kajmowicz war der stellvertretende Polizeipräsident. Wenn er einen Beamten daheim anrief, konnte das die Chance seines Lebens bedeuten – oder das Ende seiner Karriere. Ich konnte mir nur vorstellen, wie nervös oder wütend oder verlegen Finchley bei dem Gedanken gewesen war, daß er meinetwegen seinen obersten Chef auf dem Hals hatte. Ich konnte es mir nur vorstellen, weil er offenbar nicht in der Lage gewesen war, mit mir persönlich darüber zu reden – er war lieber zu Conrad gegangen.

Und Conrad versuchte ich nun zu erklären, warum mich das ärgerte. »Weißt du, es geht darum, daß ich deine Freundin bin, nicht eine Detektivin, mit der er sich persönlich unterhalten sollte. Ich mag's einfach nicht, wenn man mir durch meinen Lover ausrichten läßt, daß ich mich nicht so aufführen soll.«

»Ach Baby, wir wissen doch, daß es für uns beide nicht leicht ist, alles unter einen Hut zu kriegen. Nicht nur die Geschichte mit dem Rassenunterschied, sondern auch, daß du Ama... Privatdetektivin bist und ich für den Staat arbeite. Wenn du meinst, Finchley hätte dich persönlich anrufen sollen, klar, da hast du recht. Aber er hat einfach zuviel Angst gehabt, daß er ausflippt, wenn er direkt mit dir redet.«

»Ist schon pervers, daß ich mich lieber mit dem Zorn eines Menschen auseinandersetze, als von ihm links liegengelassen zu werden.«

Ich drehte den Kopf ein wenig und starrte zum Fenster hinaus, wo drei Jungen Räuber und Gendarm spielten. Wir saßen in Conrads Wagen vor dem Haus seiner Mutter und versuchten, uns etwas zu beruhigen, bevor wir uns dem schweren Geschütz von Mrs. Rawlings stellten.

Conrad hatte mich am Morgen mit der Nachricht angerufen, daß Fabian Messenger einen Unterlassungstitel gegen mich beantragt hatte und ich gut daran täte, seiner Tochter nicht mehr zu nahe zu kommen. Als ich mich erkundigte, ob Finchley Messenger ernsthaft als Verdächtigen in Erwägung zog, erklärte Conrad, er könne das nicht mit mir besprechen. Natürlich hatte das die Fahrt in den Süden der Stadt nicht unbedingt angenehmer gemacht.

»Tja, das ist wohl der Bulle in mir, der nicht will, daß eine Privatperson sich in die Ermittlungen bei einem Mordfall einmischt«, meinte Conrad. »Und der Freund in mir möchte, daß du dir nicht die Finger verbrennst an jemandem, der so gute Beziehungen hat wie Fabian Messenger.«

Er legte mir eine Hand auf den Arm. »Ich weiß, daß du dich drüber aufregst, aber bedenke mal folgendes: Die meisten deiner Klienten sind auf die Gunst der amerikanischen Regierung angewiesen. Dein Hauptkunde Darraugh Graham macht drei Viertel seiner Geschäfte mit dem Staat. Außerdem ist er Republikaner und investiert wahrscheinlich eine ganze Menge Kohle in Alec Gantner. Wenn der Senator anruft und ihm sagt, er soll dafür sorgen, daß du den Mund hältst, oder einfach keine

Geschäfte mehr mit dir machen, dann wird er das doch tun, oder?«

Bevor ich etwas darauf sagen konnte, tänzelte eine von Conrads Nichten den Weg herunter, um uns abzuholen. Sie machte die Beifahrertür auf und zerrte an meiner Hand.

»Komm, Vic. Tante Zu-Zu will ihre Geschenke erst aufmachen, wenn du auch da bist. Was hast du ihr mitgebracht?« Die sechsjährige Jasmine gehörte zu den erfreulichen Seiten, die Conrads Familienleben mir beschert hatte.

»Das ist eine Überraschung. Und wenn ich's dir sage, ist es keine Überraschung mehr.«

Ich hatte in einem Laden eine Sterling-Silber-Brosche mit einer Säge und einem darüber gekreuzten Hammer entdeckt, die mir als passendes Geschenk für eine Handwerkerin erschienen war. Jetzt holte ich die kleine Schachtel aus meiner Tasche und gab sie Jasmine. Sie drückte daran herum und rasselte herunter, wer alles gekommen war, während ich den Tortellinisalat, meinen Beitrag zum Büffet, vom Rücksitz holte.

Jasmine versuchte zu erraten, was in dem Päckchen war, als sie mich den Weg zum Haus hinaufdirigierte. An der Tür fragte Conrad mich: »Aber wir verderben Zu-Zu wegen der Sache nicht ihren Geburtstag, ja?«

»Natürlich nicht, Conrad. Schließlich bin ich keine Primadonna, sondern ein Profi. Zwar ist es vergebliche Liebesmüh, euch davon zu überzeugen, aber ich gebe mich noch nicht geschlagen.«

Er grinste. »Ich hab' schon Angst gehabt, daß du tatsächlich aufgibst.«

Jasmine hatte genug vom Zögern der Erwachsenen und versuchte, ihren Onkel einfach ins Haus zu schieben. Wir lachten ein bißchen und wehrten uns nicht.

»Ich hab' sie geholt, Tante Zu-Zu. Machst du jetzt endlich deine Geschenke auf? Mommy hat dir ein hübsches...«

»Jazzy«, quiekte ihre ältere Schwester, um sie zum Schweigen zu bringen. »Du verdirbst alles. Halt den Mund!«

Aber Jasmine, die Partys über alles liebt, ließ sich nicht so leicht ins Bockshorn jagen. Sie übergab mein Geschenk Camilla, die vom Boden aufstand, um ihren Bruder und mich zu umarmen.

In dem Raum wimmelte es von Leuten. Der ganze Rawlings-Clan war anwesend, es fehlte lediglich Conrads jüngste Schwester Janice, die als Neurologin in Atlanta praktizierte. Dazu kamen alte Freunde der Familie, die Frauen, die zusammen mit Camilla versuchten, Lamia in die Gänge zu kriegen, und alle ihre Kinder. Auch Phoebe Quirk war als die Hauptgeldgeberin von Lamia mit dabei. Und Tessa Reynolds, eine Bildhauerin, mit der Conrad mehrere Jahre lang zusammengewesen war, hatte neben Camilla auf dem Boden gesessen.

Mrs. Rawlings stemmte sich ächzend von dem Sofa hoch, auf dem sie sich mit ihrer ältesten Tochter Elaine unterhalten hatte, und rieb sich den Rücken, um allen zu zeigen, welche Mühe es ihr bereitete, der Freundin ihres Sohnes die nötige Höflichkeit entgegenzubringen. Ich machte einen Bogen um die Leute auf dem Boden, um sie und Elaine zu begrüßen.

»Hallo, Baby«, sagte Mrs. Rawlings zu Conrad. »Du arbeitest zu viel in letzter Zeit. Wir sehen dich ja gar nicht mehr. Tessa ist da; ich weiß, daß du dich mit ihr unterhalten willst.«

»Vic ist auch da, Mama«, meinte Conrad mit sanfter Stimme.

»Das weiß ich; schließlich habe ich Augen im Kopf. Wie geht's, Vic?« Sie reichte mir die Hand so formell und distanziert wie die Queen.

Sie war eine gedrungene Frau Anfang Sechzig, ihr Mann war gestorben, als Conrad zwölf war; sie hatte fünf Kinder allein aufziehen müssen. Das war für alle kein Zuckerlecken gewesen, weil Mrs. Rawlings in einer Bäckerei arbeitete und ständig Überstunden machen mußte. Die älteren Kinder hatten Aushilfsjobs erledigt, als sie auf die High-School gingen. Nur Janice, das Nesthäkchen, war dank des Geldes, das ihre Geschwister mit harter Arbeit verdienten, in den Genuß einer College-Ausbildung gekommen, ein Luxus, der normalerweise nur in der Mittelschicht üblich war.

Als einziger Junge hatte Conrad wohl oder übel die Rolle des Familienoberhaupts übernehmen müssen. In dieser Eigenschaft hatte er während seiner ganzen High-School-Zeit zwanzig oder dreißig Stunden pro Woche gearbeitet. Trotzdem hatte er den Abschluß mit Auszeichnung geschafft – so daß er wenig Mitleid mit den heutigen Jugendlichen hatte, von denen so viele die Schule einfach abbrachen.

Und, das hatte mir Camilla mehr als einmal erklärt, keine Frau wäre gut genug für Mamas Liebling. Die Tatsache, daß ich weiß war, gereichte mir zusätzlich zum Nachteil, aber offenbar hatte Mrs. Rawlings, die Tessa im Moment so augenscheinlich favorisierte, diese früher auch kaum weniger eisig begrüßt als mich jetzt.

Camilla glaubte, daß Conrad noch immer bei seiner Mutter wohnen würde, wenn er nicht gleich nach der High-School nach Vietnam gemußt hätte. »Conrad kann einfach niemandem weh tun«, hatte sie mir einmal erklärt. »Mama hat immer zu weinen angefangen und über ihren Rücken geklagt, wenn er davon sprach auszuziehen; also blieb er bei ihr – es wären ja nur noch ein paar Wochen, bis es ihr wieder bessergginge. Aber natürlich kam es nie soweit. Das war ein Scheißjob in Vietnam, und Uncle Sam hat Conrad auch nicht besser behandelt als die anderen South-Side-Schwarzen, die die Army sich geholt hatte. Trotzdem glaube ich persönlich, daß Vietnam für Conrad so was wie ein Silberstreifen am Horizont war.«

Diese Unterhaltung fiel mir wieder ein, als Mrs. Rawlings auf meine Begrüßung reagierte, indem sie die Hand ins Kreuz legte. »Danke, mir geht's gut, Vic. Man hat halt Schmerzen, wenn man alt wird. Ich hätte natürlich das Sofa nicht verschoben, wenn ich gewußt hätte, daß Conrad wirklich kommt, aber jetzt, wo er mit dir zusammen ist, ist seine Familie...«

Ihr Sohn legte ihr den Arm um die Taille und führte sie sanft hinüber zum Sofa. Was er sagte, wurde vom Kreischen der Kinder übertönt, doch schon nach ein paar Minuten sah ich, daß sie tatsächlich lächelte: ein sanftes, leidendes Lächeln – als wolle sie sagen, sie amüsiere sich nur, um ihren Kindern das Fest nicht zu verderben –, aber immerhin war es ein Lächeln.

Mrs. Rawlings rief Tessa Reynolds zu sich aufs Sofa. Als Conrad ihr sein typisches ironisches Lächeln schenkte und sie umarmte, empfand ich doch tatsächlich so etwas wie Eifersucht. Seit meiner Scheidung habe ich mich auf eine ganze Reihe von Affären – oder Beziehungen, nennen Sie es, wie Sie wollen – eingelassen, aber nie war ich auf die Verflossenen meiner Partner oder Liebhaber eifersüchtig gewesen. Das Gefühl überraschte mich so sehr, daß ich Conrad und Tessa wortlos anstarrte und versuchte, mir darüber klarzuwerden, warum. Plötzlich merkte ich, daß Elaine mich mit süffisantem Grinsen beobachtete. Ich warf ihr einen Kuß zu und gesellte mich zu der Gruppe um Camilla. Die dritte Schwester, Clarissa, umarmte mich und rückte ein wenig, um mir Platz zu machen.

Phoebe Quirk, die mit ihrer weiten Jeans und einer bestickten Bauernbluse wie sechzehn aussah, erklärte gerade zwei Frauen aus der Lamia-Gruppe die finanziellen Einzelheiten des Sanierungsprojekts. Sie betrachtete mich mißtrauisch, fuhr jedoch mit ihren Ausführungen fort, bis Jasmine sich mit einem Plumps bei uns niederließ, um uns zu sagen, was es zu essen gab.

»Vic hat Spaghetti mitgebracht«, teilte Jasmine uns mit. »Die kurzen runden, die ausschauen wie Bonbons.«

»Tortellini, *bellissima*«, sagte ich und zog an einem ihrer Zöpfe.

»Das heißt ›Hübsche‹«, erklärte Jasmine Camilla. »Ich kann doch gut Italienisch, gell, Vic?«

»*Molto bene, cara*«, bestätigte ich.

»*Grazie, Victoria*«, flötete Jasmine zurück und rannte dann wieder zu ihrer Mutter hinüber.

Ich wandte mich an Phoebe. »Du wolltest gerade erklären, wie die Finanzierung des Sanierungsprojekts laufen soll. Home Free muß das Geld auftreiben für Lamia? Oder haben sie es schon?«

Phoebe hob die sandfarbenen Augenbrauen warnend. »Century Bank, Vic. Die haben ein schlechtes Gewissen, weil sie das ursprüngliche Projekt nicht finanzieren können, also arrangieren sie eine Zwischenfinanzierung.«

»Soso – eine humane Bank also. Wer unterschreibt? Du? Lamia? Home Free?«

»Wir verteilen das Risiko, aber Home Free hat einen guten Ruf als Financier. Ich glaube nicht, daß wir uns da übernehmen.« Sie verzog wütend den Mund, als die anderen Frauen – eine Bauschreinerin namens Agatha und eine Anstreicherin, deren Namen ich nicht kannte – ein besorgtes Gesicht machten.

»Warum versuchst du, uns alle zu beunruhigen, Vic?« wollte Phoebe wissen.

»Knapp zwei Tage nachdem du mir erzählst, daß die Baubehörde die Genehmigung verweigert, kriegst du plötzlich dieses Sanierungsprojekt. Den Teil der Geschichte verstehe ich nicht.«

»Mein Gott, bist du argwöhnisch. Die Frau ist so argwöhnisch, daß sie nicht mal bei einer Party entspannt sein kann!« sagte Camilla aufgebracht. »Ich bekomme das tollste Geburtstagsgeschenk, das man sich nur denken kann, mit einer wunderschönen Schleife, und Vic möchte, daß ich es zurückschicke, weil sie die Inhaltsstoffe auf der Packung nicht lesen kann.«

Clarissa, die als Buchhalterin arbeitete, meinte ziemlich barsch zu ihrer Schwester: »Wenn es Probleme bei der Finanzierung gibt, solltest du das herausfinden, Camilla. Sonst wirst du ausgequetscht wie eine Zitrone, wenn das Projekt halb fertig ist. Weißt du, wenn du fünfzigtausend für dein Material veranschlagst und plötzlich die Kredite gesperrt werden, mußt du nicht nur Bankrott anmelden, sondern auch dein Name ist in der Stadt nichts mehr wert.«

»Meine Anwälte – die Anwälte von Capital Concerns – sorgen schon dafür, daß das nicht passiert«, meinte Phoebe.

»Du kannst alle möglichen Garantien in den Vertrag aufnehmen, aber trotzdem verbringst du Monate vor Gericht, wenn was schiefgeht«, sagte Agatha, die Bauschreinerin. »Wenn Vic meint, daß es Probleme geben könnte, will ich das wissen.«

»Es geht einfach viel zu schnell, das ist alles«, meinte ich. »Am Dienstag war Lamia noch gestorben, und zwar aus politisch so brisanten Gründen, daß sogar meine übliche Quelle im Rathaus nicht reden wollte. War das wirklich bloß ein Zufall, daß Home Free euch dieses Sanierungsprojekt angeboten hat, vierundzwanzig Stunden nachdem ich angefangen habe, Fragen zu stellen?«

»Vielleicht überschätzt du einfach die Bedeutung deiner Fragen«, mischte sich Phoebe ein. »Weißt du, es gibt tatsächlich so etwas wie Zufälle. Laß die Finger von der Sache, Vic. Dieses Projekt ist zu wichtig – nicht nur für die sechs Lamia-Frauen, sondern für alle anderen Geschäftsfrauen in Chicago. Wenn die Sache klappt, öffnen wir viele Türen für die Frauen im Handwerk. Dann kriegen sie Aufträge, die sie unter den gegebenen Umständen nie bekommen würden.«

Sie hatte recht. Wieso mußte ich mich einmischen? Der Mord an Deirdre, Darraughs Sohn, das Chaos in meinem Büro, der immer näher rückende Abgabetermin für die Einkommensteuererklärung – all das war genug, um mich eine ganze Zeit zu beschäftigen. Also hob ich die rechte Hand zum Pfadfinderinnenschwur und versprach, die Nase nicht mehr in Lamias Angelegenheiten zu stecken.

Jasmine brachte Camillas Geschenke herüber, und ich gab mich der Aufregung hin, die immer mit dem Auspacken von Geschenken verbunden ist, unterhielt mich mit Tessa über ihren letzten Auftrag und tanzte mit Jasmine in einer Ecke des Flurs.

Um halb sechs fragte Conrad, ob wir gehen könnten. »Ich will dich rechtzeitig heimbringen, damit ich mich nicht abhetzen muß zum Dienst.«

Als wir uns verabschiedeten, war Mrs. Rawlings zu Tode betrübt. Conrad konnte sie nicht davon überzeugen, daß ich ihn nicht von ihr wegzerrte, um sie zu verletzen.

18 Unterredung mit der Polizei

Nachdem Conrad mich an der Haustür abgesetzt hatte, gelang es mir hineinzuschlüpfen und die Treppe hinaufzuschleichen, ohne daß mein Nachbar oder die Hunde es bemerkten. Ich hatte die Hunde am Morgen ausgeführt, also konnte ich sie jetzt am Abend ohne schlechtes Gewissen allein lassen.

Ich holte die Flasche Black Label aus meiner kleinen Bar und schenkte mir einen Drink ein. Mein hektisches Leben erzeugte ein gewisses Bedürfnis nach Sicherheit; also holte ich eins der roten venezianischen Gläser heraus, die ich noch von meiner Mutter hatte und für besondere Gelegenheiten aufhob, und versuchte, ihre feurige Wärme im gebrochenen roten Licht des Glases zu erspüren.

Conrad und ich hatten versucht, das Gespräch auf der Fahrt nach Norden nicht allzu ernst werden zu lassen. Erst nachdem er mir einen Gutenachtkuß gegeben hatte, warnte er mich, Fabians Drohung auf die leichte Schulter zu nehmen.

»Es wäre wirklich blöd, wenn sie dich verhaften würden, nur weil du glaubst, seine Kinder vor ihm schützen zu müssen.«

»Das Mädchen muß beschützt werden, Conrad. Und – damit du nicht meinst, ich mache alles immer nur hinter deinem Rücken – ich werde Terry bitten, daß er sich drum kümmert.«

Conrad spielte mit meinen Fingern. »Ich hab' schon gewußt, warum ich Angst habe vor dem Fall. Ich meine, nicht wegen des Mordes an Deirdre, sondern wegen der Dinge, die zwischen uns passieren, wenn du wieder in polizeiliche Ermittlungen verwickelt wirst. Du kannst schrecklich eigensinnig sein, wenn du meinst, du bist im Recht. Kompromisse sind nicht gerade deine starke Seite, und deswegen ist es manchmal schwer, mit dir zusammenzusein.«

Ich wurde rot, als ich jetzt im Wohnzimmer saß und mir seine Worte wieder einfielen. Aber wie sollte der Kompromiß aussehen, von dem er gesprochen hatte? Ich hatte mich bereits im Fall Lamia auf einen Kompromiß eingelassen. Sollte ich mich jetzt auch noch bei Emily zurückhalten? Das konnte ich nicht.

Ich schaute in das rubinrote Glas wie in die feurig dunklen Augen meiner Mutter. Gabriella war wie ein wilder Vogel gewesen, der aus Verwirrung Zuflucht vor den Stürmen der Welt in einem Käfig gesucht hatte. Doch dann war er darin so heftig herumgeflattert, daß er sich die Flügel an den Gittern gebrochen hatte. Wenn Kompromisse so aussahen, würde ich mich nicht drauf einlassen.

Das rote Glas schenkte mir keinen Trost, sondern wühlte mich innerlich auf. Ich goß den Whisky in einen Tumbler und wählte Terry Finchleys Nummer. Die Unterhaltung verlief nicht gerade herzlich, aber wir kriegten uns auch nicht in die Haare. Terry entschuldigte sich sogar dafür, daß er mir das, was er zu sagen hatte, über Conrad hatte ausrichten lassen.

»Ob du's glaubst oder nicht – ich wollte dich nicht beleidigen. Ich habe bloß gedacht, daß du auf ihn vielleicht hörst.«

»Na, dann will ich dir mal glauben.« Ich entschuldigte mich meinerseits dafür, daß Finchley wegen meines Gesprächs mit Fabian Schwierigkeiten bekommen hatte.

»Wahrscheinlich muß ich mich sogar bei dir bedanken«, meinte er bissig. »Ohne dich hätte ich vermutlich nie Gelegenheit zu einem Gespräch unter vier Augen mit dem stellvertretenden Polizeipräsidenten bekommen.«

»Darf ich neugierig sein: Wen hat Messenger eigentlich angerufen?«

»Oh, er ist gleich zum Staatsanwalt. Und wenn's um Fabian Messenger geht, den ein Senator unterstützt, auch wenn's ein Republikaner ist, spricht Clive Landseer natürlich höchstpersönlich mit ihm. Offenbar hat er Fabian gesagt, er könnte einen Unterlassungstitel gegen dich erwirken, Warshawski. Dann hat Landseer Kajmowicz angerufen, um sicherzugehen, daß ich da keine wichtige Bürgerin belästige.«

Finchley lachte bitter. »Als ich mich heute morgen mit Messenger unterhalten habe, hatte er sich schon ein bißchen beruhigt, aber wir haben fast auf den Knien vor ihm rumrutschen müssen, damit wir mit seiner Tochter reden durften. Die Befragung hat Neely gemacht. Das Mädchen war ziemlich daneben. War ungefähr so lebhaft wie ein Roboter und hat jedesmal, wenn Neely nach dem Vater gefragt hat, bloß ›ja‹ gesagt.«

»Sie hat schreckliche Angst vor ihm«, sagte ich. »Ich habe nie gesehen, daß er sie schlägt, aber ich hab' ihn fast dabei überrascht, wie er Deirdre geohrfeigt hat. Seine Tochter war dabei. Wer weiß, wie oft das schon passiert ist? Er muß Emily gar nicht schlagen, die hat so schon Angst genug, daß er sie genauso behandelt wie ihre Mutter. Außerdem habe ich miterlebt, wie er sie psychisch unter Druck setzt. Genau wie seine Frau. Deswegen will ich sichergehen, daß er Emily nicht gezwungen hat, ihm ein Alibi zu verschaffen.«

»Sei vorsichtig, Vic«, meinte er, genau wie Conrad. »Wenn du dem Kind zu nahe kommst und er will, daß wir dich festnehmen, müssen wir das tun.«

»Mein Gott, Terry! Jetzt spiel mal nicht den harten Bullen. Wenn ich schon die Finger von Emily lassen soll, muß ich wenigstens sicher sein, daß die Polizei auf sie aufpaßt.«

Er schwieg. »Ich nehme sie mir am Montag in der Schule vor. Obwohl ich nicht glaube, daß sie was sagen wird.«

»Wie soll sie wissen, daß Fabian am Freitagabend zu Hause war?« fragte ich und versuchte, so vernünftig und aggressionslos wie möglich zu klingen. »Schließlich kann sie nicht die ganze Nacht wach geblieben sein. Ach ja, übrigens: Fabian hat gesagt, Deirdre hätte ihm einen Zettel geschrieben – einen ›unverschämten Zettel‹, wie er sich ausdrückte –, in der Nacht, in der sie ermordet wurde. Sie hat ihm darauf mitgeteilt, daß sie in die Stadt geht. Hat er dir was davon erzählt?«

»Ein Zettel? Nein.« Finchley war überrascht. »Davon höre ich zum erstenmal. Ich frage mal Neely, aber ... Bist du dir da sicher, Vic?«

»Ja. Schließlich denke ich mir keine Geschichten aus, bloß damit die Polizei sich meine Mutmaßungen anhört.«

»Immer mit der Ruhe. Das habe ich nicht gesagt. Aber warum sollte Fabian *dir* so was sagen, mir aber nicht?«

Ich nahm einen Schluck von meinem Whisky. »Er weiß nicht, daß ich mit einem Polizisten gehe oder mich hin und wieder mit anderen Polizisten unterhalte. Vielleicht ist ihm nicht in den Sinn gekommen, daß ich solche Verbindungen haben könnte. Apropos: Habt ihr eigentlich die Mordwaffe gefunden, als ihr wie ein Wirbelwind durch mein Büro gefegt seid?«

»Nein. Dr. Vishnikov meint, es handle sich um einen stumpfen, glatten Gegenstand, zum Beispiel um einen Holzhammer, eine Stange oder eine Keule, aber jedenfalls nicht um ein rohes Stück Holz, weil keine Splitter in ihrem Gehirn waren. Es war jedenfalls nicht dein Computer, soviel ist sicher«, fügte er hinzu. Wahrscheinlich fand er das witzig.

Ich versuchte, es genauso zu sehen, und erinnerte ihn daran, daß seine Leute mir das Gerät am Morgen zurückbringen wollten. Er sagte, er würde einen Beamten beauftragen, den Computer gleich in der Früh wieder ins Pulteney zu transportieren.

»Weißt du, Vic, ich glaube, die größten Chancen haben wir, wenn wir die Obdachlose wiederfinden«, meinte Terry abschließend. »Du hast doch gesagt, Deirdre hatte eindeutige Beweise dafür, daß sie wieder ins Pulteney zurück ist. Wenn das stimmt, wette ich meinen Kopf, daß sie gesehen hat, wer Deirdre umgebracht hat. Vorausgesetzt, sie war's nicht selber.«

Ich atmete tief durch, um ihn nicht anzubrüllen. »Terry, ich weiß, daß du in dem Fall unter unglaublichem Druck stehst. Schließlich sendet Channel 2 alle halbe Stunde die neuesten

Sensationsmeldungen, und Kajmowicz schaut dir auf die Finger. Aber du bist ein ehrlicher Bulle und ein ehrlicher Mensch. Laß dir von dem Druck den Blick nicht trüben.«

»Bring mir Beweise, und ich glaube dir – aber bitte keine Berichte über Zettel, die existieren, vielleicht aber auch nicht. Und paß auf, daß du dir nicht durch deine Vorurteile den Blick auf die Realität verstellst, Vic. Tamar Hawkings war auch kein Engel, als sie mit ihren Kindern ihrem Mann weggerannt ist. Ich habe das heute überprüft. Sie ist zuerst in einem Obdachlosenheim untergekommen, hatte Auseinandersetzungen mit einer anderen Bewohnerin und mußte gehen. Sie ist mittlerweile seit vier Monaten auf der Straße. Selbst wenn sie am Anfang psychisch hundert Prozent stabil war, ist sie von dem Leben jetzt sicher gezeichnet. Und du hast selbst gemerkt, daß sie nicht der psychisch stabilste Mensch von Chicago ist. Sie könnte den Kopf verloren haben, als sie Ms. Messenger gesehen hat. Vielleicht hat sie gedacht, sie ist vom Krankenhaus und will ihr die Kinder wegnehmen.«

»Du hast recht, Terry. Aber ich weiß, daß Deirdre am Freitagabend jemanden erwartet hat. Irgendwie war sie ziemlich aufgekratzt.« Ich machte die Augen zu, versuchte, mir Deirdre noch einmal vorzustellen. »Sie hat geglaubt, daß sie jemanden auflaufen lassen kann; und ich denke, daß dieser Jemand Fabian war. Ich hatte den Eindruck, daß sie die Geschichte mit Tamar Hawkings bloß als Vorwand benutzt. Ich wäre dir sehr dankbar, wenn du das ernsthaft in deine Überlegungen mit einbeziehen könntest. Schließlich hast du nie persönlich mit Deirdre Messenger gesprochen.«

»Stimmt, Vic. Klingt ganz so, als hätte ich was versäumt.«

Wir legten auf, solange es noch etwas zu lachen gab. Dann marschierte ich rastlos in meiner Wohnung hin und her. Es hatte Unmengen zu essen gegeben bei Camillas Fest: Teller voller Brathähnchenteile, fünf Sorten Kartoffelsalat, Berge frischer Salate, Kuchen und noch mal Kuchen. Obwohl ich mich zurückgehalten hatte, wurde mir bei dem Gedanken an etwas zu essen übel. Ich trank meinen Whisky aus und stierte die Papiere an, die sich auf meinem Wohnzimmertisch stapelten. Wenn ich wirklich daheim arbeiten wollte, mußte ich erst mal diese Unterlagen sortieren und aufräumen.

Ich überlegte, was passieren würde, wenn ich versuchte, Emily Messenger nach der Schule abzupassen. Hatte Fabian den Lehrern gesagt, sie sollten die Polizei rufen, wenn sie mich dort herumlungern sähen? Wie sonst sollte ich erfahren, wo Fabian sich am Freitagabend herumgetrieben hatte? Ich konnte mich natürlich mit den Nachbarn unterhalten, aber in einer Straße, in der die Villen sich auf den riesigen Grundstücken fast verlieren, ist die größte nachbarliche Tugend wohl die gegenseitige Nichtbeachtung.

Irgendwann merkte ich, daß ich einen Abend allein mit mir und meinen Gedanken an Conrad und Deirdre nicht ertragen würde. Also folgte ich meinem ersten Impuls und rief Lotty an. Sie begrüßte mich mit freundlicher Anteilnahme, die wie Balsam auf meine Seele wirkte.

»Ich habe über die Sache mit Deirdre gelesen und mich gefragt, wie du dich fühlst«, sagte sie. »Was sagt Conrad dazu?«

Nach meiner kurzen Schilderung der Vorkommnisse bekam ich endlich die erste mitfühlende Reaktion dieses Wochenendes. Lotty konnte gut verstehen, daß ich Deirdre in meinem Büro allein gelassen hatte. Sie hatte Deirdre jahrelang gekannt und wußte auch um die merkwürdige Kombination aus Anhänglichkeit und Arroganz, die den Umgang mit ihr so frustrierend machte.

Als ich merkte, daß sie ein offenes Ohr für mich hatte, erklärte ich ihr meine Sorge um Deirdres Tochter. Bei der Schilderung meiner Zusammentreffen mit Emily während der Party und am vergangenen Abend schnalzte Lotty mit der Zunge.

»Also hatte Sal Barthele in bezug auf Deirdre recht. Allerdings weiß ich auch nicht, was du tun könntest, Vic. Du könntest höchstens versuchen, Deirdres Mutter ausfindig zu machen, und fragen, ob sie dem Mädchen helfen will.«

Das war ein guter, wenn auch mit großen Mühen verbundener Rat. Im Nachruf des *Herald-Star* wurden sicher die Hinterbliebenen erwähnt. Es war also nicht unmöglich, Emilys Großmutter aufzuspüren. Ich dankte Lotty in düsterer Stimmung und schwieg dann, weil ich nicht so recht wußte, wie ich das Gespräch beenden sollte.

»Vielleicht möchtest du ja heute abend noch bei mir vorbeischauen«, schlug Lotty mit forscher Stimme vor, als habe sie Angst, eine Abfuhr zu erhalten. »Oder ist Conrad da?«

»Conrad hat Nachtschicht. Ja, ich würde gern bei dir vorbeikommen. Heute abend vertrage ich das Alleinsein nicht sonderlich gut.« Als ich die Haustür abschloß, fühlte ich mich so ruhig wie schon seit Wochen nicht mehr.

19 Fuchs, du hast die Gans gestohlen

Ich verbrachte den Montag damit, meine Wohnung sauberzumachen, damit ich sie – wie ich hoffte – kurze Zeit als Büro nutzen konnte. Schon seit Wochen hatte ich die Zeitungen und Zeitschriften nicht mehr geordnet, die jetzt überall im Wohnzimmer herumlagen. Ich steckte sie alle in Tüten und brachte sie zum nächsten Altpapiercontainer. Zwischen den Zeitschriften fand ich alte Rechnungen, unbeantwortete Briefe, Unterlagen aller Art. Mit zusammengebissenen Zähnen zahlte ich die Rechnungen, schrieb Briefe, polierte die Holzmöbel, wischte die Oberflächen aus Plastik oder Metall feucht ab, räumte Noten auf und wusch schließlich noch zwei Körbe voller Wäsche.

Nachdem ich einmal angefangen hatte, konnte ich nicht mehr aufhören: Ich schrubbte das Bad, sogar den Schimmel zwischen Wanne und Boden beseitigte ich. Auf dem Weg vom Altpapiercontainer nach Hause kaufte ich Lauge und machte den Ofen sauber. Als ich am Dienstagmorgen zwischen sauberen Laken aufwachte, schaute ich stirnrunzelnd hinauf zur Decke und fragte mich, was hier nicht stimmte. Die Spinne in ihrem Netz fehlte. Ich hatte mich so daran gewöhnt, jeden Tag den verschrumpelten Körper an dem zerfetzten Faden zu sehen, daß ihr Fehlen mich ganz durcheinanderbrachte.

Eine Weile lag ich so in meinem Bett und genoß dieses Gefühl der Sauberkeit. Ich kam mir vor wie damals als Kind, wie ich in meinem makellos reinen Nestchen lag. Doch ein paar Minuten vor acht störte Darraugh Graham diese Ruhe.

»Haben Sie schon was gefunden für MacKenzie?« fragte er mich, ohne mich zu begrüßen.

»Nein«, sagte ich, so verblüfft über seinen Anruf, daß ich die Wahrheit sagte. »Am Freitagabend ist eine Frau in meinem Büro ermordet worden. Das hat mich ein wenig von der Aufgabe abgelenkt, eine Beschäftigungstherapie für Ihren Sohn zu finden.«

»Das verlange ich gar nicht von Ihnen. Mir wär's lieber, wenn Sie ihn einfach an eine gemeinnützige Einrichtung vermitteln, die ihn brauchen kann. Was er macht, ist egal. Ich hätte gar nichts dagegen, wenn er Toiletten schrubbt. Aber es muß schnell gehen.« Er klang fast wie Mitch, wenn er durch sein Bellen die Aufmerksamkeit auf sich lenken wollte.

»Ich tue mein Bestes.« Es ärgerte mich, daß er mit seinem Managerhirn nur an seine eigenen Probleme denken konnte: Schließlich ist eine ermordete Frau ein bißchen schwerwiegender als Magenkrämpfe oder ein platter Reifen.

»Das würde mich freuen, Vic. Denn wenn Sie Ihr Bestes tun, sind Sie normalerweise ziemlich gut. Aber Sie neigen zur Sprunghaftigkeit, und danach steht mir der Sinn heute morgen überhaupt nicht.«

»Einen Augenblick, Darraugh. Lesen Sie denn auch mal was anderes als den Wirtschaftsteil der Zeitung? Deirdre Messenger ist am Freitagabend in meinem Büro der Kopf eingeschlagen worden.«

»Ach.« Sein bellender Tonfall reduzierte sich auf ein Knurren. »Fabian Messengers Frau? Ich hab' die Schlagzeilen gesehen, die Story aber nicht gelesen. Ich schicke Fabian eine Beileidskarte. Zwar kennen wir uns nicht sonderlich gut, aber wir sind uns ein paarmal begegnet. Ich kann verstehen, daß Sie das ziemlich durcheinandergebracht hat, aber versuchen Sie, sich erst mal um MacKenzie zu kümmern. Ich will, daß er so schnell wie möglich zurück aufs College kommt. Er geht mir allmählich auf die Nerven.«

Mir würde es genauso gehen, wenn ich so lange mit ihm zusammensein müßte; aber Darraugh legte auf, bevor ich ihm erklären konnte, wie leid er mir tat. Da meine Ruhe nun schon mal gestört war, stand ich auf.

Nach einem kurzen Spaziergang mit den Hunden rief ich Marilyn Lieberman von Arcadia House an und fragte sie, ob sie Verwendung für einen Hacker mit Bewährung hätte. Sie wehrte sofort ab. Die wenigen Programmierarbeiten, die bei Arcadia nötig waren, erledigte ein Beiratsmitglied.

»Offen gestanden, Vic: Ich will auch nicht, daß ein Hacker was mit meinem System zu tun hat. Der käme viel zu leicht an vertrauliche Informationen über die Frauen.«

Ich protestierte, wenn auch nur halbherzig: Schließlich war mir MacKenzie Graham selbst nicht gerade wie ein Muster an Vertrauenswürdigkeit erschienen. Danach versuchte ich es noch bei Lotty, nur der Form halber, um ehrlich zu sein, aber sie wollte den Jungen aus ganz ähnlichen Gründen nicht: Sie würde die Akten ihrer Patienten und Patientinnen keinesfalls einem Hacker anvertrauen.

Ich preßte frustriert die Lippen zusammen – frustriert darüber, daß Darraugh mir eine solche Aufgabe aufhalste, und darüber, daß ich das Geld zu nötig brauchte, um ihm einfach zu sagen, er solle sich zum Teufel scheren. Bevor ich aus dem Haus ging, kam der Postbote, und die Nachrichten, die er brachte, hoben meine Laune nicht gerade: Der Marktwert von Lakeview, dem Viertel, wo ich wohnte, war offenbar so gestiegen, daß die Grundsteuer dafür um hundert Dollar im Monat erhöht wurde. Meine Hausbank, bei der ich eine Hypothek aufgenommen hatte, reagierte euphorisch und schrieb mir, wie glücklich ich sein konnte über den Erwerb meiner profitablen Immobilie.

Mr. Contreras, der von der Sozialhilfe und einer kleinen Rente lebte, war ungefähr genauso erfreut über diese Mitteilung wie ich. Als er mich am Briefkasten traf, meinte er beunruhigt, er würde lieber unter dem Wacker Drive hausen als bei seiner Tochter wohnen – aber wo sollte er die zusätzlichen zwölfhundert Dollar im Jahr herkriegen? Mit einer Zuversicht, die ich selber nicht empfand, klopfte ich ihm auf die Schulter und sagte ihm, er solle einfach an etwas anderes denken.

Ich fuhr ins Pulteney-Gebäude, um meine Buchhaltung zu ordnen. Zuerst holte ich kaltes Wasser aus der Toilette im sechsten Stock und versuchte, meinen Schreibtisch von Deirdres Blut und Gehirn zu säubern. Das klebrige Pulver für die Fingerabdrücke bedeckte so große Teile meines Büros, daß ich mir gar nicht erst die Mühe machte, es wegzuwischen.

Wenn Terry recht gehabt hätte, wäre mein Computer schon

seit dem vergangenen Morgen wieder in meinem Büro gewesen. Ich rief bei ihm an, um herauszufinden, wo das Gerät steckte. Terry war nicht da. Also sprach ich mit Mary Louise Neely.

Nachdem sie mich ungefähr fünfzehn Minuten hatte warten lassen, brachte sie mir weitere unangenehme Nachrichten. »Der Computer steht bei der Spurensicherung. Ich bitte jemanden, daß er ihn heute noch bei Ihnen vorbeibringt. Sie sind doch nicht etwa in Ihrem Büro, oder? Sie wissen, daß das der Schauplatz eines Verbrechens war: Sie sollten da nichts anrühren.«

»Und was macht ihr Schlaumeier mit dem Ding?« herrschte ich sie an. »Wollt ihr vielleicht die Strafe zahlen, wenn ich meine Steuererklärung nicht rechtzeitig einreiche?«

Ich rief meinen Steuerberater an, der mir erklärte, ich könnte eine Fristverlängerung bekommen – allerdings nur, wenn ich das, was ich dem Finanzamt schuldete, bis zum fünfzehnten zahlte. Nachdem ich drei Stunden lang Belege sortiert und versucht hatte herauszufinden, welche undatierten Rechnungen ins Jahr einundneunzig gehörten – ein paar waren darunter, die schon seit Urzeiten in meinem Büro lagerten –, hatte ich die Nase voll. Es war einfach zuviel. Ich würde mir einen Steuerberater suchen, der mir noch diese Woche dabei half, Ordnung in das Chaos zu bringen.

Unglücklicherweise fand ich, als ich anfing, Steuerberater anzurufen, sehr schnell heraus, daß die anderen Steuerpflichtigen in Chicago schon die gleiche Idee gehabt hatten. Der erste Termin, den ich bekommen konnte, war der nächste Sonntag, und da mußte ich doppelte Wochenendzulage zahlen. Ich dachte an meine Grundsteuererhöhung und beschloß, die Sache doch am nächsten Morgen selbst zu machen.

Danach ging ich in die Leihbibliothek, um aus den Zeitungen vielleicht mehr Informationen über Deirdres Mutter herauszufinden. In den Nachrufen stand zwar ihr Name – Elizabeth Ragwood –, aber nicht, wo sie wohnte. Sie war auch nicht im Telefonbuch von Chicago oder den Vororten eingetragen. Ich sprach auf die Anrufbeantworter von Freunden bei den Zeitungen und bat sie um Hilfe, aber keiner rief zurück, bevor ich mich auf den Heimweg machte.

Ich schaute kurz bei Mr. Contreras vorbei. »Ich gehe noch ein bißchen mit den Hunden spazieren: Ich möchte einen klaren Kopf kriegen und was für meinen Körper tun. Dann hole ich uns was Schönes zum Abendessen – tun wir einfach so, als wären wir Plutokraten, die Hummer essen und Champagner trinken können, wann immer sie Lust dazu haben.«

»Nein, machen Sie lieber nicht noch mehr Schulden, Süße. Mir wäre eine Pizza oder was vom Chinesen auch recht.«

Ich gab ihm einen leichten Kuß auf die Wange. »Überlassen Sie das ruhig mir.«

Auf dem Weg vom Park nach Hause kaufte ich bei dem Lebensmittelhändler an der Fullerton Avenue Jakobsmuscheln und eine Flasche Taittinger. Während der Heimfahrt summte ich ein paar Takte eines Liedes vor mich hin, das meine Mutter immer gesungen hatte. Darin ging es um einen Fischer, der einen Wal gefangen und in eine Wanne gesteckt hatte, wo dieser nun weinte und den Fischer mit großen blauen Augen anflehte, ihn nicht aufzuessen.

Das Lied erstarb mir auf den Lippen, als ich gegenüber von meinem Haus anhielt, denn dort stand ein Polizeiwagen, leicht zu erkennen an dem Antennenwald darauf... Terry Finchley machte die Tür auf der Fahrerseite auf. Noch bevor er die Füße auf dem Boden hatte, war bereits Fabian Messenger auf der anderen Seite aus dem Wagen gesprungen. Ich ging mit ungerührter Miene zum Hauseingang. Wenn sie etwas von mir wollten, dann sollten sie zu mir kommen.

»Vic!« Fabian rannte mir hinterher. »Vic, bitte – gib mir meine Tochter zurück.«

Seine Stimme klang brüchig vor Kummer. Ich starrte ihn verblüfft an. Als Terry ihn eingeholt hatte, musterte er mich mit kaum verhohlenem Zorn, was mich ebenfalls überraschte. Mary Louise Neely, die hinter ihm stand, machte ein ähnlich düsteres Gesicht.

»Was gibt's, Detective?« erkundigte ich mich. »Macht Fabian jetzt bei euch mit?«

Terry verzog keine Miene. »Wir haben uns doch am Sonntag darüber unterhalten, daß du deine Finger von Emily Messenger lassen sollst. Ich dachte, du hast Conrad versprochen...«

Ich wurde wütend, rief die Hunde herbei, drehte mich um

und marschierte ins Haus. Mitch blieb, weniger diszipliniert als seine Mutter, zurück, um die Fremden zu beschnüffeln. Als er sah, daß ich die Tür einfach zumachte, jaulte er empört auf. Er sprang daran hoch und versperrte so Finchley und Fabian vorübergehend den Weg.

Mr. Contreras eilte in den Flur. Natürlich hatte er von seinem Wohnzimmer aus gesehen, was sich da draußen tat. Jetzt hastete er die paar Stufen zur Tür hinunter.

Ich fiel ihm ins Wort, als er mich fragte: »Was ist denn los, Süße?« und rief nur: »Ich laufe rauf in meine Wohnung und schließe mich ein. Warten Sie bitte damit, Mitch reinzulassen, bis Sie hören, daß ich oben die Tür zugemacht habe? Wenn Finchley mit mir reden will, braucht er einen Durchsuchungsbefehl.«

Ich war schon fast im ersten Stock, als ich meinen letzten Satz beendete. Mr. Contreras lief mir, beunruhigt, weil er nicht verstand, was los war, nach, als das Hämmern an der Tür begann. Mitch knurrte, wütend darüber, daß er nicht hereingelassen wurde, so laut, daß Mr. Contreras' besorgte Fragen nicht mehr zu hören waren.

»Geben Sie mir dreißig Sekunden«, rief ich dem alten Mann noch zu. Dann rannte ich die Treppe, immer zwei Stufen auf einmal, hinauf. Nur Sekunden nachdem ich alle Riegel vorgeschoben hatte, hämmerte Terry an meine Tür. Ich ging erst mal ins Bad, um mich ein wenig frisch zu machen. Gern hätte ich geduscht – schließlich hatten sich die Hunde und ich ziemlich verausgabt –, aber nicht mal ich war kaltschnäuzig genug, um mich nackt unter die Dusche zu stellen, während die Bullen draußen vor meiner Tür aufmarschierten.

Meine Wohnungstür ist stahlverstärkt. Terry würde die Schlösser rausschießen müssen, um reinzukommen. Zwar war er nicht der Typ dazu, aber ich wollte mich trotzdem so schnell wie möglich wieder anziehen.

Mit Jeans und Pullover bekleidet und mit einer Jacke in der Hand – für den Fall, daß man mich so schnell in die Stadt brachte, daß ich mir keinen Mantel mehr schnappen konnte – machte ich die Tür mit der Kettensicherung einen Spaltbreit auf; durch die Stahlverstärkung ist es unmöglich, sich bei geschlossener Tür zu unterhalten. Jetzt war sie gerade so weit auf, daß wir miteinander reden konnten, aber nicht weit genug, daß jemand einen Pistolenlauf durch den Spalt hätte schieben können.

»Was willst du, Terry?«

»Mach die Tür auf, Warshawski. Das ist kein Scherz. Ich habe einen Haftbefehl gegen dich, weil du dich nicht an dein Versprechen gehalten hast, Fabian Messengers Tochter nicht mehr zu belästigen.«

»Was ist denn passiert? Hat sie sich etwa in meine Gedanken eingeschlichen?«

»Ich hab' dir doch schon gesagt, daß das kein Spiel mehr ist. Wenn du meinst, Conrad würde dich schützen...«

»Ich hab' keinen Mann mehr gebeten, mich zu beschützen, seit mein Daddy damals mit mir an den Schlägertypen in der Schule vorbeigegangen ist. Wenn du mir nicht mit einfachen und höflichen Worten erklären kannst, was eigentlich los ist, garantiere ich dir, daß ich dich noch vor den Zehnuhrnachrichten zum Gespött der Stadt mache. Dann kannst du sehen, was der stellvertretende Polizeipräsident dann noch für deine Karriere tut.«

Ich konnte Fabian zwar nicht sehen, aber ich konnte ihn jammern hören. Den Tränen nahe flehte er mich an, ihm etwas über Emily zu sagen. Terry wandte den Kopf von der Tür ab.

»Tut mir leid, Sir; ich weiß, daß Sie sich Sorgen machen, aber könnten Sie bitte einen Augenblick still sein?« Als Fabian sich ein wenig beruhigt hatte, wandte sich Finchley wieder mir zu.

»Mach's nicht noch schlimmer, als es schon ist, Vic. Ich habe einen Haftbefehl gegen dich. Und wenn ich deine Tür aufbrechen muß, um meine Pflicht zu tun, mache ich das auch.«

»Dann mußt du sie eben aufbrechen, denn ich werde sie jetzt zumachen. Aber während du die Schlösser rausschießt, rufe ich die Medien und meinen Anwalt an.«

Durch den Spalt sah ich Terrys zusammengepreßte Lippen. Ich dachte schon, ein Showdown ließe sich nun nicht mehr vermeiden, als Mary Louise Neely, die hinter Fabian stand, die Hand ausstreckte und Finchley mit den Fingern auf den Arm tippte. Die beiden zogen sich zurück, so daß ich sie nicht mehr sehen konnte, und Fabian trat dafür näher an die Tür. Er wollte sich auf einen Handel einlassen, dafür sorgen, daß der Haftbefehl aufgehoben würde, wenn ich Emily sofort herausrückte, aber der größte Teil seines Angebots ging im Bellen der Hunde unter.

Na großartig. Mr. Contreras hatte also beschlossen, mir zu Hilfe zu eilen. Einen Augenblick fühlte ich mich versucht, mich einfach durch die Hintertür zu verdrücken. Nicht nur aus dem Viertel, sondern auch aus der Stadt, aus meinem Job, aus dem ganzen dämlichen Chaos meines Erwachsenenlebens. Statt dessen machte ich die Tür auf und ließ die Horde herein.

Als ich endlich die Hunde beruhigt hatte, wandte ich mich an Finchley. »Würdest du mir vielleicht freundlicherweise erklären, was eigentlich los ist, bevor du mir Handschellen anlegst?«

Seine schwarzen Augen funkelten wie glühende Kohlen. »Es geht um Emily Messenger, Vic. Wo steckt sie?«

»Ich bin keine Hellseherin, Terry. Such dir ein Medium, wenn du jemanden brauchst, der diese Frage auf die Schnelle beantworten kann.«

»Sie wird seit gestern nachmittag vermißt. Messenger meint, du wüßtest, wo sie ist.«

»Messenger ist ganz schön dumm.« Ich war zu wütend, um entgegenkommend zu sein.

Mary Louise Neely räusperte sich. »Wann haben Sie Emily das letzte Mal gesehen – mit ihr gesprochen?«

»Wenn wir uns gleich so unterhalten hätten, hätten wir uns eine Menge Ärger ersparen können. Ich habe seit Samstagabend keinerlei Kontakt mehr mit Emily Messenger gehabt. Ich habe nicht mit ihr geredet, sie nicht gesehen, nicht mit ihr telefoniert, ihr nicht geschrieben, kein Fax oder Telegramm geschickt... habe ich irgendwas vergessen? Wenn sie Fabian abhanden gekommen ist, muß er selber überlegen, wo sie stecken könnte.«

»Vic, bitte«, flehte Fabian. »Bitte quäl mich nicht. Und bitte lüg mich nicht an. Du bist am Samstagabend zu mir nach Hause gekommen und hast Emily zu überreden versucht, mit dir wegzugehen. Bestreitest du das?«

»Nein.« Ich verschränkte die Arme vor der Brust. »Und weißt du auch noch, warum ich das gemacht habe? Weil ich gesehen habe, wie du Deirdre geschlagen und Emily zusammengestaucht hast. Ich dachte, sie...«

»Ooh!« Ein gequälter Aufschrei von Fabian. »Detective, bitte – muß ich mir das anhören? Meine Tochter ist verschwunden, und Warshawski fällt nichts Besseres ein, als Lügen über mich zu verbreiten.«

Seine Stimme klang wirklich sehr nach der eines besorgten Vaters. Finchley sah mich mit gerunzelter Stirn an und wollte eine Antwort von mir hören. Mr. Contreras betrachtete mich mit strengem Blick. Sogar die Hunde winselten.

»Also wirklich, Leute«, protestierte ich. »Jetzt hört mal auf mit dem melodramatischen Getue. Ich habe keinen blassen Schimmer, was mit Emily passiert ist.«

Fabian mußte schlucken. »Sie hat gestern in der Schule zu weinen angefangen. Als sie sie gefragt haben, was los ist, wollte sie nichts sagen. Sie hat lediglich gesagt, sie wolle mit dir reden.«

Ich starrte ihn an. »Bis jetzt habe ich noch nichts von einem Verbrechen gehört.«

»Das Mädchen hat gestern so gegen zwei Uhr nachmittags die Schule verlassen und ist danach nicht mehr gesehen worden«, meinte Terry Finchley barsch.

Ich ließ mich auf meinen Sessel sinken. »Sie ist seit vierundzwanzig Stunden verschwunden, und ihr steht hier rum und brüllt mich an? Jetzt reißt euch mal zusammen. Redet mit ihren Freundinnen, ihren Lehrern, sucht in den Parks, am Lake...«

Ein Muskel an Finchleys Stirn zuckte. »Treib mich nicht zum Wahnsinn, Vic. Sie ist ein ziemlich einsames Kind und macht außerhalb der Schule nicht viel. Wir haben uns mit der Lehrerin unterhalten, in deren Stunde sie geweint hat. Sie hat gesagt, sie seien in ein anderes Zimmer gegangen, um sich unter vier Augen zu unterhalten, aber Emily hat nur immer wieder gesagt, daß sie mit dir reden möchte. Doch Mr. Messenger hatte schon im Direktorat angerufen und gebeten, daß auf keinen Fall...«

»Genau«, mischte sich Fabian ein. »Und was hat es mir genützt?«

»Also haben die Leute in der Schule gewußt, daß sie mich nicht anrufen dürfen. Und das haben sie auch nicht gemacht. Und dann? Haben sie sie heimgeschickt?«

»Als sie sich gar nicht mehr zu helfen wußte, hat die Lehrerin versucht, Mr. Messenger aufzutreiben, aber das ist ihr nicht gelungen. Sie hat sie gefragt, wen sie sonst noch anrufen könnten; aber Emily hat nur deinen Namen genannt. Sie hatte keine Telefonnummern von anderen Verwandten. Die Messengers haben eine Haushälterin, aber die spricht kein Englisch. Also hat man Emily nach Hause begleitet und der Obhut der Haushälterin übergeben.«

Finchley holte einen Notizblock aus der Tasche, um den Rest der Geschichte nachzulesen. »Ach ja, genau. Wir haben eine Polnisch-Dolmetscherin für die Haushälterin geholt. Sie sagt, das Mädchen ist rauf ins Zimmer, ohne was zu sagen. Der kleine Junge – Nathan – hat Emily gehört und wollte zu ihr. Als der größere Junge eine halbe Stunde später ebenfalls heimgekommen ist, hat Emily ihnen ihre Wintermäntel angezogen und ist mit ihnen rausgegangen. Sie hat der Haushälterin nichts gesagt. Die hat angenommen, daß sie mit den beiden rüber zum Park geht, wie sie das oft macht.«

Ich machte die Augen zu. »Ich nehme an, daß ihr schon im Park gesucht und die Haushälterin gefragt habt, ob hin und wieder mal Freundinnen von Emily zu Besuch kommen und wie die heißen.«

»Natürlich«, fauchte mich Finchley an. »Wir haben die Nachbarn befragt. Wir haben ihre Großmutter angerufen. Wir haben zwei Mädchen gefunden, die manchmal mit ihr zusammengearbeitet haben. Und dann haben wir uns gefragt, ob sie vielleicht zu dir gekommen ist.«

Ich machte die Augen auf und lächelte ihn süffisant an. »Natürlich habt ihr den Haftbefehl besorgt, bevor ihr mit den Nachbarn geredet habt – das ist anscheinend die neueste Methode, wenn ihr Vermißte sucht, oder? Habt ihr schon in meinem Büro nachgeschaut? Die Adresse des Pulteney steht auf der Visitenkarte, die ich ihr gegeben habe. Wenn sie wirklich zu mir wollte, wäre sie vermutlich dahin gegangen.« Zwar konnte ich mir nicht vorstellen, daß Emily so logisch dachte, aber schließlich hatte ich sie noch nie in Topform erlebt.

Finchley winkte wütend ab. »Da sind wir zuerst gewesen. Und haben festgestellt, daß du das Siegel an der Tür erbrochen hast. Das ist strafbar, falls du das vergessen hast.«

Diese Angelegenheit erschien mir im Moment nicht wichtig

genug, als daß man sie in allen Einzelheiten hätte diskutieren müssen. »Was sagen Emilys Brüder?«

»Die sind auch weg«, meinte Fabian. »Du mußt doch wissen...«

»Deine Kinder sind weg, und du hast nichts Besseres zu tun, als mich anzubrüllen? Du solltest dir lieber Sorgen machen. Schließlich ist Chicago eine große Stadt. Das ist nicht der richtige Ort für drei Kinder allein, besonders wenn sie das Leben auf der Straße nicht kennen. ... Hör zu, Terry. Ich hätte gute Lust, dich wegen Hausfriedensbruch anzuzeigen, aber wir müssen uns jetzt auf die Kinder konzentrieren. Ich weiß nicht, wo sie sind. Wenn du mich festnimmst, nur damit Clive Landseer zufriedengestellt ist, wirst du das nicht nur bereuen, nein, du vergeudest auch wertvolle Zeit. Ruf an und laß den verdammten Haftbefehl annullieren, und dann versuch, das Mädchen zu finden.«

»Genau«, sagte Mary Louise Neely so leise, daß ich sie beinahe nicht gehört hätte.

»Wir durchsuchen die Wohnung«, verkündete Finchley. »Deine und die von dem alten Mann. Und wenn wir nur einen einzigen Hinweis...«

Er vollendete den Satz nicht, aber ich ließ es dabei bewenden; die Situation war schon absurd genug. Er rief Lieutenant Mallory an, erklärte die Sachlage und fragte, ob er ein Spurensicherungsteam vorbeischicken könne, um beide Wohnungen zu durchsuchen.

»Der Lieutenant will mit dir sprechen«, meinte Terry steif, nachdem er ein paarmal »Nein, Sir« zu Bobby gesagt hatte.

»Hallo, Vic. Mischst du wieder mal meine Leute auf?«

»Hallo, Bobby. Schön, dich zu hören.«

»Dann weißt du also nicht, wo Emily Messenger steckt?«

»Nein, Bobby, das weiß ich nicht.«

»Du weißt wirklich nicht, wo sie ist? Ich möchte jetzt keine Haarspalterei von wegen, du hast sie bei Dr. Herschel abgeliefert, aber weißt nicht, ob sie im Moment gerade auf dem Klo sitzt oder vor dem Fernseher.«

Ich mußte lachen, sagte aber in ernstem Tonfall: »Bobby, ich schwöre beim Andenken von Gabriella, daß Emilys Verschwinden für mich genauso überraschend ist wie für euch. Ich habe erst davon erfahren, als Terry zusammen mit ihrem schwachsinnigen Vater hier aufgetaucht ist.«

Bobby glaubte mir. »Ich denke nicht, daß wir ein Team von der Spurensicherung rüberschicken müssen. Ich sage Finchley das, und dann kümmere ich mich drum, daß der Haftbefehl aufgehoben wird. Ich hab' gar nicht gewußt, daß Messenger einen erwirkt hat. Ganz schön rührig, der Mann, aber Schwamm drüber, schließlich macht er sich Sorgen um seine Kinder.«

So besorgt war er, daß er noch Zeit hatte, den Staatsanwalt auf seine Seite zu ziehen, dachte ich sauer, als ich Terry den Telefonhörer zurückgab. Fabian bestand darauf, selbst mit Bobby zu sprechen. Er wiederholte seine Bitten, daß ich seinen Kummer verstehen müsse. Als Tribut an seine väterlichen Gefühle erklärte sich Finchley bereit, das Gebäude zu durchsuchen.

Ich gab Mary Louise Neely die Schlüssel zu meinem Keller und fragte Mr. Contreras, ob er die Beamten auch in seine Wohnung schauen lassen würde. Während sie ihre Zeit damit verschwendeten, in Schränken und unter Möbeln nachzuschauen, saß ich in meinem Sessel. Allmählich verwandelte sich mein Zorn in Angst um Emily. Die Welt mußte ihr ganz schön bedrohlich erschienen sein, als sie tags zuvor aufgewacht war. Die Verantwortung für ihre kleinen Brüder lag einzig und allein bei ihr, einem vierzehnjährigen Mädchen. Sie hatte keine Mutter, egal wie schwach, die den Zorn ihres Vaters von ihr abgewendet hätte. Sie mußte ziemlich einsam sein, wenn ich der einzige Mensch war, der ihr als mögliche Rettung einfiel.

Als Terry mir endlich meine Schlüssel wiedergab, waren ihm Zorn und Sorge vom Gesicht abzulesen. »Der Lieutenant versichert mir, daß du nicht lügst – er meint, du hättest das Mädchen nicht bei einer deiner Freundinnen versteckt.«

»Das stimmt. Ich lüge nicht, Terry – schon um meiner eigenen Eitelkeit zu schmeicheln, würde ich das nicht tun. Wie heißt die Lehrerin des Mädchens – die, bei der sie gestern zu weinen angefangen hat?«

»Sie weiß nichts.«

Ich lächelte schwach. »Wir wissen alle nichts. Aber irgendwo muß ich ja anfangen.«

»Alice Cottingham. Sie unterrichtet Englisch an der University High«, erklärte er mir kurz angebunden, als er zur Tür hinauseilte.

Mr. Contreras war so überwältigt von den Ereignissen des Abends, daß er mich nicht einmal rügte, weil ich den Taittinger gekauft hatte. Er aß zwei Portionen Pasta mit Broccoli und Jakobsmuscheln, trank noch den letzten Rest Champagner und hinterher einen Grappa. Dann verließ er mich mit der optimistischen Äußerung, daß wir es irgendwie schaffen würden, das Mädchen zu finden und unsere Steuern zu zahlen. Zwar hatten wir nicht den blassesten Schimmer, wo wir zu suchen anfangen sollten, und auch kein Geld für die Steuern, aber Champagner hat die Fähigkeit, die Illusion von Wohlstand und Glück zu erzeugen.

20 Ein Schlag ins Kontor

Die kalten Flure der High-School erschienen mir wie ein Ort in einem Traum. Nicht, daß ich selbst diesen Hort der privat geförderten Bildung besucht hätte: Ich war auf die staatliche Schule nur ein paar Häuserblocks von meinem eigenen Zuhause entfernt gegangen. Aber die bunten Plakate an den grauen Wänden, die hohen Decken und die Übertöpfe, die ich durch die offenen Türen hindurch sah, strahlten den künstlichen Charme aller öffentlichen Einrichtungen aus. Ich spürte keine Nostalgie in mir aufkommen, nur so etwas wie Verwirrung, daß mir ein solcher Ort je vertraut, vielleicht sogar einladend vorgekommen war.

Ms. Cottinghams Klassenzimmer, das ich nach ein paar mißglückten Anläufen endlich fand, ging auf einen düsteren Hof. Vielleicht war der im Sommer ganz hübsch, aber jetzt war der Boden schlammig aufgeweicht, und mit der feuchten Erde vermischten sich die Zigarettenkippen der unverbesserlichen Raucher.

In dem Raum selbst standen Tische und Stühle, doch sie sahen anders aus als die sittsamen Einzelbänke aus meiner Jugend. Während ich auf Ms. Cottingham wartete, schaute ich mir die Sprüche an den Wänden an, die sich ebenfalls von den gängigen Sentenzen aus meiner eigenen Schulzeit unterschieden. »Unsere Visionen beginnen mit unseren Sehnsüchten« (Audre Lorde); »Achte die Schönheit der Eigenart, den Wert der Einsamkeit« (Josephine Johnson). Dazu kam ein weniger ernstes, anonymes »Elvis lebt«.

Alice Cottingham marschierte herein, als ich gerade in der *Norton Anthology of Poetry* blätterte, die auf einem Tisch gelegen hatte. Ihre graumelierten Haare waren kurz geschnitten; die feinen Falten um ihren Mund und ihre Augen ließen auf Humor schließen.

»V. I. Warshawski? Ich wollte Sie trotz Fabian Messengers Warnung kennenlernen, weil ich mich gefragt habe, wie es Ihnen gelungen ist, ein solches Vertrauen in Emily zu wecken.«

Ich reichte ihr die Hand. »Ich habe sie bloß zweimal gesehen. Vielleicht liegt's daran, daß ich nicht zu ihrer Familie gehöre. Oder vielleicht auch daran, daß ich ihr gesagt habe, sie muß sich nicht länger von ihren Eltern tyrannisieren lassen. Sie wissen ja, daß sie verschwunden ist – ich mache mir Sorgen um sie. Und irgendwie fühle ich mich auch verantwortlich. Möglicherweise wäre sie nicht weggelaufen, wenn ich ihr am Sonntag nicht gesagt hätte, daß es für Mädchen wie sie Zufluchtsstätten gibt.«

Ms. Cottingham hob fragend die sandfarbenen Augenbrauen. »Was meinen Sie mit ›Mädchen wie sie‹?«

Ich erzählte ihr, wie ich Emily in ihrer Familie erlebt hatte – von ihrer Rolle als Kindermädchen und von Fabians Jähzorn.

Ms. Cottingham schüttelte den Kopf. »Das ist mir neu. Sie ist ein sehr ernstes Mädchen, in vielerlei Hinsicht distanziert ... wie soll ich sagen: nicht idealistisch – denn viele der Kinder hier sind idealistisch –, sondern einfach ernster als die meisten. Sie ist sehr kreativ, selbst nach den Maßstäben dieser Schule, wo es eine ganze Menge intelligenter Teenager gibt. Ihr Vater ist mir immer so, oh, überfürsorglich vorgekommen. Er wollte nicht, daß sie an den normalen Aktivitäten teilnimmt, aber ich habe ihn nie brutal empfunden. Und wer kann es Eltern in unserer Zeit schon verübeln, wenn sie sich ein bißchen zu viel Sorgen machen?«

Ich erinnerte mich an Emilys Passivität bei unserem ersten Treffen. Eins stand fest: Ihre Kreativität lebte sie zu Hause nicht aus.

»Als Kind hält man alles, was zu Hause passiert, für normal«, sagte ich. »Wenn sie keine Freundinnen hat, weiß sie vielleicht nicht einmal, daß andere Teenager anders leben. Sie redet möglicherweise auch nicht über ihre eigene Situation. Aber ich habe Fabian erlebt. Glauben Sie mir: Er ist jähzornig.«

»Tatsächlich? Das ist mir nie aufgefallen. Ich fand ihn eher . . . selbstherrlich. Aber das kommt öfter vor: Die Eltern unserer Schüler genießen oft hohes Ansehen in der Gesellschaft und sind deswegen an Respekt gewöhnt.« Die Lachfältchen um ihren Mund wurden stärker, aber egal, an welche amüsante Situation sie sich erinnerte – sie erzählte mir nichts davon.

Fabian war am vergangenen Mittwoch seinen Gästen gegenüber geistreich und charmant gewesen und hatte nach dem Verschwinden seiner Tochter den verzweifelten Vater gemimt – der Teil seiner Persönlichkeit, den er nach außen zeigte, konnte selbst einen Bullen wie Terry Finchley überzeugen. Warum also nicht auch eine High-School-Lehrerin? Wenn ich in der vergangenen Woche nicht wegen meines Mantels noch einmal ins Haus zurückgekehrt wäre und ihn auf frischer Tat ertappt hätte, hätte ich dann geglaubt, daß er gewalttätig werden könnte? Statt Ms. Cottingham von Fabians sadistischer Seite überzeugen zu wollen, erkundigte ich mich, was Emilys Flucht vorausgegangen war.

»Sie hat plötzlich zu weinen angefangen, als sie ihr Gedicht vorgelesen hat. Das war die Hausaufgabe vom Montag – ein Gedicht zu schreiben. Ich lose aus, wer vorliest, weil es ein paar Exhibitionisten in der Klasse gibt, die sich produzieren wollen, und andere, die so schüchtern sind, daß sie nie zum Zug kommen. Emily war als vierte dran. Sie hat ein paar Zeilen vorgelesen und dann angefangen zu weinen. Schon bald hat sie hemmungslos geschluchzt, und ich mußte sie aus dem Klassenzimmer führen.«

»War das Gedicht über ihre Mutter?«

Ms. Cottingham verzog das Gesicht. »Ich hoffe nicht – es war eine ziemlich düstere Angelegenheit.«

»Erinnern Sie sich noch, was sie geschrieben hat?« Ich versuchte meine Erregung darüber zu unterdrücken, daß sich hier vielleicht eine Möglichkeit auftat, mehr über Emilys Gemütszustand zu erfahren.

»Ich hab' das Gedicht hier. Sie hat's auf dem Tisch liegen lassen, als sie runter ins Krankenzimmer ist.«

Ms. Cottinghams Tisch unterschied sich von den anderen durch die Stapel von Papier, die darauf lagen. Sie suchte in einem davon herum und zog einen Bogen liniertes Papier heraus. Ihr Stirnrunzeln verstärkte sich, als sie noch einmal überflog, was darauf stand. »Etwas beschäftigt sie, soviel ist klar. Die Kinder schreiben normalerweise immer über die gleichen Sachen – wie großartig die Natur ist, über die Schrecken des Rassismus. Aber das... tja, das ist Schmerz pur.«

Ich nahm ihr das Blatt aus der Hand.

Eine Maus zwischen zwei Katzen
von Emily Messenger

Graue Quäkermaus sagt nicht viel,
Kennt nur Arbeit und nicht Spiel.
Erschrickt bei jedem Laut –
Sie ist zu klein fürs Kampfgewühl.

Kleine Schnauze zuckt, Schnurrhaar zittert,
Sie sucht Krümel, auch wenn sie Butter wittert.
Denn für sie bleiben nur
Brosamen vom Tisch der Götter.

Zwei Katzen sind die Herrscher der Natur.
Ihr Nahen heißt für Maus: »Retour!«
Die eine fett, die andre schlank,
Nähren sich von Gewalt fast nur.

Spät des Nachts woll'n sie erhaschen
Kleine Quäkermaus beim Naschen.
Und sie fangen sie
Mit ihren Krallen, den raschen.

Schlanke Katze singt und schmeichelt;
Mäuschen tropft vor Angst der Speichel.
Fette Katze faucht und preßt es –
Fast hätt' es sie gestreichelt.

Fette Katze grinst: Du mußt nun wählen.
Schlanke Katze singt: Laß dir nichts erzählen,
Bleib bei mir, sei meine Muse,
Mußt dich nie mehr quälen.

Fette Katze grinst, die Lippen feucht und rot.
Gehst du mit ihr, ist's dein Tod.
Bleib bei mir und sei mein Sklave.
Steh in meinem Dienst bis zu deinem Tod.

Sklave oder Muse – Mäuschen findt's verderblich.
Krallen im Genick – es ist auch nur sterblich.
Grinsen hier, Gesänge da – es wird ganz schwach.
Die Katzen fauchen: Spielverderber.

Zwei Katzen klagen laut,
Auf Mäuschens Rücken eine Pfote haut,
Der andren Pranke reißt an seiner Brust.
Weit und breit für Mäuschen hier kein Bau.

Mäuschen lebt, schwer verletzt,
Wenn's nun leis ein Füßchen vor das andre setzt.
Die Katzen grinsen, singen, wollen Spaß,
Mit geschwellten Muskeln Mäuschen hetzen.

Mich fröstelte. Die Furien, die im Haushalt der Messengers
wüteten, erwachten auf dem Papier zu groteskem Leben. Ich
hätte der Emily, die ich erlebt hatte, der Emily, die abwech-
selnd in Tränen ausbrach und sich zurückzog, keine solche
Disziplin zugetraut.

»Haben Sie eine Ahnung, wann sie das geschrieben hat?«
fragte ich Ms. Cottingham. »Sie haben gesagt, das war die
Hausaufgabe vom Montag. Bedeutet das, daß sie das Gedicht
übers Wochenende geschrieben hat? Nach dem Tod ihrer Mutter?«

Ms. Cottingham schürzte nachdenklich die Lippen. »Ich
habe die Hausaufgabe vor zwei Wochen gestellt. Wir hatten ein
paar Stunden über Gedichte gesprochen. Die Schüler machen
die Hausaufgaben normalerweise immer in der letzten Minute,

also stehen die Chancen gut, daß sie's tatsächlich am Wochenende geschrieben hat. Aber das ist merkwürdig, finden Sie nicht auch? Wenn sie gewußt hat, daß ihre Mutter tot ist. Außerdem: Wie konnte sie die... die emotionale Energie aufbringen, so kurz nach dem Tod ihrer Mutter so etwas zu schreiben? Wahrscheinlich hat sie's schon vorher gemacht. Aber was hat es dann für einen Sinn, das Gedicht jetzt zu lesen?«

»Wahrscheinlich sieht Emily sich selbst als Maus. Vielleicht setzt sie auch ihre Mutter mit der Maus gleich und sich selbst mit einem bösen Dämon. Ich würde das Gedicht gern mitnehmen.«

Ms. Cottingham schüttelte den Kopf. »Nein. Das ist das Privateigentum einer Schülerin. Sie wissen nicht...«

»Ich weiß nicht, wo sie ist. Je länger es dauert, sie zu finden, desto unwahrscheinlicher wird es, daß sie keinen psychischen Schaden nimmt. Vielleicht überlebt sie die Sache nicht einmal. Außerdem hat sie ihre beiden Brüder dabei. Alles, was dazu beitragen könnte, sie zu finden, ist wichtig.«

»Die Polizei sucht nach ihr...«

»Und ich wünsche ihr viel Erfolg dabei«, fiel ich ihr wieder ins Wort. »Aber die Leute von der Polizei informieren sich nicht über *Emily*. Sie konzentrieren sich auf die *Situation*. Fabian verwechselt die Ermittlungen mit einem Tummelplatz für Staatsanwälte.«

»Und Sie haben in dieser Hinsicht besondere Fähigkeiten?«

»Ich dachte, das wüßten Sie. Ich bin Privatdetektivin.« Das hatte ich ihr doch mit Sicherheit am Telefon gesagt. Oder hatten mich die Ereignisse so aus der Bahn geworfen, daß ich mich nicht mal mehr richtig vorstellte?

Schließlich stimmte Ms. Cottingham, wenn auch widerwillig, zu, daß ich eine Kopie des Dokuments, wie sie es nannte, machte. Sie stand neben mir, als ich diese Kopie machte. Ich steckte sogar ein Zehncentstück in das Gerät im Lehrerzimmer – der Preis für private Ablichtungen.

»Und Sie rufen mich an, wenn Ihnen etwas einfällt – oder wenn Sie etwas hören –, das mir dabei helfen könnte herauszufinden, wo sie steckt?« fragte ich, als sie sich an der Tür von mir verabschiedete.

Sie versprach es mir, wenn auch ohne allzu großes Vertrauen in meine Fähigkeiten. Als wolle ich ihr etwas beweisen, hielt ich auf meinem Weg nach Norden noch schnell beim Haus der Messengers. Die Haushälterin machte die Tür einen Spalt auf.

»Keine Presse«, sagte sie mit starkem polnischem Akzent.

»Ich bin Detektivin«, meinte ich ganz langsam. »Ist Mr. Messenger zu Hause?«

»Keine Presse«, wiederholte sie bestimmt und wollte schon die Tür schließen.

Während ich den Fuß in den Türspalt schob, versuchte ich verzweifelt, mich an die wenigen Worte Polnisch zu erinnern, die mir die Mutter meines Vaters beigebracht hatte. Natürlich war »Privatdetektiv« nicht darunter, aber weil mein Vater Polizist war, hatte ich wenigstens das Wort von ihr gehört. Um meine Lüge abzurunden, holte ich auch noch meine Brieftasche mit der Fotokopie meiner Detektivlizenz heraus.

Sie runzelte die Stirn, wiederholte »Policjant«, machte die Tür auf. Als ich wieder nach Fabian fragte, antwortete sie mir auf polnisch. Enttäuscht über meinen verständnislosen Gesichtsausdruck sagte sie »nicht da« und drehte sich um.

Schuldbewußt – weil ich mich als Polizistin ausgab und einfach in Emilys Privatbereich eindrang – ging ich die Treppe zu ihrem Schlafzimmer hinauf. Jemand hatte es ziemlich oberflächlich durchsucht. Als ich das letzte Mal dort gewesen war, hatte darin das Chaos geherrscht, das jeder Teenager in seinem Zimmer hat, doch jetzt standen die Schubladen offen, Sweatshirts und Unterwäsche hingen heraus. Auf dem Boden lagen Bücher, der kleine Schreibtisch wirkte durchwühlt. Ich konnte mir nicht vorstellen, daß Finchley oder Neely das Zimmer so wenig sorgsam durchsucht hatten. Entweder hatte Fabian seine Wut an Emily hier ausgelassen, oder Emily hatte vor ihrer Flucht selbst etwas Wichtiges gesucht.

Ich hob die Papiere vom Boden auf. Es handelte sich ausschließlich um Schulsachen – Essays, Geometrieaufgaben, Notizen. In den Aufsätzen ging es um das, was Ms. Cottingham als die üblichen Themen bezeichnet hatte – um die Sehnsucht nach Liebe und Tod, unter der Teenager oft leiden.

Ich hoffte auf weitere Gedichte oder ein Tagebuch, fand aber keine so persönlichen Dinge mehr. Nur am Rand der Notizen, zwischen wilden Schmierereien, stand die eine oder andere Bemerkung. »Warum? Warum nur?« war da zu lesen, und dazu strenge Ermahnungen zu schweigen, in Englisch und Französisch. Die Handschrift wirkte noch jugendlich, war aber so winzig, daß die Verfasserin offenbar ihre eigene Anwesenheit von den Blättern verbannen wollte.

Zwischen den Papieren steckte ein Schnappschuß von Emily mit Joshua und Nathan. Sie hielt das Baby im Arm, Joshua an der Hand. Vielleicht stammte das Bild aus dem vergangenen Sommer: Jedenfalls trug sie die schlammig gelbe Bluse, mit der ich sie am letzten Samstag gesehen hatte, und Shorts. Sie und Joshua starrten mit ernstem Gesicht in die Kamera. Ich verstaute das Foto in meinem Notizbuch und setzte meine Suche fort.

In einem Brief dankte Emilys Großmutter ihrer Enkelin in der runden Schrift, die die Schüler in den dreißiger Jahren gelernt hatten, für ihre Karte und beschrieb den Frühling in Du Quoin, Illinois.

Die Katze, so erzählte sie, fing nun Spatzen im Garten statt Mäuse in der Küche, und die Studenten stach bei dem warmen Wetter der Hafer. Sie hoffte, daß Emily sich anständig benahm und die Gelegenheiten nutzte, die sich ihr ausbildungsmäßig boten. Ich notierte mir die Adresse, fragte mich jedoch, ob sie, die sich selbst als Maus sah, sich an ihre Großmutter wenden würde, die so prosaisch von ihrer eigenen blutdürstigen Katze berichtete.

Dann warf ich einen hastigen Blick in Emilys Schrank. Die Mädchen heutzutage tragen alles, von Leggings und Tops bis zu abgerissenen Jeans und Großmutterkleidern. Mädchen, deren Väter so viel verdienten wie Fabian, hatten Schubladen voll mit Bodys und spitzenverzierten Slips und Hemdchen. In Emilys Schrank fand ich nur das pinkfarbene Wollkleid, das sie bei der Party zu Manfreds Ehren getragen hatte, sowie ein paar von Deirdres abgelegten Kleidern und zwei Faltenröcke, die seit meiner eigenen High-School-Zeit aus der Mode waren. Ich machte die Tür zu, verlegen darüber, daß ich meine Nase in ein so trostloses Leben gesteckt hatte.

Danach hatte ich nicht mehr den Nerv, auch noch ihre Frisierkommode durchzustöbern, nicht einmal dann, wenn ich gehofft hätte, dort doch noch ein Tagebuch zu finden. Statt dessen legte ich die schlichten Baumwollschlüpfer, die heraushingen, in die Schubladen zurück und schob sie zu.

Ich nahm willkürlich ein paar Bücher in die Hand. Neben den alten Klassikern *Wilbur und Charlotte* und Laura Ingalls Wilder fanden sich einige Romane von Marion Zimmer Bradley und Ursula K. LeGuin. Emily war ein verträumtes Kind, vielleicht auch ein Mädchen, das sich aus der schmerzlichen Welt zurückzog, in der es lebte.

Ich notierte mir eine Auswahl der Titel neben der Adresse der Großmutter und überlegte, ob sie vielleicht noch einmal von Bedeutung sein würden.

Ein dickes Buch lag in einer Ecke, die eine Kante ragte kaum sichtbar hinter der Heizung hervor. Ich legte mich flach auf den Boden, um es herauszuziehen. Es handelte sich um Churchills *Aufzeichnungen zur europäischen Geschichte*. Auf die Innenseite des Schutzumschlags hatte Fabian geschrieben: »Für Emily, das Alpha und das Omega. Alles Gute zum Geburtstag. Alles Liebe, Vater.« Das Alpha und das Omega? Abgesehen davon, daß das eine merkwürdige Widmung für eine Tochter war, hatte ich auch Fabians Verhältnis zu Emily nie so gesehen. Doch dann fiel mir wieder ein, wie er mich am Samstag, als ich das Haus verlassen hatte, ebenfalls durch seinen zärtlichen Umgang mit ihr überrascht hatte.

Noch etwas lag hinter der Heizung. Neugierig streckte ich die Hand aus und zog einen Baseballschläger, handsigniert von Nellie Fox, heraus. Er war mir bereits am Mittwochabend in dem Schirmständer im Flur aufgefallen. Am oberen Ende klebte eine verkrustete Masse. Ich betrachtete den Schläger verblüfft. Wohl wissend, was das war, aber unwillig, dieses Wissen zu akzeptieren, steckte ich das Ding wieder hinter die Heizung und flüchtete aus dem Haus.

21 Was steckt in einem Gedicht?

Ich fuhr zum See hinüber. Der Boden war immer noch braun, und die Stürme des letzten Winters hatten über den Steinen häßliche Hügel aufgeworfen. Ich ging hinaus zu dem Kap, das an der Fifty-fifth Street nach Osten in den See hinausragt. Es war kühl; die im Norden gelegene Stadt hüllte sich in Nebel. Das Wasser leckte blaugrau an meinen Schuhen. Ein alter Mann saß mit einer Angel, einem Eimer und einem Netz am Ufer. Er hob den Kopf nicht, als ich an ihm vorbeiging.

Emily konnte Deirdre nicht umgebracht haben. Ich zwang mich, diesen Satz immer wieder zu sagen. Der Schläger war irgendwie in ihr Zimmer geraten. Fabian hatte ihn dort versteckt und Emily gedroht, er würde ihr den Mord an ihrer Mutter anhängen, wenn sie ihm kein Alibi für den vergangenen Freitag gab. Der Druck war für sie, die arme kleine Maus, zu groß gewesen, und sie war weggelaufen. Mir gefiel diese Version. Aber würde sie auch Terry Finchley gefallen?

Ohne zu überlegen, hatte ich den Schläger angewidert wieder hinter den Heizkörper gestellt, weil ich Emily schützen wollte und niemand erfahren sollte, daß die Mordwaffe sich in ihrem Zimmer befand. Aber ich mußte der Polizei Bescheid sagen. Als ich blind in den Nebel starrte, wurde mir klar, daß alles andere töricht war. Und mein erster Impuls, die Polizei anzurufen, ohne meinen Namen zu nennen, war ebenfalls töricht: Schließlich waren meine Fingerabdrücke auf dem Schläger. Wenigstens war ich nicht so dämlich gewesen, sie wegzuwischen. Möglicherweise waren auch noch die von Fabian drauf.

Plötzlich merkte ich, daß meine Wangen feucht waren. Ohne daß es mir aufgefallen war, hatte es zu nieseln begonnen. Ich ging zu meinem Wagen zurück, langsam, als hätten sich alle Muskeln von meinen Knochen gelöst.

Als ich das Polizeirevier durch den Eingang an der Eleventh Street betrat, überkam mich ganz unerwartet ein nostalgisches Gefühl. Das Revier ist ziemlich alt; es gibt dort nach wie vor eine hohe Theke aus Holz, schmale Flure und die trüben Lichter wie in den Revieren, in denen mein Vater damals arbeitete. Ich stellte mir vor, ihn dort am Tresen wiederzusehen, wie er auf mich wartete, um mir nach der Schule ein Eis zu kaufen oder meinen kleinen Kümmernissen mit einem sanften Lächeln zu lauschen, das meine Mutter mir nie schenkte. Ich sehnte mich nach einem Trost, den das Leben nicht für mich bereithielt.

Der Beamte am Empfang schickte mich ohne ein Lächeln und ohne ein Eis hinauf. Dort saßen ein paar von den Leuten, die ich noch kannte, am Schreibtisch. John McGonnigal, ein Polizeimeister, den ich schon eine ganze Weile nicht mehr gesehen hatte, blickte überrascht auf und rief mir einen fröhlichen Gruß zu. Bobby Mallory, der älteste Freund meines Vaters bei der Polizei, der jetzt nur noch ein Jahr bis zur Pensionierung hatte, sah mich von seinem Büro aus und kam heraus.

»Was ist los, Vicki? Möchtest du sehen, wie der schlechtere Teil der Menschheit lebt? Oder hast du nach gestern abend etwas auf dem Herzen?« Früher war Bobby entsetzt gewesen über meine Berufswahl, inzwischen hat er sich damit abgefunden und gibt sich ungerührt.

»Es heißt, beichten erleichtert die Seele. Und ich habe was zu beichten.«

Bobby warf mir einen mürrischen Blick zu, rief aber Terry in sein Büro. Finchleys Gesicht wirkte irgendwie fahl. Die Selbstsicherheit, mit der er normalerweise auftrat, hatte sich ein wenig abgeschliffen durch die Wellen, die Fabians Einmischung schlugen.

»Hast du das Mädchen gefunden?« wollte er wissen. »Wir haben die Fluggesellschaften und Buslinien verständigt, dazu die Chicagoer Transportbetriebe, die Taxiunternehmen, und erfahren überhaupt nichts.«

»Dafür hören wir rund um die Uhr von Clive Landseer, von Kajmowicz und den Medien«, mischte sich Bobby ein.

»Nein«, sagte ich kurz angebunden. »Aber ich würde euch viel lieber Emily bringen als die Nachricht, die ich für euch habe: Ich habe die Mordwaffe gefunden.«

Als ich den beiden erklärte, was ich entdeckt hatte und wie, brummte Bobby, aber Terry lächelte düster. »Also hat das Mädchen seine Mutter umgebracht?«

»Statt Tamar Hawkings, meinst du?« Es gelang mir nicht ganz, meinen Spott zu unterdrücken.

»Hör zu, Vic. Wir tun unser Bestes mit den Beweisen, die wir haben. Jetzt haben wir die Mordwaffe im Zimmer des Mädchens. Wie ist die da reingekommen, wenn sie sie nicht selber da versteckt hat?«

»Fabian wohnt auch in dem Haus. Er könnte den Schläger hinter den Heizkörper gelegt haben.«

»Und sie hat ihn da gelassen? Na, komm schon, Vicki, denk mal drüber nach, was das bedeutet: Hätte sie wohl drei Nächte in dem Zimmer geschlafen, in dem der Baseballschläger mit den Resten vom Gehirn ihrer Mutter versteckt ist?« Bobby hatte offenbar einen guten Überblick über den Fall – er hatte sogar die komplette Chronologie im Kopf.

»Aber du glaubst, sie hätte in dem Zimmer geschlafen, wenn sie den Schläger selber hinter den Heizkörper geschoben hätte?« konterte ich. »Das hieße doch, daß sie die Waffe nach dem Mord an ihrer Mutter als Trophäe behalten und versteckt hätte. Wenn Fabian ihn selbst hinter den Heizkörper getan hat, wußte sie vielleicht nichts davon.«

»Ach was – warum würde ein Vater seiner Tochter einen Mord anhängen wollen?« Bobby, der seine eigenen vier Töchter und seine zahlreichen Enkel abgöttisch liebte, konnte sich ein Zuhause wie das bei Fabian nicht vorstellen.

»Ist es leichter zu glauben, daß das Mädchen seine Mutter umgebracht hat?« wollte ich wissen.

Terry umschloß seine Stirn mit der Hand, als wolle er sichergehen, daß ihm der Kopf nicht zersprang. »Jedenfalls müssen wir erst mal jemanden hinschicken, der das Ding holt. Da ich kein ganz normaler Bürger bin wie Vic, brauche ich einen Durchsuchungsbefehl. Und wir wissen, wie Fabian reagieren wird, wenn er erfährt, daß du Emilys Zimmer hinter seinem Rücken durchsucht hast.«

»Was soll's, Jungs: Ich hab' schließlich die Mordwaffe für euch gefunden. Nun tut mal nicht so, als ob ich sie da versteckt hätte.«

»Tja, wenn ich ganz ehrlich bin, würde ich dir das sogar zutrauen.« Bobby fand das offenbar komisch. »Finch hat mir schon gesagt, daß du für Messenger ein besonderes Faible hast. Wenn du meinst, wir behandeln ihn zu sanft, könntest du das Ding doch hinter den Heizkörper getan haben, oder?«

Ich lächelte. »Dann hätte ich es doch wahrscheinlich in Fabians Zimmer versteckt, meint ihr nicht auch? Warum ist mir das eigentlich nicht eingefallen? Aber ich Trottel nehme Beweisstücke ja ernst. Schließlich bin ich zu euch gekommen, obwohl ich wußte, daß ihr euch gleich auf Emily stürzt. Genau wie auf Tamar Hawkings. Die ihr übrigens auch noch finden müßt.«

Ich rauschte mit einer ordentlichen Wut im Bauch aus dem Revier. Doch als ich wieder im Wagen saß, kehrten auch meine Sorgen um Emily zurück. Schließlich konnte ich nicht beschwören, daß sie ihre Mutter nicht umgebracht hatte. Ich hatte keine Ahnung, wozu ein Teenager, der unter solchem Druck stand wie Emily, imstande war. Ich holte ihr Gedicht aus der Tasche und las es noch einmal durch. Was wäre, wenn sie und Fabian die Katzen waren und Deirdre die Maus, die sie zusammen angriffen?

Ich legte den Gang ein und fuhr nach Norden zum Arcadia House, wo ich Marilyn Lieberman aus einer Besprechung holte.

»Weißt du was Neues über Deirdre?« erkundigte sie sich. »Hier rufen ständig Leute an und wollen wissen, ob ihr Tod was mit dem Frauenhaus zu tun hatte. Und im Stiftungsbeirat machen sich auch alle Gedanken. Du hast sie ... ihre Leiche ... doch gefunden, oder?«

»Ja. Ich komme mir vor wie Lady Macbeth. Aber im Moment mache ich mir mehr Sorgen um die Kinder. Hast du schon gehört, daß sie verschwunden sind?«

Marilyn sah mich mit großen Augen an. »Nein. Ich schau' die Nachrichten nur selten an. Das Leben hier ist schon grausig genug ohne die ganzen Kriege und Hungersnöte. Wo ...? Warum ...?«

»Ich wünschte, ich wüßte es. Ich befürchte, daß Fabian Deirdre getötet und Emily – seine Tochter – gezwungen hat, ihm sein Alibi zu bestätigen, und daß sie den Druck nicht mehr ausgehalten hat und weggelaufen ist. Er hat so viele einflußreiche Freunde, daß die Polizei sich nicht so recht an ihn herantraut.«

Ich konnte Marilyn nichts von dem Baseballschläger sagen, bevor die Polizei ihn nicht geholt hatte. Statt dessen erzählte ich ihr von dem Abend bei den Messengers und von meinem Zusammentreffen mit Fabian. Anders als Emilys Lehrerin hatte Marilyn keine Mühe, mir zu glauben.

»Das erklärt wahrscheinlich sogar, warum Deirdre soviel für uns gearbeitet hat. Sal hat schon mal angedeutet, daß Deirdre vielleicht von ihrem Mann geschlagen wird, aber ich wollte mir darüber keine Gedanken machen. Das Problem mit meinem Job ist einfach, daß man den ganzen Tag bloß die Gebende ist. Ich brauche die Unterstützung des Beirats, deswegen will ich von den eventuellen Problemen der Mitglieder nichts hören.«

»Würdest du dir das mal anschauen?« fragte ich, nachdem ich Emilys Gedicht aus meiner Handtasche gezogen hatte. »Sagt dir das irgendwas?«

Marilyn las das Gedicht. »Ist das von Deirdres Tochter? Das Mädchen muß ganz schön unglücklich sein. ›Eine Maus zwischen zwei Katzen.‹ Igitt. Zeigen wir's Eva. Die soll einen Blick drauf werfen.«

Eva Kuhn, die Therapeutin von Arcadia, leitete gerade eine Gruppentherapiesitzung, erklärte Marilyns Assistentin uns. In einer halben Stunde könne sie mit uns reden. Marilyn brachte mich in ihr Büro, wo wir warteten.

Das Zimmer war spartanisch mit den ausgemusterten Büromöbeln von ein paar Sponsoren des Arcadia House aus der freien Wirtschaft eingerichtet. Marilyn hatte sich redlich Mühe gegeben, den Raum mit Pflanzen ein bißchen freundlicher zu gestalten. Kunstwerke der Bewohnerinnen verliehen ihm eine gewisse Exzentrik und machten ihn bunter.

Während wir abgestandenen Kaffee tranken, kamen immer wieder Frauen und Kinder herein. Marilyn begrüßte sie alle namentlich und mit einer persönlichen Frage – hatte ein Kind in der Kunststunde am Morgen eine Krone gebastelt? War die Mutter am Vortag bei der Berufsberatung gewesen? –, dann führte sie die Unterhaltung mit mir fort, ohne eine Sekunde Zeit zu verlieren. Kein Wunder, daß sie einen Beirat brauchte, der sie unterstützte und ihr nicht auch noch etwas abverlangte.

»Hast du schon was gefunden für den Jungen, dem du helfen sollst?« erkundigte sie sich.

»Ach, du lieber Himmel! Mein Broterwerb. Den habe ich völlig vergessen. Ich habe bloß noch bis Freitag um fünf Zeit.

Ich komme mir vor wie Gary Cooper in *Zwölf Uhr mittags*.«
Ken – MacKenzie – Graham und der verdammte Job, den er
machen sollte.

»Hast du's schon mal bei Home Free probiert?« wollte
Marilyn wissen.

Ich warf ihr einen anerkennenden Blick zu. »Das ist eine
tolle Idee. Nicht bloß für den jungen Graham, sondern auch
wegen der Sache mit Deirdre. Sie hat ziemlich viel Arbeit für
Home Free geleistet. Vielleicht wissen die etwas über sie, was
wir nicht wissen.«

»Etwas, das dich zu Emily führen könnte?« Marilyn war
skeptisch.

»Dann kann ich mich besser auf Deirdres Mörder konzentrieren, und die Polizei läßt erst mal die Finger von Emily und
Tamar Hawkings. Das heißt, falls Tamar jemals wieder auftaucht. Glaubst du, ein vierzehnjähriges Mädchen hat die
Kraft, seiner Mutter den Kopf einzuschlagen?«

»Deirdres Tochter? Du glaubst doch nicht wirklich...« Sie
schüttelte den Kopf. »Ich kann natürlich kein wirkliches Urteil
über den Charakter eines Mädchens abgeben, das ich nie gesehen habe. Aber ich weiß, daß Menschen manchmal unbere-
chenbar sind.

Wir haben eine Weile eine Frau hier gehabt – sie sitzt jetzt
zehn Jahre ein –, die ihren Mann mit Lauge übergossen hat, als
er schlief, und dann mit Melasse. Er ist dran gestorben, weil
das ätzende Zeug nicht abwaschen konnte. Sie ist nicht mal
einsfünfzig groß. Dem Gericht war es egal, daß sie nur einen
einzigen größeren Knochen im Leib hat, den der Kerl ihr noch
nicht gebrochen hatte. Außerdem muß man zugeben, daß das
eine besonders grausige Art ist, jemanden umzubringen. Also
stelle ich lieber keine Mutmaßungen darüber an, was ein Mädchen seiner Mutter antun könnte. Allerdings bin ich natürlich
eher auf deiner Seite – mir wär's auch lieber, wenn du den Mann
überführen könntest.«

»Natürlich bloß, wenn er wirklich schuldig ist«, murmelte
ich.

Eva kam herein, als Marilyn gerade spöttisch lachte. »Das
sehe ich gern: Ein fröhliches Gesicht unter unseren Mitarbeitern. Wie geht's, Vic? Möchtest du eine Stunde Therapie bei

mir machen? Ich bin grade schön in Fahrt und nehm's mit jedem auf.«

»War 'ne schlechte Sitzung, was?« meinte Marilyn. »Wir brauchen deine diagnostischen Fähigkeiten. Sag ihr nicht, wer's geschrieben hat, Vic. Laß es sie zuerst lesen.«

»Soll ich raten?« Eva sah mir zu, während ich Emilys Namen überklebte. »In der Ausbildung kriegt man Fallstudien, mit deren Hilfe man eine Diagnose stellen und eine Therapie vorschlagen soll, aber ein Stück Papier hat mir noch nie jemand gegeben und mich gebeten, daraus eine Fallstudie zu machen.«

Sie hatte Basketball gespielt, zuerst für Tennessee und dann als Profi in Japan, bevor sie sich für eine Laufbahn als Sozialarbeiterin entschieden hatte. Wie sie so dastand mit ihrer Jeans und den hochgekrempelten Ärmeln ihrer weißen Bluse, unter denen ihre muskulösen Arme hervorschauten, ähnelte sie immer noch eher einer Sportlerin als einer Therapeutin. Manchmal versuche ich, mich sportlich mit ihr zu messen, aber sie ist zehn Jahre jünger als ich, und ich kann ihr in puncto Fitneß nicht das Wasser reichen. Ich habe mich oft gefragt, ob sie ihren betont körperlichen Stil auch in die Sitzungen einbringt. Aber ich wußte, daß die Frauen von Arcadia sie sehr schätzten.

Sie las das Gedicht aufmerksam; ihre dunklen Haare verbargen ihr Gesicht, während sie sich über den Bogen Papier beugte. Als sie den Blick wieder hob, runzelte sie die Stirn. »Sagt mir lieber was über den Verfasser. Ist das eine Frau, die Probleme hat?«

»Ein Kind mit Problemen.« Ich erzählte ihr, was ich über Emily wußte. »Ich klammere mich an jeden noch so dünnen Strohhalm. Kannst du irgendeinen Hinweis in dem Gedicht finden, daß Fabian ihre Mutter umgebracht hat? Oder wo Emily sich möglicherweise versteckt hat?«

Ein schwaches Lächeln umspielte Evas dunkle Augen. »Ich bin Sozialarbeiterin, keine Literaturkritikerin. Wenn das Mädchen die Maus ist – und davon können wir, glaube ich, ausgehen –, dann würde sie sicher nicht so verzweifelt über einen anderen Menschen schreiben, auch wenn dieser Mensch vielleicht ihre Mutter ist. Dieses Mädchen fühlt sich von beiden Elternteilen bedrängt. Die Kleine ist diejenige, die in dem Gedicht verletzt wird – die beiden Katzen sind am Ende wieder auf der Jagd.«

»Dann ergibt das Ganze keinen Sinn. Sie wollte etwas Bestimmtes mit dem Gedicht ausdrücken. Wahrscheinlich ist sie deshalb am Montag in die Schule gegangen. Aber würde sie von ihrer toten Mutter wirklich so denken?«

Eva klopfte auf das Papier wie auf einen Ball, mit dem sie dribbeln wollte. »Ich glaube eher, daß sie noch nichts vom Tod ihrer Mutter wußte, als sie es schrieb.«

»Vielleicht hat sie das Gedicht am Freitagabend geschrieben«, meinte Marilyn und beugte sich ein wenig auf ihrem Stuhl vor. »Deirdre ist gegangen und hat Emily im Stich gelassen. Wenn das, was du über die Familie sagst, stimmt, hat Fabian Emily möglicherweise für Deirdres Flucht verantwortlich gemacht. Vielleicht hatte das Mädchen einfach die Nase voll. Sie kann ihre Eltern nicht konfrontieren. Sie weiß, daß sie Hilfe braucht, wenn auch nicht auf einer bewußten Ebene: Sie kann sie nur indirekt von ihren Lehrern erbitten.«

»Könnte sein.« Eva nickte. »Deirdre ist tot, und Emily braucht mehr denn je Hilfe. Sie liest also das Gedicht vor versammelter Klasse vor und bricht dann zusammen, weil sie ihre tote Mutter kritisiert hat. Vielleicht bildet sie sich sogar ein, daß ihre eigenen harten Worte ihre Mutter getötet haben.«

»Aber wie...« Ich führte den Satz nicht zu Ende.

Wie war der Schläger in ihr Zimmer gekommen? Wenn Fabian tatsächlich die ganze Nacht zu Hause gewesen war... nein. Er hatte Emily dazu gezwungen zu sagen, daß er die ganze Nacht da gewesen war. Es war ziemlich wahrscheinlich, daß einer von ihnen Deirdre umgebracht hatte. Ich wünschte mir natürlich, daß er es gewesen war, nicht seine Tochter, aber so sehr konnte ich es mir gar nicht wünschen, daß ich das umgekehrte Szenario nicht wenigstens durchdachte.

Ich nahm den Bogen Papier wieder. »Ich hatte gehofft, dadurch irgendeinen Anhaltspunkt zu bekommen – entweder über Fabians Schuld oder über den Ort, an den sie sich geflüchtet haben könnte.«

»Das Gedicht macht deutlich, daß Fabian Schuldgefühle hat«, meinte Eva. »Aber wieso... Da müßtest du schon mit dem Mädchen selber reden. Emily sieht sich selbst klein und hilflos. Ich weiß nicht, ob das bedeutet, daß sie sich zu einem mächtigen Menschen flüchten oder sich ein Schlupfloch suchen würde. Deswegen ist sie wahrscheinlich zu dir gekommen, Vic. Du bist ihr vorgekommen wie eine mächtige Außenstehende, die den Katzen etwas entgegensetzen könnte.«

»Und wegen ihrem blöden Vater habe ich ihr nicht helfen können, als sie mich gebraucht hat«, sagte ich verbittert und stand auf. »Aber sie könnte sich ja auch an eine Lehrerin gewandt haben, die sie aus irgendeinem Grund nicht verrät. Ich glaube, ich geh' noch mal in die Schule und versuche da, mehr rauszufinden. Danke, Eva. Bis zur nächsten Beiratssitzung, Marilyn.«

In der Hoffnung, daß Emily vielleicht doch in mein Büro geflüchtet war, fuhr ich zum Pulteney, wo mich eine unliebsame Überraschung erwartete. Der Mord in dem Gebäude hatte den Culpeppers noch den allerletzten Rest Geduld geraubt, den sie mit den Mietern gehabt hatten. Das Pulteney war mit Brettern vernagelt. Ein Zettel am Fenster verwies mögliche Nachfrager an eine Telefonnummer in winziger Schrift.

22 Witterung

Ich ging in den Coffee-Shop an der Ecke, um die Culpeppers anzurufen, wurde aber statt dessen mit der Firma verbunden, die das Pulteney mit Brettern vernagelt hatte. Die Leute dort konnten mir auch nicht sagen, wo die Sachen aus meinem Büro hingekommen waren. Sie konnten mir lediglich sagen, daß das Gebäude am Ende des gestrigen Arbeitstages geräumt worden war. Und heute morgen hatten sie um zehn die Türen vernagelt.

»Sind Sie sicher, daß niemand mehr in dem Gebäude ist?«

»Hören Sie, Lady, wir machen das seit dreißig Jahren. Glauben Sie mir, wir haben noch niemals einen Sarg vorzeitig zugenagelt. Wenn Sie irgendwelche Probleme haben, sollten Sie sich mit den Eigentümern direkt in Verbindung setzen.«

Dann knallte er den Hörer auf die Gabel. Mit anderen Worten: Sie hatten das Gebäude also nicht sorgfältig durchsucht. Ob Terry Finchley wohl wußte, daß das Pulteney mit Brettern vernagelt war? Schließlich war es immer noch der Tatort eines Verbrechens.

Eigentlich wollte ich nicht noch mal im Revier anrufen, nachdem ich den Beamten gerade die Tatwaffe geliefert hatte, die sie als Beweis gegen Emily verwenden konnten, aber ich mußte wissen, ob das Haus wirklich sorgfältig durchsucht worden war. Finchley war nicht da, vermutlich war er zu Fabian Messenger gefahren, also wurde ich mit Mary Louise Neely verbunden.

Sie hatte keine Ahnung, daß die Culpeppers das Pulteney hatten vernageln lassen, versicherte mir aber, am Vorabend habe eine Polizeimannschaft es sich noch einmal gründlich angesehen. Nachdem Finchley in meiner Wohnung fertig gewesen war, hatte er ein Team – ein *gutes* Team, betonte sie – abkommandiert, um alle Stockwerke nach Tamar Hawkings und Emily abzusuchen. Dieses Team hatte das Büro gefunden, in dem Tamar nach Ansicht Deirdres untergekrochen war, aber dort keinerlei Hinweise entdeckt, daß Tamar oder ihre Kinder sich im Verlauf der letzten Tage dort aufgehalten hatten. Und es gab auch keine Spur von Emily.

»Was ist mit meinem Büro, jetzt, wo das Gebäude nicht mehr zugänglich ist?« erkundigte ich mich.

»Das müssen Sie mit den Eigentümern des Gebäudes klären«, antwortete sie, steif wie immer.

»Ist mein Computer vielleicht da drin? Terry hat mir gesagt, daß ihr ihn rüberbringt. Ich brauche ihn dringend.«

»Oh!« Zum erstenmal erlebte ich sie bestürzt. »Tut mir leid, hier war so ein Durcheinander, da hab' ich das ganz vergessen – der Computer ist immer noch bei uns.«

Ich seufzte. »Würden Sie dann bitte den Papierkram erledigen, damit ich ihn selber abholen kann?«

Sie entschuldigte sich noch einmal und sagte, ich könne ihn am nächsten Tag holen. Ich wollte schon auflegen, aber Neely schien noch etwas auf dem Herzen zu haben. Also wartete ich schweigend und wurde schließlich auch belohnt.

»Ich wollte noch was zu den Messenger-Kindern sagen. Natürlich haben wir die ganze Gegend abgesucht. Eine Kellnerin in dem Coffee-Shop bei Ihnen an der Ecke meint, daß sie die Kinder vielleicht gesehen hat. Aber hundertprozentig kann sie es nicht sagen. Ihr Büro ist zwar am äußersten Ende des Loop, aber da sind immer noch ziemlich viele Fußgänger unterwegs.«

»Sind Sie sicher, daß sie nicht in dem Gebäude sind?« Wenn man sie hier in dem Coffee-Shop, von dem aus ich anrief, gesehen hatte, konnten sie doch eigentlich nur im Pulteney stecken.

»Hoffentlich nicht. Aber vielleicht haben wir sie ja übersehen ... Ich weiß es nicht. Ich werde Terry – Detective Finchley – überreden, mich das Gebäude noch mal durchsuchen zu lassen.« Mary Louise Neely legte doch tatsächlich einmal ihre steife Maske ab; sie klang besorgt, sogar ein bißchen verängstigt.

Nachdem sie aufgelegt hatte, ging ich zum Tresen hinüber, um mit der Frau zu sprechen, die glaubte, Emily gesehen zu haben. Die Kellnerinnen in dem Coffee-Shop kennen mich alle seit Jahren vom Sehen, aber wir haben es nie geschafft, uns mit Namen vorzustellen. Als ich erklärte, was ich wollte, und ihnen den Schnappschuß von Emily mit ihren Brüdern zeigte, behandelten sie mich freundlich und kameradschaftlich. Es war nicht viel los; endlich hatten sie etwas, worüber sie sich unterhalten konnten. Nachdem sie ein paar Minuten flüsternd beratschlagt hatten, kam eine kräftig gebaute Frau um die Fünfzig zu mir herüber. Das Plastikschild an ihrem üppigen Busen teilte mir mit, daß sie Melba hieß.

»Genau, das ist das Mädchen, das hab' ich der Frau von der Polizei auch gesagt.« Sie sprach langsam und betonte das Wort »Polizei« auf der ersten Silbe, so daß es viel bedrohlicher klang als üblich. »Es war so gegen vier Uhr nachmittags, ich wollte grade mit der Arbeit aufhören, da ist sie reingekommen und hat nach dem Pulteney gefragt.

›Das ist gleich nebenan‹, hab' ich ihr gesagt. ›Aber da ist jetzt kaum noch jemand drin. Was willst du denn da?‹ hab' ich sie gefragt. Ich hab' mir so meine Gedanken über sie gemacht, weil sie die beiden kleinen Jungs dabeihatte. Mein Gott, hab' ich mir gedacht, die fangen heutzutage schon ganz schön früh an. Schließlich war sie höchstens neunzehn, und der größere von den beiden Jungs war sicher schon sechs. Vielleicht wollte sie ja auch in dem Gebäude unterschlüpfen, weil sie wußte, daß es abgerissen wird. Also hab' ich ihr und den Jungs ein Thunfischsandwich und eine Tüte Pommes geschenkt. Aber ich könnte Ihnen wirklich nicht sagen, ob sie nun ins Pulteney sind oder nicht.«

Sie betonte den Namen des Gebäudes auf der zweiten Silbe, so daß Erinnerungen an das majestätische Bauwerk aufkamen, nach dem es benannt worden war.

»Gibt's eigentlich von hier aus einen Zugang in den Keller des Pulteney? Da unten war nämlich noch eine andere Obdachlose, obwohl die Kellertür immer verschlossen ist.«

Melba sah mich zweifelnd an. »Ich kann Sie da nicht nachschauen lassen, nicht ohne den Manager zu fragen, und der ist im Moment nicht da. Er kommt wahrscheinlich erst morgen früh wieder.«

Ich holte einen Zehner aus meiner Handtasche und hielt ihn locker in der Hand. Sie nahm ihn mit Würde, machte mir aber ein Zeichen, daß die beiden anderen Kellnerinnen nicht leer ausgehen durften. Ein Fünfer für jede schien mir genug. Melba führte mich nach hinten, vorbei an der Küche, wo zwei Köche lachend Siebzehnundvier spielten, zur Kellertür.

Die Treppe war alt, aber sauber. Unten stand eine riesige Kühltruhe in dem Teil des Kellers, den sie wirklich nutzten, wie mir Melba erklärte. Sie schaltete das Licht neben der Truhe ein und überließ mir die Taschenlampe, die dort hing, damit ich mir die Räume dahinter anschauen konnte. Der Boiler und die Heizrohre waren im ersten untergebracht. Es handelte sich um ein System, das genauso alt war wie das im Pulteney, installiert, als die Brennöfen noch aus Schmiedeeisen waren und ein ganzes Jahrhundert lang anstandslos funktionierten.

Hinter dem Boiler lagen ein paar Lagerräume, angefüllt mit der Geschichte des Gebäudes. Die jüngsten Sachen – Formica-Tische und Plastiknischen – stammten vermutlich aus den Fünfzigern, als im Haus bereits ein Lokal eingerichtet war. Dahinter entdeckte ich die Überreste eines Friseurladens, altes Schusterwerkzeug und Teile einer Setzmaschine. Ich hatte nicht gewußt, daß das alte Druckerviertel so weit in den Norden gereicht hatte.

Hinweise auf eine neuere Nutzung der Räume konnte ich

nicht finden. Und obwohl ich auch, nachdem Melba das Interesse an meinen Aktivitäten verloren hatte, noch weiterstocherte und -wühlte, entdeckte ich keinen Winkel, der direkt mit dem Pulteney verbunden war. Als ich schließlich aufgab, war es nach vier. Ich hängte die Taschenlampe wieder an ihren Haken und ging, hustend von dem vielen Staub da unten, wieder hinauf. Die Köche spielten immer noch Karten. Offenbar war tagsüber wenig los im Coffee-Shop.

Melba mußte lachen, als sie mich sah. »Sie könnten ein Bad vertragen, soviel steht fest. Na, haben Sie was gefunden?«

Ich schüttelte den Kopf. »Ich mache mich ein bißchen frisch. Und dann hätte ich gern ein Sandwich mit Schinken, Salat und Tomate. Und Pommes.«

Pommes sind meine Schwäche; nach der vergeblichen Plakkerei hatte ich mir wirklich einen Teller voll verdient. Als ich zur Toilette ging, hörte ich, wie Melba den Koch anwies, frischen Schinkenspeck auszubraten: »Aber nicht mit dem alten Fett, das du schon den ganzen Tag hernimmst, kapiert?«

In dem winzigen Spiegel über dem Waschbecken sah ich, warum Melba gelacht hatte. Ich war total verdreckt, mein Gesicht und meine Haare waren ganz grau. Ich schrubbte mich, so gut es ging, aber die Sachen, die ich anhatte, mußten in die Reinigung.

Als ich wieder herauskam, rief ich sofort bei den Culpeppers an. Es war gar nicht so leicht, einen von ihnen aufzuspüren. Endlich erwischte ich Freddie Culpepper am Autotelefon, was ihm offensichtlich unangenehm war. Er vergeudete teure Sprechzeit damit, mich zu fragen, wie ich an seine Nummer gekommen war.

»Connections, Freddie. Ihr habt mich aus meinem Büro ausgesperrt, obwohl ich die Miete für diesen Monat bezahlt habe. Ich muß ins Pulteney, um meine Sachen zu holen.«

»Wir haben die Mieter, die gestern dort waren, benachrichtigt. Also sind wir davon ausgegangen, daß Sie das Gebäude freiwillig verlassen haben, was bedeutet, daß Ihr Büro und die Dinge, die sich darin befinden, jetzt uns gehören. Und kommen Sie ja nicht auf die Idee, sich gewaltsam Zutritt zu verschaffen. Wir kennen Sie, Warshawski. Sie sind immer wieder in den Keller, obwohl Tom Czarnik es Ihnen wiederholt untersagt hat, und wir wissen, an wen wir uns wenden müssen, wenn die Bretter an den Türen weg sind.«

»Oder wenn einer von *Ihren* Computern verschwindet. Zusammen mit *Ihren* Akten aus zehn Jahren.« Ich hatte keine Zeit, mir meine Papiere durch Gerichtsbeschluß wiederzuholen.

Ich legte auf, als er mir erklärte, er würde sich mit seinen Anwälten in Verbindung setzen, wenn ich es wagte, ihm zu drohen. Ich gab Melba noch einen Zehner und ging mit dem Sandwich und den Pommes zum Wagen. Jetzt hatte ich nur noch drei Dollar und ein bißchen Kleingeld, was mich fast in Panik versetzte. Es würde sicher schwierig werden, etwas von meinem Konto abzuheben.

Ohne große Hoffnung unterhielt ich mich mit dem Zeitungsverkäufer am Kiosk an der Straßenecke, einem unrasierten, zahnlosen Mann mit blutunterlaufenen Augen. Er warf einen Blick auf den Schnappschuß, aber nein, er hatte die Kinder nicht gesehen. Ihm war seit damals, als ihn ein Junge verprügelte, den er beim Ladendiebstahl ertappt und der Polizei verpfiffen hatte, nichts mehr aufgefallen. Das war dreiundachtzig, vielleicht auch fünfundachtzig gewesen, aber egal, wann – seither war er jedenfalls in dieser Hinsicht blind und taub.

Ich verlor nicht nur den Mut, sondern auch den Appetit. Also schenkte ich dem Mann mein Sandwich und die Pommes und fuhr heim.

23   Ein Bulle geht aus

Endlich hatte Conrad wieder Tagschicht. Um das zu feiern, hatten wir uns zum Abendessen und zum Tanzen im Cotton Club verabredet, aber ich war noch so fertig von den Ereignissen des Tages, daß ich nicht in der richtigen Stimmung war. Also rief ich Conrad an, um zu hören, ob ich mich vor der Verabredung drücken konnte.

»Ich hab' auch einen harten Tag hinter mir, Ms. W., und ich bitte dich auch gar nicht, die große Sause mit mir zu machen, sondern nur, mir zu helfen, daß ich ein paar Stunden die Scheiße vergesse. Vielleicht kann ich ja das gleiche für dich tun.«

Was sollte ich dagegen noch sagen. Als ich ins Bad ging, merkte ich, daß mein Unwille, ihn zu sehen, eigentlich nicht mit meiner Müdigkeit zusammenhing, sondern damit, daß er mit Finchley befreundet war. Denn Finchley, den ich immer gemocht und für einen guten und fairen Polizisten gehalten hatte, führte sich allmählich auf wie ein Feind.

Ich ließ das Badewasser ein und schüttete ordentlich Wacholderöl dazu – angeblich hebt das die Laune. Conrad hatte letzte Woche schon gewußt, was er sagte, als er den Mord an Deirdre den Fall nannte, vor dem er immer schon Angst gehabt hatte. In meinen Gesprächen mit ihm hatte ich in letzter Zeit ziemlich häufig das Gefühl, einen Klumpen Blei im Magen zu haben, wenn es um dieses Thema ging.

Ich stieg in das grüne Wasser und inspizierte meine Beine. Neben der linken Kniescheibe entdeckte ich ein paar Besenreiser, Vorboten des nahenden Alters. Die dunklen Ränder am rechten dagegen schienen nur ein blauer Fleck zu sein.

Vielleicht gehört ein empfindlicher Magen zu den Vorrechten von Privatpersonen. Es liegt nicht so sehr an der Schwarzweißmalerei der Polizei – Gut und Böse, Richtig und Falsch –, sondern daran, daß Polizisten als erfolgreich gelten, wenn sie viele Menschen festnehmen. Das führt dazu, daß Alter und spezifische Situation nicht zählen, gar nicht zählen können. Also ist die Kluft zwischen Polizist und Privatperson unabänderlich: Die Privatperson kämpft für Gnade, wenn der Polizist Gerechtigkeit will. Und wenn die Privatperson Gerechtigkeit will, kämpft der Polizist für das Recht. Ich schrubbte so heftig an meinen Beinen herum, daß sie schmerzten, als ich mich wieder ins Wasser zurücklegte.

Beim Essen im I Popoli beäugte ich Conrad mißtrauisch. Er wirkte distanziert und einsilbig und achtete nicht sonderlich auf das, was er sagte. Ich war mir sicher, daß er mit Terry über den Fall Messenger und über das Fiasko in meiner Wohnung geredet hatte.

Vielleicht rührte Conrads Niedergeschlagenheit zum Teil auch von seinem Essen her. Sein Arzt hatte ihm beim letzten

Check-up geraten, seinen Fettkonsum drastisch zu reduzieren; in einem Anfall von Selbstmitleid hatte er sich gedünsteten Steinbutt ohne Soße bestellt, in dem er jetzt mit düsterer Miene herumstocherte. Nach seiner dritten unkonzentrierten Bemerkung ertrug ich die Anspannung nicht mehr und fragte ihn rundheraus, ob er mit Finchley gesprochen hatte.

»Er ist heute abend zu mir gekommen, gerade bevor ich gehen wollte, um dich zu treffen.«

»Und da hat er dir erzählt, daß er mich gestern abend festnehmen wollte?«

»Klingt ziemlich schrecklich, die ganze Sache. Er sagt, du hast dich heute als Polizistin ausgegeben, um ins Haus der Messengers zu kommen.«

»Genaugenommen, nein. Ich hab' der Haushälterin meine Zulassung als Privatdetektivin gezeigt, aber mir ist das polnische Wort dafür nicht eingefallen. Sie hat mich für eine Polizistin gehalten. Mir tut's schon leid, daß ich's gemacht habe. Aber da Terry Fabian Messenger nicht ernsthaft als Verdächtigen in Erwägung gezogen hat, hätte er das Haus nicht durchsucht, und dann wäre der Schläger wahrscheinlich die nächsten zehn Jahre hinter der Heizung geblieben.« Ich versuchte, das in ruhigem Plauderton vorzubringen und nicht aggressiv zu klingen.

»Da täuschst du dich, Vic: Terry hat sich durchaus seine Gedanken über Fabian gemacht. Aber er hatte nichts in der Hand, womit er den Staatsanwalt hätte überzeugen können, einen Durchsuchungsbefehl auszustellen.«

Er nahm noch einen Bissen Fisch und hielt die Luft an, während er ihn hinunterschluckte. Ich häufte einen Teil meiner *Calamari alla marinara* auf einen Brotteller und schob ihn zu Conrad hinüber.

»Da, iß lieber die. Da ist auch kein Fett dran, aber die schmecken wenigstens ... Apropos Beweise: Niemand hat sich dafür interessiert, als ich gesagt habe, daß Deirdre jemanden in meinem Büro treffen wollte.«

»Darum geht's nicht, Ms. W. Es wußten doch alle, daß du diese Obdachlose unter deine Fittiche genommen hast, deshalb war nicht so klar, ob man dir glauben konnte oder nicht.«

Ich ließ meine Gabel auf den Teller knallen. »Das ist ja unerhört, Conrad! – Zu denken, daß ich falsche Beweise heranschaffe, um jemanden zu schützen, dem ich glaube! Meinst du denn, ich hätte diesen Baseballschläger nicht am liebsten mitgenommen und verbrannt? Das hätte niemals jemand erfahren. Außer Emily oder Fabian.« Oder Emily *und* Fabian, fügte ich insgeheim hinzu.

»Immer mit der Ruhe, Baby: Hier geht's nicht um deine mangelnde Integrität, sondern um deine Leidenschaft, Menschen in Not zu helfen.«

Ich versuchte, meine angespannten Gesichtsmuskeln zu lockern. »Und was passiert jetzt?«

»Jetzt redet Finch mit Fabian. Und mit Emily, wenn er sie findet.«

»Und was ist, wenn Fabian Emily davon überzeugt, daß es das Kind war – wenn das gar nicht stimmt, wenn *er* in Wirklichkeit der Schuldige ist?«

»Hab doch ein bißchen Vertrauen zu Terry, Vic.« Er nahm meine rechte Hand und massierte sie. »Er hat einen Blick für die Wahrheit. Nur weil er unter Druck steht, glaubt er noch lange keine Lügen.«

Meine Finger blieben steif, reagierten nicht auf seine Berührung. »Noch vor vier Tagen habt ihr beide mir erklärt, daß Tamar Hawkings die Hauptverdächtige ist, nicht Fabian. Offenbar habt ihr sogar gedacht, ich würde falsche Beweise heranschaffen, um sie zu schützen.«

»Jetzt mal langsam, Vic. Wir können nur von dem ausgehen, was wir haben. Vor vier Tagen haben wir – er – noch nicht gewußt, daß sich die Mordwaffe im Zimmer eines vermißten Teenagers befindet. Tamar Hawkings zu verdächtigen, ergab durchaus Sinn: Schließlich war sie die einzige Person am Tatort.«

Er schwieg eine Weile und meinte dann hastig: »Um Terry einen Gefallen zu tun, habe ich mich mit Leon Hawkings, dem Mann von Tamar, unterhalten. In der Familie ist es schon öfter zu Gewalttätigkeiten gekommen, aber ich bin mir nicht sicher, wer da wen schlägt. Die Frau hat eine Schwester, die ihren gewalttätigen Ehemann ermorden wollte. Eines Tages hat sie auf ihn eingestochen, als er schlief, sie also nicht angreifen konnte. Deshalb saß sie fünf Jahre in Dwight. Leon scheint zu glauben...«

»Das ist genau das Problem für die Frauen in solchen Familien«, fiel ich ihm ins Wort. »Wenn sie sich während des Angriffs wehren, ziehen sie immer den kürzeren. Also distanzieren sie sich emotional. Erst später kommt dann die Wut zum Ausbruch.«

»Das heißt noch lange nicht, daß man einen schlafenden Mann mit dem Messer angreifen darf. Jedenfalls nicht, wenn man dann auf Notwehr plädieren will.«

»Aber es ist in Ordnung, daß er sie verprügelt, wenn sie hellwach ist?« fragte ich mit bitterer Stimme.

Er packte meine Hand fester. »Du weißt, daß ich das nicht so meine, Vic. Bitte, leg mir so etwas nicht in den Mund... Hawkings hat mir erzählt, daß sein Schwager Tamars Schwester ermordet hat, als sie aus dem Gefängnis entlassen wurde. Tamar hatte daraufhin einen Nervenzusammenbruch und hat Leon als gewalttätig beschimpft. Danach ist sie in ein Frauenhaus. Aber dort blieb sie nicht lange; sie war wieder eine Woche daheim und dann hat sie sich mit den Kindern aus dem Staub gemacht.«

Ich zog ihm meine Hand weg und legte sie auf meine Stirn. Wessen Geschichte sollte ich nun glauben – die des Mannes oder die der Frau? Die von Finchley oder meine Version? Emilys Sicht der Dinge oder Fabians – immer vorausgesetzt, daß sich die Geschichten der beiden überhaupt unterschieden.

»Willst du dich hinter der Hand verstecken?« erkundigte sich Conrad.

Ich versuchte ein Lächeln und hob den Kopf. »Also denkt Finchley, daß Tamar Hawkings nicht ganz richtig im Kopf ist und Deirdre vielleicht nur deshalb umgebracht hat, weil Deirdre die Stirn gerunzelt hat, wenn sie eigentlich hätte lächeln sollen? Oder umgekehrt?«

»Wir würden uns gern mal mit ihr unterhalten. Und mit Emily Messenger. Die beiden sind die einzigen, von denen wir mit einiger Sicherheit wissen, daß sie sich am Freitagabend in der Nähe des Tatorts aufgehalten haben.«

»Ich würde mich auch gern mit ihnen unterhalten, aber vielleicht würde ich andere Fragen stellen... Wie viele Leute sitzen wohl in Joliet wegen eines Verbrechens, das sie nicht begangen haben? Einer? Fünf? Fünfhundert?«

»Alle, wenn du sie selber fragst«, antwortete Conrad. »Worauf willst du hinaus? Darauf, daß wir manchmal den Falschen erwischen? Stimmt. Mir gefällt das auch nicht, aber ich tue nicht so, als gäbe es das Problem nicht.«

»Wir richten Menschen hin, sogar Teenager. Selbst solche, von denen wir nicht hundertprozentig wissen, ob sie das Verbrechen wirklich begangen haben. Vielleicht können sie nicht mehr in Berufung gehen, oder ihre Beweise lassen sich bei der Berufung nicht verwenden. Wir wissen, daß das geschieht. Wenn ich also von Beweisen höre, möglicherweise sogar Beweise finde, die ich der Polizei übergebe, so brauche ich doch noch einiges mehr. Es geht nicht nur um die Geschichte, sondern auch um den Kontext. Nur so läßt sich entscheiden, ob eine Version der Geschichte ... ich sage nicht, ›wahr‹ ist, sondern in sich schlüssiger oder authentischer. Ich habe Angst, daß Terry sozusagen den Schläger nimmt und ihn auf Emily niedersausen läßt, weil der Staatsanwalt ihm Druck macht.«

Conrad betrachtete seinen Steinbutt, der nun kalt und zerfallen war, mit gerunzelter Stirn und schob ihn weg. Nach einem Blick auf mich, um festzustellen, ob er mein Futterangebot akzeptieren durfte, leerte er den Teller mit Calamari, den ich ihm hingeschoben hatte, und senkte seine Gabel dann quer über den Tisch in meine Nudeln. Das war als Geste der Versöhnung gedacht.

»Warum, glaubst du, ist sie weggelaufen?« wollte er wissen. »Hältst du es denn für völlig ausgeschlossen, daß sie ihre Mutter umgebracht und jetzt Schuldgefühle hat?«

»Ich halte nichts für unmöglich. Aber das, was ich glaube, und das, was ich akzeptieren kann, sind zwei Paar Stiefel. Kannst du dir denn nicht vorstellen, daß sie sowieso schon viel zuviel in sich reinfressen mußte und ihr Vater sie dann auch noch gezwungen hat, ihm ein Alibi zu verschaffen? Ich könnte mir denken, daß sie das genauso aus der Fassung gebracht haben könnte, wie wenn sie ihre Mutter selbst umgebracht hätte.«

Conrad hüstelte, ein Zeichen dafür, daß er angesichts der Situation nicht gerade glücklich war, und begann, ein Brötchen zu zerrupfen. Schon huschte der Kellner heran.

»Alles zu Ihrer Zufriedenheit, Sir?«

»Der Fisch war nicht besonders gut«, antwortete Conrad. »Erinnert mich an das verkochte Zeug, das ich gekriegt hab', als ich im Krankenhaus war, weil mir jemand ein Messer in den Bauch gerammt hatte.«

Der Kellner blinzelte, genau wie ich: Normalerweise ließ sich Conrad durch Essen, das ihm nicht schmeckte, nicht aus der Ruhe bringen. Der Kellner bot an, ihm kostenlos ein anderes Hauptgericht zu servieren.

Wieder hüstelte Conrad. »Ich hätte gern einen Apple Pie. Mit Eis. Und erzählen Sie mir ja nicht, wieviel Fett oder Cholesterin da drin ist, denn das interessiert mich nicht.«

»Aber nein«, meinte der Kellner. »In keinem unserer Desserts ist Fett. Und für Sie, Ma'am?«

Ich habe noch nie eine Schwäche für Süßes gehabt. Zwar hätte ich gut und gerne noch einen Teller Linguine verdrücken können, aber das hätte zu gefräßig ausgesehen. Also bestellte ich einen doppelten Espresso.

»Du bist anderer Meinung als zwei der Menschen, die mir am nächsten stehen«, meinte Conrad. »Wenn Zu-Zu und Jasmine dich nicht so gut leiden könnten, würde ich wahrscheinlich anfangen, mir Gedanken über dich zu machen. Oder zumindest über unsere Beziehung. Jedenfalls ist es manchmal gar nicht so leicht, den Druck zu ertragen.«

»Conrad, bitte. Ich versuche, deiner Mutter gegenüber höflich zu sein, aber sie behandelt mich so eisig, daß ich mir in ihrer Gesellschaft manchmal wie ein gefrorenes Mammut vorkomme.«

Wir unterbrachen das Gespräch, als der Kellner mit Conrads Apple Pie und gelehrten Ausführungen über dessen geringen Kalorien- und hohen Vitamingehalt ankam. Conrads Bemerkung bezüglich seiner Stichwunde schien den Kellner aufmerksam gemacht zu haben – jedenfalls blieb er in Hörweite, wohl in der Hoffnung, noch weitere interessante Einzelheiten zu erfahren.

»Du mußt die Geschichte mit Mama auch im Kontext sehen«, sagte Conrad und warf dem Kellner einen grimmigen Blick zu. »Wir haben nach dem Tod meines Vaters eine Weile im Hyde-Park-Viertel gewohnt. Mama meinte, da wären die Schulen besser, und die Gegend wäre sicherer für die Mädchen, weil alle sagen, daß es da liberal zugeht, daß die Rassendiskriminierung da nicht so schlimm ist. Aber ich bin dreimal von der Polizei angehalten und gefilzt worden. Einmal allein und zweimal mit meinen Freunden zusammen. Ich wollte nicht, daß sie das erfährt: Sie hat damals zwei Schichten gearbeitet, aber sie haben sie gezwungen, mich vom Revier abzuholen. Das war nur eine Beleidigung mehr auf der Liste, aber irgendwie hat sie gerade das verbittert. Das Leben hat es wirklich nicht gut gemeint mit ihr nach dem Tod meines Vaters.«

Ich nahm einen Schluck Kaffee. »Nach der Geschichte wundert's mich, daß du überhaupt noch zur Polizei wolltest.«

Er grinste, und dabei glänzte sein goldener Schneidezahn. »Vielleicht wollte ich es denen heimzahlen. Nein, die Zeiten haben sich geändert. Jedenfalls ein bißchen. Nach Vietnam hab' ich mit dem College angefangen, aber da bin ich mir zu alt, fehl am Platz, vorgekommen. Irgendwas mußte ich ja machen, und die Alternativen waren nicht gerade berauschend – Busfahrer, Tische abräumen im Lokal –, also habe ich die Prüfung gemacht und bin auf die Polizeischule. Finch war in meiner Klasse. Er kam vom College, von der University of Illinois. Die anderen wollten ihn zurechtstutzen, also haben ihm ein paar von den Jungs eines Abends aufgelauert. Da bin ich vorbeigekommen. Und danach waren wir Freunde.«

Sein Piepser meldete sich. »Hoffentlich kein dreifacher Mord, sonst muß ich wieder in die Arbeit.«

Er suchte sich ein Telefon und rief an, kam aber schnell wieder zurück. »Wenn man vom Teufel spricht... Terry will mit dir reden.«

Ich ging zu dem Münzfernsprecher im hinteren Teil des Restaurants. Terry klang steif und ein bißchen förmlich, aber ehrlich. Er wollte mir die Laborergebnisse mitteilen. An dem Schläger klebten tatsächlich Reste von Deirdres Gehirn. Außer meinen eigenen Fingerabdrücken befanden sich lediglich die von Emily darauf.

»Sieht nicht allzugut aus, Vic. Ich wollte dir das nur sagen.«

»Ist das nicht merkwürdig, Terry? Meinst du nicht auch, daß eigentlich die Fingerabdrücke von ihren Brüdern oder die von ihren Eltern auf dem Ding sein müßten? Oder die von Besuchern? Schließlich war der Schläger im Schirmständer im Flur, wo jeder ihn sehen konnte – er ist mir aufgefallen, als ich zum Essen bei ihnen war. Und wenn die Unterschrift von Nellie Fox drauf ist – da möchte man das Ding doch in die Hand nehmen. Ich hab’ das ja selber gemacht.«

»Vielleicht.« Terry klang nicht gerade überzeugt, war aber wenigstens höflich: Vielleicht hatte Conrad ihm auch einen Vortrag gehalten. »Ich geb’ die Informationen an den Lieutenant weiter.«

Ich dankte ihm dafür, daß er mir die Neuigkeiten sofort mitgeteilt hatte. Auf dem Weg zum Tisch machte sich ein merkwürdiger Optimismus in mir breit. Anders als die Gedankenkonstrukte, die ich mir machmal aufbaue, in der Hoffnung, daß sich irgendwie doch noch alles einrenkt, glaubte ich das, was ich Terry gesagt hatte, wirklich. Ich wußte zwar nicht, wo Emily steckte oder was der Schläger hinter der Heizung zu suchen hatte, aber ich war mir ziemlich sicher, daß sie ihre Mutter nicht getötet hatte.

Conrad und ich brachten den Abend doch noch im Cotton Club zu Ende. Während wir uns langsam im Takt der Musik bewegten und ich den Kopf an seine Schulter lehnte, fragte ich mich, welchen Teil meiner Geschichte er Terry Finchley erzählt hatte, um mich in einem menschlicheren Licht erscheinen zu lassen.

24 Spione

Bevor ich meine Wohnung verließ, rief ich Alice Cottingham in Emilys High-School an. Gestern abend war mir eingefallen, daß das Mädchen sich vielleicht einer anderen Lehrerin anvertraut haben könnte, und das könnte Alice Cottingham möglicherweise für mich herausfinden. Ich erwischte sie, gerade bevor sie in den Unterricht mußte, deshalb war sie ziemlich kurz angebunden. Sie glaubte nicht, daß eine ihrer Kolleginnen eine Schülerin bei sich unterbringen würde, ohne den Eltern Bescheid zu sagen, aber – um mich loszuwerden – erklärte sie sich bereit, nachzufragen, ob irgend jemand von den Kollegen ein besonders enges Verhältnis zu Emily hatte.

Diesmal fand ich direkt vor dem Büro von Home Free eine Parkuhr. Als ich hineinging, saß Tish wieder am Schreibtisch; ihr schmaler Körper verschwand fast unter einem riesigen, khakifarbenen Pullover und einem formlosen Großmutterrock. Sie runzelte die dicken Augenbrauen, als sie mich sah. Ich konnte mich also auf die übliche herzliche Home-Free-Begrüßung gefaßt machen.

»Hallo, Tish. V. I. Warshawski. Ich war letzte Woche schon mal da.«

»Ich weiß.« Ihre tiefe Stimme klang nicht gerade so, als habe sie nachts wachgelegen und voll Freude über meinen letzten Besuch nachgedacht.

»Sie wollten eine Besichtigungstour von einigen Ihrer Projekte für mich zusammenstellen, damit ich mir einen Eindruck von ihnen verschaffen kann. Erinnern Sie sich daran auch noch?« Ihr unfreundliches Benehmen reizte mich so, daß ich mit ihr so übertrieben fröhlich redete wie mit einem quengeligen Kleinkind.

Tish deutete auf die Papierstapel auf ihrem Schreibtisch. »Ich muß das alles noch erledigen, und es wird mir niemand dabei helfen. Ich habe keine Zeit, mich mit unwichtigen Dingen abzugeben.«

»Die Sache ist mir alles andere als unwichtig. Aber ich mache Ihnen einen Vorschlag: Ich kann Ihnen einen hervorragenden freiwilligen Helfer vermitteln, wenn Sie sich fünf Minuten Zeit nehmen, um mir ein paar Fragen zu beantworten.«

»Was für Fragen?«

»Über Deirdre Messenger.«

Sie starrte den Computer an, auf dem sie gerade ein paar Graphiken bearbeitet hatte, als ich hereingekommen war. Da sie das Gerät durch das Gespräch mit mir eine ganze Weile nicht bedient hatte, ging es jetzt auf Ruhestellung – fröhliche Fischlein schwammen über den Bildschirm.

»Ich kann mich mit Ihnen nicht über Deirdre unterhalten.«

»Wieso, sind das geheime Informationen, die nur ausgewählte Persönlichkeiten erhalten? Soll ich vielleicht Jasper danach fragen?«

»Er will jetzt nicht gestört werden.« Sie warf mir einen wütenden Blick zu.

»Sie haben die Wahl, Tish: Sie oder er. Wenn Sie keine Zeit für mich haben, macht's mir auch nichts aus, mit ihm zu sprechen.«

Ich machte mich auf den Weg zum hinteren Teil des Raumes, zu Jaspers Tür. Tish war so schnell bei mir und hielt mich fest, daß ich nicht einmal mehr Zeit hatte, die Hand auf den Türknauf zu legen. Ich machte mich ohne große Schwierigkeiten los, denn ich war nicht nur stärker als sie und gewöhnt, mich zu wehren, nein, sie war auch selbst überrascht über ihr Handeln.

»Was macht er denn da drin?« erkundigte ich mich mit sanfter Stimme. »Feiert er Orgien?«

Sie wurde puterrot. »Wie können Sie so etwas sagen?«

Ich wußte nicht mehr so recht, ob ich Mitleid mit ihr haben oder zornig sein sollte. »Nun kommen Sie schon, Tish. Sie machen so ein großes Geheimnis aus der Sache, daß ich einfach neugierig werden muß. Ich wollte Ihnen bloß ein paar Fragen über Deirdre Messengers Rolle bei Home Free stellen. Und mich erkundigen, ob Sie als Gegenleistung einen freiwilligen Mitarbeiter brauchen könnten. Aber Sie tun, als sei ich über das Geheimnis des Jahrhunderts gestolpert.«

Sie straffte die Schultern und richtete sich auf. Überrascht stellte ich fest, daß sie größer war als ich, aber sie wirkte wegen ihrer schlechten Haltung gut zehn Zentimeter kleiner.

»Wenn Sie nicht sofort diesen Raum verlassen, rufe ich die Polizei.«

»Gut. Gegen die Polizei habe ich nichts.«

»Sie... Sie... lecken Sie mich doch...«

Als sie wieder zu ihrem Schreibtisch zurückmarschierte, versuchte ich, die Tür zu öffnen, aber sie war verschlossen. Tish hob den Telefonhörer ab und sprach hinein. Sie versuchte, das Mundstück zuzuhalten, doch der Raum war einfach zu klein, als daß ich das, was sie sagte, nicht hätte mitbekommen können.

»Tut mir leid, Jasper. Ich weiß, daß Sie nicht gestört werden wollen, aber die Privatdetektivin, die letzte Woche schon mal da war, ist hier, und sie weigert sich, wieder zu gehen. Ich habe ihr mit der Polizei gedroht... Deirdre Messenger... Okay.«

Sie legte auf und wandte sich wieder ihrem Computer zu. Ein paar Sekunden später kam Jasper aus dem hinteren Zimmer und schloß die Tür sorgfältig hinter sich.

»Vic. Schön, dich zu sehen. Tish sagt, du hast ein paar Fragen zu Deirdre Messenger? Das muß ein ziemlicher Schock für dich gewesen sein. Hoffentlich verdächtigt die Polizei nicht dich.« Er lächelte mich mitfühlend an.

»Solange niemand festgenommen wurde, verdächtigt die Polizei jeden. Ich versuche, der Polizei zu helfen, indem ich herausfinde, mit wem Deirdre sich an dem Abend treffen wollte.«

»Mit mir nicht«, sagte Jasper. »Mit Ihnen vielleicht, Tish?«

Sie preßte die Lippen zusammen und hackte wütend auf ihrem Computer herum, nicht bereit, sich auf unser Geplänkel einzulassen.

»Wenn das alles ist, Vic... Ich will ja nicht unhöflich sein, aber wenn du unangemeldet hier reinschneist, kannst du nicht erwarten, daß die Leute sofort Zeit für dich haben.« Er warf einen Blick auf seine schwere Uhr.

»Tja, ihr habt leider nicht auf meine Anrufe reagiert. Ich möchte eigentlich bloß wissen, was Deirdre für euch gemacht hat. Mit wem sie zusammengearbeitet hat. Ich will lediglich die Namen von ein paar Leuten rausfinden, mit denen ich mich unterhalten kann – man könnte sagen, ich suche nach neuen Anhaltspunkten, um zu erfahren, mit wem sie sich am Freitagabend verabredet hat.«

Jasper warf Tish einen vorwurfsvollen Blick zu. »Solche Fragen können wir nicht einfach abtun, Tish. Nicht, wenn eine von unseren ehrenamtlichen Mitarbeiterinnen ermordet worden ist.«

Tish saß stocksteif vor ihrem Computer, ohne uns anzuschauen. »Tut mir leid, Jasper. Ich hätte nicht so aggressiv werden sollen. Es ist bloß... ich ertrinke fast in Arbeit.«

»Das weiß ich, Tish. Sie arbeiten sowieso viel zuviel. Es ist nicht leicht, so viele Dinge gleichzeitig zu bewältigen.« Sein Lächeln war immer noch betörend; ich hatte beinahe das Gefühl, übertriebene Forderungen an Tish gestellt zu haben.

»Ich glaube nicht, daß Deirdre irgend jemandem bei Home Free sonderlich nahegestanden hat«, fuhr er, an mich gewandt, fort. »Obwohl Tish natürlich über die Arbeit, die sie für uns verrichtet hat, besser Bescheid weiß als ich. Wie haben Sie sich den Nachmittag eingeteilt, Tish? Haben Sie später Zeit?«

»Ich kann mir ein bißchen Zeit freischaufeln. Aber bitte sagen Sie mir, was wichtiger ist – daß ich mich mit ihr unterhalte oder daß ich den Bericht hier fertig schreibe.«

Er ging zu ihr hinüber und legte eine Hand auf ihre Schulter. Sie saß ganz still unter seiner Berührung – wie ein verschüchtertes Kaninchen – und versuchte sich ihre Freude nicht anmerken zu lassen.

»Tish, meine Liebe, wenn Sie sich Zeit freischaufeln, um mit Vic zu reden, und wenn Sie dann über sich hinauswachsen und diesen Bericht auch noch fertigmachen, komme ich nach meinem Termin am Nachmittag wieder zurück und lade Sie in ein Lokal Ihrer Wahl ein.«

Sie wandte den Blick nicht vom Bildschirm. »Na schön, Jasper. Wenn Ihnen das so wichtig ist, daß Sie mich zum Essen einladen. Sie können um halb vier wiederkommen«, fügte sie, an mich gewandt, hinzu.

Er drückte kurz ihre Schulter und ließ sie dann los. »Bravo. Wenn ich Tish nicht hätte, könnte Home Free zumachen. Und wenn ich ihr das zahlen müßte, was sie eigentlich wert ist, müßten wir unsere Einnahmen verdoppeln.«

Du bist's einfach gewöhnt, daß die Frauen sich aus Liebe zu dir den Arsch aufreißen, hätte ich am liebsten gesagt, aber das konnte ich Tish nicht antun. Statt dessen brummte ich etwas Unverbindliches und bedankte mich bei beiden.

»Ach ja, noch eins, Jasper: Tish meint, nur du könntest das entscheiden, aber ihr könnte es zu ein bißchen mehr Freizeit verhelfen. Kennst du Darraugh Graham?«

»Du meinst den Manager? Du willst mir doch nicht etwa erzählen, daß die Polizei ihn des Mordes an Deirdre verdächtigt, oder?«

Ich sah ihn mit gequältem Lächeln an. »Er hat einen Sohn, der zu einer Bewährungsstrafe verurteilt wurde; er muß ein paar Stunden mit gemeinnütziger Arbeit verbringen. Wie wär's denn hier bei dir?«

»Bewährungsstrafe?« Jasper hob die Augenbrauen. »Was hat er denn ausgefressen?«

»Er hat den Computer vom Energieministerium angezapft. Und jetzt muß er fünf Wochen bei einer gemeinnützigen Einrichtung arbeiten. Ich bin mir ziemlich sicher, daß der Richter höchst erfreut wäre, wenn er das bei Home Free täte.«

Jasper sah mich mit zusammengekniffenen Augen an. »Einen Hacker willst du mir andrehen, Vic? Stellst du dich nur so dumm, oder bist du's wirklich?«

»Was soll denn das heißen? Du würdest also lieber jemanden nehmen, der dir den Computer unterm Arsch wegklaut, um sich seine nächste Drogenration zu kaufen, als einen Computertüftler? Der könnte das Büro hier in einer Woche auf Vordermann bringen.«

»Tish ist auch eine Computertüftlerin. Und bitte tu nicht so naiv, Vic. Ich kann keinen Hacker brauchen, der in meinen Unterlagen herumschnüffelt. Wenn das eine große Enttäuschung für Darraugh Graham ist, tut's mir leid. Dann müssen wir ihn eben als Geldgeber abschreiben. Tish macht mit dir einen Termin am Nachmittag. Ich muß jetzt wieder in meine Besprechung.« Er marschierte in sein Büro zurück, das erste Mal, ohne zu lächeln.

Was war denn so Wichtiges in seinen verdammten Unterlagen, daß niemand drandurfte – vielleicht Gelder, die er an der Steuer vorbeiverdiente? Außerdem kam ich nun fast um vor Neugierde, wen er da hinten in seinem Büro versteckte. Als ich wieder draußen auf der Straße war, schaute ich mich nach einem günstigen Platz um, von dem aus ich den Eingang beobachten konnte. Die Jalousien versperrten mir immer noch den Blick ins Innere. Oben am Türsturz entdeckte ich eine auf mich gerichtete Videokamera. War das eine unerläßliche Vorsichtsmaßnahme in dieser Gegend? Oder war es eher übertriebene Ängstlichkeit?

Ich ging wieder zu dem koreanischen Kuriositätenladen hinüber. Die Lampe, die ich in der vergangenen Woche dort bewundert hatte, war immer noch da. Mittlerweile lag zwar eine dicke Schicht Staub auf der Oberlippe des Babys, aber auf dem Schirm prangte noch immer in leuchtend roten Lettern »O Mama«. Wenn ich jedoch in den Laden hineinginge, um mir das Ding genauer anzuschauen, würde ich nicht sehen, wann die Tür von Home Free aufginge.

Damit die Videokamera auch tatsächlich was zu schauen hatte, fuhr ich los und parkte ein paar Straßen weiter. Dann nahm ich die Handtücher, die ich immer für die Hunde auf dem Rücksitz habe, und überquerte die Fahrbahn, um in den Waschsalon auf der anderen Seite zu gehen. Er befand sich ungefähr drei Häuser südlich von Home Free und bot durch seine großen Fenster einen wunderbaren Ausblick auf die ganze Straße.

Ein paar Frauen mit Kopftüchern unterhielten sich in einer Ecke. Eine weitere junge Frau las eine koreanische Zeitung. Keine von ihnen beachtete mich; ich hätte eigentlich gar keine Wäsche dabeihaben müssen, aber es war sicher nicht falsch, wenn die Handtücher einmal im Jahr gewaschen wurden.

Das Wasser lief gerade mit großem Getöse in die Maschine, als die Tür von Home Free aufging. Ich blinzelte hinüber, und dann fiel mir die Kinnlade herunter. Heraus kam Phoebe Quirk, an ihrer Seite Alec Gantner junior, der Senatorensohn, den ich vergangene Woche bei Deirdres Fest kennengelernt hatte. Der Drang hinauszurennen, sie zu packen und sie so lange zu schütteln, bis sie mir sagte, was sie und Gantner bei Heccomb zu schaffen hatten, war so stark, daß es mich fast nicht mehr an meinem Platz hielt.

Es war nichts Ungewöhnliches, daß Phoebe sich mit Heccomb traf: Schließlich unterstützte sie Lamia, und Lamia sanierte ein Gebäude für Home Free. Es war auch nicht sonderlich erstaunlich, daß Gantner dort war – er saß ja im Stiftungsbeirat von Home Free. Wieso wollten Jasper und Tish dann unbedingt verhindern, daß ich erfuhr, wer an der Besprechung teilnahm? Gab es Interessenkonflikte – hatten Phoebe und Alec vielleicht etwas mit einem anderen Projekt zu tun, das das Geschäft mit Lamia ausschloß? Aber wie sollte das aussehen?

Ich warf einen Blick auf die Waschmaschine. Es würde noch fast eine Stunde dauern, bis der Waschvorgang beendet wäre, und ich würde sowieso am Nachmittag hierher zurückkommen, um Tish noch einmal zu beehren: Wenn jemand in der Zwischenzeit meine Handtücher klauen wollte, sollte er sie haben. Während Gantner und Phoebe in ihren BMW kletterten, lief ich hinüber zu meinem Trans Am. Als Phoebe in ihrem Büro ankam, wartete ich bereits in ihrem Vorzimmer auf sie.

25 Die Spinne zieht ihre Fäden

Phoebe summte vor sich hin und begrüßte ihre Vorzimmer-dame mit einem fröhlichen »Guten Morgen«, bevor sie mich bemerkte.

»Vic! Was machst du denn hier? Ich hab' gedacht...« Sie schwieg.

»Ich weiß. Du hast gedacht, Jasper hätte mich endgültig abgewimmelt und ich wäre mit meinem schnittigen Sportwa-gen abgezischt. Ihr drei seid ja in Jaspers kleinem Büro zusammengesessen und habt mich über die Videokamera beobachtet. Aber ich bin gerade rechtzeitig wiedergekommen, um dich zusammen mit Alec rausstolzieren zu sehen.«

»Und?«

»Und warum ist es ein solches Geheimnis, wenn du den Leiter von Home Free triffst?«

Sie sah zuerst mich an, dann die Frau an der Rezeption, als ihr plötzlich bewußt wurde, wie wenig geheim unser gegen-wärtiges Gespräch war. »Das ist kein Geheimnis, Vic. Außer-dem hat Jasper dir schon gesagt, daß du von den Leuten keine allzu große Begeisterung erwarten kannst, wenn du einfach unangemeldet hereinschneist. Ich muß jetzt in eine Bespre-chung.«

Ich erhob mich. »Das weiß ich, Schätzchen. Und zwar mit mir. Wir können uns entweder hier im Foyer unterhalten oder in deinem Büro oder unten im Coffee-Shop, aber wir werden uns unterhalten.«

Sie verzog frustriert das Gesicht. »Na schön. Dann gehen wir eben in mein Büro. Nehmen Sie meine Gespräche entge-gen, Laura.«

Sie raste den Flur entlang wie ein Rennpferd, schenkte der freundlichen Begrüßung durch ihre Mitarbeiter keine Beach-tung und reagierte auch nicht auf die verzweifelte Bitte eines Mannes, sie möge sofort auf ein Fax aus Japan antworten. In ihrem Büro setzte sie sich an ihren Schreibtisch, ein riesiges Ebenholzungetüm. Ihr Stuhl unterstrich ihre Größe, während die Ohrensessel auf der anderen Seite des Tischs die darauf sitzenden Besucher fast dreißig Zentimeter einsinken ließen. Deshalb entschied ich mich für eins der Ecksofas hinter dem

Schreibtisch. Sie drehte sich wütend herum, weil sie plötzlich den Schutzwall vor sich verloren hatte.

»Na schön, Vic. Nun laß dir mal einen triftigen Grund einfallen.«

Ich zwinkerte. »Jetzt hast du mir die Worte aus dem Mund genommen, Phoebe. Ich würde gern wissen, was ihr im Schilde führt, Alec Gantner und du. Und Heccomb mischt ja wohl auch mit.«

»Das ist unsere Privatsache. Du stehst auf *meiner* Gehaltsliste, falls du das vergessen hast. Ich bezahle dich nicht dafür, daß du Nachforschungen über mich anstellst.«

»Wir drehen uns im Kreis. Du hast mich für meine Arbeit als Privatdetektivin bezahlt, aber du hast mich nicht gekauft. Falls du das vergessen hast: Letzte Woche hast du mich aufgefordert nachzuforschen, warum die Century Bank Lamia plötzlich das Wasser abgegraben hat. Aber als Home Free sich zwei Tage später bereit erklärt hat, Lamia den Sanierungsjob zu geben, hast du mich gebeten, diese Nachforschungen einzustellen.«

Sie wollte etwas sagen, aber ich schnitt ihr einfach das Wort ab: »Sekunde noch. Ich will eins ganz klarstellen: Ich habe die Nachforschungen höchst widerwillig aufgegeben. Mein Informant aus dem Rathaus ist so unruhig geworden, als ich ihn darauf angesprochen habe, daß ich sofort gemerkt habe: Da bin ich einer heißen Sache auf der Spur. Normalerweise hätte ich einen solchen Fall nicht aufgegeben, aber zwei Dinge haben mich schließlich zu dieser Entscheidung gezwungen: Camilla Rawlings' leidenschaftliches Plädoyer für Lamia und der Mord an Deirdre. Ihr Tod und das Verschwinden ihrer drei Kinder haben weniger wichtige Fragen für mich in den Hintergrund treten lassen. Außerdem hatte ich mich über die Finanzen von Home Free informiert, und die sahen so gut aus, daß ich mir über die Bezahlung von Lamia keine Sorgen machen mußte.«

»Wieso bist du dann jetzt hier?« Phoebe hatte die Hände in ihrem Schoß zu Fäusten geballt. »Laß die Finger von der Sache, Vic.«

Ich preßte die Fingerspitzen gegen meine Stirn. »Du hörst mir nicht richtig zu, Phoebe. Ich hab' die Nachforschungen nicht deinetwegen aufgegeben, sondern aus den Gründen, die ich dir gerade genannt habe.«

»Und was hat dich dazu gebracht, deine Meinung zu ändern?«

»Nichts. Bis ich dich heute morgen zusammen mit Alec Gantner aus dem Büro von Home Free stolzieren sah, habe ich in meinen wenigen Gesprächen mit Jasper Heccomb die Rede geflissentlich nicht auf Lamia gebracht. Aber jetzt ist es damit vorbei!«

Sie klopfte sich frustriert auf den rechten Oberschenkel. »Was hast du dann da gemacht?«

»Nach Anhaltspunkten im Mordfall Deirdre Messenger gesucht. Schließlich hat sie ehrenamtlich für Home Free gearbeitet. Ich versuche, die Person zu finden, mit der sie sich am Abend ihres Todes unterhalten hat. Erzähl mir jetzt bitte, was du heute vormittag bei Home Free gemacht hast.«

Sie drehte sich auf dem Stuhl herum und unterhielt sich mit ihrem Schreibtisch. »Ich wollte ein paar Einzelheiten des Lamia-Projekts durchsprechen.«

»Mit Alec Gantner?«

»Schließlich sitzt er bei Home Free im Stiftungsbeirat, Vic«, fauchte sie mich über die Schulter an. »Sein Interesse an Lamia ist verständlich.«

»Verstehe.«

Phoebe runzelte die Stirn so heftig und reckte das Kinn so weit vor, daß ich Angst um ihren Überbiß hatte. »Es wird Zeit, daß du deinen Vorschuß an Capital Concerns zurückzahlst, Vic.«

»Mach' ich gern. Ich kann nicht für jemanden arbeiten, der so ein Geheimnis aus seinen Handlungen macht wie du. Du läßt mich im dunkeln herumtappen und beschwerst dich, wenn ich gegen ein riesiges Sofa renne, das du mitten im Zimmer aufgestellt hast.«

»Laß diese dummen Vergleiche, Vic. Du hast mir – Camilla und mir – letzten Sonntag versprochen, du würdest die Finger vom Lamia-Projekt lassen. Ich kann jemanden, der so unzuverlässig ist wie du, nicht weiter bezahlen.«

»Da mußt du dir wohl an die eigene Nase fassen, Phoebe.« Ich mußte mich zusammenreißen, um nicht allzu heftig zu klingen. »Meine Buchungsunterlagen sind im Pulteney, und das Pulteney ist mit Brettern vernagelt. Ich schicke dir einen

Scheck, sobald ich nachprüfen kann, wieviel von deinem Vorschuß du zurückbekommst – schließlich habe ich schon einige Arbeit zu Mr. T. geleistet, die ich dir noch nicht berechnet habe.«

»Mr. T? Was hat der denn mit mir zu tun? Du bist nicht nur arrogant, sondern anscheinend hast du auch den Verstand verloren.«

»Deine kleine T-Zellen-Gesellschaft. Du hast sie selber so genannt, als du mir den Auftrag gegeben hast. Den offiziellen Namen müßte ich erst nachschauen.«

Sie wurde so blaß, daß die Sommersprossen auf ihrer Haut wie Blutstropfen wirkten. »Ich will, daß du deine Nachforschungen sofort einstellst. Was hast du bis jetzt herausgefunden?«

»Das weiß ich am Nachmittag, dann schicke ich dir den Bericht zusammen mit der Rechnung«, sagte ich ziemlich steif, nicht sonderlich darauf bedacht, meinen Zorn zu verbergen.

»Du brauchst nicht nachzuschauen. Du brauchst mir keine Rechnung zu schicken. Ich rechne den Vorschuß anstelle deiner Bezahlung für die Nachforschungen über dieses Unternehmen ab.« Sie stand auf. »Und laß die Finger von Home Free. Camilla will genausowenig wie ich, daß du weiter da herumstocherst.«

»Phoebe, du hast mich gerade gefeuert. Du kannst mich nicht mehr rumkommandieren. Und außerdem scheint dir nicht klar zu sein, daß ich kein Mixer bin, den man einfach ein- und ausschalten kann. Vielleicht solltest du dir ins Gedächtnis rufen, daß du mit einem Profi einen Vertrag geschlossen hast. Das bedeutet, daß *ich* bestimme, wie ich vorgehe. Und wenn ich überraschenderweise Material finde, das es erforderlich macht, meine Vorgehensweise zu ändern, dann fälle *ich* diese Entscheidung.«

»Ein Profi?« Sie zog verächtlich die Lippe hoch. »Und deine Unterlagen sind in einem Haus, das mit Brettern vernagelt ist? Das soll doch wohl ein Witz sein! Ich habe dich aus Mitleid für eine Unternehmerin angeheuert, die sich durchbeißen muß. Aber es gibt genügend andere Firmen in der Stadt, die die Arbeit für mich erledigen, ohne einen solchen Zirkus zu machen.«

Als ich mit dem Lift hinunterfuhr, hatte ich einen bitteren Geschmack im Mund. Es war zuviel Wahres an ihrer Kritik, denn aus meinem gegenwärtigen Leben schien sich nicht nur der Erfolg, sondern auch die Professionalität verabschiedet zu haben.

Auf meinem Weg die Dearborn Street entlang versuchte ich ein Restaurant zu finden, in dem ich schnell etwas zu Mittag essen konnte. Am liebsten hätte ich eine hausgemachte Graupen- oder Matzeklößchensuppe gehabt, aber die gemütlichen Läden, in denen es so etwas gegeben hätte, waren alle verschwunden – ersetzt durch schicke Bistros, in denen jetzt Yuppies wie ich speisen.

Schließlich fand ich ein Lokal, wo ich eine Minestrone aus dem Beutel und einen Teigbatzen bekam, der sich »Bagel« schimpfte, dann fuhr ich zum *Herald-Star* weiter. Ohne mein Modem mußte ich mich eben wieder schinden wie ein Schnüffler der alten Schule. Zum Glück trug ich meine Nike-Turnschuhe, war also genau richtig gekleidet für die Rolle, die ich spielte.

Ich ging die Treppe zur Redaktion im ersten Stock hinauf und dann durch das Labyrinth von Arbeitsnischen, bis ich vor Murray Ryersons Schreibtisch stand. Was für ein Glückstag! Murray war da, hing am Telefon. Er hob den Blick, als ich ihm auf die Schulter tippte, beendete das Gespräch und stand auf, um mich zu umarmen. Er sieht aus wie ein übergroßer Wikinger mit rotem Bart und mißt gute zwanzig Zentimeter mehr als ich mit meinen immerhin auch schon mehr als einssiebzig.

»Wie die kleine Detektivin Nancy Drew höchstpersönlich.« Seine Stimme dröhnte durchs ganze Stockwerk; eine Frau in der nächsten Nische streckte den Kopf heraus, um mich anzustarren.

Murray, der nichts davon zu merken schien, fuhr mir durch die Haare. »Da sind ja schon ein paar graue drunter. Es ist schon so lange her, daß du mit mir gesprochen hast; du bist alt geworden in der Zwischenzeit.«

Ich befreite mich aus seiner Umklammerung; die Frau nebenan zog den Kopf wieder ein. »Das sind nur die Auswirkungen der langjährigen Zusammenarbeit mit dir.«

»Zusammenarbeit?« entrüstete er sich. »Wann haben wir

denn jemals zusammengearbeitet? Wenn ich dir was entlockt habe, dann nur mit dem Brecheisen, und auch das bloß, wenn du mir noch einen Gefallen geschuldet hast. Was mich zu dem Gedanken führt: Warum bist du überhaupt hier?«

Murray und ich kennen uns seit meiner Zeit als Pflichtverteidigerin. Damals war er noch ein Grünschnabel gewesen in seinem Metier und wollte herausfinden, wer dem Staatsanwalt die Akten der Verteidigung zuspielte. Und mich hatte er seinerzeit wegen der Story interviewt. Obwohl ich den Stellvertreter meines Chefs verdächtigte, hinderte mich doch das Motto der South Side – »Eine Krähe hackt der anderen kein Auge aus« – daran, ihn zu verpfeifen. Murray bekam die Information dann schließlich von einer verstimmten Sekretärin.

Später, als er bereits einer der herausragenden Enthüllungsreporter der Stadt war, kam er trotzdem wieder zu mir, wenn er Storys brauchte; ich rückte nicht mit Informationen heraus, um Klienten oder Freunde zu schützen; er wurde wütend; ich verbrannte mir die Finger. Vorübergehend verschlimmerten wir das Chaos noch, indem wir miteinander ins Bett gingen, und diese Episode trug zu den zwiespältigen Gefühlen bei, die wir bei jedem neuen Zusammentreffen hatten. Freuten wir uns auf ein Wiedersehen, oder vermieden wir es, so gut es ging? Brachte es uns weiter, oder verletzten wir uns gegenseitig? Wir wußten das beide nicht so genau.

»Tja, da du ohnehin schon weißt, daß ich da bin, weil ich etwas von dir will, rede ich nicht mehr lange um den heißen Brei herum: Ich würde mir gern ein paar Geschichten in deiner Nachrichtendatenbank ansehen.« Murray hatte Zugang zu den Nachrichtendiensten von *Times, Tribune, Herald-Star* und *Dow Jones.*

»Nun mach mal halblang, Klein Nancy, das hier ist keine öffentliche Bibliothek.«

»Okay, dann geh' ich eben in die Bücherei. Die Polizei hat meinen Computer nach Deirdre Messengers Tod beschlagnahmt, weil sie glaubt, mir so eine Erklärung entlocken zu können, warum der Mörder meine Festplatte gelöscht hat. Vielleicht hat's auch Deirdre gemacht, weil sie schlechte Laune hatte. Und die Culpeppers haben das Pulteney am Mittwoch zugenagelt – mein Modem übrigens gleich dazu. Sonst würde ich dich nicht um den Gefallen bitten. Aber die Bücherei ist ein guter Tip. Danke.«

Ich schlenderte zur Tür. Murray holte mich am Lift ein.

»Nicht so schnell, Vic. Hat die Geschichte mit Messenger zu tun? Ich war letzte Woche in Washington – im Moment brüte ich gerade über dem Wirtschaftsbericht des Kongresses. Ich hab' ganz vergessen, daß du hier einen Logenplatz hast. Was ist mit Deirdres Kindern? Die waren gestern und vorgestern Thema Nummer eins in den Schlagzeilen. Irgend jemand hat gesagt, Messenger hat seine Frau verprügelt und sie umgebracht, weil sie eine Affäre hatte.«

»Könnte schon sein«, machte ich ihn heiß.

»Mein Gott, Warshawski.« Er machte einen Knicks, gelenkiger übrigens, als man bei einem Mann seiner Größe erwartet hätte, und küßte meine rechte Hand. »O Göttin, der ich gehorchen muß, ich rufe alle Datenbanken mit meinen eigenen Fingern für dich auf, wenn du mir nur von diesem Mord erzählst, keine Einzelheit ausläßt, möge sie dir auch noch so unbedeutend erscheinen, und für mich eine Verbindung zu den Computernachforschungen herstellst, die du durchführst.«

Ich lachte. »Ich weiß nicht so genau, wie das, was ich wissen will, mit Deirdres Tod in Verbindung steht. Ich fische noch im trüben. Aber ich sage dir was, wofür sich die Bullen sowieso nicht interessieren: Deirdre wollte in meinem Büro jemanden treffen. Ich versuche herauszufinden, wen.«

Das gefiel Murray. Er dirigierte mich mit wippenden Schritten den Flur entlang und sagte, er würde alle gemeinen, häßlichen Dinge zurücknehmen, die er je über mich gedacht oder gesagt hätte, und fügte hinzu, er fände meine grauen Haare sexy. Dann lud er mich auf ein Gespräch in Lucy Moynihans Hamburgerbude ein. Während er drei Hamburger verdrückte und ich meine Suppe mit einer Tüte Zwiebelringen abrundete, besprachen wir das Für und Wider von Fabian als Hauptverdächtigem.

»Ich weiß, daß er sie geschlagen hat: Ich habe das selbst einmal durch die geschlossene Tür gehört«, sagte ich. »Aber mit wem soll sie geschlafen haben?«

Er schüttelte den Kopf. »Gerüchte – niemand weiß was Genaueres. Du weißt, daß die Hauptverdächtige die Tochter ist. Sie hätte damit auch einen triftigen Grund gehabt wegzu-laufen.«

»Ich weiß. Aber ich glaube es nicht. Ich glaube, es war Fabian. Und ich denke, ich kann dem Mädchen nur helfen, wenn ich rausfinde, mit wem sich Deirdre letzten Freitag in meinem Büro treffen wollte. Vielleicht sogar mit Alec Gantner oder Donald Blakely – sie hat bei ihrer Dinnerparty letzte Woche Anspielungen in dieser Richtung fallenlassen. Wenn die gesehen haben, wie Fabian in das Gebäude ist, halten die viel-leicht aus brüderlicher Solidarität den Mund. Ich brauche ein Druckmittel, damit sie mit mir reden.«

»Und was sagt dein Freund Conrad dazu, wenn du der Polizei zeigst, wie sie ihren Job machen muß?« erkundigte sich Murray anzüglich. »Ist er nicht dicke mit dem zuständigen Beamten befreundet?«

»Willst du eine Story über mein Liebesleben oder über den Mord an Deirdre?« herrschte ich ihn an.

Murray lachte. »Ich bring' dich gern aus dem Gleichgewicht, Warshawski. Das ist gut für dich.«

»Ja, wie Rizinusöl.«

Ich sah auf meine Uhr. Sogar als reiche Erbin hätte ich keinen Cent für eine Zuhälteruhr wie die von Jasper Heccomb ausge-geben. Die alte Stahluhr meines Vaters, an die ich mir ein neues Band hatte machen lassen, damit sie mir nicht vom Arm rutschte, zeigte mir die Zeit genausogut wie eine Rolex. Jetzt las ich davon ab, daß ich noch zwei Stunden Zeit hatte, bevor ich zu Home Free zurückmußte. Ich trieb Murray wieder hinauf in die Redaktion und an seinen Computer.

26 Irrwisch

Über die Gantners gab es zahllose Storys im Archiv. Alec senior war Senator der Vereinigten Staaten und früher Land-wirtschaftsminister gewesen. Seine Frau saß im Vorstand von Symphony und Ravinia; ihre älteste Tochter Melanie hatte kurzfristig Bekanntschaft mit Weather Underground gemacht, bevor sie eine Farm in Oregon kaufte. Sie lebte dort betont ländlich und kultivierte hundert Morgen Land ohne Chemie oder Maschinen, während sie polemische Schriften gegen die moderne Landwirtschaft verfaßte, die in weiten Kreisen der Bevölkerung gelesen wurden.

Das Geld der Gantners stammte aus der Landwirtschaft, aus genau der Art von Kultivierung, die Melanie kritisierte – riesige Gebiete von über fünfundzwanzigtausend Morgen waren nur deshalb ertragreich, weil sie tonnenweise mit Pestiziden, Herbiziden und Dieselöl überzogen wurden. Die endlosen Maisfelder, die die Leute von der Ostküste so anöden, wenn sie auf dem Weg nach Kalifornien durch Illinois und Iowa brausen, werden in den richtigen Händen zu Gold, denn Keimöl und Sirup sind Bestandteile so unterschiedlicher Produkte wie Kaffeeweißer und Plastik. Und den Gantners gehörte an jedem Kolben ein Körnchen.

Alec junior, der versuchte, unabhängig von seinem einflußreichen Papa seinen Weg zu machen – ohne jedoch so extrem zu sein wie seine Schwester –, hatte sich dem Biosprit zugewandt. Er forderte für Illinois die Subventionierung von Biosprit-Produkten und deren Vertrieb. Außerdem hatte er seine Finger im Immobilien- und Bankgeschäft.

Alec juniors Wunsch, sich zu beweisen, hatte ihn allerdings nicht veranlaßt, sich völlig unabhängig zu machen: Gantohol, wie er seine Tochtergesellschaft nannte, hatte Büros im Gant-Ag-Hauptquartier in der Nähe von Morris. Ich konnte mir den coolen Stadtmenschen nur schwer auf einem Maisfeld in Illinois vorstellen.

Um drei wurde mir allmählich schwindelig von den ganzen Informationen, die da über den Bildschirm flimmerten. Viel länger hätten meine Augen nicht mehr mitgespielt. Aber das traf sich ganz gut, weil ich sowieso noch zu Tish mußte. Ich bat Murray, die Storys auf die Liste für die nächtlichen Ausdrucke zu setzen – ich würde sie dann am Morgen abholen.

»Laß ja alle heißen Sachen auf dem Schreibtisch«, warnte er mich beim Abschied. »Der Große Alec steht immer kurz vor einem ordentlichen Skandal. Er und sein Vorgänger haben eine Menge interessanter Verträge mit dem Staat gemacht. Dein Kopf ist nicht mehr viel wert, wenn du heiße Informationen über ihn zurückbehältst, Warshawski. Es ist nicht leicht, einen

Senator der Vereinigten Staaten abzusägen. Das könnte mir meinen Ruhestand vergolden.«

»Wenn du nur nicht so gierig wärst, Ryerson«, raunzte ich ihn an und packte meine Sachen zusammen. »Eines Tages wirst du noch üble Magenbeschwerden kriegen.«

Bevor ich ins Büro von Home Free ging, schaute ich noch schnell im Waschsalon vorbei, um festzustellen, was aus meinen Handtüchern geworden war. Mittlerweile ging es dort lauter zu als am Morgen, weil auch die Kinder da waren, die die Frauen von der Schule abgeholt hatten. Jemand war so freundlich gewesen, meine feuchte Wäsche in einen Korb zu legen. Nachdem ich die Handtücher in den Trockner gesteckt hatte, überquerte ich die Straße.

Tish hockte noch immer vor ihrem Computer, als ich eintrat. Sie warf mir einen vorwurfsvollen Blick zu, beendete aber ihre Arbeit und faltete die Hände mit der übertrieben ergebenen Geste der Menschen, die eigentlich wenig Geduld haben.

»Ist wahrscheinlich gar nicht so angenehm, hier den ganzen Tag bei geschlossenen Jalousien zu arbeiten«, meinte ich.

»Das stört mich nicht – ich bin dran gewöhnt.«

»Und für Jasper ist es noch schlimmer. Schließlich sitzt der im Hinterzimmer ganz ohne Fenster. Sie können wenigstens hin und wieder mal die Jalousien hochschieben und rausschauen. Natürlich kann er die Straße über die Videokamera beobachten, damit er nicht von ungebetenen Besuchern überrascht wird.«

Sie sah mich mit finsterem Gesicht an. »Die Gegend hier ist nicht so toll. Wir können es uns nicht leisten, daß uns die Computer geklaut werden. Wollen Sie sich jetzt über Deirdre unterhalten, oder kann ich wieder weiterarbeiten?«

Bevor wir uns über Deirdre unterhielten, brachte ich Tish dazu, mir ein bißchen über sich selbst zu erzählen. Sie spuckte die Informationen nur widerwillig und in kleinen Häppchen aus, aber irgendwann erfuhr ich doch, daß sie seit mittlerweile fünf Jahren für Home Free arbeitete. Sie hatte nach ihrem Abschluß in Städteplanung an der Technischen Universität als Praktikantin angefangen und später die Leitung des Büros übernommen. Deirdre hatte mit ihrer ehrenamtlichen Tätigkeit ein paar Monate, nachdem Tish als Praktikantin gekommen war, begonnen. Damals vermittelte Home Free noch direkt Unterkünfte für Obdachlose, und sie brauchten jemanden, der ihnen dabei half.

»Wann haben Sie damit aufgehört?«

»Als Jasper hier anfing«, sagte sie knapp. »Er ist vor drei Jahren Geschäftsführer von Home Free geworden und hat sofort erkannt, daß wir einen Service bieten, der eigentlich zum Aufgabenbereich der Stadt und anderer gemeinnütziger Einrichtungen gehört. Er meinte, wir wären effektiver, wenn wir uns auf die Bautätigkeit beschränkten.«

»Und der Beirat hatte kein Problem damit?«

Sie starrte ihren Computer an. »Es hat eine Weile gedauert – fast ein Jahr. Wir mußten warten, bis ein paar von den alten Mitgliedern gegangen waren.«

»Und bis Alec Gantner und Donald Blakely dafür kamen?« meinte ich.

Sie warf mir einen wütenden Blick zu. »Hat das irgendwas mit Deirdre zu tun?«

»Was hat sie von dieser Veränderung gehalten? Hatte sie Auswirkungen auf ihre ehrenamtliche Tätigkeit?« Steckte das hinter ihren Bemerkungen gegenüber Gantner während des Abendessens? Hatte sie sich dafür eingesetzt, daß Home Free weiterhin direkt Unterkünfte vermittelte, und hatte sie sich gegen die Veränderung gewehrt?

»Etwa ein Jahr lang ist sie nur zu den Beiratssitzungen gekommen, weil die Arbeit völlig umstrukturiert wurde. Aber vor sechs Monaten mußten wir unserer Sekretärin kündigen, und da ist Deirdre eingesprungen, wann immer sie konnte.«

Als ich Tish um genauere Auskünfte bat, sagte sie mir lediglich, Deirdre habe geholfen, die Computereintragungen auf dem neuesten Stand zu halten. Die Arbeitsstunden, die auf den Baustellen geleistet wurden, mußten eingetragen, Rechnungen erstellt und wichtige Geldgeber bei Laune gehalten werden.

»Fanden Sie es nicht merkwürdig, daß eine Frau in ihrer Position Büroarbeiten für Sie verrichtete?«

»Nein, warum? Jasper hat gesagt, sie wußte nicht so recht, was sie machen sollte, und wir sollten ihr ein bißchen um den Bart gehen, weil die Freunde ihres Mannes uns eine Menge Geld bringen konnten. Wir hatten ein paar Geldgeber verloren.

Leute, die nicht damit einverstanden waren, daß wir die eigentliche Vermittlung aufgegeben haben. Jasper meinte, Deirdre könnte sie zurückholen.«

»War es schwer, mit ihr auszukommen?« Ich stellte mir vor, wie Deirdre und Tish um die Wette mürrisch dreinschauten.

»Sie hat hier gearbeitet, genau wie ich.«

»Hatte sie ein Auge auf Jasper?«

Tish wurde rot. »Sie war verheiratet. Wahrscheinlich hat sie es ganz gern gesehen, wenn er mit ihr geflirtet hat. Manchmal konnte sie ziemlich kindisch sein...« Ihre Stimme schweifte ab.

»Ich habe heute mit einem Reporter zu Mittag gegessen, und der meinte, es gäbe Gerüchte, daß sie und Jasper eine Affäre hatten.«

Tish wurde noch tiefer rot. Sie zupfte an ihrem Pullover herum und schüttelte den Kopf, brachte aber kein Wort heraus. Ich bohrte nicht weiter und bat sie statt dessen, mir zu sagen, was Deirdre bei Home Free gemacht hatte. »Zeigen Sie mir einfach die Sachen, die sie an ihrem letzten Tag hier erledigt hat.«

»Nein, das werde ich nicht. Unsere Akten sind vertraulich. Jasper hat gesagt, ich soll mich mit Ihnen über Deirdre unterhalten. Er hat nichts davon erwähnt, daß ich Ihnen unsere Bücher zeigen soll.«

Ich hob die Augenbrauen. »Warum – würden sie der Prüfung nicht standhalten?«

Sie errötete noch mehr, konnte sich jedoch um eine Antwort herumdrücken, weil das Telefon klingelte. »Home Free, Tish am Apparat... Ach, hallo, Gary... Nein, er ist nicht da... Er hat dir doch gesagt, du sollst dir keine Gedanken deswegen machen, er kümmert sich schon drum...«

Gary, der kräftig gebaute Typ in der Schaffelljacke, dem ich letzte Woche hier begegnet war. Offenbar machte er sich immer noch Gedanken – ich hörte, wie er Tish übers Telefon zusammenstauchte, konnte aber nicht verstehen, was er sagte.

»Ich kann dir jetzt nicht mehr sagen, es ist grade jemand bei mir im Büro.« Plötzlich lachte sie, ihr Gesicht klarte sich auf und wurde einen Augenblick lang fast hübsch. »Nein, kein Freund... Ich sage ihm, daß du angerufen hast.«

»Warum bin ich denn kein Freund?« fragte ich sie, nachdem sie aufgelegt hatte. »Wieso können Sie mich eigentlich nicht leiden?«

»Weil Sie Ihre Nase in Dinge stecken, die Sie nichts angehen. Gerade wieder: Das war ein privater Anruf. Ich muß jetzt wieder arbeiten.«

»Damit Sie fertig sind, wenn Jasper Sie zum Abendessen abholt. Ich bin übrigens keine Rivalin. Vielleicht war Deirdre eine, aber ich hab' kein Interesse, mit ihm zu schlafen.«

»Da haben Sie aber Glück, denn er würde Sie nicht mal mit der Beißzange anfassen.« Wut und Eifersucht ließen ihre Stimme beben.

Ich merkte, wie ich mit den Fingern auf der Stelle an meinem Kopf herumtippte, an der die ersten grauen Haare wuchsen, und meinte: »Beruht ganz auf Gegenseitigkeit, Tish. Mir ist er ohnehin zu glatt. Und jetzt stellen Sie mir bitte ein paar Baustellen zusammen, die ich mir anschauen kann.«

»Baustellen? Keine Chance. Sie können sich ein paar von unseren fertigen Projekten ansehen, aber auf die Baustellen kommt niemand, der nicht geschäftlich dort zu tun hat.«

»Also haben Sie doch Projekte im Bau? Jasper hat mir letzte Woche gesagt, in der Richtung machen Sie nicht viel.«

Die Kinnlade fiel ihr herunter, und plötzlich wurde sie ganz fahl, aber sie erholte sich rasch wieder und sagte, Jasper kenne sich in dem Bereich besser aus als sie – sie habe lediglich eine generelle Aussage gemacht.

Wir stritten ein bißchen, aber sie genoß es, einmal die Oberhand zu behalten. Danach brachte ich nichts mehr aus ihr heraus. Schließlich erwähnte ich noch nebenbei, ohne es beabsichtigt zu haben, Lamia.

»Wie hat Lamia das Sanierungsprojekt bekommen? Haben Sie es ausgeschrieben?«

»Wieso wissen Sie über das Projekt Bescheid?« fragte sie.

»Ich habe beruflich mit den Frauen zu tun. Gibt es Probleme mit ihrem Angebot?«

Sie sah hilfesuchend zum Telefon, als hoffe sie, Jasper würde sie anrufen, um ihr einen Rat zu geben. Nach langem Schweigen murmelte sie, sie kenne sich nicht aus mit den Ausschreibungen, das erledige alles Jasper.

»Und wenn ich Ihnen jetzt sage, daß Lamia den Auftrag bekommen hat, ohne daß er jemals ordnungsgemäß ausgeschrieben worden wäre, und daß das ungesetzlich ist, dann wüßten Sie davon auch nichts.«

»Ich habe es Ihnen schon gesagt«, brüllte sie mich an. »Ich weiß es nicht. Sind Sie jetzt zufrieden? Gehen Sie, und lassen Sie mich wieder an den Computer.«

Als ich die Tür langsam hinter mir schloß, wählte sie schon eine Telefonnummer. Gern hätte ich gelauscht, aber mir fiel einfach keine diskrete Möglichkeit ein. Also ging ich über die Straße und holte meine Wäsche ab. Meine Handtücher lagen wieder in einem anderen Korb, eine freundliche Frau hatte sie für mich gefaltet. Der Tag war also nicht völlig vertan gewesen: Immerhin hatte ich jetzt saubere Handtücher.

27   Überraschender Besuch

Mr. Contreras riß seine Wohnungstür auf, sobald ich den Schlüssel ins Schloß der Haustür gesteckt hatte. »Hallo, Süße. Sie haben Besuch. Ich hab' ihn reingelassen, nachdem er eine volle Stunde gewartet hat. Er sieht mir nicht so aus, als ob er Ihnen was Böses will.«

Die Hunde waren hinterhergestürzt und begrüßten mich, als hätten wir uns das letzte Mal vor Monaten, nicht erst vor zehn Stunden bei unserem Ausflug zum See gesehen. Sie jaulten so laut und verzückt, daß ich meinem Nachbarn gar nicht sagen konnte, wie wenig ich davon hielt, wenn er sich in meine Angelegenheiten einmischte.

Vielleicht verstand Mr. Contreras nicht den genauen Wortlaut dessen, was ich sagte, aber meine schlechte Laune bekam er mit. Er sah mich mit seinen braunen Augen vorwurfsvoll an. »Ich wollte ja nur behilflich sein, Süße. Es würde mir nie im Leben einfallen, mich einzumischen. Aber jetzt, wo Sie daheim arbeiten müssen, gibt es keinen Ort mehr, wo die Leute auf Sie warten könnten. Was soll ich denn machen – soll ich mögliche Kunden raus in den Regen schicken, wo sie schon nach kurzer Zeit zur Konkurrenz gehen, bloß weil ich nicht die Höflichkeit besessen habe, ihnen einen Kaffee und einen Sitzplatz anzubieten? Dann hätten Sie wirklich Grund, sich aufzuregen.«

Ich hob resigniert die Hände. »Schon gut, schon gut. Sie haben unter den gegebenen Umständen das Vernünftigste getan. Wer ist der Mann und wo steckt er?«

Wie auf ein Stichwort kam Ken Graham an Mr. Contreras' Tür. Auf der Straße war mir schon ein Alfa Spider, ein Wagen, den ich sehr gern mag, aufgefallen. Der gehörte sicher dem Hacker, der immer noch Jeans und einen schäbigen Sportmantel trug. Aber wenigstens hatte er sich die Haare schneiden lassen und sich rasiert.

»Schöne Hunde haben Sie«, begrüßte er mich.

»Freut mich, daß Sie hergekommen sind, um sie sich anzusehen.« Ich drängte sie alle ins Haus, bevor Mitch ausbüchsen konnte.

Ken mußte unwillkürlich grinsen.

Einen Moment verschwand sein dreister, zynischer Gesichtsausdruck. »Ich bin zu Ihrem Büro gefahren und hab' gesehen, daß das Haus mit Brettern vernagelt ist. Auf Ihrem Anrufbeantworter haben Sie keine neue Büroadresse angegeben, also bin ich hierhergekommen.«

»Ganz schön umtriebig. Haben Sie einen besonderen Grund?«

»Nun seien Sie nicht gleich beleidigt. Dad macht mir Feuer unterm Hintern, und ich wollte hören, ob Sie schon was für mich gefunden haben. Sie wissen doch, worum's geht.«

»Ich hab's nicht vergessen. Und Ihr Dad hat sich bei mir auch schon gemeldet. Man könnte sagen, mir macht er ebenfalls Feuer unterm Hintern. Ich ruf' Sie an, sobald ich was gefunden habe.«

Mr. Contreras lauschte aufmerksam, stellte jedoch keine Fragen: Schließlich wollte er ja nicht, daß so ein Greenhorn dachte, ich hätte ihn nicht voll und ganz ins Vertrauen gezogen. Jetzt versuchte er, Ken und mich in seine Wohnung zu locken, aber ich wollte allein sein. Oder genauer gesagt: Ich wollte mit keinem der beiden zusammensein.

Der junge Ken schien von seinem Vater das Selbstvertrauen geerbt zu haben – er glaubte, daß Menschen das taten, was er wollte, nur weil er ein Graham war und ein größeres Aktienpaket einer ziemlich großen Gesellschaft sein eigen nannte. Jetzt versuchte er, mich davon zu überzeugen, daß er für mich arbeiten könnte.

»Ja, ich bin mir ziemlich sicher, daß Sie das könnten. Aber ich bin keine gemeinnützige Einrichtung. In absolut keinem Sinn des Wortes.«

»Wer weiß? Dad sagt, Sie machen viele gemeinnützige Sachen. Sie könnten mich doch bei einem von den Projekten einsetzen. Ich bin sicher, daß wir meinen Bewährungshelfer überreden könnten...«

»Vielleicht, aber mich können Sie nicht überreden. Trotzdem danke, daß Sie den weiten Weg zu mir auf sich genommen haben. Grüßen Sie Ihren Vater.«

Ich ging die Treppe hinauf, Ken hinter mir her. Die Hunde, die wohl der Ansicht waren, daß wir mehr Aussicht auf Unterhaltung boten als Mr. Contreras mit seinem Fernseher, rannten uns voran. Mr. Contreras bildete das Schlußlicht. Wahrscheinlich gab es in ganz Chicago – vermutlich sogar auf der ganzen Welt – keine zweite Privatdetektivin mit einem solchen Troß.

»Wenn ich Dad sagen könnte, daß ich für Sie arbeite, würde er uns beide eine Weile in Ruhe lassen. Und ich könnte Sie endlich besser kennenlernen. Bis jetzt weiß ich bloß, daß Sie Cappuccino ohne Zucker trinken.«

Ich fing an, die Riegel an meiner stahlverstärkten Tür zurückzuschieben. »Gute Nacht, MacKenzie. Gute Nacht, Mr. Contreras. Wenn noch jemand zu Besuch kommt, geben Sie ihm doch bitte zwei Aspirin, und ersuchen Sie ihn, morgen früh wiederzukommen.«

Ich knallte ihnen die Tür vor der Nase zu. Die Hunde nahmen mir das am übelsten. Sogar noch durch die dicke Tür hörte ich ihr wütendes Bellen. Ich machte die Tür noch einmal auf, als die vier gerade die Treppe hinuntergehen wollten.

»Ich borge mir Peppy für heute abend, wenn Ihnen das recht ist.«

»Aber klar, Süße. Schließlich gehört sie Ihnen genauso wie mir. Sie wissen doch, daß Sie mich nicht fragen brauchen. Aber jetzt, wo Sie so selten da sind...«

Ich ging auf den Treppenabsatz hinaus und küßte ihn auf die

Wange. »Ich weiß. Sie tun das nur aus Pflichtbewußtsein. Und Peppy und ich wissen es zu schätzen.«

Ich drückte Mitch weg und holte Peppy zu mir in die Wohnung. Sie freute sich, endlich wieder Hund Nummer eins zu sein, wedelte mit dem Schwanz und tat so, als höre sie das beleidigte Jaulen von Mitch nicht.

Nachdem ich Peppy gebürstet und ein bißchen mit ihr gespielt hatte, rief ich Camilla an in der Hoffnung, sie vor Phoebe oder einem ihrer Partner zu erreichen. Ihre Freude, mich zu hören, verflog sehr schnell, als ich ihr erzählte, was ich am Nachmittag gemacht hatte. »Ich hatte nicht vor, Lamia ins Spiel zu bringen. Aber die Reaktion von Heccombs Sekretärin hat mich aus dem Gleichgewicht gebracht.«

»Was bist du denn für eine Detektivin, wenn du in schwierigen Situationen immer gleich alles ausplauderst, was du weißt?« wollte Camilla nicht zu Unrecht wissen.

»Ich habe es bis heute nachmittag tunlichst vermieden, den Namen zu erwähnen. Aber ich werde immer unruhiger. Irgendwas stimmt nicht – entweder mit der Organisation oder mit Phoebes Verbindung zu ihr.«

Ich erzählte ihr von Phoebes Heimlichtuerei bezüglich ihres Treffens mit Alec Gantner im Büro von Home Free. »Jasper Heccomb ist ziemlich geschickt, aber seine Sekretärin widerspricht sich ständig selber. Ich wollte rausfinden, ob Lamia das Projekt ist, weswegen sie solche Angst hat.«

»Und – war es das? Denn wenn es wegen dir platzt, Warshawski, ist Mama nicht mehr die einzige in unserer Familie, die dich nicht leiden kann.«

Ich massierte mir den Nacken mit der linken Hand. »Hör zu, Camilla, ich habe am Sonntag versprochen, keine Fragen mehr über Lamia zu stellen. Aber Phoebe heckt da was aus, was sie euch nicht sagt. Ich wäre eine schlechte Freundin, wenn ich euch nicht über eine ungesetzliche Sache informieren würde, die euch das Genick brechen kann. Denk drüber nach. Sprich mit deinen Partnerinnen.«

»Wir haben drüber nachgedacht, und wir haben uns drüber unterhalten. Wir sind zufrieden. Also sei bitte auch zufrieden, Vic. Denn niemand möchte, daß du noch weiter rumschnüffelst.« Sie legte auf.

Ich dachte daran, Conrad anzurufen, aber ich konnte nicht hinter ihrem Rücken mit ihm reden. Und ich würde mich mit Sicherheit nicht von ihm trösten lassen wie ein kleines Kind, bloß weil die Leute sich über mich ärgerten. Das brachte mein Beruf eben mit sich: Die Leute waren immer irgendwie sauer auf mich, weil ich so viele Fragen stellte. Bloß die Erschöpfung, vielleicht auch meine chronisch angespannte finanzielle Lage machten mich jetzt so empfindlich gegenüber Kritik.

»Aber was soll ich sonst machen?« fragte ich Peppy verzweifelt. »Ich bin fast vierzig. Was anderes kann ich nicht, und es ist einfach schon zu lange her, daß ich die Juristerei aktiv betrieben habe.«

Peppy schaute mich besorgt an, hoffte wohl, daß meine Verzweiflung nichts mit ihr zu tun hatte, und war erleichtert, als ich mit dem Jammern aufhörte und in die Küche stapfte.

Mein letzter Einkauf lag schon ein paar Tage zurück. Der grüne Salat war welk, die Blattränder schwarz und schmierig. Das einzige Gemüse in meiner Küche, das nicht verschrumpelt oder vergammelt war, waren Zwiebeln und Knoblauch. Ich briet sie in meinem letzten Eßlöffel Olivenöl an, während ich einen Topf Polenta kochte. Nachdem ich das alles mit einem Stück Cheddar-Käse vermischt hatte, setzte ich mich vor die Glotze und sah den Cubs zu, wie sie sich gegen St. Louis abmühten. Peppy leckte den Topf zu meinen Füßen aus.

Um halb neun hielt ich die Cubs und meine eigene schlechte Laune nicht mehr aus und ging nach unten, um an Mr. Contreras' Tür zu klopfen.

»Ich geh' noch ein bißchen spazieren. Ich nehm' Peppy mit. Wahrscheinlich wird's spät; ich behalte sie über Nacht. Soll ich Mitch auch mitnehmen?«

Mein Nachbar beklagt sich oft, daß ich die Hunde vernachlässige, aber letztendlich ist er eifersüchtig, weil ich mich so gut mit ihnen verstehe. Wie erwartet, wollte er Mitch behalten.

»Vielleicht haben Sie bessere Laune, wenn Sie zurückkommen. Wenn Sie sich bei Conrad auch so aufführen, sind Sie bald wieder allein.«

»Yes, Sir. Ich werde dran denken.« Angeblich hatte Conrad

sich als erstes von meiner Kratzbürstigkeit angezogen gefühlt, aber wahrscheinlich hatte die im Lauf der Zeit ihren Reiz verloren.

Der Alfa Spider stand immer noch vor der Tür. In der Dunkelheit konnte ich nicht feststellen, ob Ken drinsaß, aber als wir die Straße hinuntergingen, hörte ich, wie der Motor angelassen wurde. Was wollte der Junge bloß von mir?

Ich scheuchte Peppy in den Trans Am und fuhr nach Norden, auf die Belmont Avenue. Der Spider war hinter uns, daran bestand kein Zweifel, und er blieb die ganze Zeit bis zum Lake Shore Drive dort. Ich lenkte den Wagen eine Meile nach Süden, nahm dann abrupt die Ausfahrt an der Fullerton Avenue und wartete am Eingang zum Park. Ein paar Sekunden später rollte Ken in seinem Spider heran, sah mich zu spät, um hinter mir stehenzubleiben, und parkte dann vielleicht zehn Meter vor mir. Ken Graham saß grinsend am Steuer und kam sich offenbar besonders schlau vor.

»Was zum Teufel wollen Sie eigentlich? Verlegen Sie sich jetzt auf Belästigung, bis Sie wieder mit der Hackerei anfangen können?«

»Ich hab' Ihr Interesse geweckt. Mehr wollte ich nicht.«

»Und wieso? Wenn Sie meinen, Sie müssen Ihre Reize spielen lassen, damit ich Ihren Vater nicht heirate, beleidigen Sie uns alle drei. Jedenfalls Ihren Vater und mich. *Sie* könnten meiner Meinung nach durchaus eine Beleidigung vertragen.«

»Vielleicht mag ich Sie ja um Ihrer selbst willen.«

»Tja, und vielleicht war meine Mutter der erste weibliche Papst. Reißen Sie sich zusammen, Graham. Wenn Sie mir weiter nachfahren, erkläre ich Darraugh ohne Umschweife, warum ich mich weigere, einen Platz für Sie zu finden.«

»Sie klingen wie meine alte Babysitterin. Benimm dich ordentlich, sonst sag' ich's Papa. Auf die war ich auch scharf.«

»Dann wird's Zeit, daß Sie erwachsen werden, Kleiner. Ich interessiere mich nicht für Jungs, denen ich noch die Windeln wechseln muß.«

Ich machte auf dem Absatz kehrt und ging zu meinem Trans Am zurück. Während ich mit der Hand auf dem Türgriff dastand, ließ er den Motor aufheulen und brauste mit Karacho davon.

28 Ein bißchen tiefer

Ich fuhr Richtung Süden. Ein paarmal hatte ich das Gefühl, daß Ken mir immer noch folgte, aber ganz sicher war ich mir nicht. Ich fragte mich, ob er wirklich glaubte, ich hätte eine Affäre mit seinem Vater und stelle deshalb eine Bedrohung für sein Treuhandvermögen dar, oder ob er sich nur einen Spaß machen wollte. Wahrscheinlich waren all seine Freunde jetzt wieder auf der Uni, und ihm war einfach langweilig. Vielleicht hielt er es für einen befriedigenden Zeitvertreib, sich selbst und einer fast vierzigjährigen Privatdetektivin zu beweisen, daß er ihr folgen konnte, ohne daß sie es merkte.

Nachdem ich den Lake Shore Drive an der Forty-seventh Street verlassen hatte, passierte ich die Ampel am Lake Park und stellte mich noch einmal an den Fahrbahnrand. Zwei Wagen fuhren an mir vorbei; einer schien ein bißchen langsamer zu werden, den Spider hatte ich abgehängt. Ich machte mich auf den Weg zum Haus der Messengers und klingelte.

Die Haushälterin öffnete die Tür, erinnerte sich an mich und ließ mich hinein. Die Polizei hatte ihr offenbar nicht erklärt, daß ich mir das letztemal unter Vorspiegelung falscher Tatsachen Zutritt verschafft hatte: Ich streckte ihr eine Karte hin, aber sie schaute gar nicht darauf, sondern sagte nur »Oh, Polize«, drehte sich um und ließ mich im Flur stehen, während sie nach oben ging. Nach ein paar Minuten kehrte sie mit der Anweisung wieder, ihr zu folgen.

Sie führte mich den Flur entlang zu einer Bibliothek hinter der soliden Treppe. Dieser Raum war Fabians beruflichem Status angemessen – Regale aus dunklem Kirschholz bedeckten drei Wände, schwarze Ledersessel luden in Nischen zum Verweilen ein, und ein alter Schreibtisch mit lederbezogener Schreibfläche stand auf einem Orientteppich, der abgenutzt genug war, um wertvoll auszusehen. Auf mich wirkte der Raum bedrückend, aber vielleicht würde sich meine Meinung ja mit einem sechsstelligen Einkommen ändern.

Ich hob eine Ecke des purpurroten Vorhanges am anderen Ende des Raumes. Sprossenfenster gingen hinaus auf den Garten. Ich blinzelte in die Dunkelheit, um festzustellen, wie weit sich das Anwesen der Messengers erstreckte, konnte aber nur einen Spielplatz entdecken, der genausogut ausgestattet war wie der im Arcadia House.

Als ich mich wieder dem Raum zuwandte, konnte ich der Versuchung, die Schubladen des Schreibtisches herauszuziehen, nicht widerstehen. Fabian behauptete, er habe sich auf einen Vortrag am Samstagvormittag vorbereitet. Ich glaubte nicht, daß Terry dieses Alibi überprüft hatte. Wahrscheinlich hatte Fabian irgendwo einen Kalender oder so etwas. Ich begann seine Unterlagen anzusehen.

Ich konnte weder einen Kalender noch sonst etwas Interessantes finden und wollte gerade die Schublade wieder zumachen, als mir Senator Gantners Name ins Auge sprang. Er hatte einen Brief geschrieben, der nun in einer Akte mit der Aufschrift JAD HOLDINGS steckte. Ich wollte ihn eben lesen, als ich Fabians Schritte hörte. Obwohl ich mir ziemlich albern vorkam, stopfte ich den Brief in die Hosentasche und machte die Schublade schnell zu.

Fabian schaute so krank aus, daß er es wahrscheinlich gar nicht gemerkt hätte, wenn ich die Schublade in seiner Gegenwart durchsucht hätte. Sein Gesicht war gelblich-fahl, und er bewegte sich, eingehüllt in einen Flanellmorgenmantel, leicht schlurfend. Kaum zu glauben, daß das der Mann war, der vor zwei Tagen die Treppe zu meiner Wohnung hinaufgehastet war, um mich der Entführung seiner Tochter zu bezichtigen.

»Ach, du bist's, Warshawski. Sie haben mich gewarnt, aber Karin hat mir gesagt, daß die Polizei da ist.«

Ich blinzelte, verblüfft über diese merkwürdige Begrüßung. »Wer hat dich gewarnt? Die Polizei?«

Er stand neben einem der Ledersessel und schaute sich unsicher um, als wäre er, nicht ich, der Fremde in dem Raum. »Egal. Bist du gekommen, um mir zu sagen, daß Emily ihre Mutter umgebracht hat? So schlau wäre ich selber gewesen, mir das zu denken.«

»Wie praktisch für dich. Bist du dir da auch sicher? Oder ist Emily nur ein Sündenbock für dich? Zuerst die Ersatzmutter für deine Kinder und jetzt die Ersatzmörderin deiner Frau.«

»Das Privatleben meiner Familie geht dich nichts an.« Er versuchte, genauso selbstherrlich wie immer zu klingen, aber er brachte nur ein lasches Murmeln zustande. »Die Polizei hat den Baseballschläger von Nellie Fox in ihrem Zimmer gefunden. Und den hat sie eindeutig dazu verwendet, ihre Mutter umzubringen.«

»Ach, das glaubst du doch selber nicht. Jedenfalls waren keine Fingerabdrücke dran. Haben sie dir das nicht gesagt?«

Als ich mich in einen der Polstersessel setzte, stolperte er in den Raum und nahm ebenfalls Platz, jedoch nicht hinter seinem Schreibtisch, sondern auf einem Holzstuhl neben der Tür. Er zog den Morgenmantel enger um seine Schultern, als könnte dieser ihn vor mir schützen.

»Doch, Warshawski – es waren welche dran, die von Emily.«

Ich atmete tief durch. »Tja, alle scheinen zu glauben, daß sie Deirdre getötet hat. Aber erstens: Wieso sollte sie alle Fingerabdrücke von dem Schläger wischen und ihre dranlassen, und zweitens: Welchen Grund hätte sie gehabt, ihre Mutter umzubringen?«

Fabian schenkte mir sein übliches selbstgefälliges Lächeln. »Ich habe einen Psychiater zu Rate gezogen, um mir über diese Frage klarzuwerden, Warshawski. Es ist absolut plausibel, daß sie erwischt werden möchte, wenn sie Deirdre getötet hat. Teenager machen so eine Phase durch. Sie fühlen sich als Rivalin der Mutter um die Gunst des Vaters. Vielleicht dachte sie, wenn ihre Mutter ihr nicht mehr im Weg steht, könnte sie ihre Stelle einnehmen; doch dann wurde sie von Schuldgefühlen überwältigt und hat dafür gesorgt, daß Beweise gefunden werden, die ausreichen, um sie des Mordes zu überführen.«

»Da bist du aber an einen senilen Freudianer geraten, Fabian – viele Leute halten diese Ödipuskomplextheorien für ziemlich überholt. Außerdem hatte Emily die Rolle ihrer Mutter doch schon in vielerlei Hinsicht übernommen, oder? Vielleicht war sie wütend, aber sie hätte sie nicht umbringen müssen, um sie zu ersetzen.«

»Was willst du damit sagen? Was geht jetzt wieder vor in deiner schmutzigen Phantasie, Warshawski?« Trotz der Heftigkeit seiner Worte blieb er zusammengekauert auf seinem Stuhl sitzen wie ein waidwundes Tier.

»Sie hat sich doch um die kleineren Geschwister gekümmert. Mir ist sie bei dem Dinner wie die Stütze der Familie vorgekommen. Deirdre war zu betrunken, um irgend etwas organisieren zu können, und du warst zu sehr damit beschäftigt, dich vor deinen Gästen zu produzieren. Aber dein Alibi ist eine andere Sache. Du bist ziemlich brutal mit ihr umgesprungen letztes Wochenende und hast von ihr verlangt, daß sie bestätigt, du seist die ganze Nacht da gewesen. Wie konnte sie das wissen, wenn sie überhaupt nicht hier war?«

»Verstehe. Da hast du natürlich recht.« Er verkroch sich wieder in seinem Morgenmantel und kaute auf seiner Unterlippe.

»Vielleicht wart ihr ja beide nicht da«, überlegte ich laut und mußte an die Maus zwischen zwei Katzen denken. »Vielleicht seid ihr beide zusammen in die Stadt gefahren, um Deirdre umzubringen, und habt beschlossen, euch gegenseitig ein Alibi zu geben.«

»Ich dachte, ich hätte klargestellt, daß ich die ganze Nacht da war. Ich bin nicht ausgegangen.«

»Und Emily?«

»Ich weiß es nicht. Ich hab' gedacht, daß sie auch nicht weg ist, aber sie muß das Haus verlassen haben, nachdem ich ins Bett bin. Am Morgen war sie jedenfalls da. Sie hat die Kinder angezogen und ihnen Frühstück gemacht.«

»Wie war sie an dem Morgen?«

»Wie meinst du das?« Er blinzelte, als verlange ich von ihm, mir die Relativitätstheorie zu erklären.

»War sie durcheinander? Hat sie sich wie ein Mädchen verhalten, das gerade seine Mutter umgebracht hat?«

»Ach so.« Er kaute weiter an seiner Lippe. »Ich glaube nicht, daß ich mich an dem Morgen mit ihr unterhalten habe; ich habe in diesem Zimmer gearbeitet, weil ich meinen Vortrag vorbereiten mußte. Vielleicht habe ich nach ihr gerufen, als ich sie in die Küche gehen hörte.«

»Und was, meinst du, hast du zu ihr gesagt?« Ich kam mir vor, als rudere ich ein Boot durch Melasse.

»Wahrscheinlich habe ich ihr gesagt, sie soll aufpassen, daß Joshua seine Milch trinkt. Oder so was Ähnliches. Sie ist ihm gegenüber manchmal zu nachgiebig – wie zum Beispiel bei dem Text für Manfred, den er nicht richtig auswendig gelernt hat. Aber das sind alles gelegte Eier. Möglicherweise habe ich ihr auch gesagt, sie soll nicht gehen, bevor Mrs. Sliwa da ist, weil jemand hier sein mußte, um auf Nathan aufzupassen.«

»Und das hättest *du* nicht machen können?«

»Ich hab' gedacht, ich hätte dir schon gesagt, daß ich meinen Vortrag vorbereitet habe.« Wieder flackerte kurz seine Überheblichkeit auf.

Ein wundervoller Haushalt: Papa, der Pascha, dessen Wünsche Vorrang haben vor allen Bedürfnissen oder Plänen seiner Untergebenen. »Du mußt dich ziemlich geärgert haben, daß Deirdre die ganze Nacht weggeblieben ist. Oder war das vorher schon mal vorgekommen?«

Er wurde rot. »Was willst du damit sagen? Daß sie einen Liebhaber hatte? Sie war eine liebende und treue Gattin. Ich möchte nicht, daß irgend jemand ihr Andenken beschmutzt.«

Unwillkürlich fiel mir wieder die Szene im Schlafzimmer ein. Was ging in Fabians Kopf vor? Wie schaffte er es bloß, seine eigene Gewalttätigkeit mit seinem Ideal von der liebenden Gattin in Einklang zu bringen, die ihm bis in den Tod treu war?

»Hast du dich denn nicht aufgeregt, als sie Freitagabend nicht nach Hause gekommen ist? Hast du mit Emily darüber gesprochen?«

»Ich bin von der Arbeit heimgekommen und habe sie gefragt, wo ihre Mutter ist. Sie hat gesagt, Deirdre sei ausgegangen; sie habe die Nachricht hinterlassen, daß sie zum Abendessen nicht zurück wäre und daß wir den restlichen Lachs essen sollten. Ich fand das ziemlich rücksichtslos von ihr – aber egal, jetzt ist sie tot.«

»Und am Samstagmorgen?« bohrte ich weiter. »Was hast du da mit Emily geredet?«

»Das habe ich dir doch schon zweimal gesagt, Warshawski«, rief er aus. »Wir haben uns nicht unterhalten.«

»Dieses Symposium . . . Hast du einen Handzettel, auf dem es angekündigt wird? Oder hat den die Polizei schon mitgenommen?«

»Willst du damit andeuten, daß ich mir einfach einen wichtigen Vortrag als Alibi für den Mord an meiner Frau ausgedacht habe? Das ist ja noch schlimmer als deine anderen Behauptungen.«

Er richtete sich einen Moment auf, so daß der Morgenmantel sich ein bißchen öffnete. Sehr bald merkte Fabian, daß seine blasse, unbehaarte Brust meinen Blicken ausgesetzt war, und zog den Morgenmantel wieder enger um seinen Körper. Dann sank er auf seinen Sitz zurück.

»Also warst du auf deinem Symposium, als die Polizei mit der Nachricht von Deirdres Tod hierhergekommen ist. Das muß für Emily ein ganz schöner Brocken gewesen sein, so ganz ohne Unterstützung.«

»Nicht, wenn sie Deirdre ermordet hat«, murmelte er aus den Tiefen seines Stuhls.

Ich kratzte mir den Kopf und überlegte, wie ich ihn am besten dazu bringen könnte, mir eine zusammenhängende Geschichte zu erzählen. »Ich mache mir wirklich Sorgen um Emily, Fabian. Du nicht? Wo könnte sie hin sein?«

Er bewegte tonlos die Lippen, als wolle er sich selbst etwas einsagen.

»Wenn du irgend etwas vermutest, was du der Polizei nicht mitteilen möchtest, helfe ich dir gern, es zu überprüfen. Ohne Honorar und unter Ausschluß der Öffentlichkeit. Hast du einen Kollegen oder einen Geistlichen oder sonst irgend jemanden, an den sie sich vielleicht gewandt haben könnte, dessen Name aber nicht genannt werden soll?«

»Sie ist zu dir. Der Beamte, mit dem du so dicke befreundet bist – Finchley heißt er doch, oder? –, hat mir gesagt, man hätte sie in der Nähe vom Pulteney gesehen. Du hast Nerven, einfach hierherzukommen und mich nach ihr zu fragen, Warshawski. Ich denke wirklich ernsthaft daran, Anzeige gegen dich zu erstatten, weil du einen schlechten Einfluß auf sie ausübst. Wenn du nicht wärst, würde ihre Mutter heute noch leben, und ich müßte das alles nicht durchmachen. Erzähl mir bitte nicht, daß du Deirdre nicht in dein Büro gelockt hast – was wollte sie denn dort? Und dann hast du auch noch Emily ermutigt, zu dir zu rennen. Ich könnte dich wegen deines schädlichen Einflusses belangen.«

»Damit würdest du dich lächerlich machen, und Alec Gantner würde dir nie helfen, Bundesrichter zu werden.«

»Dir und Deirdre habe ich es zu verdanken, daß das wahrscheinlich sowieso nie der Fall sein wird. Verschwinde, Warshawski. Ich bin extra aufgestanden, um mit dir zu sprechen, aber jetzt habe ich genug. Geh nach Hause.«

Seine Haut war so gelb und seine Augen so glasig, daß ich unwillkürlich Mitleid mit ihm hatte. »Du solltest zum Arzt gehen, Fabian, und dir was verschreiben lassen.« Zum Beispiel Lithium, dachte ich, oder Thorazin, Mittel gegen manisch-depressive Erkrankungen.

29 Verfolger

Auf dem Nachhauseweg hatte ich ein- oder zweimal das Gefühl, daß mir jemand folgte, aber als ich an den Straßenrand fuhr, um zu sehen, wie die Leute hinter mir reagierten, wurde niemand langsamer. Wenigstens sah ich die Scheinwerfer des Spiders nicht mehr in meinem Rückspiegel.

Ich hielt im Grant Park, damit Peppy noch ein bißchen Auslauf hatte. Als ich vom Drive herunterfuhr, hatte ich wieder das Gefühl, daß mir jemand folgte, aber es stellte niemand sonst seinen Wagen ab. Ich hielt mich in der Nähe des Gehsteigs an der inneren Seite des Drive, wo regelmäßig Polizisten Streife gehen, und achtete auf Schatten. Peppy spürte, wie nervös ich war, und entfernte sich nicht weit. Ein paarmal stürzte sie einem eingebildeten Kaninchen nach, kam aber gleich wieder zurück und preßte die Schnauze in meine Hand.

Als ich wieder in der Racine Avenue war, stellte ich den Wagen nördlich meines Hauses und auf der anderen Straßenseite ab, um den Eingang des Gebäudes zu beobachten. Wahrscheinlich, dachte ich mir, war ich nur aus Sorge um Emily so nervös, und stieg aus dem Auto. Trotzdem ließ ich Peppy bei Fuß gehen. Ich legte ihr die Leine nicht an, sondern wickelte sie lose um meine Hand, so daß die Metallklammer herunterbaumelte.

Als wir den Gehsteig entlanggingen, blieb Peppy plötzlich stehen und knurrte. Mit gesträubtem Nackenhaar starrte sie geradeaus. Ich kniete neben ihr nieder und wäre um einiges ruhiger gewesen, wenn ich meine Waffe bei mir gehabt hätte. Peppy jaulte auf und riß sich los, als sich ein Mann zwischen zwei geparkten Wagen erhob. Ich wollte ihr gerade nachstürzen, als ich MacKenzie Graham erkannte.

Das Herz klopfte mir bis zum Hals. »Ich will nicht mal wissen, was Sie hier treiben, Graham. Fahren Sie heim und lassen Sie sich die Windeln wechseln.«

Ich rief Peppy zu mir. Zwar wedelte sie mit dem Schwanz, um Ken zu zeigen, daß sie es nicht böse gemeint hatte, folgte mir dann aber doch zur Tür.

»Darf ich Ihnen denn nicht wenigstens was sagen?«

Ich knurrte ihn ganz ähnlich wie Peppy an und erklärte, daß er sich lieber eine gute Geschichte ausdenken solle.

»Könnte ich mit reinkommen? Ich bin seit Ewigkeiten hier draußen, und es ist nicht gerade warm.«

Ich preßte die Lippen zusammen, nickte aber mit dem Kopf in Richtung Haustür. Als wir im Foyer waren, hörte ich Mitch hinter Mr. Contreras' Tür winseln und kratzen. Das bedeutete, daß er – und Mr. Contreras – sich schon bald zu uns gesellen würden. Wenn ich so etwas wie einen privaten Rahmen für das bevorstehende Gespräch haben wollte, mußte ich Ken mit nach oben nehmen und konnte mich nicht im Foyer mit ihm unterhalten, wie ich es eigentlich vorgehabt hatte.

Wir waren auf halber Höhe der Treppe, als Mitch uns einholte, gefolgt von dem alten Mann. »Ach. Sie sind's, Süße. Mitch hat sich so aufgeführt, daß ich schon Angst gehabt habe, es wäre jemand eingebrochen.«

»Tja, so ähnlich ist das auch. Ihr junger Freund Graham will mir unbedingt etwas sagen. Wenn er in fünfzehn Minuten nicht wieder unten ist, rufen Sie bitte Conrad – denn dann hat einer von uns beiden dran glauben müssen.«

»Aber klar, Süße. Verstehe. Sie wollen allein sein.«

»Nein. Ich will dieser Nervensäge eine Kugel durch den Kopf jagen. Nur die Tatsache, daß Sie uns zusammen gesehen haben, hindert mich daran.«

Mr. Contreras rief Mitch zu sich, aber Peppy, die sich über jede Abwechslung freute, blieb bei mir. Ich ließ Ken mit dem Hund vorausgehen. Wenn er jetzt noch auf die Idee kam, mich erschrecken zu wollen, würde ich ihm das so schwer wie möglich machen.

Nachdem ich ihn ins Wohnzimmer bugsiert hatte, schaute

ich auf meine Uhr. »Okay. Sagen Sie mir das, was Sie zu sagen haben, in zwei Minuten.«

»Jetzt reden Sie mal nicht so wie mein Vater, Warshawski. Ich hab' Neuigkeiten für Sie.«

»Ich bin ganz Ohr.«

»Ich war nicht der einzige, der Ihnen heute abend gefolgt ist.«

Ich lehnte mich mit verschränkten Armen gegen das Klavier. »Erzählen Sie mir jetzt eine Geschichte, um sich interessant zu machen, oder haben Sie wirklich jemanden gesehen?«

»Ich hab' mir nicht über eine Stunde lang einen abgefroren zwischen den zwei Autos, bloß um ein blödes Spielchen mit Ihnen zu spielen. Offen gestanden bin ich fast erfroren. Ich könnte einen Kaffee vertragen.«

»Gleich. Sagen Sie mir zuerst, was Sie gesehen haben.«

»Nachdem Sie mich erwischt haben, bin ich einen Bogen gefahren und auf der Höhe der North Avenue wieder auf den Drive zurück.« Er sah mich von der Seite an, um festzustellen, wie ich reagierte. »Ich hab' nicht gewußt, wo Sie hinwollen, und hab' schon befürchtet, daß ich Sie an der Ausfahrt Michigan Avenue verpaßt hätte. Trotzdem bin ich nach Süden gefahren und hab' Sie tatsächlich an der zweiten Ampel im Grant Park entdeckt. Der Hund hatte den Kopf zum Fenster rausgestreckt.«

Ich nickte.

»Ich wollte nicht zu nahe an Sie ranfahren – ich hab' mir gedacht, wahrscheinlich halten Sie jetzt Ausschau nach mir. Also hab' ich immer sechs Autos Abstand gehalten. Und dann ist mir aufgefallen, daß Ihnen noch jemand folgt. Ich bin drangeblieben, um mir das genauer anzuschauen.«

»Aha. Ihnen ist wohl langweilig bei Ihrem Alten, was, Graham?«

Er schaute mich böse an. »Ich dachte, Sie interessieren sich für das, was ich zu sagen habe.«

»Haben Sie sich das Nummernschild gemerkt? Sonst weiß ich nicht so recht, ob ich Ihnen die Geschichte glauben soll.«

»Nein. Es war zu dunkel, und außerdem hab' ich versucht, mich nicht von Ihnen sehen zu lassen.«

»Wo bin ich dann hingefahren, Klein Marlowe?«

»Warum nehmen Sie mich eigentlich nicht ernst? Ich stehe draußen in der Kälte rum, um Sie zu warnen, und Sie behandeln mich wie einen Zweijährigen.«

»Sie sind mir nachgefahren, um sich selbst zu beweisen, wie clever Sie sind. Könnte ja sein, daß Sie das zum Spaß machen.« Ich lehnte mich gegen die Tastatur.

Er war frustriert, aber nach einer Weile hatte er sich wieder im Griff. »Sie sind bei der Forty-seventh rausgefahren, stimmt's? Ich bin ziemlich weit hinter Ihnen geblieben, damit Sie mich nicht sehen, aber der andere Typ war direkt hinter Ihnen. Ich hab' Pech gehabt bei der Ampel an der Ausfahrt – Sie und er sind noch bei Gelb durch, aber ich hab' warten müssen. Als ich endlich Grün hatte, waren Sie verschwunden.«

»Mal angenommen, Sie haben recht und es ist mir tatsächlich jemand gefolgt: Warum sind Sie dann hierhergekommen? Und wo steht überhaupt Ihr Wagen? Den hätte ich mit Sicherheit nicht übersehen.«

»Ich hab' ihn um die Ecke abgestellt. Ich dachte mir, wenn der Typ, der Ihnen gefolgt ist, merkt, daß ich ihn beobachte...« Seine Stimme schweifte ab. »Ich wußte nicht so recht, was ich sonst machen sollte. Wenn der Typ Ihnen wirklich was tun wollte, hätte er ja vielleicht gewartet, bis Sie daheim waren.«

»Sie waren also auf Heldenruhm aus? Aber warum? Was haben Sie davon, wenn Sie mir ständig nachtrotten?«

»Ich mag Sie eben. Sie sind der einzige Mensch, der für Darraugh arbeitet und ihm nicht in den Arsch kriecht.«

»Nun werden Sie mal nicht ungerecht: Ihr Vater hat mich bis jetzt auch nicht gefeuert, weil ich ihm zu unabhängig bin.«

»Wär' schön, wenn er mir die Freiheit auch ließe«, murmelte Ken.

»Eltern haben schreckliche Angst vor den Fehlern ihrer Kinder: Sie wissen, daß sie nicht ihr Leben lang auf sie aufpassen können, und deswegen flippen sie aus, wenn sie Dinge an ihren Kindern entdecken, die sie daran hindern könnten, später mal ein anständiges Leben zu führen.« Ich stand auf. »Wollen Sie immer noch einen Kaffee? Ich genehmige mir lieber einen Whisky.«

Er lächelte mich an, dankbar, daß ich mich nicht mehr lustig über ihn machte. »Für mich bitte einen Kaffee. Das Trinken gehört nicht zu meinen Schwächen.«

Er folgte mir in die Küche. »Wollen Sie denn nicht wissen, was passiert ist, als Sie nach Hause gekommen sind?«

»Es ist noch mehr passiert?«

»Ja. Jemand ist die Racine Avenue hinter Ihnen hergefahren. Er ist nicht stehengeblieben; wahrscheinlich wollte er sich nur vergewissern, daß Sie auch wirklich heimgehen.«

Ich füllte Kaffeebohnen in die Mühle, wartete aber einen Augenblick, bevor ich sie anschaltete. »Ich hab' tatsächlich einen Wagen gesehen, der mir nach Süden gefolgt ist, aber ich weiß nicht, ob er seit Kenwood hinter mir war. Und wenn, ist's auch egal, weil wir ja beide das Nummernschild nicht gesehen haben.«

Er lehnte sich gegen die Spüle und sah mir dabei zu, wie ich mit Kaffeebohnen und Wasserkessel hantierte. »Tja, in dem Wagen, der Ihnen wahrscheinlich gefolgt ist, waren *zwei* Leute drin. Ich bin mir ziemlich sicher, daß es zwei Männer waren. Die Marke des Wagens habe ich nicht erkennen können, aber jedenfalls war's ein Viertürer. Dunkel – blau oder grün. Vielleicht auch braun.«

»Das grenzt die Zahl der verdächtigen Fahrzeuge auf wenige Hunderttausend ein.«

Er lachte. »Wieso beobachtet Sie überhaupt jemand?«

»Keine Ahnung, Junge – eigentlich sollten *Sie* diese Frage beantworten können, nicht ich.« Ich trug den Kaffee ins Wohnzimmer und nahm auch die Flasche Black Label mit.

Als Ken im Wohnzimmer Kaffee trank, kam Mr. Contreras, getrieben von Eifersucht und Neugierde, herauf. Auch er wollte plötzlich einen Kaffee. Während die beiden sich unterhielten, ging ich ins Schlafzimmer, um zu telefonieren.

Fabian hob beim ersten Klingeln ab, als erwarte er einen Anruf. Als er meine Stimme hörte, klang er weniger eifrig.

»Du hast mir vorher gesagt, jemand hätte dich gewarnt, daß ich kommen würde. Wer war das, Fabian?«

»Ich weiß nicht, wovon du redest, Warshawski.« Er log, und noch dazu schlecht.

»Mach keine Sperenzchen, Fabian: Jemand verfolgt mich. Wen hast du auf mich angesetzt?«

»Niemanden. Ich wiederhole: Ich weiß nicht, wovon du redest.«

»Wenn du meinst, du findest deine Tochter, indem du mich beschatten läßt, täuschst du dich.«

Er knallte den Hörer auf die Gabel. Ich ging zurück ins Wohnzimmer, wo Mr. Contreras und Ken sich blendend über Militärgeschichte unterhielten. Mein Nachbar hatte im italienischen Anzio gekämpft. Seine eigenen Enkel interessierten sich genausowenig für sein Leben wie ihre Mutter, aber Ken hatte einige Bücher über den Zweiten Weltkrieg gelesen und hörte sich gern Einzelheiten an. Um Mitternacht scheuchte ich die beiden schließlich hinaus.

Sobald sie weg waren, schaltete ich alle Lichter aus und beobachtete die Straße durch einen Spalt in der Jalousie. Schon nach wenigen Minuten donnerte Kens Spider vorbei. Niemand ließ den Motor an, um ihm zu folgen. Ich blieb zwanzig Minuten am Fenster stehen. Wenn mich wirklich jemand beobachtete, war er sehr geschickt: Ich konnte auf der Straße niemanden entdecken.

Ich war fast davon überzeugt, daß Fabian jemanden auf mich angesetzt hatte, weil er glaubte, ich würde ihn zu seiner Tochter führen. Es sah mehr nach jemandem aus, der mich im Auge behalten wollte, als nach einer Drohung: Wenn Ken mir nicht glücklicherweise gefolgt wäre, hätte ich trotz meines unsicheren Gefühls bei der Heimfahrt wahrscheinlich nie von meinem Verfolger erfahren.

Vielleicht phantasierte sich Ken das alles nur zusammen. Aber trotzdem ... Ich ging zum Schrank und holte die Smith & Wesson aus dem Safe. Das Magazin war geladen. Ich steckte es in die Waffe und legte mich ins Bett.

Wenn jemand versucht, einen nicht aus den Augen zu verlieren, sollte man ihn am besten zur Rede stellen. Wenn das nicht geht, hängt man ihn ab. Was bedeutete, daß ich meinen Trans Am nicht mehr fahren konnte. Aber ich konnte es mir nicht leisten, einen anderen Wagen zu mieten, und wollte auch die Sicherheit meiner Freunde nicht aufs Spiel setzen, indem ich mir von ihnen ein Auto auslieh.

Ich stand wieder auf und überprüfte alle Fenster und die Hintertür. Im letzten Jahr hatte ich eine Alarmanlage installiert. Ich wußte, daß es schwierig war, die zu überwinden, aber deswegen wurde ich auch nicht ruhiger, denn ich hasse es, in meiner eigenen Wohnung belagert zu werden.

Als ich die Jeans in meinem dunklen Schlafzimmer auszog, hörte ich Papier rascheln, und der Brief von Senator Gantner, den ich aus Fabians Schreibtischschublade genommen hatte, fiel mir wieder ein. Ich schaltete die Lampe neben dem Bett an und las ihn.

Der Senator bedankte sich bei Fabian – »Professor Messenger« – für seinen Rat bezüglich der Boland-Novelle. Und er wollte wissen, ob Fabian ihm jemanden empfehlen könne, der sich in Steuerfragen bei ausländischen Krediten auskannte.

Fabian hatte dem Mann, der ihm möglicherweise zu einer Stelle als Bundesrichter verhelfen konnte, seinen Wunsch sicher nur allzugern erfüllt. Doch der Brief hatte nichts mit dem Tod seiner Frau oder mit der Verschwiegenheit aller Leute bei Home Free oder Lamia oder mit irgendeiner der anderen Fragen zu tun, die ich zu beantworten versuchte. Kurz: Ich war nicht nur neugierig gewesen, sondern auch dumm, den Brief mitzunehmen. Wie um Himmels willen sollte ich ihn wieder in die Schublade zurückbefördern?

Es war schon nach zwei, als ich endlich in einen leichten, unruhigen Schlaf voll fieberhafter Träume fiel. Ich jagte Emily hinterher, war aber plötzlich blind geworden und hatte keine Ahnung, wie weit sie von mir weg war oder wo wir uns befanden. Ich folgte Emily endlose Treppen hinunter, während Phoebe, Lotty und meine Mutter in Seitentüren standen und sich über meine Blindheit lustig machten.

30 Komplexe Daten

Am Freitag machte ich mich wie gerädert an die Arbeit, weil ich völlig übernächtigt war. Nachdem ich mich mit Alice Cottingham in Verbindung gesetzt hatte, die wie erwartet keine Kollegen oder Kolleginnen aufgespürt hatte, bei denen Emily untergeschlüpft war, fuhr ich zum *Herald-Star*. Ich machte mir keine Mühe zu verbergen, wo ich hinwollte, denn das war kein

Geheimnis, und die Wahrscheinlichkeit, daß sich am hellichten Tag in der Innenstadt jemand auf mich stürzen würde, war ziemlich gering. Trotzdem spürte ich während der ganzen Fahrt ein Prickeln im Nacken.

Die Berichte über Alec Gantner füllten einen großen Karton. Auf einem Blatt Papier auf Murrays Schreibtisch war ein auf den Karton gerichteter Pfeil gemalt. Dazu hatte Murray geschrieben, daß er das ganze Material in den Altpapiercontainer bringen würde, wenn ich es nicht bis zum Abend abgeholt hätte.

»PS«, hatte er hinzugefügt. »Ich hab' mir die Sachen durchgeschaut, aber nichts gefunden, was ich nicht schon gewußt hätte.«

Murray war wieder mal als Schrecken aller Politiker unterwegs, vielleicht genehmigte er sich aber auch ein Bierchen. Ich setzte mich an seinen Schreibtisch und begann zu lesen. Der Computer hatte bei der Abfrage nicht zwischen Alec Gantner, dem Senator, und seinem Sohn differenziert; die meisten Artikel befaßten sich jedoch mit dem Vater.

Senator Gantner hatte im November vor dem American Jewish Congress gesprochen und die Anwesenden seiner Hochachtung vor Israels Integrität versichert. Im Senat hatte er eine einstündige Rede gehalten über die Bedeutung von Stützungskäufen für den Getreidepreis und zusammen mit Jesse Helms Maßnahmen zu ihrer Durchsetzung befürwortet. »KORNY UND RAUCHY« hatte eine Karikatur über die beiden Männer gespottet.

Gantner war zu einem Treffen nach Carbondale gefahren, zu einem weiteren nach Peoria, um Caterpillar bei den Verhandlungen für ein internationales Geschäft zu unterstützen, und hatte in Chicago den Präsidenten begrüßt. Er war Vorsitzender des Komitees für die Wiederwahl des Präsidenten in Illinois.

Ich überflog die Artikel schneller. Gantner hatte vor einem Untersuchungsausschuß des Senats zum Thema Geheimdiensttätigkeiten geschworen, daß Gant-Ag die Handelssanktionen gegen den Irak im Herbst 1990 nicht verletzt hatte. Damals hatte Craig, der Bruder des Senators, Gant-Ag bereits für diesen geleitet, damit Bic Alec sich auf seine Tätigkeit als

Senator konzentrieren konnte. Selbstverständlich gab es keinen Interessenkonflikt.

Auch Alec juniors Aktivitäten waren von der Presse gewürdigt worden, wenn auch nicht in dem Maße wie die seines Vaters. Der Sohn hatte ebenfalls vor dem Senat ausgesagt, daß die Leiter von Gant-Ag eine reine Weste hatten – darüber hatte das *Wall Street Journal* berichtet. Die *Sun-Times* hatte seiner Verbindung mit Home Free ein paar Zeilen gewidmet – nicht einen richtigen Artikel, sondern nur einen kurzen Eintrag in der Rubrik »Personalien«. Darin hieß es, Gantner und Blakely hätten sich bereit erklärt, im Beirat von Home Free mitzuwirken, kurz nachdem Jasper Heccomb die Geschäftsleitung übernommen hatte.

Mein Kopf fühlte sich an wie ein Luftballon, den jemand mit Helium vollgepumpt hatte. Er schwebte irgendwo über meinem Körper, so daß es mir schwerfiel, mich auf das, was ich las, zu konzentrieren. Ich überflog trotzdem weiter das Material in der Hoffnung, noch einmal auf die Namen von Heccomb oder Blakely zu stoßen. Irgendein Teil fehlte in dem Puzzle, bloß welches? Ich schloß die Augen, aber das verstärkte das Gefühl des Schwebens nur noch.

Welche Verbindung bestand zwischen Gantner und Blakely? Vermutlich hatte Gant-Ag ein paar Konten bei Gateway – ein riesiges Unternehmen wie dieses setzte nicht auf eine Bank allein. Aber Blakely und Gantner schienen mehr zu sein als nur Partner in Bankgeschäften. Und was verband die beiden mit Jasper Heccomb?

Ich gab Murrays Paßwort ein, um die Lexis-Datenbank auf seinem Computer aufzurufen, und überprüfte den Vorstand von Gateway. Alec junior gehörte ihm genauso an wie Heccomb. Doch so weltbewegend war diese Information auch wieder nicht, denn es ist nichts Ungewöhnliches, daß die Leiter gemeinnütziger Einrichtungen auch bei großen Gesellschaften im Vorstand sind. Nach dem ganzen Gerede über die soziale Verantwortung in den siebziger Jahren sitzt heutzutage in den meisten Unternehmen ein Vorzeigevorstandsmitglied aus dem gemeinnützigen Bereich. Wenn die drei befreundet waren, verwunderte es auch nicht, daß sie sich gegenseitig in den Vorständen beehrten.

Aus reiner Neugierde rief ich die Informationen zu Gant-Ag ab. Blakely war dort im Vorstand, genau wie die Vorsitzenden von Ft. Dearborn Trust und den anderen Chicagoer Großbanken. Heccomb war nicht aufgeführt, aber das bewies gar nichts – vielleicht hatte Alec junior es nicht geschafft, seinem Onkel den dritten Musketier als Vorstandsmitglied von Gant-Ag zu verkaufen.

In dem Stapel Papier konnte ich nichts finden, was mich darüber aufgeklärt hätte, wieso Blakely und Alec junior mit Jasper Heccomb zusammensteckten. Ich hatte zwar nicht alles gelesen, aber das, was ich angeschaut hatte, ließ mich Murray zustimmen – es war nichts Aufregendes dabei. Ich blätterte die restlichen Sachen durch, so müde, daß ich den Namen las, ohne ihn bewußt wahrzunehmen, und wollte gerade den ganzen Stapel wieder in den Karton stecken, als es mir wie Schuppen von den Augen fiel.

Fieberhaft ging ich die Ausdrucke noch einmal Seite für Seite durch. Das *Wall Street Journal* hatte im vergangenen Jahr darüber berichtet: Craig Gantner hatte einem Untersuchungsausschuß des Senats zum Thema Banken und Betäubungsmittel gegenüber versichert, daß Gant-Ag nichts mit der Century Bank oder JAD Holdings zu tun hatte.

Der Artikel gab keine Auskunft darüber, warum der Senat den Bruder des angesehenen Senatsmitglieds hinsichtlich einer solchen Verbindung befragte. Wieso war das wichtig? Ich legte das Blatt auf die Tastatur von Murrays Computer und las es mir genauer durch. Bei meinen Nachforschungen über die Century Bank hatte ich herausgefunden, daß die JAD Holdings Group Century aufgekauft hatte, aber ich hatte mir nicht die Mühe gemacht nachzuschauen, wer oder was hinter JAD stand. Und jetzt klammerte ich mich an einen Strohhalm, bloß weil besagte JAD im gleichen Absatz wie die Gantners erwähnt wurde. Außerdem hatte sich der Brief, den ich am Vorabend von Fabian mitgenommen hatte, in einer mit »JAD« beschrifteten Akte befunden. Ich befragte Lexis nach dem Vorstand von JAD, wurde aber an einen Strohmann verwiesen, der als Handlungsbevollmächtigter fungierte.

Natürlich gab es da bezüglich der Century Bank noch eine Frage – abgesehen von der nach dem Grund, warum sie sich so plötzlich aus dem Lamia-Projekt zurückgezogen hatte. Warum hatte Donald Blakely jegliche Verbindung mit Century abgestritten, wenn seine rechte Hand dort im Vorstand saß?

Ich rieb mir frustriert die Stirn. Wenn ich ausgeschlafen wäre, würde der Papierwust am nächsten Morgen vielleicht mehr Sinn ergeben. Ich stopfte die ganzen Unterlagen in den Karton und hievte ihn hoch. Papier wiegt Tonnen: Als ich die Schachtel zum Aufzug und aus dem Gebäude hinausschleppte, spürte ich, wie die Venen an meinen Oberarmen hervortraten.

»Jetzt weiß ich noch was über Sie: Sie sind nicht nur schön, sondern auch stark.«

Da ich über meine Last gebeugt war, als ich aus dem Gebäude trat, hatte ich MacKenzie Graham nicht bemerkt. Er grinste mich wieder mit derselben schwachsinnigen Selbstzufriedenheit an, die er an den Tag gelegt hatte, nachdem er mir gefolgt war. Eigentlich hatte ich gedacht, daß er nach unserer nächtlichen Sitzung mit dem Spielchen aufhören würde.

»Dann wollen wir doch mal sehen, ob Sie nicht nur clever, sondern auch stark sind…« Damit drückte ich ihm den Karton in die Arme.

Irgendwie freute es mich zu sehen, daß er ein bißchen unter der Last wankte. Aber diese Freude machte meinen Ärger darüber nicht wett, daß ich ihn am Morgen nicht hinter mir bemerkt hatte. Solche Fehler sind in meinem Metier der sichere Tod.

»Arbeiten Sie nebenher als Schrotthändlerin?« erkundigte er sich.

»Genau. So hab' ich Sie ja auch aufgegabelt.« Ich öffnete den Kofferraum des Trans Am, damit er den Karton darin verstauen konnte.

Er sah mich von der Seite an. »Ich wollte nur sichergehen, daß alles in Ordnung ist.«

»Mm. Also sind Sie heute früh wieder vor meinem Haus gewesen und mir nachgefahren. Aber nicht in dem Spider, oder?«

»Dad hat mir seinen Lincoln geliehen. Ich hab' ihm gesagt, daß ich vielleicht einen Job gefunden habe. Da hat er sich so gefreut, daß er mich gar nicht gefragt hat, warum ich nicht mit meinem eigenen Wagen fahren kann.«

Ich versetzte ihm einen Kinnstüber. »Na, da bin ich aber gerührt. Wär' mir auch gar nicht recht gewesen, wenn Sie Ihren Papa angelogen hätten.«

»Was, moralisch sind Sie auch noch?«

»In gewisser Hinsicht schon. Wissen Sie was – vielleicht habe ich tatsächlich einen Job für Sie.« Als sein Gesicht sich aufhellte, fügte ich hinzu: »Ist Knochenarbeit. Die Person, die Deirdre Messenger letzte Woche in meinem Büro ermordet hat, hat meine Festplatte gelöscht. Außerdem sind meine ganzen Akten auf dem Boden verstreut, so daß es eine Herkulesaufgabe ist, meine Buchhaltung zu rekonstruieren. Weil die Steuer nächste Woche fällig ist, muß ich die Akten neu erfassen – mit der Hand. Glauben Sie, Sie würden so einen Job durchhalten?«

»Sie haben Ihre Daten nicht zusätzlich auf Diskette abgespeichert?« fragte er mich ungläubig wie ein Zahnarzt, der es nicht fassen kann, daß man sich noch immer keine Munddusche angeschafft hat.

»Doch, aber der Mörder hat meine ganzen Disketten gestohlen... Ich weiß, ich weiß, man sollte die Sicherungskopien an einem anderen Ort aufbewahren. Die Horrorstorys von wegen Feuersbrünsten und Sintfluten muß ich mir immer wieder anhören. Aber auf die Idee, daß menschliche Gehirnmasse das Diskettenlaufwerk verkleben könnte, ist noch niemand gekommen.«

»Haben Sie Mirror?«

»Was ist das?«

»Ein Programm. Das benutzt man, um verlorene Daten zu rekonstruieren. Ohne das kann ich wahrscheinlich den ›Undelete‹-Befehl nicht ausführen.«

Ich schnippte mit dem Daumen gegen meinen Autoschlüssel. »Sie wissen genau, daß ich kein Wort von dem verstehe, was Sie mir da erzählen. Krieg' ich nun meine Daten zurück oder nicht?«

»Sie leben ganz schön hinter dem Mond. Ich glaube, um Ihr technisches Verständnis auf Vordermann zu bringen, brauchen Sie mich, nicht diesen Bullen. Es hängt alles davon ab, wie der

Mörder die Festplatte gelöscht hat. Oder die Mörderin«, fügte er mit einem weiteren Seitenblick hinzu. »Wenn er sie im Low-Level-Format neu formatiert hat, sehen Sie Ihre Daten nie wieder. Aber wenn er's eilig gehabt hat, nicht riskieren wollte, erwischt zu werden, hat er die Daten vielleicht nur gelöscht. Dann hat er ›DEL Stern Punkt Stern‹ eingegeben. Wenn er das gemacht hat und einfach abgehauen ist, könnte ich Ihre Buchhaltung rekonstruieren, immer vorausgesetzt, Sie haben die Daten nicht selbst überschrieben. Das wäre ziemlich viel Arbeit, aber nicht unmöglich.«

»Dann könnte ich Ihnen nicht zahlen, was Ihre Arbeit wert ist. Ich werde wohl ein Gnadengesuch ans Finanzamt schreiben müssen – die sind ja bekannt für ihr Mitgefühl.« Ich ging zur Fahrertür.

Er folgte mir und packte mich am Arm. »Augenblick mal – ich muß gemeinnützige Arbeit leisten. Überzeugen Sie meinen Bewährungshelfer davon, daß Sie eine gemeinnützige Einrichtung sind, dann kommen wir ins Geschäft.«

Ich war mir ziemlich sicher, daß wir das nicht hinkriegen würden, denn bei Gericht wollten sie bestimmt meine Steuererklärung sehen. Aber über das Problem konnte ich mir später den Kopf zerbrechen. Wenn Ken es wirklich schaffte, meine Buchhaltung zu rekonstruieren, wäre mir so sehr damit geholfen, daß ich irgend jemanden von meinen Freunden bei den gemeinnützigen Einrichtungen dazu bringen würde zu behaupten, Ken hätte diese Arbeit für sie gemacht.

Ken bestand darauf, mich zum Mittagessen einzuladen, um unseren Deal zu feiern, bevor wir meinen Computer in der Eleventh Street abholten. Ich weigerte mich, die Mitgliedschaft seines Vaters im Athletic Club auszunutzen, ließ ihn aber die Rechnung im New Orleans Gumbo House an der South Dearborn Street bezahlen, obwohl ich vermutete, daß Darraugh auch diese Rechnung begleichen mußte.

Im Polizeirevier hatte ich Glück, denn Mary Louise Neely saß an dem Schreibtisch, den sie sich mit drei anderen Beamten teilte. Sie hatte den Papierkram schon für mich vorbereitet – ich mußte lediglich noch ein paar hundert Formulare ausfüllen. Anschließend marschierten wir gemeinsam zu dem Lagerraum, ich zeigte meinen Führerschein vor, sie ihre Polizeimarke, und schon reichte mir der zuständige Beamte meinen 386er zusammen mit der Tastatur. Auf freundliches Bitten meinerseits holte er von irgendwoher sogar noch einen Karton. Ich packte Laufwerk und Bildschirm ein, stellte das Keyboard darauf und reichte das Ganze Ken. Ein bißchen körperliche Arbeit tat ihm gut, stärkte vielleicht sogar seinen Charakter.

Ken warf einen Blick auf das Gerät und verzog das Gesicht. »Das Ding ist ganz schön verdreckt. Ich weiß nicht, ob das Laufwerk so was mitmacht, aber ich werde es herausfinden. Wenn wir fertig sind, sollte ich Ihnen vielleicht einen 486er klauen – ich seh's gar nicht gern, wenn eine clevere Detektivin wie Sie mit einer so vorsintflutlichen Ausrüstung arbeitet.«

Er schaute Mary Louise Neely von der Seite an, um zu sehen, ob sie sich durch seine Bemerkung provoziert fühlte, aber mit Rotzlöffeln wie ihm, die sich besonders gern vor Frauen produzierten, hatte sie in ihrem Job jeden Tag zu tun. Ohne ihn zu beachten, fragte sie mich, ob ich etwas von den Messenger-Kindern gehört hätte.

Jetzt war es an mir, das Gesicht zu verziehen. »Ich habe mich gestern abend mit Fabian unterhalten. Er wirkt ziemlich durcheinander – er ist nicht mehr der selbstsichere Jurist oder der Mann, der seine Familie tyrannisiert. Ich habe irgendwie das Gefühl gehabt, jemand hat ihm Daumenschrauben angelegt. Hat Terry ihn eingehender befragt wegen Deirdres Tod?«

Sie schnaubte verächtlich. »Schön wär's! Wenn er sie tatsächlich geschlagen hat – wenn Sie mit dem, was Sie mir am Samstag gesagt haben, recht haben –, dann könnte er sie auch umgebracht haben. Aber es sind die Fingerabdrücke seiner Tochter auf der Mordwaffe. Und außerdem ist er ein guter Freund des Staatsanwalts...«

Ihre Stimme schweifte ab. Sie wurde rot und biß sich auf die Lippe; wahrscheinlich schämte sie sich, ihre Gefühle verraten zu haben. Sie sagte nichts mehr, als sie uns in so zügigem Tempo zum Ausgang an der State Street begleitete, daß Ken unter der Last des Computers völlig außer Atem geriet.

Die Fahrt nach Morris war ziemlich anstrengend. Die Vororte westlich von Chicago scheinen nie aufzuhören. Hier reckten sich die Masten neuer Mautschranken in den Himmel, dort wurden gewaltige Einkaufszentren und Gemeinden aus dem Boden gestampft, die das umliegende Farmland wie ein gefräßiger Drache verschlangen. Als ich durch diese vernarbte Landschaft fuhr, kam ich mir vor wie ein Pionier, der die umgekehrte Richtung eingeschlagen hatte: Ich brachte endlose Betonwüsten hinter mich, um offenes Land zu gewinnen.

Ich war so hypnotisiert von der Straße, daß ich beinahe die Ausfahrt nach Morris verpaßt hätte. An der Kreuzung tankte ich voll und erkundigte mich nach dem Weg zum Hauptquartier von Gant-Ag. Der Tankwart, ein Mann mittleren Alters mit sehnigen Armen, unterbrach ein Gespräch mit einem anderen Mann im Arbeitsanzug, um mir die Richtung – auf dem Highway weiter nach Süden – zu weisen.

»Das können Sie gar nicht verpassen, Ma'am. Nach ungefähr zwanzig Kilometern sehen Sie überall die Schilder – denen gehört der größte Teil des Landes da unten.«

»Und hier oben auch«, fügte der Mann im Arbeitsanzug hinzu. »Eins ist sicher: Ich gehöre denen auf jeden Fall.«

Die beiden lachten, nicht, weil sie sich amüsierten, sondern eher frustriert, und schenkten mir keine Beachtung mehr, als ich mich bedankte und verabschiedete. Obwohl es sich bei dem Highway strenggenommen um eine Nebenstraße handelte, hatte er doch vier Spuren, und der Belag wie auch die Spurmarkierungen waren nagelneu. Das hier war »Gantner-Land«, teilte mir ein Schild des Straßenbauamts mit. »Baut mir einen Senator auf, dann folgen bald die Straßen«, murmelte ich.

Mit mir unterwegs waren Dutzende von Sattelschleppern und Lastern, viele davon mit dem Logo von Gant-Ag – ein Maiskolben mit dem Motto: MAIS FÜR AMERIKAS ZUKUNFT. Mein Trans Am kam mir vor wie ein winziges Schleppboot inmitten von riesigen Dampfern.

Hinter gut gepflegten Zäunen bedeckte die neue Ernte grün die Felder. In unregelmäßigen Abständen sah ich kleine Metallschilder an diesen Zäunen. Neugierig geworden, lenkte ich den

Wagen an den Straßenrand und sprang über den Entwässerungsgraben, um eins der Schilder zu lesen. Die Mühe hätte ich mir eigentlich sparen können, denn unter dem Logo stand nur, daß es sich um ein Versuchsfeld von Gant-Ag handelte. Ich bückte mich, um mir die seidigen Pflanzen anzusehen, ohne mit meinem ungeschulten Städterblick etwas Ungewöhnliches daran zu entdecken. Um ehrlich zu sein: Wenn ich nicht gewußt hätte, daß das Mais war, hätte es in meinen Augen auch Weizen oder Gerste sein können.

Als ich wieder zu meinem Wagen zurückging, tauchte ein Hubschrauber am Horizont auf. Ich stand da, eine Hand am Türgriff meines Wagens, und beobachtete ihn. Er steuerte entschlossen über das Maisfeld auf mich zu, schwebte einen Augenblick über dem Trans Am und verschwand dann wieder. Ich winkte und lächelte wie ein freundlicher Tourist, aber die Sache erstaunte mich. Irgendwo am Straßenrand beobachtete mich also eine Kamera. Ich schaute mich um, konnte sie jedoch nicht entdecken. Zwar hatte ich nichts zu verbergen, aber trotzdem gefiel mir die Angelegenheit nicht.

Auf der Straße hielt ich mich bewußt im Windschatten eines riesigen Lasters. Wahrscheinlich waren die Kameras in die Zaunpfosten eingebaut, so daß sie mich von der Seite aufnahmen, doch der Laster gab mir dennoch ein gewisses Gefühl der Sicherheit. Ich folgte ihm bis zu einer Abzweigung, an der ein Schild mit dem inzwischen vertrauten Maiskolben-Logo stand.

Ungefähr einen Kilometer später kam ich zu einem Wachhäuschen mit einer Schranke. Ein Lastwagen vor mir hatte gerade passiert. Doch die Schranke war schon wieder unten. Der Wachposten erkundigte sich über Mikro, was ich wolle, und blieb in seinem Häuschen – zweifelsohne waren die Fenster aus schußsicherem Glas.

»Ich möchte mit Alec Gantner sprechen. Mit dem Gantohol-Alec, nicht mit dem Senator«, brüllte ich zurück.

»Wie heißen Sie?« fragte mich die blecherne Stimme.

»Ach, stellen Sie sich doch nicht so an!« rief ich. »Euer Hubschrauber hat mich schon längst entdeckt. Ihr habt genug Zeit gehabt, mein Nummernschild zu überprüfen. Fragen Sie einfach, ob der Mann mit mir reden will oder nicht.«

Der Wachposten war alles andere als amüsiert. Nach einem

weiteren kurzen Wortwechsel holte ich meine Visitenkarte aus der Brieftasche und hielt sie ihm hin. Fast rechnete ich mit einem Metallarm, der sie mir entreißen würde, damit der Mann keine Gefahr lief, mit der frischen Luft in Berührung zu kommen, aber er schob tatsächlich eine Glasscheibe zurück und nahm die Karte selbst.

Nachdem er ein paar Minuten lang ins Telefon gesprochen hatte, brummte er mir zu, ich könne passieren. »Fahren Sie an der Weggabelung nach rechts bis zum Bürogebäude und stellen Sie den Wagen auf dem Besucherparkplatz ab. Am Eingang nimmt Sie dann jemand in Empfang.«

Zwischenzeitlich hatte sich hinter mir eine Schlange von sechs oder sieben Lastwagen gebildet. Wahrscheinlich war der Wachposten eine Weile mit denen beschäftigt; also fuhr ich an der Weggabelung nach links und kam an Lagerhäusern vorbei, vor denen Lastwagen be- und entladen wurden. Schließlich kam ich zu einer kleinen Start- und Landebahn, auf der reger Betrieb herrschte: Zwei Hubschrauber, ein paar Flugzeuge für die Schädlingsbekämpfung und ein kleiner Jet standen auf dem Rollfeld. Gerade landete noch ein weiterer Helikopter; vielleicht waren das die Typen, die mich beobachtet hatten. Vorsichtshalber winkte ich ihnen zu, bevor ich den Wagen wendete und zurückfuhr.

Das Bürogebäude war modern und funktional. Die getönten Fenster waren das einzige Zugeständnis an das zeitgenössische Design, obwohl auch die vermutlich aus rein praktischen Gründen, zum Schutz gegen die gleißende Präriesonne, gewählt worden waren. Über dem Portal stand in Beton gemeißelt das allgegenwärtige Motto MAIS FÜR AMERIKAS ZUKUNFT. Als ich die Schwelle überschritt, kam ich mir vor, als betrete ich ein Konzentrationslager – die Nazis hatten sich auch gern solche kernigen Sprüche gewählt.

Ein hemdsärmeliger junger Mann mit Hosenträgern wartete gleich hinter der Tür auf mich. Er begrüßte mich mit einem kräftigen Händedruck, wollte aber gleich wissen, warum ich so lang gebraucht hätte. Er sprach im nasalen Tonfall der Präriebewohner, der diese unglaublich aufrichtig, zu keiner Schandtat fähig, erscheinen läßt. Als ich ihm erklärte, ich wäre zuerst in die falsche Richtung gefahren, musterte er mich, äußerte sich aber nicht weiter dazu. Statt dessen führte er mich einen Flur am nördlichen Ende des Gebäudes entlang. Es war größer, als es von außen wirkte: Die schmale Front verbarg ausgedehnte Flügel dahinter.

»Es macht Ihnen doch nichts aus, wenn Sie ein paar Treppen steigen müssen, oder?« erkundigte sich mein Führer am Ende des Flurs. »Es sind nur zwei Stockwerke, und es geht schneller, als auf den Aufzug zu warten.«

Ich stimmte ihm freundlich zu und trottete hinter ihm her. Oben gelangten wir zu einer Reihe von Zimmern hinter einer Tür, auf der der Wahlspruch prangte: GANTOHOL – FÜR AMERIKAS ZUKUNFT. Wenn ich mir's recht überlegte, war das auch der Wahlkampfslogan von Alec senior gewesen – Gantner für Amerikas Zukunft. Vielleicht hatte das aber auch nur für Illinois gegolten.

Der junge Mann ließ mich in einem Vorzimmer zusammen mit einem ganzen Stapel *Fortune*- und *Business Week*-Heften sowie einem näselnden »Einen Augenblick, bitte« allein und verschwand hinter einer verschlossenen Tür aus Redwoodholz. Bevor ich Zeit hatte, eine leidenschaftliche Verteidigung des Nordamerikanischen Freihandelsabkommens zu lesen, kehrte mein Führer zurück und geleitete mich hinein.

Genau wie das ganze Gebäude war auch das Büro innen größer, als von außen zu vermuten stand. Hinter der Tür aus Redwoodholz lag ein kurzer Flur, von dem zu beiden Seiten Büros abgingen. Eine Frau nahm Telefongespräche an einem Kontrollpult am oberen Ende des Korridors entgegen; in den Räumen saßen jeweils zwei Leute an einem Schreibtisch und arbeiteten an ihren Computern oder telefonierten.

Mein Begleiter brachte mich zu einem Eckzimmer, das auf die Start- und Landebahn ging. Alec junior erhob sich von seinem Platz hinter dem Schreibtisch, um mir die Hand zu schütteln.

»Danke, Bart. Willkommen bei Gant-Ag, Ms. Warshawski. Wir haben letzte Woche bei Fabian keine richtige Gelegenheit gehabt, uns zu unterhalten. Traurige Sache mit Deirdre. Angeblich soll Fabians Tochter einen geistigen Aussetzer gehabt haben und weggelaufen sein. Was kann ich für Sie tun?«

Sein angenehmer Baß wechselte mit der Gewandtheit eines

Samuel Ramey von Freude über gedämpfte Anteilnahme zu Geschäftstüchtigkeit. Ich schüttelte seine gepflegte Hand und merkte, wie rauh die meine war: Ich arbeitete zu oft mit den Händen, ohne sie hinterher zu pflegen. Gantner setzte sich wieder auf einen drehbaren Ledersessel hinter dem Schreibtisch und bot mir einen Polstersessel gegenüber an.

»Nett, daß Sie mich ohne Voranmeldung empfangen haben. Hat Jasper Ihnen gesagt, daß ich mich vielleicht bei Ihnen melden würde?«

Gantner schenkte mir ein lockeres, jungenhaftes Lächeln, bei dem er seine perfekten Zähne entblößte. »Wie wär's, wenn Sie mir sagen, was Sie wollen – dann brauchen wir keine Mutmaßungen anzustellen.«

Ich lehnte mich zurück, ganz die entspannte Frau von Welt. »Mir geht es um dieselben Fragen wie Ihnen: um Deirdre Messengers Tod und das Verschwinden ihrer Tochter. Aber ich sehe die beiden Ereignisse ein bißchen anders als Sie. Natürlich würde die Polizei Emily Messenger gern finden, denn die Straßen von Chicago sind nicht der richtige Ort für Teenager, besonders dann, wenn sie kleine Kinder dabeihaben. Aber die Polizei hat noch keineswegs beschlossen, daß sie zu den Tatverdächtigen gehört. Es gibt noch eine Menge ungeklärter Fragen bezüglich der Nacht, in der Deirdre getötet wurde.«

»Als da wären?« Gantner verflocht die Fingerspitzen ineinander.

Trotz der getönten Fenster machte es mir die sinkende Sonne schwer, sein Gesicht zu erkennen. Ich rückte meinen Sessel etwas zur Seite. Zuerst hob Gantner die Augenbrauen, dann nickte er anerkennend ob meiner Eigeninitiative.

»Zum Beispiel, wen sie in der Nacht, in der sie ermordet wurde, in meinem Büro getroffen hat. Wir wissen, daß sie sich mit jemandem verabredet hatte – und diesen Jemand versuche ich jetzt zu finden.«

Wieder nickte er, diesmal mit einem leichten Stirnrunzeln. »Das wußten wir noch nicht. Aber wenn das stimmt, hat die Polizei doch sicher Möglichkeiten, das herauszufinden, oder?«

Ich ignorierte seine Frage. »Wer ist ›wir‹? Sie und Jasper, Sie und Donald oder Sie und Ihr Vater?«

Zum erstenmal vergaß er seine eingeübten Manierismen und

fauchte mich an: »Wir alle machen uns Sorgen wegen Fabian Messenger. Was heißt, daß wir alle die Ermittlungen im Fall Deirdre Messenger verfolgen. Ist das so wichtig?«

»Da Sie vier, oder zumindest Sie und Donald Blakely, den Staatsanwalt dazu bringen können, Ihren Fragen Gehör zu schenken, vielleicht sogar, Ihren Anweisungen zu folgen, ist Ihr Interesse wichtiger als das eines anderen interessierten Bürgers.«

»Und so einer sind Sie? Soweit ich weiß, hält Fabian nicht sonderlich viel davon, daß Sie sich in seine Angelegenheiten einmischen.«

Er klang so, als wolle er dieses Thema beenden, aber ich schüttelte den Kopf. »Deirdres Tod ist nicht seine Privatsache. Selbst heute, wo kaum eine Minute vergeht, ohne daß ein Amerikaner eines gewaltsamen Todes stirbt, ist Mord immer noch ein Verbrechen und damit etwas, was er oder Ihr angesehener Vater nicht einfach zur Privatsache erklären können.

Ich versuche herauszufinden, mit wem Deirdre in der Nacht ihres Todes verabredet war. Diese Person könnte den Mörder gesehen haben – natürlich ohne zu ahnen, daß es sich um den Mörder handelt. Also spreche ich mit den Leuten in den Organisationen, in denen sie ehrenamtlich tätig war. Home Free und Arcadia House zum Beispiel. Da Sie ja im Beirat von Home Free sitzen, hoffe ich, von Ihnen die Namen der Leute zu bekommen, mit denen sie eng zusammengearbeitet hat.«

Jetzt richtete er sich kerzengerade auf. »Da werde ich Ihnen nicht helfen können. Das ist Jaspers Angelegenheit, und wenn ich mich nicht täusche, wollte er vermeiden, daß unser Beirat in die Sache hineingezogen wird.«

»Aber Sie haben ein gewichtiges Wort bei Jaspers Entscheidungen mitzureden.« Ich versuchte, beschwichtigend zu klingen. »Ich bin mir sicher, daß Sie ihn dazu bringen könnten, seine Meinung zu ändern.«

»Wenn er mich um Rat bittet, gebe ich ihm einen – mehr kann ein verantwortungsbewußtes Beiratsmitglied nicht tun.«

»Da wäre zum Beispiel das Angebot, Lamia ein Sanierungsprojekt von Home Free zu übertragen. Was hielten Sie von dieser Idee?« Die Worte sprudelten plötzlich aus mir heraus und überraschten mich genauso wie ihn.

»Sie müssen mir schon verzeihen, Ms. Warshawski: Ich erledige meine Aufgaben als Beiratsmitglied nicht ganz so gut, wie ich eigentlich sollte. Ich muß zugeben, daß ich nicht weiß, über welches spezielle Sanierungsprojekt Sie sprechen.«

»Obwohl Phoebe Quirk Ihnen die Sache bei Ihrem Treffen gestern morgen erklärt hat?«

Er lächelte. »Wenn Phoebe Ihnen erzählt hat, daß wir darüber gesprochen haben, war sie vermutlich zu höflich, Ihnen zu sagen, Sie sollen sich um Ihre eigenen Angelegenheiten kümmern.«

Jetzt lachte ich. »Da kennen Sie Phoebe aber schlecht, wenn Sie meinen, daß sie so zurückhaltend ist.«

Er warf demonstrativ einen Blick auf die Uhr auf seinem Schreibtisch. »Tja, ich bin's auch nicht. Wie Home Free seine Bauunternehmen auswählt, geht Sie nichts an. Außerdem verstehe ich nicht ganz, was Ihre Fragen mit dem Mord an Deirdre Messenger zu tun haben. Immer vorausgesetzt, daß polizeiliche Nachforschungen in Ihrem Aufgabenbereich liegen, was ich bezweifle.«

»Ich frage mich, wieso Sie mich ohne Termin empfangen haben. Wegen Deirdre oder wegen Home Free? Oder könnte JAD Holdings was damit zu tun haben?« Ich hatte die Frage absichtlich so formuliert, in der Hoffnung, ihn damit zu überraschen.

Doch er war ein versierter Pokerspieler; er antwortete sofort und ohne mit der Wimper zu zucken. »Natürlich weiß ich über Home Free und auch über Deirdre Messenger Bescheid. Aber der dritte Name... wie war er noch gleich?«

»Dann verheimlicht Ihnen Ihr Vater also gewisse Dinge? Ich habe den Brief gesehen, den er Fabian wegen der Boland-Novelle geschrieben hat. Der war in einer Akte mit der Aufschrift JAD Holdings.«

Seine Reaktion bewies, daß er sehr wohl Bescheid wußte: Er drehte sich auf seinem Stuhl um, um zum Fenster hinauszuschauen. Die getönte Scheibe spiegelte ihn in dem Neonlicht geisterhaft wider. Ein bißchen erinnerte mich sein Gesicht an eine Halloweenmaske.

»Sie interessieren sich sehr für Sachen, die Sie nichts angehen, Ms. Warshawski – sogar für unsere Versuchsfelder. Ich

235

frage mich wirklich, warum Sie eigentlich hier herausgekommen sind.«

Wieder lachte ich. »Sie halten mich also für eine Spionin von Pioneer oder einem der anderen großen Agrarunternehmen? Sie müssen ja eine ganz nette Ausrüstung installiert haben da draußen auf Ihren Feldern, wenn Sie jeden fotografieren können, der sie sich anschaut.«

»Trotzdem würde ich Ihre Taschen gern von meinen Sicherheitskräften durchsuchen lassen, bevor Sie gehen. Nur für alle Fälle.«

Er rief Bart, meinen näselnden Begleiter, und bat ihn, ein paar Sicherheitsbeamtinnen heraufzuschicken. Während wir auf sie warteten, versuchte ich, ihm noch weitere Informationen über Home Free, Deirdre, Lamia, JAD Holdings und die Century Bank zu entlocken, aber er war nicht mehr von seiner Überzeugung abzubringen: Ich war gekommen, um mir die Maispflänzchen seines Onkels anzuschauen, und deshalb mußte er mich loswerden. Trotz meiner Frustration mußte ich ihm innerlich Anerkennung zollen ob seines Einfallsreichtums – diese Anschuldigung war der ideale Vorwand, mich vor die Tür zu setzen.

Nach fünf Minuten – in denen ich immer wieder Fragen stellte und er stur mauerte – betraten zwei Frauen in brauner Uniform mit Armbinden, auf denen goldfarben wieder einmal das Gant-Ag-Logo prangte, das Büro. Sie führten mich in ein freistehendes Zimmer und schauten in meine Taschen und Socken. Ich bot an, ihnen auch meinen Büstenhalter und meinen Slip zu zeigen, aber sie winkten ab. Nachdem ich meine Schnürsenkel wieder gebunden hatte, dirigierten sie mich – höflich, aber bestimmt – zu meinem Wagen und fuhren mit mir an dem Wachposten vorbei.

Als ich wieder bei dem Versuchsfeld anlangte, lenkte ich den Trans Am noch einmal an den Straßenrand. Ich steckte die Hand durch den Zaun und brach ein paar Kolben ab. Dann stand ich eine ganze Weile da, untersuchte sie demonstrativ, hob sie gegen das trübe Aprillicht und riß ein paar Blätter von der Pflanze ab. Ich trug sie so auffällig wie möglich zu meinem Wagen zurück.

Vielleicht machte sich Gantner tatsächlich mehr Sorgen um

seine Maispflanzen als um alles andere, aber trotzdem warf kein Hubschrauber Bomben über mir ab. Während der ganzen langen Heimfahrt nach Chicago versuchte ich, mir darüber klarzuwerden, warum Gantner mich in sein Büro gelassen hatte. Wegen Deirdre? Oder wegen Home Free? Und was steckte hinter JAD Holdings, daß er so heftig darauf reagierte? Am liebsten hätte ich mich als Dünger verkleidet, um die Maisgesellschaft unbemerkt inspizieren zu können.

32 Eine Nadel im Maisspeicher

Als ich die äußersten Ausläufer der First Avenue und damit die Stadtgrenze erreichte, sah ich Chicago einen Augenblick lang mit den Augen einer Fremden. Verglichen mit den riesigen Einkaufszentren und breiten Straßen, die ich gerade hinter mir gelassen hatte, wirkte die Stadt heruntergekommen, überflüssig.

Ich hatte vor, den Tag durch ein Gespräch mit Donald Blakely, dem dritten Musketier, abzurunden, aber es war bereits halb sechs, als ich unter dem Hauptpostamt durchfuhr. Hoffnungsvoll parkte ich vor der Gateway Bank. Der Wachmann im Foyer sagte mir, Mr. Blakely und Ms. Guziak seien bereits nach Hause gegangen – sogar hart arbeitende Manager strichen am Freitag pünktlich die Segel. Ich schaffte es gerade noch rechtzeitig zu meinem Wagen, bevor eine Politesse mir einen Strafzettel verpassen konnte. Glück gehabt – sah fast so aus, als ob sich das Blatt wendete.

Wäre Tish doch nicht so kratzbürstig gewesen – ich hätte so gern erfahren, wieso man bei Home Free damals beschlossen hatte, den Obdachlosen die Unterkünfte nicht mehr direkt zu vermitteln. Außerdem hätte ich gern gewußt, ob Home Free jetzt, wo das Unternehmen sich nur noch mit dem Bau solcher Unterkünfte beschäftigte, tatsächlich effektiver arbeitete.

Gerade diese Bautätigkeit schien mir nicht ganz koscher. Die Projekte von Home Free konnten schließlich kein Geheimnis sein. Selbst in Chicago mußte man Baugenehmigungen beantragen.

Ich blieb vor dem Pulteney stehen. Vielleicht hatte Cyrus Lavalle, mein Spitzel im Rathaus, ja genau das herausgefunden: daß die drei Musketiere genügend Stadträte bestochen hatten, um keine Genehmigungen mehr beantragen zu müssen. Das hätte das Thema »Home Free« mit Sicherheit zu einer Geheimsache gemacht.

Ich hämmerte auf das Lenkrad ein. Cyrus hatte seinen Rückzieher schon gemacht, *bevor* Lamia irgend etwas mit Home Free zu tun hatte. Für ihn war das Reizwort »Century Bank« gewesen. Und Eleanor war vor mir geflüchtet und hatte sofort ihr Mobiltelefon bemüht, als ich ihr gegenüber Lamia erwähnte, nicht Home Free.

Heccomb führte etwas im Schilde, von dem Blakely und Gantner wußten. Und Phoebe vermutlich auch. Aber was konnte das mit Deirdre zu tun haben? Doch wenn es nichts mit ihr zu tun hatte, warum spannte dann Alec junior seinen mächtigen Daddy ein, um die Nachforschungen im Auge behalten zu können? Oder steckte dahinter Fabian?

Gantner hatte in einem Punkt recht: Es ließ sich nur schwer eine Verbindung zwischen Home Free, Century Bank und dem Mord an Deirdre herstellen. Warum verschwendete ich dann meine Zeit mit Fragen darüber? Bestimmt nicht nur aus Sorge um Camilla oder aus Wut über Phoebe. Ein großer Teil davon war Neugierde, aber vieles hatte auch mit der alten Abneigung des Mädchens von der Straße gegen die Reichen und Mächtigen zu tun, die glaubten, mit mir Katz und Maus spielen zu können.

Vergangene Woche hatte ich Phoebe erklärt, ich hätte keine Zeit für unbezahlte Nachforschungen. Das galt diese Woche immer noch – wieviel Ärger konnte ich mir noch leisten? Vielleicht waren noch ein paar Fragen zu JAD Holdings drin.

Ich stieg aus dem Wagen. Ein alter Mann in einem formlosen Mantel wühlte in einem Abfalleimer herum. Ich ging in den Coffee-Shop. Melba begrüßte mich wie eine alte Freundin, sagte aber, sie habe keine Spur von Emily gesehen.

»Ich hab' auch rumgefragt – das ist nicht der richtige Ort für junge Leute, um auf der Straße zu leben, jedenfalls nicht, wenn sie allein sind und sich nicht auskennen. Aber hier in der Gegend hat niemand was von ihnen gesehen.«

Ich ging noch einmal um das Pulteney herum, sah mir nicht nur die Vorder-, sondern auch die Rückseite an, konnte aber weder eine Spur von Emily noch von Tamar Hawkings entdecken. Es gab keinen Weg in das Gebäude. Wie war es Tamar gelungen, trotzdem hineinzukommen? War sie vielleicht durch die offene Tür hineingeschlüpft, als ich wieder mal am Sicherungskasten herumwerkelte? Ich rüttelte an einem Gitter in der Seitenstraße hinter dem Gebäude, aber es bewegte sich nicht.

Auf der Vorderseite überprüfte ich die Klappen im Gehsteig, durch die früher die Warenlieferungen in die Keller geschoben wurden. Sie waren schon seit Jahren nicht mehr benutzt worden, seit damals nicht, als die letzten Einzelhändler aus dem Pulteney ausgezogen waren. Die Klappen ließen sich nicht bewegen, nicht einmal, als ich den Wagenheber aus dem Kofferraum holte und versuchte, sie hochzustemmen.

Der Mann im Sackmantel beobachtete mich voller Interesse. »Ist Ihnen da was reingefallen, Mädel?«

»Eine alte Freundin«, antwortete ich geistesabwesend. »Haben Sie sie gesehen? Sie hatte ein paar Kinder dabei.«

Er gesellte sich zu mir, um mit mir zusammen durch die Risse in den Klappen zu spähen, als hoffe er, seine Zukunft dort unten im Dunkel zu entdecken. Als ich meine Frage wiederholte, schlurfte er zum Abfalleimer zurück und murmelte, er kümmere sich nur um seine eigenen Angelegenheiten und erwarte von anderen das gleiche.

Ich versuchte, das Sperrholz, mit dem die Türen vernagelt waren, mit meinem Wagenheber wegzustemmen. Die Leute von Rensselaer Siding hatten ganze Arbeit geleistet – ich konnte nirgends eine Ritze oder ein loses Brett entdecken. Mit genügend Zeit und dem richtigen Werkzeug hätte ich die Bretter einfach durchgebrochen, aber in diesem Teil der Stadt gibt es zu viele Polizisten auf Patrouille, die aufpassen, daß den Touristen in Chicago nichts passiert.

Ich hob den Blick, als die Hochbahn über mir hinwegratterte. Vor zehn Jahren wäre ich vielleicht noch einen Stahlträger raufgeklettert und die drei Meter zu einem Fensterbrett des Pulteney hinübergesprungen. Aber jetzt war ich fast vierzig, und solche Sprünge schaffte ich nicht mehr.

»Ich werde cleverer, nicht älter«, sagte ich laut.

Der alte Mann hob den Blick von seinem Abfalleimer. »Richtig, Mädel. Sie werden immer cleverer, und bald sind Sie wieder im Kindergarten.« Er kicherte vor sich hin und wiederholte meine Bemerkung. »Cleverer, nicht älter. Ja, und wenn man cleverer wird, fängt man an, jünger zu werden.«

Ich fischte in meiner Jeans nach einem Dollarschein. »Guter Gedanke. Bauen Sie ihn aus. Und trinken Sie eine Tasse Kaffee auf mich.« Als ich wieder in meinen Wagen stieg, hörte ich ihn den Satz noch einmal wiederholen und idiotisch dazu lachen.

MacKenzie Grahams Spider stand vor meiner Tür, als ich nach Hause kam. Ich wußte nicht, ob mich das freuen oder ärgern sollte. Er stieg aus und versuchte, mir die Tüte mit meinen Einkäufen abzunehmen.

»Ich hab' mir Ihren Computer angeschaut. Man kann die Daten zurückholen, aber das ist langweilig und eine Mordsarbeit. Ich hab' mir gedacht, Sie könnten mir Ihre Dankbarkeit beweisen, indem Sie mit mir zum Essen gehen.«

»Mein Freund kommt zum Essen. Außerdem trage ich die Tüte selber.« Irgendwie ärgerte es mich, daß er sich einfach in meine Pläne für den Abend einmischte. »Wissen Sie, wenn Sie sich genauso eifrig nach einem Platz umsehen würden, wo Sie Ihre Bewährungsauflage erfüllen können, wie nach mir, hätten Sie schon längst was gefunden. Dann könnten Sie im Sommersemester wieder an der Uni anfangen – Sie könnten zusammen mit Ihren alten Kommilitonen den Abschluß machen.«

»Gehen Sie nur mit Leuten aus, die einen Collegeabschluß haben? Was macht denn Ihr Freund – ist das einer von diesen schicken Anwälten?«

»Er beschäftigt sich in der Tat mit dem Gesetz. Ihr Dad hat mir bis heute nachmittag um fünf Zeit gegeben, um einen Platz für Sie zu finden. Soll ich ihm erzählen, daß Sie jetzt statt dessen für mich arbeiten?«

Er grinste mich frech an. »Das würde ihn wahrscheinlich auf die Palme bringen, und das wär's wert. Aber vielleicht sollten Sie ihm lieber sagen, daß ich statt dessen ins Gefängnis muß. Was müßte ich denn machen, damit Sie mit mir essen gehen – soll ich die Typen umlegen, die Sie verfolgen?«

»Suchen Sie sich lieber einen Job. Und dann müßten Sie

unseren Altersunterschied noch von zwanzig auf zehn Jahre verringern.«

Mr. Contreras hatte offenbar diese melodramatische Szene von seinem Wohnzimmer aus beobachtet, denn seine Tür stand offen, und die Hunde stürzten heraus, als ich das Foyer betrat. Ken folgte mir ins Haus. Als ich sah, wie sehr sich der alte Mann freute, schwand ein Teil meines Ärgers. Mr. Contreras' Leben ist ziemlich trübe geworden, seit einer seiner besten Freunde letztes Jahr gestorben ist. Jetzt erklärte er mir, wie sehr er es genoß, sich mit einem intelligenten Jungen zu unterhalten.

»Prima.« Ich gab mir größte Mühe, meine müde Stimme begeistert klingen zu lassen. »Dann wünsch' ich euch zwei jetzt ein paar schöne Stunden. Ken könnte ja noch ein bißchen mit den Hunden spazierengehen – möglicherweise wird ihm das als eine Stunde gemeinnützige Arbeit angerechnet.«

Ich ging die Treppe hinauf, obwohl Mr. Contreras mir beteuerte, Ken sei ein netter Junge, und ich solle doch mal zur Abwechslung ein bißchen freundlicher sein. Nachdem ich meine Einkäufe ausgepackt und meinen Anrufbeantworter abgehört hatte, wußte ich, daß Kens Vater tatsächlich angerufen hatte. Pünktlich um fünf, wie angedroht. Obwohl es mittlerweile fast sieben war, saß Darraugh immer noch in seinem Büro, als ich ihn zurückrief.

»Ich habe kein Glück gehabt«, teilte ich ihm mit, bevor er etwas sagen konnte. »Ich habe alle gemeinnützigen Einrichtungen abgeklappert, die ich kenne, und die wollen alle keinen Hacker. Sie fürchten, daß er in ihren vertraulichen Akten rumschnüffelt.«

»Wieso haben Sie denen das überhaupt erzählt?« herrschte mich Darraugh an.

»Weil sie bei gerichtlich verfügter gemeinnütziger Arbeit ein Recht auf die Wahrheit haben. In so einer Situation kann ich nicht lügen.«

Ich hielt den Atem an. Würde er mich feuern? Wie sollte ich dann meine Hypothekenraten zahlen? Darraugh war zwar nicht sonderlich menschlich, aber er ließ mit sich verhandeln. Widerwillig nahm er meine Erklärung hin und bat mich, mich weiter umzusehen.

»Mir ist alles recht, wenn er bloß wieder aufs College zurückgeht. Er nervt ziemlich.«

»Da kann ich Ihnen nicht widersprechen«, meinte ich trokken. »In der Zwischenzeit arbeitet er an einem Projekt für mich. Ich weiß nicht, ob wir den Bewährungshelfer überreden können, ihm das anzurechnen: Bei meinem derzeitigen Geschäftsgang könnten Sie ganz leicht beweisen, daß ich eine gemeinnützige Einrichtung bin.«

Darraugh lachte nur selten, und jetzt klang sein Versuch ein bißchen rostig und pfeifend. Mit dem Rat, ich solle mich von MacKenzie nicht von meiner eigenen Arbeit abhalten lassen, legte er auf. Ein paar Minuten später rief Conrad an, um mir mitzuteilen, daß er wegen eines Termins mit einem Zeugen später kommen würde. Er meinte, er wäre frühestens um halb neun bei mir. Ich war enttäuscht und so erschöpft, daß ich ihm am liebsten ganz abgesagt hätte, aber in letzter Zeit hatte schon zuviel unsere Beziehung belastet. Wenigstens gewann ich so ein bißchen Zeit für mich selbst, in der ich ein Bad nehmen und ein Nickerchen machen konnte.

Während das Badewasser einlief, schlug ich Cyrus Lavalles Adresse in meiner Rollkartei nach. Er wohnte in der Buckingham Street, hatte aber, weil er sehr genaue Vorstellungen davon hatte, wie die Reichen und Berühmten leben, seine Nummer nicht ins Telefonbuch eintragen lassen. Ich hatte sie mir trotzdem bei einem Treffen mit ihm heimlich notiert, als er sie für einen Kellner, dem er schöne Augen gemacht hatte, auf eine Serviette kritzelte.

Er war alles andere als erfreut, von mir zu hören. »Ich habe meine Nummer nicht eintragen lassen, damit mich Leute wie du nicht belästigen können. Laß mich in Ruhe, Warshawski. Ich will grade zum Essen gehen.«

»Je schneller du mir sagst, was ich wissen will, desto schneller kannst du dich weiter feinmachen. Wer hat Century und Lamia im Rathaus zum Tabu erklärt? Alec Gantner oder Donald Blakely?«

»Ich weiß nicht, wovon du sprichst.« Er senkte die Stimme zu einem Flüstern.

»Dann formuliere ich meine Frage eben anders: Offenbar ist was faul an den Krediten, die Century der Kommune gewährt, sonst wäre Lamia doch jetzt kein heißes Eisen. Es wäre mir viel, sehr viel wert, Cyrus, zu erfahren, was.« Wo sollte ich bloß das viele Geld herkriegen, um ihn zu bezahlen, wenn er mein Angebot tatsächlich annahm?

Er kämpfte gegen seinen inneren Schweinehund an und brauchte eine ganze Weile, bis er mir antwortete. »Der Kontakt mit dir ist mir im Moment zu heiß, Warshawski. Wenn die Leute herausfinden, daß ich irgendwas mit dir zu tun habe, bin ich tot. Und jetzt laß mich bitte in Ruhe.«

Nachdem er aufgelegt hatte, stieg ich in die Wanne. Ich legte mich ins Wasser zurück und dachte darüber nach, wie ich herausfinden konnte, was diese Leute machten. Ein einfacher Verstoß gegen die gesetzlichen Bestimmungen über die Gewährung von Darlehen an Kommunen konnte es nicht sein. Deswegen würden die keinen Stadtrat bestechen, denn das hatte mit dem Bund zu tun. Mir fiel partout keine plausible Erklärung für die ganze Geschichte ein.

Schließlich gab ich auf und gestattete mir selbst ein bißchen Entspannung. Ich döste sanft ein. Irgendwann wachte ich zitternd im kalten Wasser auf. In der Hoffnung auf ein richtiges Schläfchen, bevor Conrad kam, trocknete ich mich ab und legte mich ins Bett. Aber mein Gehirn weigerte sich, Ruhe zu geben, und folgte immer wieder den gleichen trüben Wegen, die es gegangen war, seit ich Morris verlassen hatte.

Wenn ich eine Baustelle von Home Free besichtigen könnte, wüßte ich vielleicht, warum sie ein solches Geheimnis daraus machten. Wahrscheinlich ging es um minderwertiges Material, und sie bestachen die Inspektoren der Baubehörde. Aber nein, rief ich mir unruhig ins Gedächtnis, es war ja die Century Bank, nicht die gemeinnützige Einrichtung, die die Omertà im Rathaus ausgelöst hatte. Vielleicht sollte ich also direkt ins Rathaus oder zu Dodge Reports gehen und nachschauen, ob Home Free in letzter Zeit eine Genehmigung bekommen hatte.

Morgen war Sonntag; ich würde die Akten erst am Montag einsehen können. Außerdem waren die Projekte nach Bauunternehmen geordnet, nicht nach Bauträgern. Und ich wußte nicht, wie das Bauunternehmen hieß. Als ich mich wütend hin und her wälzte, fiel mir plötzlich der kräftig gebaute Mann ein, der so erregt gewesen war bei meinem ersten Besuch im Büro von Home Free. Gary Irgendwer. Vielleicht kannte Camilla ihn.

Sie wollte ausgehen und war bester Laune – schließlich hatte sie eine Woche harter Arbeit hinter sich, hatte erst vor kurzem einen Typ kennengelernt, den sie gut leiden konnte, und Phoebe hatte Lamia grünes Licht für die Materialbestellungen gegeben. Sie war bereit, unser letztes unerfreuliches Gespräch zu vergessen und sich zwischen Tür und Angel mit mir zu unterhalten.

»Dann fangt ihr also in zehn Tagen mit der Arbeit an – prima«, sagte ich. »Conrad und ich trinken ein Glas Champagner auf euch ... Kennst du andere Bauunternehmen, die für Home Free arbeiten? Ich hab' da mal einen Typ gesehen, einen Gary Irgendwie, der aussah, als könnte er mit bloßen Händen Rindersteaks auseinanderreißen.«

»Das ist Gary Charpentier. Der sieht wirklich ziemlich wild aus. Ich glaube, er hat sich Hoffnungen auf unseren Auftrag gemacht und es Jasper ziemlich krummgenommen, daß er ihn uns gegeben hat. Dieser Jasper Heccomb ist ein sehr charmantes Bürschchen. Auf den könnte ich glatt mal ein Auge werfen, aber dann macht seine Sekretärin sicher Hackbraten aus meinem Busen.«

Ich lachte. »Das würde sie wahrscheinlich schon, wenn sie wüßte, daß du bloß an so was denkst. Sie hätte mich fast umgebracht, als ich angedeutet habe, daß er sich mit Phoebe Quirk trifft.«

»Meinst du wirklich? Mit Phoebe? Ich hab' sie noch nie zusammen mit einem Typ gesehen – ich hab' mich immer gefragt, ob sie Frauen lieber mag.«

»Ich glaube, am liebsten mag sie Geschäfte machen.«

Camilla lachte und legte auf. Phoebe hatte ihre Ziele immer ziemlich rücksichtslos verfolgt, wenn sie sich etwas in den Kopf gesetzt hatte. Sollte sie sich jemals einen Liebhaber suchen, egal welchen Geschlechts, würde sie den mit Sicherheit innerhalb einer Woche auspowern.

Ich knipste die Nachttischlampe an und schlug den Namen Charpentier im Branchentelefonbuch unter »Bauunternehmen« nach. Da war er ja. Seine Geschäftsadresse war in Des Plaines. Am Montag konnte ich ins Rathaus fahren und nachschauen, welche Genehmigungen er in letzter Zeit beantragt hatte.

Ich zog eine Jeans und ein T-Shirt an und setzte Wasser für Nudeln auf. Als Conrad klingelte, war das Essen fertig. Wie eine brave kleine Hausfrau, die ihren Mann nach einem harten Tag in den Minen der Unterwelt begrüßte.

»Jetzt bin ich dir ganz und gar ausgeliefert, Baby«, meinte Conrad zur Begrüßung. »Der Alte inspiziert mich sowieso jedesmal, wenn ich komme, aber jetzt hast du da auch noch so einen Rotzlöffel stehen, der den Gehsteig bewacht. Wo hast du denn den her? Aus dem Kindergarten?«

Ich verzog das Gesicht. »Tja, so ähnlich. Sein Vater ist in diesen schwierigen Zeiten mein einziger zuverlässiger Klient. Ich soll eine Einrichtung finden, in der der Junge seine gemeinnützige Arbeit verrichten kann. Vielleicht könntet ihr in eurem Förderverein für afroamerikanische Polizisten noch einen Freiwilligen brauchen.«

Conrad hob die Augenbrauen. »Ich würde ja liebend gern so einen Grünschnabel in seine Schranken verweisen. Nervt er dich, oder hast du's gern, wenn er dich anhimmelt? Soso, das Mädchen wird rot. Vielleicht sollte ich dem Knaben noch mal eine runterhauen – wieso muß er sich denn sozial engagieren? Hat er Drogen verkauft im Kindergarten?«

»Das Arbeiten in West Englewood bekommt dir nicht. Es gibt noch jede Menge andere Verbrechen außer Drogenhandel und Mord – die siehst du nur nicht.«

»Hast recht, Zuckerbaby. Ich hab' eineinhalb Tage Dienst hinter mir und bin froh, daß jetzt ein bißchen Ruhe ist. Ist noch ein Bier da?«

Conrad bringt immer sein eigenes Bier mit, weil ich keins trinke. Ich holte ein Moosehead für ihn aus dem Kühlschrank und lenkte die Unterhaltung auf die Cubs – das Thema war fast genauso trübe wie das Chaos auf Chicagos Straßen, aber längst nicht so gefährlich.

Conrads Piepser ging um halb drei los. Er tappte so leise wie möglich ins Wohnzimmer, um anzurufen. Ein paar Minuten später kam er ebenso leise ins Schlafzimmer zurück. Ich hörte, wie er im Dunkeln nach seinen Kleidern suchte, schaltete das Licht an und setzte mich auf.

»Tut mir leid, Baby. Hab' gedacht, diese Rowdys müssen uns nicht beide um den Schlaf bringen. Gerade ist einer von meinen Informanten umgebracht worden. Könnte Zufall gewesen sein, aber möglicherweise war's auch eine Warnung an die anderen Spitzel. Jedenfalls muß ich mir jetzt ein paar Zeugenaussagen anhören. Vielleicht könnte ich ja noch mal herkommen, wenn wir bis zum Morgengrauen damit fertig sind?« Er formulierte das als Frage.

Ich zog ein T-Shirt an und ging in die Küche, um meine Zweitschlüssel zu holen. »Hast du deine kugelsichere Weste an?«

Er fuhr sich mit der Hand durch die Haare. »Ich muß doch bloß ins Revier, um mir Lügen anzuhören.«

»Du hast keine Ahnung, wo du vielleicht sonst noch hin mußt. In diesen unsicheren Zeiten kannst du nicht mehr ohne gehen, das weißt du genau, und dein Vorgesetzter würde dir das gleiche sagen.«

»Dann ruf doch Fabian an und bring ihn dazu, beim Polizeichef ein gutes Wort für mich einzulegen«, frotzelte er, ging aber doch noch mal ins Schlafzimmer und nahm die Weste vom Stuhl.

Nachdem er weg war, verschloß ich die Tür und schaute ihm vom Wohnzimmerfenster aus nach. Bevor er ins Auto stieg, hob er den Kopf und winkte mir zu. Danach beobachtete ich weiter die Straße, konzentrierte mich auf nichts Besonderes, war nur deprimiert über die sinnlose Gewalt in dieser Stadt. Ich stand schon ein paar Minuten so da, bevor mir auffiel, daß Ken Grahams Spider immer noch vorm Haus stand.

Ich weiß nicht mehr, ob ich wütend oder amüsiert war. Glaubte er vielleicht, er müßte mich beschützen? Oder schlug er bloß die Zeit tot? Hätte ich doch nur einen Platz für ihn gefunden, wo er vernünftig beschäftigt wäre! Obwohl mir natürlich sehr damit geholfen wäre, wenn er meine Daten rekonstruieren könnte, war mir seine ständige Nachschleicherei noch lästiger als die von Mr. Contreras.

Zwischen Wachen und Träumen beschloß ich irgendwann, bei meinem Versuch, die Geheimnisse von Home Free zu ergründen, aggressiver vorzugehen. Es wäre schwierig, in den Gant-Ag-Komplex einzubrechen, um etwas über JAD herauszufinden, aber wenn bei den drei Musketieren tatsächlich der Wahlspruch »Einer für alle, alle für einen« galt, hatte ja vielleicht auch Jasper Daten über die anderen. Zumindest würde ich feststellen können, warum die Bauprojekte so geheim waren.

Ich trottete ins Schlafzimmer, um Jeans und eine Jacke anzuziehen. Vielleicht eine Minute lang dachte ich darüber nach, was ich brauchen würde. Meine Dietrichsammlung. Meine Smith & Wesson. Zwei Paar Chirurgenhandschuhe, die mir Lotty irgendwann überlassen hatte. Eine Taschenlampe hatte ich im Wagen. Eine Trittleiter? Wahrscheinlich konnte ich die nicht aus dem Keller holen, ohne Mr. Contreras aufzuwecken. Wenn ich noch etwas anderes benötigte als den Hocker, den ich immer im Kofferraum hatte, mußte ich eben improvisieren. An die Tür klebte ich einen Zettel für Conrad, auf dem ich ihm mitteilte, daß ich noch etwas erledigen mußte.

Falls Ken sah, daß ich wegfuhr, und beschloß, mir zu folgen, wäre mir das sehr lästig. Also schob ich die Riegel an der Hintertür zur Seite, aber da erinnerte ich mich an die elektronische Alarmanlage – ich hatte keine Zeit gehabt, mich auch noch darüber zu informieren, wie man Anlagen mit Schaltung zur Polizei austrickste. Ich brauchte, tja, ich brauchte... einen Hacker.

Ich lief leise die vordere Treppe hinunter. Zum Glück schliefen die Hunde.

Ich joggte die Racine Avenue zu dem Spider hinunter. Die Natriumlampen auf der Straße erhellten das Innere des Wagens, wo der junge Ken selig schlief. Ich klopfte laut und vernehmlich mit meiner Dietrichsammlung ans Fenster und freute mich diebisch, als ich sah, wie er verdattert hochschreckte. Der Spider war ziemlich klein; deshalb knallte Ken beim Aufwachen mit dem Knie gegen das Lenkrad.

Als er die Tür aufmachte, sah er noch ganz verschlafen aus.

»Sie haben sich von mir angezogen gefühlt wie ein Asteroid von Jupiter. Ich hab' gewußt, daß Sie dem Bullen den Laufpaß geben und zu mir kommen, wenn ich nur lang genug hier warte.«

»Wie recht Sie haben. Ich möchte Sie um einen Gefallen bitten. Aber wenn Polizeimeister Rawlings das rausfindet, bringt er mich um. Und wenn Sie ihm was davon erzählen, bringe ich *Sie* um.«

»Sie können nicht zur Ehebrecherin werden, wenn Sie gar nicht verheiratet sind.«

Er packte mich am Handgelenk und versuchte, mich auf seinen Schoß zu ziehen. Als ich ihm den Arm wegdrehte, sah er ziemlich betrübt aus. »Versuchen Sie mal, Ihr Gehirn über die Gürtellinie zu verlagern, Junge. Ich brauche Ihre Hilfe bei was Gefährlichem und Illegalem, und ich möchte, daß Sie sich das ernsthaft überlegen, bevor Sie sich bereit erklären, mitzumachen.«

Er rieb sich den Unterarm an der Stelle, wo ich ihn gepackt hatte, und starrte mit finsterem Gesicht auf den Boden. »Kommandieren Sie die Leute immer so rum? Wie hält Ihr Bullenfreund das denn aus?«

»Der mag das. Er hat nämlich 'ne Schwäche für Frauen mit schwarzen Lederklamotten und Peitschen. Außerdem hab' ich gedacht, Sie mögen herrschsüchtige Frauen – die erinnern Sie doch an Ihr altes Kindermädchen ... Können Sie ein Alarmsystem mit Schaltung zur Polizei austricksen?«

Die Aussicht auf ein richtiges Abenteuer lenkte ihn von seinen amourösen Ambitionen ab. Er hörte auf, sich den Arm zu reiben, und sah mich an. »Meinen Sie eins, das über einen Sicherheitsdienst mit der Polizei verbunden ist? Aber klar. Allerdings nur mit der richtigen Ausrüstung. Handelt es sich um ein System mit permanenter Rückmeldung?«

Ich schüttelte den Kopf. »Keine Ahnung. Ich weiß nicht mal, was Sie meinen.«

»Da geben Sie ein Codewort ein, mit dem sich die Anlage alle paar Minuten bei der Telefonleitung rückmelden muß. Wenn es so ein Ding ist, kann ich's bloß ausschalten, wenn ich in dem Gebäude gewesen bin und mir die Einzelheiten angesehen habe.«

»Können wir mal davon ausgehen, daß es so was nicht ist – und lieber die Beine unter den Arm nehmen, falls die Polizei aufkreuzen sollte?«

Er lächelte. »Das mag ich so an Ihnen – bei Ihnen ist immer was los. Ich hab's doch gewußt, daß Sie einfach zu radikal sind für Darraugh oder einen Bullen. Wir müssen raus nach Niles zu einem von den großen Baumärkten, die die ganze Nacht offen haben. Ich brauche ein paar Hilfsmittel, sonst kann ich das nicht machen.«

»Denken Sie lieber noch mal 'ne Minute drüber nach, Ken. Wenn wir erwischt werden, landen Sie wahrscheinlich im Gefängnis. Schließlich haben Sie schon was auf dem Kerbholz.«

»Und was ist mit Ihnen?« Er lächelte mich selbstgefällig an. »Wir könnten ja in eins von den gemischten Gefängnissen – gibt's da nicht welche in Texas?«

»Ich könnte mich wahrscheinlich rausreden«, sagte ich ihm ganz offen. »Natürlich hätte ich ein furchtbar schlechtes Gewissen, wenn Sie bestraft würden, aber mit der Zeit gibt sich das.«

Er zuckte mit den Achseln. »Na schön. Dann dürfen wir uns eben nicht erwischen lassen. Steigen Sie ein. Ich bringe Sie nach Niles.«

»Ich folge Ihnen lieber. Ich will sichergehen, daß uns niemand nachfährt. Bleiben Sie hinter mir, wenn ich Sie überhole, und passen Sie auf, wer sonst noch hinter uns ist. Und halten Sie sich an die Geschwindigkeitsbeschränkungen. Das ist eine der wichtigsten Regeln für einen Verbrecher. Durch die Raserei verraten sich mehr als durch Fingerabdrücke am Tatort. Und als Fahrer eines Sportwagens sind Sie für solche Sachen sowieso prädestiniert.«

Er grinste mich an. »Ich weiß. Ich hab' im ersten Semester mein ganzes Geld für Strafzettel ausgegeben. Darraugh hat das nicht sonderlich gefreut. Aber was kann man schon von einem Mann erwarten, der einen Lincoln fährt?«

Er wartete, bis ich die Straße überquert hatte und bei meinem Trans Am war. Um mir zu beweisen, daß er sich nichts sagen ließ, bog er mit sechzig in die Belmont Avenue ein. Schon bald war er ein paar Häuserblocks vor mir. Ich hielt am Straßenrand, so daß er gezwungen war, wieder zu mir zurückzukommen. Danach fuhr er in gemäßigtem Tempo durch die Stadt zur Schnellstraße. Ich überholte ihn ein paarmal, hin und wieder hielt ich kurz am Straßenrand. Anscheinend folgte uns niemand.

Sobald wir in die Vororte kamen, verringerte ich den Abstand zu Kens Spider. Mittlerweile hatte es zu nieseln angefangen, so daß es schwieriger wurde, die anderen Autos im Auge zu behalten. Der Regen verwandelte die Straßen in glänzend schwarze Oberflächen, die das Licht immer wieder anders brachen.

Ken führte mich in eins der Einkaufsviertel, die so typisch für die Vororte sind – ein riesiger Discountladen am nächsten, einer wie der andere. Die Gegend sah aus wie ein immenser Vergnügungspark – alle Achterbahnfahrten durchs amerikanische Ödland inklusive.

Ich staunte, mit welcher Selbstverständlichkeit Ken, der in den Vororten geboren und aufgewachsen war, sich in dem gewaltigen anonymen Areal zurechtfand. Auf der Route 43 bog er nach links ab, wartete ungeduldig an zwei Ampeln mit ziemlich langer Rotphase, schoß dann links an einem Laster vorbei und blieb im Schatten einer riesigen Reklametafel mit der Information, das Einkaufszentrum sei rund um die Uhr geöffnet, stehen. Ich wartete im Auto, während Ken in den Laden ging, weil ich weder Lust auf weitere Flirts hatte noch von anderen beobachtet werden wollte.

Als er nach etwa einer halben Stunde beladen mit Paketen, beschwingt und mit selbstzufriedenem Gesichtsausdruck zurückkam, erinnerte er mich an die jungen Typen, mit denen ich es in meiner Zeit als Pflichtverteidigerin bei Gericht häufig zu tun gehabt hatte.

Die Sache war mir ganz schön peinlich. Ken zu ungesetzlichem Handeln anzustiften, war moralisch unentschuldbar. Ich konnte ihm immer noch sagen, ich hätte es mir anders überlegt, schließlich wußte er nicht, wo ich hinwollte – und allein konnte er das Vorhaben nicht durchführen.

Statt dessen stieg ich aus, um ihn zu fragen, ob er alles habe, gab ihm die Adresse von Home Free und ermahnte ihn, den Wagen nicht direkt vor dem Gebäude, sondern an der Mündung der Straße, die dahinter vorbeiführte, abzustellen.

Als wir bei Home Free ankamen, schickte ich Ken zur Tür, um nachzusehen, ob wirklich niemand im Büro war. Gewappnet mit der Ausrede, er brauche unbedingt eine Unterkunft, klingelte er und klopfte gegen das Glas. Ich stand an der Ecke Schmiere. Als niemand reagierte, gingen wir zur Rückseite des Gebäudes, um nach der Alarmanlage zu suchen.

Ich leuchtete mit der neuen Taschenlampe die Drähte an, damit Ken die Telefonleitungen, die ins Büro von Home Free führten, besser sah. Es war vier Uhr morgens. Der Himmel war noch immer schwarz, und es nieselte nach wie vor, aber ich machte mir allmählich Gedanken wegen der Zeit: Die Frühaufsteher würden in etwa einer Stunde das Haus verlassen.

»Okay, Vic, wir machen folgendes«, flüsterte Ken mir ins Ohr. »Wir spleißen die Leitung und verbinden sie mit einer Kabelsteckbox, damit der Stromkreislauf nicht unterbrochen wird. Bitte halten Sie die da ganz vorne, und geben Sie sie mir, wenn ich Sie drum bitte.«

»Die da« – das war eine Krokodilklemme, die die Telefonkabel an der Box festhielt, um den Stromkreislauf aufrechtzuerhalten. Er drehte einen Mülleimer um und stieg hinauf, damit er näher an die Leitung kam. Ich hielt ihr Ende vom Telefonmasten weg, während er die Leitung aufschnitt, die Isolierung entfernte und die Klemme anbrachte. Dann reichte ich ihm das andere Ende des Kabels, und er wiederholte den Vorgang. Sobald er die Leitung an die Batterie angeklemmt hatte, stellte er diese auf dem Gebäude ab, damit ihr Gewicht das Kabel nicht herunterzog. Das Ganze dauerte nicht einmal drei Minuten.

Er grinste ziemlich dämlich, als er wieder von dem Mülleimer runterkletterte. »Bis jetzt hab' ich bloß die Theorie gekannt, aber es ist interessant, das auch mal in der Praxis auszuprobieren. Und was machen wir jetzt?«

»Wir gehen die Straße rauf und warten, ob jetzt die Hölle losbricht.«

Etwa fünfzehn Minuten lang saßen wir im Schatten eines Hauses. Ken legte den Arm um mich und küßte mich. Ich drehte ihm den Arm weg.

»Was ist denn das für ein hartes Ding neben Ihrer Brust? Eine Pistole? Haben Sie die schon mal benutzt?«

»Ja. Aber Ihnen würde ich im Zweifelsfall einfach den Arm brechen.«

»Glauben Sie, Sie könnten das?« Offenbar hielt er körperliche Auseinandersetzungen für eine besonders erregende Form des Vorspiels.

»Ich weiß es«, sagte ich mit eisiger Stimme.

Er hielt einen Augenblick lang den Mund. »Sie glauben also nicht, daß ich Sie wirklich mag, oder?«

»Ich glaube, Sie wissen selber nicht, ob Sie bloß ein Spiel spielen oder mich wirklich mögen. Aber das ist egal. Ich bin alt genug, um Ihre Mutter zu sein, und außerdem nicht Cher – ich muß mich nicht durch künstliche ewige Jugend über mein Alter hinwegtäuschen.«

Vielleicht war die Einbrecherei für mich so etwas wie ein Jungbrunnen-Ersatz, aber das sagte ich Ken nicht. Statt dessen ließ ich mir von seiner Hoffnung erzählen, irgendwann dem Friedenskorps in Osteuropa beizutreten, und von Darraughs Überzeugung, daß kein Mensch Ken ernst nehmen würde, wenn dieser nach dem College nicht gleich weiterstudieren oder sich einen Job suchen würde. Ich versuchte, nicht daran zu denken, wie schnell die Zeit verging, oder – noch schlimmer –, was Conrad zu meinem Treiben sagen würde.

Als wir eine Viertelstunde gewartet hatten und noch immer niemand aufgetaucht war, ging ich zur Vordertür und machte mir mit einem Dietrich daran zu schaffen. Ken stand Schmiere, aber die Straßen waren menschenleer in der Stunde vor dem Morgengrauen. Die Schlösser waren solide, aber keine Sonderanfertigung – Jasper verließ sich voll auf sein Alarmsystem. Trotz der mangelnden Beleuchtung brauchte ich nur fünf Minuten, um in das Gebäude zu gelangen. Ich verschloß die Tür hinter uns und schaltete das Licht ein.

34 Für ein paar Dollar mehr

Ich schickte Ken zu Tishs Computer. »Ich möchte wissen, ob etwas zu den folgenden fünf Punkten abgespeichert ist: Century Bank, Gateway, Lamia, Home Frees Baustellen, JAD Holdings. Am besten beginnen Sie mit den Buchhaltungsdaten. Inzwischen sehe ich mir Jaspers Büro an.«

Ken schaltete Tishs Computer ein, beschwerte sich aber schon bald, daß es keine Herausforderung sei, in ein System wie das ihre einzudringen: Alle Daten waren ordentlich ausgewiesen und zugänglich. »Lassen Sie mich doch lieber mal Ihren Dietrich ausprobieren: Ich bin noch nie irgendwo eingebrochen. Ich könnte Ihnen zeigen, wie man in das Programm hier reinkommt, und dann übe ich ein bißchen an der Tür.«

»Wir haben keine Zeit für solchen Blödsinn«, fauchte ich ihn an. »Es ist zwar Samstag, aber Tish oder Jasper könnten trotzdem auf die Idee kommen, im Büro vorbeizuschauen.«

Das Holzfurnier an Jaspers Tür verdeckte eine Stahlplatte und ein paar ziemlich komplizierte Schlösser. Ich ging in die Hocke und machte mich vorsichtig an die Arbeit, während Ken sich die Daten ansah. Wenn man mit Handschuhen arbeiten muß, geht alles ein bißchen langsamer, weil der Tastsinn beeinträchtigt ist, aber ich wollte keine Fingerabdrücke hinterlassen. Nach einer halben Stunde hatte ich beide Schlösser geknackt.

Bevor ich in Jaspers Büro ging, wollte ich noch sehen, was Ken mittlerweile entdeckt hatte. Auf dem Bildschirm standen die Überweisungen vom März. Ich überflog sie. Home Free hatte die Lohnsteuer bezahlt, die Versicherung für Tish und Jasper und die Miete für die Büros in Chicago und Springfield. Dazu kamen mehrere Zahlungen, die vermutlich an die Bauunternehmen gingen, denn Charpentiers Name tauchte in der Liste mehrere Male auf. Die arme Tish bekam nur dreißigtausend Dollar im Jahr – nicht viel für die Arbeit, die sie erledigte. Jaspers Einkünfte waren auch nicht gerade berauschend – er verdiente fünfzigtausend. Die abgerechneten Fahrtkosten erschienen mir ziemlich hoch, aber Jasper hatte ja erzählt, daß er häufig nach Springfield mußte.

Der Gesamtbetrag der monatlich zu zahlenden Beträge belief sich auf etwas mehr als eine Million Dollar. Die flüssigen Mittel im vergangenen Jahr hatten ungefähr zehn Millionen Dollar betragen, so daß die monatlichen Ausgaben sich durchaus im Rahmen hielten. Ich bat Ken, die Kontenbewegungen vom Vorjahr auszudrucken und weiter nach den Namen zu suchen, die ich ihm gesagt hatte.

In Jaspers Büro bewegte ich mich so vorsichtig wie möglich zwischen den ganzen elektronischen Geräten, weil ich nicht über ein möglicherweise zusätzlich installiertes Alarmsystem stolpern wollte. Ich suchte nach einem Hinterausgang, für alle Fälle, und fand ihn schließlich in dem kleinen Bad an der Rückseite des Raumes. Eine Dusche mit einer stahlverstärkten Tür war schon merkwürdig, andererseits war der vorhandene Platz so auch am effektivsten genutzt.

Ich sah nervös auf die Uhr auf dem Schreibtisch: Es war jetzt fast fünf. Ich ging wieder in den anderen Raum zu Ken zurück und mußte verärgert feststellen, daß er die Handschuhe ausgezogen hatte.

»Sind Sie verrückt? Sie können nicht überall Ihre Fingerabdrücke hinterlassen. Die Polizei hat die doch. Wenn wir was durcheinanderbringen oder Fersengeld geben müssen, suchen die hier sicher nach Fingerabdrücken.«

»Ich kann mit den Dingern nicht arbeiten. Sie haben doch gesehen, daß ich sie auch schon ausgezogen habe, als ich die Telefonleitung gespleißt habe.«

»Wenn Sie sie nicht sofort wieder anziehen, können Sie gehen.«

Als er mein ernstes Gesicht sah, beschloß er, sich nicht mit mir zu streiten. Nachdem er die Handschuhe aus seiner Jeanstasche geholt und wieder übergestreift hatte, nahm ich ihn in Jaspers Büro mit.

»Ich werde allmählich nervös, weil's bald hell wird. Ich würde gern die Videokamera einschalten, die die Straße überwacht, aber ich habe Angst, eventuell noch eine Alarmschaltung zu aktivieren, wenn ich den falschen Knopf erwische.«

Ken inspizierte die Schalter an der linken Seite des Schreibtisches und kniete dann nieder, um darunter zu schauen. »Ich weiß auch nicht, was für Kabel das sind, aber das da scheint mit der Leitung zu der Kamera draußen verbunden zu sein.«

Er schaltete den Bildschirm ein und legte einen kleinen Hebel um. Das koreanische Restaurant gegenüber von Home Free kam ins Bild, dann ein Wagen, der die Straße entlangfuhr. Ich bedankte mich bei Ken und begann, Schubladen zu durchsuchen und Akten durchzublättern.

Ein Rosenholzschränkchen unter dem Schreibtisch war mit

einem ziemlich komplizierten Schloß versehen. Fast hätte ich es angesichts meiner Zeitnot unangetastet gelassen, aber dann siegte doch meine Neugierde, und ich wollte wissen, was man innerhalb eines verschlossenen Büros noch zusätzlich sichern mußte. Als ich es geknackt hatte, warf ich nervös einen Blick auf die Uhr: halb sechs. Ich schaute auf den Monitor. Vor Home Free stieg jemand ins Auto; inzwischen passierten auch mehr Wagen das Gebäude. Ich war dankbar für die Jalousien, die Jasper an den vorderen Fenstern angebracht hatte.

Als ich das Schränkchen aufmachte, fiel mir die Kinnlade herunter. In der Schublade lagen fein säuberlich gebündelt Geldscheine. Obenauf befanden sich, abgesehen von einem Teil mit Zwanzigern, der mit Pappkarton abgetrennt war, Hundertdollarscheine. Ich nahm die Bündel in die Hand. Hunderter über Hunderter. Ich rechnete schnell hoch, versuchte zu schätzen, wieviel Geld ich da entdeckt hatte. So um die fünf Millionen Dollar. Kein Wunder, daß das Gebäude gesichert war wie Fort Knox.

In so großen Mengen sah das Geld irgendwie unecht aus. Bisher hatte ich solche Beträge nur in Fernsehberichten über Drogenhändler gesehen. Verdiente Jasper sich ein Zubrot als Dealer? Wie sonst kam man an so viel Geld – und warum sonst würde es hier herumliegen? Vielleicht war es Falschgeld – möglicherweise leitete Jasper gefälschte Hunderter und Zwanziger in den normalen Geldkreislauf. Das würde erklären, warum er eine Bank brauchte, die keine Fragen stellte, und warum er die Leute im Rathaus zum Schweigen bringen mußte.

»Hey, Vic – kommen Sie mal kurz. Ich hab' was gefunden, was Sie interessieren könnte«, rief Ken aus dem vorderen Raum.

Ich warf schnell einen Blick auf den Bildschirm, als ich aufstand, und erstarrte fast. Jasper Heccomb stieg vor dem Gebäude aus seinem Wagen.

»Ken!« brüllte ich. »Kommen Sie sofort!«

Ich rannte zur Tür. Er starrte mich mit offenem Mund an.

»Sofort!« zischte ich ihm zu. »Jasper ist da. Na los, schnell!«

Während wir Jaspers Schlüssel schon im Schloß hörten, starrte er mich immer noch an und blieb wie gelähmt sitzen. Ich rannte zu Tishs Schreibtisch hinüber, packte Ken am Arm, zerrte ihn hinter mir her in den hinteren Raum. Dann knallte ich die Tür zu Jaspers Büro hinter mir zu, schob den Riegel vor und bugsierte Ken ins Bad. Es dauerte ungefähr eine Sekunde, bis ich auch dort den Riegel vorgeschoben hatte. Sonderlich stabil sah er nicht aus, aber wahrscheinlich ließ er sich nicht von außen öffnen.

Ich kletterte in die Dusche. »Bleiben Sie hinter mir stehen, während ich die Riegel zurückschiebe. Hier drin ist zu zweit kein Platz.«

Meine Nackenhaare sträubten sich, und der Schweiß lief mir in Strömen runter. Vor Angst waren meine Finger ganz steif, aber irgendwann gelang es mir doch, den Riegel zurückzuschieben. Ich drückte die Tür auf, gerade als Jasper anfing, gegen die Badtür zu hämmern und zu rufen, wir sollten mit erhobenen Armen rauskommen.

Als wir die Straße hinuntersprinteten, hörte ich einen Knall – Jasper hatte die Tür gewaltsam geöffnet. »Kommen Sie. Machen Sie sich keine Gedanken wegen Ihres Wagens. Den können Sie später holen.«

Ich hatte den Motor bereits angelassen, als er immer noch von der Beifahrertür aus besorgt sein eigenes Auto beäugte. Schließlich stieg er doch bei mir ein. Ich brauste die Straße hinunter.

Auf der Lawrence Avenue regte sich in dem zaghaften grauen Morgenlicht das erste Leben. Inzwischen war es nach sechs – ich hatte das Geld länger angestarrt, als ich gedacht hatte. Die koreanischen und arabischen Händler, die es hier überall in der Gegend gab, sperrten einer nach dem anderen ihre Restaurants und Bäckereien auf. Der Verkehr war noch nicht sonderlich dicht, so daß ich die Straße hinter mir gut im Auge behalten konnte. Ich hatte nicht den Eindruck, daß Jasper uns folgte. Ganz sicher war ich mir nicht, was für einen Wagen er fuhr – als ich ihn auf dem Bildschirm gesehen hatte, war ich zu entsetzt gewesen, um auf das Fahrzeug zu achten. Vielleicht war es ein Sportcoupé gewesen, möglicherweise ein Miata.

Am Burton Place fuhr ich nach Norden, die Foster Avenue hinauf, und schlug einen großen Bogen auf den Seitenstraßen zum Kennedy Expressway. Ich hatte nicht das Gefühl, verfolgt zu werden. Ich nahm die Schnellstraße zur Belmont Avenue, stellte meinen Wagen aber mehrere Häuserblocks von meiner Wohnung entfernt ab. Wenn Jasper die Leute informiert hatte, die mich beobachten sollten, wollte ich ihnen zu Fuß begegnen.

»Gehen Sie zu dem Haus, wo ich wohne, und sehen Sie nach, ob Sie da irgend jemanden entdecken, der zu Fuß oder im Wagen vor der Haustür herumlungert. Ich warte hier beim Diner.«

Wie hatte Jasper erfahren, daß wir in seinem Büro waren? Vielleicht führte einer der Drähte in dem Kontrollpult auf seinem Schreibtisch zu einer weiteren Alarmanlage in dem Rosenholzschränkchen, die wiederum mit Jaspers Haus verbunden war. Mit ziemlicher Sicherheit wollte er nicht, daß die Polizei oder die Leute vom Sicherheitsdienst die Scheinchen entdeckten.

Das Bild von Deirdre schoß mir durch den Kopf, von Blut und Hirn, die an meinem Schreibtisch klebten. Hatte sie das Geld im Verlauf ihrer ehrenamtlichen Tätigkeit gefunden und Jasper zur Rede gestellt? Wollte sie sich am Freitagabend in meinem Büro mit *ihm* treffen?

Jasper konnte sich an fünf Fingern abzählen, daß ich hinter dem morgendlichen Einbruch steckte – schließlich hatte ich meine Fragen mit der Anmut eines Elefanten im Porzellanladen gestellt. Vielleicht ahnte er auch, daß ich Home Free im Verdacht hatte, illegale Geschäfte zu machen – wahrscheinlich glaubte er, ich wollte ihn aus der Reserve locken. Kein Wunder, daß er so verächtlich reagiert hatte, als ich ihn fragte, ob er Ken unterbringen könne.

Ich spürte, wie die Haut an meinem Hinterkopf genau an der Stelle zu prickeln begann, wo der Baseballschläger Deirdre getroffen hatte. Warum war ich noch am Leben? Warum hatten meine Verfolger die zahlreichen Möglichkeiten, die sich ihnen bisher geboten hatten, noch nicht genutzt? Vielleicht wollten sie herausfinden, wieviel ich wußte. Nach dem heutigen Morgen würden sie nicht mehr sehr lange warten.

Sobald Ken mit der Nachricht kam, daß er niemanden entdeckt hatte, dirigierte ich ihn in das Lokal und holte am Tresen ein Glas Orangensaft aus dem Kühler. Ich zwang Ken zu trinken. Sein grünlich-fahles Gesicht bekam wieder eine etwas gesündere Farbe.

Ich ging mit ihm zu einer Nische, und wir setzten uns. Barbara, meine Stammkellnerin, kam mit der Kaffeekanne zu uns herüber. Sie alberte ein bißchen herum und neckte Ken, bis jemand vom Nachbartisch sie zu sich rief. Das erste Mal seit ich Ken kennengelernt hatte, war er blind und taub für einen Flirt.

»Für mich Eier, Barb – Eier im Glas und dazu *hash browns*«, rief ich ihr nach.

»Wie können Sie bloß was essen?« murmelte Ken. »Mir ist zum Kotzen. Glauben Sie, er überprüft meine Fingerabdrücke?«

»Ihnen ist schlecht, weil Sie die ganze Nacht aufgewesen sind und auf leeren Magen zu viele Aufregungen erlebt haben. Glauben Sie mir, Sie brauchen was zu essen.« Ich winkte Barbara an unseren Tisch zurück und brachte Ken dazu, etwas zu bestellen. »Was die Fingerabdrücke angeht – die haben Sie wahrscheinlich weggewischt, als Sie die Handschuhe wieder angezogen haben. Außerdem hat er etwas so Brisantes in seinem Büro, daß er die Polizei vermutlich nicht ruft. Es sei denn, er ist ziemlich kaltschnäuzig. Was haben Sie auf der Straße gesehen?«

»Vor Ihrem Haus ist niemand, aber der Wagen von Ihrem Bullenfreund steht vor der Tür. Wie haben Sie den eigentlich abgeschüttelt, bevor wir gefahren sind?«

»Der ist wegen eines Mordes weggerufen worden. Was haben Sie in den Akten von Home Free entdeckt? – Sie haben mich gerufen, bevor wir weggerannt sind.«

»Ach so.« Er nahm einen Schluck Kaffee und rieb sich die Stirn. Offenbar wollte er genauso cool reagieren wie ich. »Ich hab' da ein paar interessante Sachen gefunden. Das erste war eine Liste von Spendern. Letztes Jahr hat jemand Home Free einen ganzen Batzen Geld geschenkt – über eine Viertelmillion Dollar.«

»Erinnern Sie sich noch an den Namen?«

Er schloß die Augen, um besser nachdenken zu können, und lächelte dann verlegen. »Hab' ich bei der ganzen Aufregung glatt vergessen.«

»Ich schreibe Ihnen jetzt ein paar Namen auf, und Sie sagen mir, wenn Sie einen erkennen. Haben Sie einen Stift dabei?«

Er fischte in seiner Tasche und reichte mir schließlich einen verdreckten Kuli. Ich nahm eine von den Servietten und listete ein Dutzend Namen auf, darunter den von Fabian, von Gantner und Blakely. Die anderen neun waren frei erfunden. Ken tat sich schwer, die undeutliche Schrift auf der Serviette zu entziffern.

»Gantner. Da bin ich mir ziemlich sicher. Ich glaube, Blakely hat auch gespendet – viel, aber nicht so viel wie Gantner. Und Bill Buckner kommt mir auch bekannt vor.«

»Sollte er auch.« Ich nahm die Serviette und zerriß sie. »Der hat *first base* bei den Cubs gespielt. Da waren Sie noch im Kindergarten.«

»Sie halten mich wohl für ein Kleinkind, bloß weil ich heute morgen Angst gekriegt hab'«, murmelte er.

»Im Gegenteil: Es freut mich, daß Sie Angst bekommen haben. Ich kann Ihnen gar nicht sagen, was für Schuldgefühle ich hatte, weil ich Sie verleitet habe, mit mir zusammen das Gesetz zu brechen. Ich bin erleichtert, daß Sie hinter Ihrer coolen Maske ganz normale Gefühle haben.«

Barbara brachte uns die Eier. »Ihr zwei schaut aus, als ob ihr die ganze Nacht aufgewesen wärt. Habt euch wohl ein paar schöne Stunden gemacht, was? Was meint denn Conrad dazu?«

»Das werde ich bald feststellen. Sehr glücklich wird er vermutlich darüber nicht sein.«

Ich schlang die Eier hinunter und bestrich meinen Toast großzügig mit Butter. Ken aß zögernd einen Bissen von seinem Omelett, merkte dann, wie hungrig er war, und schlang sein Essen genauso gierig hinunter wie ich.

»Ich habe auch noch den Namen der Century Bank gesehen. Das hatte ich gerade entdeckt, als wir wegmußten«, sagte Ken, den Mund voller Kartoffeln. »Ich habe ein paar gesicherte Konten gefunden – man braucht ein spezielles Paßwort, um an sie ranzukommen. Home Free hat bei Century einen Kreditrahmen von fünfzig Millionen Dollar.«

Mir blieb der Mund offenstehen. »Wofür, um Himmels willen?«

Das selbstgefällige Lächeln spielte wieder um seinen Mund. »Das müssen Sie rausfinden, Sherlock – ich bin bloß der Hacker.«

35   Leere Versprechungen

Mr. Contreras war hin- und hergerissen zwischen seiner Freude, helfen zu können, und seiner Verärgerung darüber, daß ich ohne ihn Einbrecherin gespielt hatte. Nachdem ich zehn Minuten Buße getan hatte, konnte ich es endlich Ken überlassen, ihm die Einzelheiten zu erzählen, und selbst müde in meine eigene Wohnung hinaufwanken.

Ich schlüpfte so leise wie möglich hinein, aber Conrad saß mit einer Tasse Kaffee und dem *Herald-Star* im Wohnzimmer. Er trug nur eine Jeans. Die Messerstichnarbe hob sich eine Spur heller von seiner kupferfarbenen Haut ab. Er betrachtete mich mit nüchternem Blick.

»Was hast du denn wieder angestellt, Baby? Was sind das bloß für Sachen, die dich mitten in der Nacht vier Stunden lang aus dem Haus locken?«

»Ach.« Ich setzte mich auf den Klavierhocker und sank gegen das Instrument, weil ich mich nicht mehr gerade halten konnte. »Ich habe mir Home Free angeschaut.«

»Und das hast du im Dunkeln machen müssen?«

»Glaubst du etwa, ich bin zu feige, ein Schloß am hellichten Tag zu knacken?«

Er stellte die Tasse so heftig ab, daß der Kaffee spritzte. »Du bist da eingebrochen? Mein Gott, Vic! Mein Beruf ist es, Leute deswegen festzunehmen. Warum hast du das gemacht – wolltest du beweisen, wie cool du bist?«

»Jasper Heccomb hat ungefähr fünf Millionen Dollar in Hundertern in einer Schublade in seinem Büro. Findest du das nicht interessant?«

»Bitte, das ist kein Scherz. Du kannst nicht einfach die Gesetze brechen, als würden sie für dich nicht gelten.«

»Ich scherze nicht. Es stimmt tatsächlich. Da kommt man schon ins Grübeln.«

»Ich frage mich bloß, wie weit du noch gehen wirst.« Erst jetzt merkte er, daß ihm der Kaffee über den Bauch tröpfelte, und suchte in seiner Jeans nach einem Taschentuch, um ihn wegzuwischen. »Ich weiß noch, letztes Jahr ist jemand hier eingebrochen und hat ganz schön gewütet. Hast du das damals sinnvoll gefunden? Oder meinst du, Sinn ergibt so was bloß, wenn du es machst?«

»Natürlich hab' ich das nicht gut gefunden, aber ich hab' dir auch nicht die Ohren vollgejammert, oder? Wie hätte ich mir denn sonst die Information beschaffen sollen?«

Er legte die Zeitung weg und setzte sich neben mich. »Hör zu, Vic, dieses Land hat Gesetze und Leute wie mich, die dafür sorgen, daß die Gesetze eingehalten werden, damit nicht jeder selbst entscheidet, wie Gerechtigkeit auszusehen hat. Ist schon schlimm genug, daß wir in dieser Stadt eine Million Schußwaffen haben und jeder zweite Arsch Revolverheld spielen kann, wenn ihm der Sinn danach steht. Wenn du glaubst, daß jemand dir Unrecht tut, solltest du vor Gericht gehen und Klage erheben. Wenn du meinst, daß Heccomb wichtige Informationen verschweigt, dann wende dich an Finch, und er besorgt einen Durchsuchungsbefehl.«

Ich betrachtete ihn nachdenklich. »Glaubst du, das würde er? Würde er mir nicht einfach sagen, ich soll mich um meine eigenen Angelegenheiten kümmern? Meinst du, ein Richter würde einen Durchsuchungsbefehl erlassen, bloß weil der Typ mich ungerecht behandelt hat?«

»Egal, Mädchen, so was kannst du jedenfalls nicht machen.«

Ich gab ihm keine Antwort, weil ich zu müde zum Streiten war. Außerdem hatte er recht. Niemand sollte das Gesetz selbst in die Hand nehmen. Noch schlimmer: Ich hatte einen Jungen, dessen Strafe auf Bewährung ausgesetzt war, dazu ermutigt, ein weiteres Verbrechen zu begehen. Und am allerschlimmsten: Ich würde es wieder so machen, auch wenn ich wußte, daß es Unrecht war. Vielleicht war ich eine latente Psychopathin.

Conrad legte mir, inzwischen ein bißchen weniger streng, den Arm um die Taille und zog mich zu sich heran. Ich lehnte mich gegen seine Schulter und fragte ihn, was er in der Nacht erlebt hatte.

»Ach, das Übliche. Ich habe die Schnauze voll von dieser Selbstjustiz. Heut nachmittag geh' ich in den Park und spiel' ein bißchen Ball mit ein paar Freunden. Meine alte Mannschaft trifft sich wieder, wir wollen den jungen Spunden zeigen, daß wir auch noch was drauf haben. Vielleicht gehen Terry und ich hinterher noch auf ein Bier. Wahrscheinlich verbringe ich die Nacht bei meiner Mutter. Morgen ist Palmsonntag; da hat sie gern ihre Lieben um sich. Und was hast du vor?«

»Ich werd' mich ein bißchen hinlegen.«

»Und danach?«

»Kommt drauf an, wie lange ich schlafe. Ich muß rauskriegen, wo das ganze Geld herkommt.«

Er packte mich an der Schulter und schob mich weg, weit genug, um mir streng in die Augen schauen zu können. »Aber keine Einbrüche mehr, versprochen, Vic?«

Ich streckte drei Finger in die Luft. »Großes Indianerehrenwort.« Dann lehnte ich mich wieder gegen seine Schulter und döste weg.

»Zeit, daß du ins Bett kommst, Ms. W.« Er stand auf und zog mich ebenfalls hoch.

Im Schlafzimmer schlüpfte ich bloß noch aus Schuhen und Socken, weil ich zu müde war, mich ganz auszuziehen. Conrad schnallte mein Holster ab und legte es auf den Nachttisch neben mich. Dann gab er mir einen langen Kuß, aber ich wußte nicht so recht, ob der Vergebung bedeutete oder Rückzug. Ich schlief ein, bevor er aus dem Zimmer war.

Gegen Mittag wachte ich mit dickem Kopf auf und konnte mich nicht sofort an die Ereignisse der vergangenen Nacht erinnern. Die Hunde bellten hinter dem Haus – davon war ich aufgewacht. Ich stolperte in die Küche, um hinauszuschauen, aber sie regten sich bloß über eine Katze auf, die jetzt auf einem Zaun hockte und auf die ganze Aufregung mit gelangweiltem Gähnen reagierte.

Ich ging wieder ins Bett, konnte jedoch nicht mehr einschlafen. Nachdem ich die schlimmste Erschöpfung überwunden hatte, wurde ich den Gedanken an Jaspers Geld nicht mehr los. Vielleicht hatte Deirdre es aus Zufall entdeckt und ihn zur Rede gestellt. Aber was hatte Fabian damit zu tun? Ihr gewaltsamer Tod ließ auf jemanden schließen, der wütend war, sich nicht mehr unter Kontrolle hatte. Fabian hatte ich schon einmal so erlebt, Jasper noch nicht.

Vielleicht war Fabian irgendwie in das Projekt verwickelt, das so viel Geld einbrachte – vielleicht beriet er Senator Gantner nicht nur bezüglich der Boland-Novelle. Aber wie sah sein Rat dann aus? Ich hatte nicht genügend Informationen, um weitere Spekulationen anzustellen.

Aber angenommen, Deirdre hatte tatsächlich über das Geld Bescheid gewußt. Angenommen, sie hatte sich an dem Abend ihres Todes in meinem Büro mit Jasper verabredet. Sie unterhielt sich mit ihm, und herein kam Fabian, sah, wie spöttisch und schadenfroh sie war, und drehte durch. Jasper würde natürlich schweigen, weil er es sich nicht leisten konnte, die Polizei auf sein Geld aufmerksam zu machen.

Ich richtete mich kerzengerade auf, mir lief es eiskalt den Rücken hinunter. Wenn Jasper Deirdre des Geldes wegen umgebracht hatte, war mein eigenes Leben jetzt auch keinen Pfifferling mehr wert. Ich mußte etwas unternehmen, etwas Handfestes herausfinden, damit Finchley einen Durchsuchungsbefehl beantragen konnte. Ich mußte die Geschichte vom anderen Ende her aufrollen. Was wollte Jasper mit dem ganzen Geld? Der einzige Anhaltspunkt waren die Baustellen, die er hütete wie seinen Augapfel.

Ich tappte den Flur zum Bad hinunter, wo ich kalt duschte, bis ich mit den Zähnen klapperte. Dann überlegte ich, was ich anziehen sollte; ich wollte nicht, daß Charpentier sich daran erinnerte, mich schon einmal bei Home Free gesehen zu haben. Schließlich zog ich eine Jeans und einen marineblauen Blazer an und setzte einen großen Strohhut auf, der mein Gesicht verbarg. Straßenkarten von den Vororten, die Zeitung und meine Waffe vervollständigten meine Ausrüstung.

Bevor ich das Haus verließ, spähte ich noch einmal kurz durch die Jalousien auf die Straße. Niemand lungerte dort unten auf dem Gehsteig herum, in die Autos konnte ich nicht hineinsehen. Ich nahm trotzdem lieber den Hinterausgang. Von meiner winzigen Terrasse aus kann man den ganzen Hof überblicken, aber wenn man das Haus durch die Vordertür verläßt, hat man praktisch keine Deckung.

Mein Wagen stand immer noch da, wo ich ihn abgestellt

hatte. Ich stieg ein und fuhr mit vielen Haken in Richtung Kennedy Expressway. Es folgte mir niemand.

Charpentiers Büro war in Des Plaines, ziemlich weit jenseits des O'Hare-Flughafens. Er arbeitete in einem langgezogenen Backsteingebäude wie viele andere kleine Bauunternehmer auch. Es war niemand da. Da reinzukommen wäre ein Kinderspiel gewesen, aber ich hatte Conrad versprochen, nicht wieder mit meinem Dietrich zu spielen. Also seufzte ich und schlug die Privatadresse Charpentiers nach, die ein Stück die Mautstraße runter in Richtung Arlington Heights lag.

Charpentiers Haus war ein zweistöckiger Bau im neokolonialen oder neogeorgianischen Stil, oder wie diese falschen Säulen auch immer im Fachjargon der Immobilienmakler hießen. Es war groß, aber nicht riesig. Auch das dazugehörige Grundstück hatte nur durchschnittliche Ausmaße, war jedoch außerordentlich gepflegt. Obwohl noch früh im Jahr, war das Gras bereits grün und bedeckte den Boden wie gesponnene Seide – oder wie Alec Gantners Experimentiermais.

In der Auffahrt stand ein neueres Nissan-Modell. Ein Junge mit einem Skateboard kam gerade aus dem Haus, gefolgt von einer Frau, die dann mit dem Nissan wegfuhr. Ich lenkte den Wagen wieder auf die Hauptstraße und suchte eine Tankstelle mit einem Telefon. Nachdem ich Gary Charpentiers Stimme auf dem Anrufbeantworter gehört hatte, kaufte ich mir einen Kaffee und ein Doughnut und kehrte in die Straße zurück, in der Charpentier wohnte. Damit die Nachbarn mich nicht sahen, aß ich mein Doughnut um die Ecke, studierte die Karte und hörte zu, wie Jessye Norman Tschaikowski-Lieder sang.

Kurz vor zwei kam Mrs. Charpentier mit ihrem Nissan zurück. Ich wartete weitere zwanzig Minuten, damit sie die Sachen, die sie eingekauft hatte, auspacken und einräumen konnte. Dann suchte ich auf dem Rücksitz nach etwas, das mir Glaubwürdigkeit verleihen würde, und fand einen Stapel Flugblätter, die für eine Benefizveranstaltung zugunsten von Arcadia House warben. Als Mitglied des Stiftungsbeirats sollte ich ohnehin zwanzig Karten dafür verkaufen.

Der Junge mit dem Skateboard kam an die Tür. Er war vielleicht zehn, schlank und hatte jede Menge Sommersprossen, aber keinerlei Ähnlichkeit mit dem kräftigen Mann, den ich bei Jasper Heccomb gesehen hatte. Ich versuchte, ein besonders ernstes Gesicht zu machen, und verlangte Gary Charpentier.

»Er ist nicht hier.« Der Junge hatte den Stimmbruch noch nicht hinter sich und sprach in einem durchaus reizvollen, rauchigen Alt.

»Wo kann ich ihn finden? Ich muß unbedingt heute noch mit ihm sprechen.«

Der Junge biß sich auf die Lippe und verkündete, er würde seine Mutter holen. Dann verschwand er und rief: »Mom! Mo-o-om!«

Mrs. Charpentier war etwa in meinem Alter, doch ihre ehemals blonden Haare hatten sich in stumpfes Grau verwandelt. Trotz der Spuren der tagtäglichen Kleinkriege in der Familie auf ihrem Gesicht wirkte sie noch immer hübsch. Obwohl es noch so früh war, hatte sie offenbar begonnen, das Abendessen vorzubereiten, denn sie trocknete sich die Hände an einem Küchenhandtuch ab und roch ziemlich stark nach Zwiebeln.

»Mrs. Charpentier? Ich komme von Alec Gantners Büro. Ich soll Gary Charpentier ein paar Unterlagen bringen.«

»Ach.« Sie sah ihren Sohn an, der hinter ihr stand. »Ist schon recht, Gary – ist was Geschäftliches für Dad. Ich kann die Sachen für ihn annehmen – er ist im Moment nicht da, aber so gegen fünf kommt er wieder.«

Ich zog die Flugblätter von Arcadia House, die ich ihr hingehalten hatte, wieder weg. »Tut mir leid, aber das ist zu spät: Es ist wichtig, daß er noch ein paar Dokumente unterzeichnet und uns zurückschickt. Aber am Samstag fährt der letzte Kurier um fünf. Mr. Gantner wird sicher ziemlich wütend sein, daß ich es nicht rechtzeitig geschafft habe.«

Sie biß sich auf die Lippe, ganz ähnlich wie ihr Sohn vorher. »Wenn Sie... Wenn die Sachen von Mr. Gantner sind... Er mag's nicht, wenn...«

»Es macht mir nichts aus, zu ihm zu fahren. Ist er in seinem Büro? Dort war ich vorher schon.«

»Nein. Nein, er ist in Chicago. Und er mag's überhaupt nicht, wenn Leute zu ihm auf die Baustelle kommen. Aber... wissen Sie was, ich versuche, ihn übers Autotelefon zu erreichen. Wie heißen Sie denn?«

»Gabriella Sestieri.« Als erstes kam mir der Name meiner Mutter in den Sinn. »Wenn Sie mir einfach die Adresse geben, kann ich dort vorbeifahren – ich muß mit den unterschriebenen Papieren sowieso noch einmal zum Loop zurück.«

»Es ist besser, wenn ich vorher anrufe. Dann ist er vielleicht nicht ganz so wütend.«

Sie hastete ans Telefon. Ich schwitzte – vor Ungeduld, Zorn und unangenehmer Angst. Ich fragte mich, ob ich der Frau ein Kärtchen mit der Notfallnummer von Arcadia House dalassen sollte. Wie zornig konnte Gary Charpentier wohl werden? Bei Jasper Heccomb war sein Gesicht vor Wut ganz rot angelaufen, wer weiß, wie er seiner Frau gegenüber reagierte?

Sie kam nach ein oder zwei Minuten zurück, um mir mitzuteilen, daß sie ihn nicht hatte erreichen können – er war nicht in seinem Auto. Nachdem ich ihr erklärt hatte, ich wisse, wie schwer es sei, es einem Mann recht zu machen, und sie daran erinnert hatte, wie wichtig Alec Gantner sei und daß es aufgrund seiner Verbindung mit Jasper Heccomb unklug von ihrem Mann wäre, diesen wichtigen Mann hängenzulassen, gab sie mir die Adresse einer Baustelle. Sie lag an der Elston Avenue, etwas nördlich von der Stelle, wo die Pulaski Road einmündete.

36 Sie kämpft und läuft weg – und kriegt trotzdem eins auf den Deckel

Die Elston Avenue führt diagonal durch die Northwest Side. Während der Rush-hour sind viele Autos dort unterwegs – sie verläuft parallel zum Kennedy Expressway –, zu anderen Zeiten ist die Gegend Niemandsland. Düstere Abschnitte, wo ehemals Lagerhäuser und Fabriken standen, wechseln sich mit nur wenigen Geschäften oder Restaurants ab, so daß die Anwohner der Umgebung kaum jemals in diese Straße kommen.

Charpentiers Baustelle lag verborgen hinter dem hohen Gras und den bröckelnden Wänden eines dieser trostlosen Häuserblocks. Ich fuhr zweimal daran vorbei, ohne irgend etwas zu entdecken, und suchte nach einer Hausnummer, die mir bestätigt hätte, daß ich mich in der richtigen Gegend befand.

Schließlich stellte ich den Wagen in der Cullom Street ab und erkundete das Viertel zu Fuß.

Erst als ich eine aufgerissene Asphaltfläche überquert hatte – die Überreste eines Parkplatzes –, merkte ich, daß hier überhaupt gebaut wurde. Keine Schilder verkündeten der Welt, daß Charpentier hier tätig war und daß es möglicherweise gefährlich sein könnte, den Grund zu betreten. Die Zulieferer und Arbeiter fuhren die Baustelle wahrscheinlich von hinten an, nicht von der Elston Avenue. Wenn man nicht wußte, wonach man suchte, hätte man die Baustelle von außen nicht bemerkt. Wenn es tatsächlich ein Projekt von Home Free war, stellten die Leute ihr Licht unter den Scheffel.

Ich ging durch das abgestorbene Präriegras, um mir die Baustelle genauer anzusehen. Das Fundament war bereits mit Beton ausgegossen. Die Ecksteine für das Erdgeschoß waren ungefähr eineinhalb Meter hochgemauert. Etwa acht oder zehn Männer nagelten ein Gerüst fest, das später mit Beton ausgegossen werden sollte. Sie riefen einander Anweisungen in einer Sprache zu, die ich nicht verstand – vielleicht handelte es sich dabei um einen italienischen Dialekt, vielleicht auch um schlechtes Spanisch.

Weiter hinten lagen Holzstapel. Jenseits davon ratterte ein Betonmischer. Der große Lieferwagen, mit dem Gary Charpentier in der vergangenen Woche von Home Free weggefahren war, stand neben ihm.

Die Männer trugen abgerissene Jeans und Hemden. Mehrere von ihnen arbeiteten, obwohl es ein kühler, grauer Tag war, mit nacktem Oberkörper. Einer entdeckte mich, als ich über ein Gewirr aus verrosteten Eisenträgern kletterte. Er hörte auf zu hämmern und rief seinen Kollegen etwas zu. Ein paar von ihnen pfiffen und feuerten mich mit Worten an, die ich auch ohne Wörterbuch verstand.

Ein großer Typ mit einem Cowboyhut trat hinter der Betonmischmaschine hervor. Er warf mir einen Blick zu und fluchte dann zu den Arbeitern hinüber. Der Mann, der mich entdeckt hatte, begann wieder zu hämmern, wenn auch gemächlicher; die ganze Mannschaft machte langsamer, um dem Schauspiel zuzusehen. Der Mann, der geflucht hatte – wahrscheinlich der Vorarbeiter –, kam über die unkrautbewachsene Fläche zu mir herüber. Er sah bedrohlich aus, war beinahe dreißig Zentimeter größer als ich und trug einen beeindruckenden Wanst vor sich her.

»Das hier ist eine private Baustelle, Miss. Hier dürfen nur Leute mit Schutzhelmen rein.« Er hatte einen ziemlich starken Akzent, der mich ein wenig an den meiner Mutter erinnerte und so gar nicht zu seinen Cowboystiefeln und seinem Stetson zu passen schien.

Ich deutete hinüber zu der Mannschaft. »Und warum tragen die dann keine? Und Sie?«

Er beäugte mich mit zusammengekniffenen Augen und spuckte knapp an meinem linken Zeh vorbei. »Die haben sowieso schon ziemlich harte Schädel. Gehen Sie mal lieber wieder einkaufen, oder was Sie sonst vorhaben. Die Männer hier arbeiten.«

»Ist das eine Baustelle von Home Free?«

Er trat einen Schritt auf mich zu, so daß sein Bauch sich fast auf gleicher Höhe mit dem unteren Ende meines Schulterholsters befand. »Wen interessiert das?«

»Mich.« Es kostete mich etwas Überwindung, nicht einen Schritt zurückzutreten.

»Hier werden Sie nichts erfahren, Lady. Das ist eine private Baustelle, alles andere geht Sie nichts an.«

»Aber man hat mich gefragt, ob ich nicht investieren möchte. Wie soll ich das machen, wenn ich nicht mal weiß, wie die Arbeit von Home Free aussieht?«

Er runzelte die Stirn, versuchte abzuwägen, wieviel Wahres an meiner Geschichte war, kam aber zu dem Schluß, daß sie ihm nicht gefiel. »Glauben Sie den Leuten einfach, was sie Ihnen sagen. Wenn Sie mit einem von den Chefs kommen, können Sie sich hier auch umsehen. Wenn nicht, sollten Sie sich um Ihre eigenen Angelegenheiten kümmern.«

Jetzt runzelte ich meinerseits die Stirn und wog meine Alternativen ab. Ich war nicht nur nicht groß genug, um es mit ihm aufzunehmen, nein, es hatte auch keinen Sinn; ich konnte ihm nur zeigen, daß ich keine Angst vor ihm hatte. Aber manchmal ist es von Vorteil, wenn das Gegenüber denkt, man habe Angst – denn das führt zu Unvorsichtigkeit. Ich konnte ja jetzt, da ich wußte, wo sie steckten, jederzeit wiederkommen.

Ich breitete die Hände aus und lächelte. »Na schön. Dann hole ich eben einen von den Chefs. Erkennen Sie Eleanor Guziak, wenn Sie sie sehen, oder muß es Jasper Heccomb persönlich sein?«

Sein Blick wurde noch finsterer. »Wenn einer von denen dabei ist, können Sie sich hier umsehen. Und jetzt verschwinden Sie.«

Ich ging ein paar Schritte rückwärts, um zu sehen, ob er mir folgte, drehte mich dann um und suchte mir einen Weg durch den Bauschutt hinaus auf die Elston Avenue. Ich ließ mir Zeit, versuchte, locker auszusehen. Die Arbeiter pfiffen mir noch ein bißchen hinterher. Ich drehte mich um und winkte ihnen aufmunternd zu. Dann sah ich, wie ein neuerer Bronco neben dem Betonmischer hielt.

Der Vorarbeiter sah ihn ebenfalls. Er eilte hinüber, als Gary Charpentier ausstieg. Der Bauunternehmer brüllte ihm etwas zu. Ich war zu weit weg, um die Worte zu verstehen, aber offenbar handelte es sich um die Anweisung, mich zurückzuholen, weil der Vorarbeiter mir jetzt nachrannte.

Charpentier folgte ihm so schnell, daß er sich nicht mal mehr die Zeit ließ, die Wagentür zu schließen. Jetzt war meine Nonchalance nicht mehr angebracht. Ich sprang über Betonblöcke und versuchte, auf die glatte Grasfläche zu gelangen, die an die Elston Avenue grenzte. Ein paar Schritte vom Gehsteig entfernt hörte ich Pfeifen und einen Knall.

Ich ließ mich zu Boden fallen, bevor mir noch ganz bewußt war, daß die Schweine schossen. Ich landete auf einem Ziegel, und mir blieb die Luft weg. Schmerzlich japsend drehte ich mich auf eine Seite und fischte in der Innenseite meiner Jacke nach der Smith & Wesson. Ich entsicherte und zielte auf den Vorarbeiter, schoß aber noch nicht, weil ich keinen von der Mannschaft treffen wollte. Als der Cowboy noch einen weiteren Schuß abgab, rollte ich so lange auf dem Boden weiter, bis ich zu einem Betonblock gelangte, der groß genug war, um mir wenigstens ein bißchen Schutz zu gewähren.

Charpentier hatte den Cowboy mittlerweile eingeholt und senkte den Arm mit der Waffe. Ich setzte mich auf und zielte mit meiner Pistole deutlich sichtbar auf die beiden. Charpentier stolperte zu mir herüber, der Cowboy hinter ihm her.

»Was zum Teufel machen Sie hier?« Er beugte sich so weit zu mir vor, daß ich seinen feuchten Atem auf meinem Gesicht spürte.

Ich rappelte mich hoch und wischte mir die Wangen mit vorwurfsvollem Gesicht ab, bevor ich etwas sagte. »Genau das wollte ich Sie gerade fragen. Wieso schießt dieser wildgewordene Affe auf Leute?«

»Sie haben unbefugt eine private Baustelle betreten.« Er platzte fast vor Wut.

»Steht nirgends was. Und selbst wenn, welches Recht gibt das dieser Hyäne, auf mich zu schießen?«

»Ich hab' ihr gesagt, sie soll verschwinden«, sagte der Cowboy. »Sie wollte wissen, ob das hier eine Baustelle von Home Free ist. Ich hab' ihr gesagt, sie soll sich um ihre eigenen Angelegenheiten kümmern.«

»Und ich wollte gerade gehen. Das hätte Sie doch eigentlich freuen müssen. Wieso ballern Sie dann noch wie wild in der Gegend rum?«

»Ich hab' ihm gesagt, daß er Sie aufhalten soll«, antwortete Charpentier. »Ich habe mit meiner Frau telefoniert, und die hat mir gesagt, Alec Gantner hat ein Mädchen mit ein paar Dokumenten vorbeigeschickt, die ich unterschreiben soll. Also habe ich mich bei Gantner gemeldet – um mich zu entschuldigen, daß sie mich nicht angetroffen hat. Aber er hat gesagt, er hat niemanden geschickt. Ich möchte wissen, was Sie hier zu suchen haben, warum Sie meiner Frau die Adresse der Baustelle rausgekitzelt haben. Das ist mein gutes Recht.«

Ein paar der Männer hatten sich in der Zwischenzeit hinter ihm versammelt, immer noch mit den Werkzeugen in den Händen. Was würde wohl passieren, wenn der Cowboy ihnen Anweisung gab, sich auf mich zu stürzen?

»Ich zahle Steuern hier in Chicago. Ich habe ein Recht, Chicagoer Straßen zu benutzen, ohne mich vor Ihnen zu rechtfertigen.«

Charpentier hob die Hand, um mich zu schlagen, sah, daß die Männer zuschauten, und überlegte es sich anders. »Sie haben kein Recht, meine Frau zu belästigen. Außerdem ist das hier Privatgrund. Auch in Chicago sollte das noch was bedeuten.«

»Was versuchen Sie hier zu verstecken? Wenn das alles so privat ist, warum stellen Sie dann keine Schilder auf?«

»Sie sagt, sie möchte investieren«, teilte der Cowboy Charpentier mit. »Ich hab' ihr gesagt, wenn sie einen Boß mitbringt, kann sie sich hier umschauen.«

Charpentier starrte mich an. »Hab' ich Sie nicht schon mal gesehen?... Doch. Sie sind die Detektivin, die Jasper Heccomb bei Home Free ständig auf den Keks geht. Soso.«

Er wandte sich an den Cowboy. »Sie ist wertvoll, Anton. Behandle sie wie einen Goldbarren.«

»Ist das die Warshawska?« Anton verwendete die polnische Form. »Warum...« Er deutete mit der Waffe auf mich.

Charpentier verzog die Lippen zu einem unangenehmen Lächeln. »Weil jetzt nicht der richtige Zeitpunkt ist. Verschwinden Sie, Detektivin. Aber ich sage Jasper, daß Sie uns beehrt haben.«

Ich drehte mich um und ging langsam zur Straße. Unter den gegebenen Umständen hatte ich keine andere Wahl. Als ich die Elston Avenue überquerte, schaute ich mich noch einmal um. Charpentier und Anton beobachteten mich, die Arme in die Hüften gestemmt. Die Arbeiter pfiffen mir wieder nach. Es klang nicht unfreundlich, also winkte ich ihnen noch einmal zu.

Während der kurzen Fahrt nach Hause ließ ich mir Charpentiers Abschiedsworte durch den Kopf gehen. Ich konnte sie eigentlich nur so verstehen, daß er und Anton meine Verfolger gewesen waren und daß sie auf etwas Bestimmtes warteten, bevor sie sich auf mich stürzten. Aber auf was?

Es überraschte mich, wie wütend ich auf Charpentier und seinen Cowboy-Vormann war. Sie hatten mich auf gemeinste Weise beleidigt. Ich mag's nicht, wenn jemand mich »Mädchen« nennt oder mir sagt, daß er mir irgendwann auflauern wird, um mir eine Lektion zu erteilen. Charpentiers blödes Gerede wurmte mich mehr als meine blauen Flecken.

Wenigstens kannte ich jetzt eine Baustelle von Home Free. Es wäre interessant herauszufinden, ob Charpentier sie ordentlich beantragt hatte. Und noch interessanter wäre es, Charpentiers Bücher durchzugehen, festzustellen, ob Home Free ihn pünktlich bezahlte. Er war vergangene Woche nicht allzugut auf Jasper zu sprechen gewesen, aber dabei konnte es nicht um Geld gegangen sein. Ein Typ wie Charpentier würde nicht mehr wiederkommen, wenn er sein Geld nicht bekam.

Wahrscheinlich hatte Heccomb heute noch nicht mit Charpentier gesprochen. Wenn er ihm gesagt hätte, daß ich schon ganz nahe an den Trüffeln dran war, hätten sie mich wahrscheinlich umgebracht. Ich versuchte, die Vorstellung von meiner Leiche, in Beton gegossen, zu verdrängen.

Mackenzie Graham hatte mir gesagt, daß meine Verfolger in einem viertürigen Wagen gefahren waren, vielleicht in einem braunen. Das paßte auf den Nissan von Charpentiers Frau. Doch für den Fall, daß es doch jemand anders gewesen war – oder daß Jasper noch jemanden in Reserve hatte –, stellte ich meinen Wagen wieder auf der Morgan Street ab und ging die zwei Häuserblocks zu Fuß heim.

Ich hatte die Hand auf der Smith & Wesson, als ich die innere Tür aufschloß. Im Eingang lauerte mir niemand auf. Die Schlüssel in der linken Hand, stapfte ich die Treppe hoch, meine Gedanken mehr bei einem heißen Bad als bei Anton.

Ich hörte sie einen Augenblick, bevor ich sie sah, Zeit genug, um die Smith & Wesson zu entsichern. Drei maskierte Schatten erhoben sich am oberen Ende der Treppe. Ich feuerte meine Waffe ab und rannte gekrümmt die Stufen hinunter.

»Verdammtes Miststück! Haltet sie auf!«

Ich hastete um die Ecke des Treppenabsatzes herum, einer der Schatten hinterher. Ich schoß, verfehlte ihn und hörte einen auf mich gerichteten Schuß. Gerade als ich die nächste Treppe hinunter wollte, stürzte sich der Schatten auf mich. Wir rollten zusammen die Stufen abwärts. Meine Waffe ging los, und der Schuß verbrannte mir die Hand.

Es war alles so eng, daß ich mich nicht von meinem Angreifer befreien konnte. Also zog ich die Knie an und stieß sie ihm, so fest es ging, in den Bauch. Er ächzte und packte mich an den Haaren. Ich stieß noch einmal zu. Mit den Beinen konnte ich mich jetzt bewegen. Gerade als ich meine Waffe heben wollte, versetzte mir eine andere Hand einen Schlag auf den Kopf. Ich verspürte einen so intensiven Schmerz, daß ich einen Augenblick am Abgrund der Welt zu tanzen schien, und dann umhüllte mich gnädige Dunkelheit.

37 Raubvogel

Die Sonne war ein grelles Licht in der Ferne. Ein Falke saß auf dem Arm eines Mannes mit Kapuze, beäugte mich kühl, wollte mich in das Zentrum der Sonne tragen.

»Nein!« schrie ich. Ich wollte mich aufsetzen, aber der Falkner streckte einen Arm aus und drückte mich auf den Boden. Der Vogel pickte an meiner Hand.

Als ich aufwachte, war die Sonne nur noch ein fluoreszierendes Licht an einer Zimmerdecke mit Flecken. Und der Vogelschnabel hatte sich in einen Tropf verwandelt, der mit einer Vene an meinem linken Arm verbunden war. Um mich herum hatte jemand schäbige Vorhänge zugezogen. Ein Wagen mit medizinischen Instrumenten stand links von mir, und eine Frau in T-Shirt und Jeans mit einem Stethoskop tauchte neben mir auf.

»Schön. Sie sind aufgewacht. Wissen Sie Ihren Namen noch?«

»Wo bin ich?« krächzte ich.

»In der Notaufnahme des Beth Israel Hospital.«

»Wie bin ich hierhergekommen?«

»Polizisten haben Sie hergebracht. Sie wollen übrigens mit Ihnen reden, um zu sehen, woran Sie sich noch erinnern, aber bevor ich sie reinlasse, muß ich sicher sein, daß Sie dazu imstande sind. Würden Sie mir also bitte Ihren Namen sagen?«

»Ich habe eine Kopfverletzung, stimmt's?« Ich runzelte die Stirn und versuchte, mich daran zu erinnern, was passiert war. »Die Fragen stellen sie immer bei Kopfverletzungen, aber ich weiß nicht mehr, was passiert ist. Ich denke die ganze Zeit, daß es was mit Falken zu tun hatte. Das liegt an den Augen.«

Jetzt bemerkte ich den Eisbeutel, der zwischen meinem Kopf und dem Kissen steckte. Ich tastete vorsichtig mit dem Finger meinen Schädel ab, um zu fühlen, was unter dem angenehm kühlen Gefühl lag: eine empfindliche Beule, vielleicht so groß wie eine Honigmelone. Mein Arm tat mir weh an der Stelle, an der ich darauf gelandet war.

Die Schwester bestätigte mir geduldig, daß ich eine Kopfverletzung hatte, und fragte mich noch einmal nach meinem Namen. Ich gab ihr nicht nur Antwort auf diese Frage, sondern nannte ihr auch das Datum und den Namen des Präsidenten. Wenn er eine Kopfverletzung hätte, müßten sie ihn zur Beobachtung dabehalten, weil er sicher nicht wüßte, wer ich war. Nachdem ich der Schwester diese Schlußfolgerung vorgetragen hatte, lächelte sie und sagte, sie würde den zuständigen Arzt holen und den Leuten von der Polizei sagen, daß sie mir ein paar Fragen stellen könnten.

Das Licht tat mir in den Augen weh, also machte ich sie zu und döste ein bißchen, bis ich eine Stimme nahe bei meinem Kopf hörte.

»Ms. Warshawski... Die Schwester hat gesagt, Sie sind wach. Wie fühlen Sie sich?«

Ich kannte die Stimme, konnte sie aber nicht zuordnen. Als ich den Kopf drehte, um mich ihr zuzuwenden, schoß mir ein spitzer Schmerz durch den Körper wie ein Blitz und nahm mir den Atem. Die kupferfarbenen, glatten Haare, das starre, maskenhafte Gesicht – doch die Maske hatte sich ein wenig verschoben, und darunter war Mitleid zu erkennen –, ich wußte, wer sie war, aber ihr Name fiel mir nicht ein.

»Ich kenne Sie. Sie arbeiten mit Terry Finchley zusammen.« Vor Hilflosigkeit mußte ich fast weinen.

»Verkrampfen Sie sich nicht«, sagte die Schwester von der anderen Seite. »Sie erinnern sich besser, wenn Sie versuchen, sich zu entspannen.«

»Ich bin Mary Louise Neely. Officer Calley hat mich begleitet, um Notizen zu machen.« Sie deutete auf einen Uniformierten, der in dem Spalt zwischen den Vorhängen stand, hinter denen der Flur lag. »Können Sie reden?«

»Ich weiß nicht mehr, was passiert ist«, antwortete ich. »Ich dachte, es sind Falken. Jetzt sehe ich, daß sie Kapuzen getragen haben. Und ihre Augen glänzten hinter den Kapuzen.«

Mary Louise Neely sah die Schwester stirnrunzelnd an. »Sind Sie sicher, daß sie in Ordnung ist? Sollten wir nicht lieber einen Arzt holen?«

»Das waren Schläger. Schläger mit Kapuzen.« Ich fing an zu schluchzen. »Schläger. Sie haben sich auf mich gestürzt. Ich hab' gedacht, ich bin vorsichtig, aber sie haben mir im Treppenhaus aufgelauert.«

Ich kämpfte gegen die Tränen, denn das Weinen verschlimmerte das Pochen in meinem Kopf. Die Schwester brachte mir Wasser. Beim Schlucken taten mir die Rippen weh. Vielleicht hatte ich mir beim Fallen etwas gebrochen – wo war ich gestürzt, auf der Treppe oder im Hof? Ich versuchte, meine Erinnerungen zu sortieren. Ich war zweimal hingefallen, genau: einmal auf der Baustelle und dann die Treppe runter? Nein, jemand war auf mich draufgefallen, deshalb fühlten sich meine Knochen an, als wären sie erst vor kurzem in einen Betonmixer geraten.

»Ich hab' geschossen«, erinnerte ich mich plötzlich wieder. »Hat Mr. Contreras...«

»Er ist mit den Hunden rausgekommen, um nachzusehen, was los ist. Einer von den Typen hat ihm eine Pistole an den Kopf gehalten und ihm gesagt, er soll die Hunde zurückrufen und wieder in seiner Wohnung verschwinden. Der eine hat sich um Ihren Nachbarn gekümmert, während die anderen beiden Ihre Wohnung durchsucht haben. Deswegen waren sie gekommen, nicht, um Sie umzubringen. Als sie fertig waren, sind sie wieder verschwunden. Mr. Contreras hat uns benachrichtigt und ist dann auf den Flur, um Ihnen zu helfen, aber Sie hatten in der Zwischenzeit das Bewußtsein erlangt und saßen in Ihrem Wohnzimmer. Die Beamten wußten nicht so recht, was sie mit Ihnen anfangen sollten, aber zum Glück hatte der alte Mann bereits den Notarzt gerufen.«

Ich schüttelte den Kopf, eine winzige Bewegung, die mich so schmerzte, daß ich mich fast übergeben mußte. Ich schob den Eisbeutel noch näher an meine Beule. Ich erinnerte mich weder an den Notarzt noch daran, mich in mein Wohnzimmer gesetzt zu haben. Ich wußte nur noch, daß ich geschossen hatte.

»Ich habe eine Alarmanlage. Wenn sie die Tür aufgebrochen und sie nicht abgeschaltet haben, hätte die Polizei eigentlich ein Signal erhalten müssen. Warum sind Ihre Freunde nicht schneller gekommen?«

Mary Louise Neely verzog verärgert das Gesicht. »Es kommt so oft ein falscher Alarm rein, daß sie nicht gleich beim kleinsten Muckser losfahren. Ihre Schläger – die Falken – hatten ungefähr acht Minuten Zeit, und die haben sie genutzt. Was haben die denn gesucht in Ihrer Wohnung?«

»Das weiß ich nicht.« Ich konnte oder wollte nicht denken –

denn dann mußte ich mich auch mit dem Gedanken auseinandersetzen, daß meine Wohnung verwüstet war.

»Wir in der State Street haben die Nachricht nur wegen der Messenger-Kinder bekommen. Alle Reviere suchen nach ihnen, weil ihr Vater so bekannt ist. Der wachhabende Beamte hat sich in dem Zusammenhang an Ihren Namen erinnert. Ich weiß, Mr. Messenger ist nicht allzugut auf Sie zu sprechen, aber ich glaube nicht, daß der Überfall etwas mit ihm zu tun hat – es sei denn, Sie haben Hinweise auf den Aufenthaltsort seiner Kinder gefunden, von denen wir nichts wissen...«

Ich rutschte unruhig auf der Bahre herum. »Nein, ich habe nichts gefunden.«

Ich dachte an Anton und Gary Charpentier, die auf der Home-Free-Baustelle auf mich geschossen hatten. Aber sie hätten schneller als der Blitz sein müssen, um vor mir in meiner Wohnung zu sein. Jasper Heccomb: Ich war in der vergangenen Nacht in sein Büro eingebrochen. Wahrscheinlich ahnte er, daß ich es gewesen war, weil ich lästige Fragen gestellt hatte. Aber ich hatte nichts mitgenommen, nicht einmal aus seiner Geldschublade. Ich wurde den Gedanken an Fabian nicht los, obwohl ich nicht so recht wußte, warum. Natürlich glaubte ich, daß er Deirdre getötet hatte, daran konnte ich mich noch erinnern, aber in welcher Verbindung stand er zu Heccomb?

»Weiß Conrad, daß ich hier bin?«

»Wir haben versucht, ihn zu erreichen. Er und Terry haben im Grant Park Ball gespielt, aber sie waren nicht mehr da, als wir jemanden rübergeschickt haben. Sie hören ihre Piepser offenbar nicht, aber wir haben überall in der Stadt Nachrichten für sie hinterlassen. Können Sie sich an irgend etwas erinnern, das jemand von Ihnen haben möchte?«

Der Arzt kam, weil man ihm gesagt hatte, daß ich aufgewacht war. Der ernste junge Mann mit den blutunterlaufenen Augen scheuchte Mary Louise und den anderen Beamten aus dem Zimmer, um meine Reflexe zu prüfen. Es sollte noch ein EEG gemacht werden, um sicherzugehen, daß meine Gehirnströme in Ordnung waren, doch danach konnte ich nach Hause. Der Radiologe würde sich das EEG am Morgen ansehen und mich anrufen, wenn sich weitere Unregelmäßigkeiten ergaben, die am heutigen Nachmittag noch nicht festgestellt werden konnten.

»Sie sollten heute nacht nicht allein bleiben«, warnte er mich. »Sie dürfen nicht zu viel schlafen – haben Sie jemanden, der Sie immer wieder aufwecken kann?«

Conrad, wenn ich ihn aufspüren konnte. Ansonsten mußte ich Mr. Contreras bitten. Er würde sich freuen, mich pflegen zu dürfen, aber eigentlich war das zu anstrengend für einen alten Mann und auch zu gefährlich, wenn ein paar Schlägertypen glaubten, ich hätte etwas Interessantes zu verbergen.

Als die Pfleger mich aus der Röntgenabteilung zurückschoben, warteten schon Lotty und Max auf mich. Sie waren schick gekleidet, Max im Abendanzug, Lotty im klassisch geschnittenen schwarzen Wollkleid. Ihr Stirnrunzeln wirkte genauso streng wie der Schnitt ihres Kleides.

»Das Äolusquintett.« Ich erinnerte mich, daß sie in ein Konzert wollten, und sprach den Namen laut aus.

Lottys Gesicht entspannte sich ein wenig. »Also funktioniert dein Gedächtnis doch. Der Arzt hat mir das zwar schon gesagt, aber so was soll man immer erst glauben, wenn man es selbst überprüft hat. Du kommst mit zu mir. Du mußt alle paar Stunden geweckt werden, und ich will sicher sein, daß das auch passiert.«

Ich lehnte mich auf die Trage zurück und gab mich ganz dem angenehmen Gefühl hin, umsorgt zu werden. Lotty würde sich um mich kümmern und mir keine Vorwürfe machen, weil ich wieder mal in Schwierigkeiten geraten war. Endlich hatte sie mir wegen der Vorfälle im letzten Jahr vergeben. Bei der Erinnerung setzte ich mich wieder auf, doch dabei durchzuckte mich ein so starker Schmerz, daß sich einen Moment das Zimmer vor meinen Augen drehte.

»Nein, Lotty, das kann ich nicht annehmen. Vielleicht tauchen die noch mal auf, und ich will nicht, daß du bei mir bist, wenn das passiert. Officer Neely versucht, Conrad zu finden. Außerdem wollt ihr doch ins Konzert.«

»Wir haben die Äolusmusik schon mal gehört und werden wahrscheinlich auch in Zukunft noch Gelegenheit haben, sie zu hören.« Lotty fühlte meinen Puls. »Ich weiß, was du denkst, Vic, aber diesmal will ich in einer gefährlichen Situation bei dir sein. Das ist meine eigene Entscheidung, du zwingst mich zu nichts.«

»Aber jeder weiß doch, daß wir miteinander befreundet sind. Wenn die erfahren, daß ich bei dir bin, glauben sie sicher, du hättest das, wonach sie suchen. Sogar Terry Finchley wollte deine Wohnung durchsuchen, als es um Emily Messenger und davor um meine fehlenden Disketten ging.«

Wir diskutierten eine Weile darüber, bis Max sich einmischte. »Warum wollt ihr denn nicht zu mir? Da kann Lotty auf dich aufpassen, und ihr seid beide aus der unmittelbaren Gefahrenzone heraus.«

»Aber Conrad...«, fing ich an.

»Conrad kann auch kommen, sobald Officer Neely ihn aufgespürt hat.« Max rief nach Neely und gab ihr seine Visitenkarte mit seiner Privatnummer. »Außerdem müssen wir die Sache deinem Zerberus erklären: Er sitzt schon ganz unruhig im Wartezimmer.«

Ich überredete die Schwester, Mr. Contreras hereinzubringen. Er konnte gar nicht mehr aufhören zu reden, so erleichtert und gleichzeitig aufgeregt war er. Ich entschuldigte mich bei ihm dafür, daß ich ihn in eine so gräßliche Situation gebracht hatte.

»Machen Sie sich meinetwegen keine Sorgen, Süße, ich hab' schon Schlimmeres durchgemacht. War zwar nicht wie in Anzio, wo man das Feuer richtig auf uns eröffnet hat, aber wie ich Sie da auf dem Treppenabsatz habe liegen sehen und wie der Typ mich mit der Waffe bedroht hat... ich hätte mich erschießen lassen sollen, statt so ein Theater zu machen.«

Ich nahm seine Hand und zog ihn näher zu mir heran. »Sie haben genau das Richtige gemacht. Was wäre gewesen, wenn er Sie erschossen und mich schwer verletzt hätte? Wer würde sich dann um die Hunde kümmern?«

»Ach, Süße, machen Sie sich bloß nicht lustig über mich. Ich weiß, daß ich Sie im Stich gelassen habe, weil ich nicht aufgepaßt habe, wer ins Haus kommt, und dann habe ich mich nicht mal gewehrt. Wissen Sie, die haben bei den Lees geklingelt, und weil die nicht so gut Englisch können – die Kinder waren nicht da –, haben die Lees den Typen einfach aufgemacht. Ich hätte rausgehen und schauen sollen, statt vor dem Fernseher klebenzubleiben. Kein Wunder, daß Sie mir nie erzählen, was Sie vorhaben.«

Endlich gelang es mir, ihn zu beruhigen. Zwar gefiel ihm die Nachricht, daß sich Lotty und Max um mich kümmern wollten, nicht, aber er mußte dann doch einsehen, daß Lotty bedeutend mehr Fachwissen hatte als er.

Bevor wir das Krankenhaus verließen, versuchte Mary Louise Neely noch einmal, aus mir herauszubekommen, was die Typen bei mir gesucht haben könnten, doch mir fiel einfach nichts ein. Jasper – aber ich hatte nichts aus seinem Büro mitgehen lassen. Wenn er mich hätte umbringen wollen, weil ich das Geld gesehen hatte, wäre ich mittlerweile tot.

Neely wollte mich begleiten, wenn ich meine Zahnbürste holte; vielleicht half der Anblick meiner Wohnung meinem Gedächtnis auf die Sprünge. Lotty widersprach vehement.

»Dr. Herschel, wenn wir nicht wissen, wonach die gesucht haben, wissen wir auch nicht, ob Vic – Ms. Warshawski – sich noch in Gefahr befindet. Wenn sie etwas gefunden und mitgenommen haben, müssen wir uns nicht mehr so große Sorgen machen, daß ihr bei Mr. Loewenthal etwas Ähnliches passieren könnte.«

Dagegen konnte Lotty wenig einwenden. Den Arm um Mr. Contreras' Schultern gelegt, verließ ich die Notaufnahme mit langsamen Schritten. Der brennende Schmerz hatte etwas nachgelassen; sogar die Beule schien ein wenig kleiner geworden zu sein – sie fühlte sich jetzt eher wie eine Grapefruit an, nicht mehr wie eine Honigmelone. Der Arzt hatte meine Rippen mit einem Klebeband fixiert – eine war angebrochen. Eigentlich war ich für das, was ich durchgemacht hatte, in ganz guter Verfassung.

Zum Glück hatte Max Lotty hergefahren: Eine Fahrt mit Lotty am Steuer hätte mein Kopf wahrscheinlich nicht überstanden. Mr. Contreras und ich kletterten auf den Rücksitz von Max' Buick. Officer Neelys blau-weißer Polizeiwagen begleitete uns mit hübschem Blaulicht.

38 In Sicherheit

Ich schlief auf der Fahrt zu Max' Haus in Evanston. Der Anblick des Durcheinanders in meiner Wohnung hatte meinem Gedächtnis nicht auf die Sprünge geholfen, sondern in mir nur den Wunsch geweckt, ganz weit weg zu sein. Officer Neely hatte ein Team von der Spurensicherung geholt, in der Hoffnung, ein paar Fingerabdrücke der Schläger zu finden, doch das interessierte mich nicht. Ich überließ Mary Louise Neely der Obhut von Mr. Contreras' und den Hunden.

Bevor wir gingen, wählte ich noch einmal Conrads Nummer. Er war immer noch nicht zu Hause. Vielleicht war er gleich zu seiner Mutter gefahren, aber ich erinnerte mich nicht an ihre Nummer, die nicht im Telefonbuch stand, und mein Adreßbuch konnte ich nicht finden. Entweder es lag unter den Stapeln von Büchern und Papier im Wohnzimmer, oder die Falken hatten es mitgenommen. Neely erklärte sich bereit, Mrs. Rawlings' Nummer von Terry Finchley zu erfragen und Conrad dort anzurufen.

Beim Anblick der ordentlich aufgeräumten, eleganten Wohnung von Max entspannte ich mich ein bißchen. Ich schlürfte Fruchtsaft in der Küche und spürte, wie der Schmerz in meinem Kopf allmählich nachließ. Meine Arme und meine Hüfte taten weiterhin weh; morgen würden sie steif sein. Doch das wichtigste war der Kopf. Wenn der wieder halbwegs in Ordnung war, konnte ich morgen wenigstens etwas tun.

Lotty prüfte meine Augen und meine Reflexe. Als sie sich vergewissert hatte, daß ich auf dem Weg der Besserung war, fragte sie mich, ob mir im Zusammenhang mit dem Überfall noch etwas einfiel, was ich der Polizei nicht gesagt hatte.

»Ich bin wegen des Mordes an Deirdre zwischen Jasper Heccomb und Fabian Messenger hin- und hergerissen. Außerdem hoffe ich auf irgendwelche Einfälle zu Emily. Heute morgen auf der Baustelle hat jemand auf mich geschossen, aber ich glaube nicht, daß der Typ vor mir in meiner Wohnung sein konnte. Ich verstehe bloß nicht, warum ich noch am Leben bin.« Ich versuchte, das so entspannt wie möglich zu sagen, aber meine Hände verrieten mich, denn sie zitterten so sehr, daß ich einen Teil des Fruchtsafts verschüttete.

»Jemand hat auf dich geschossen?« Lotty erschauderte. »Hast du das schon Conrad gesagt? Oder der Beamtin – wie hieß sie doch gleich, Neely? – aus dem Krankenhaus?«

Ich schüttelte den Kopf – langsam, damit er mir nicht so weh tat. »Durch den Schlag hatte ich das ganz vergessen – es ist passiert, kurz bevor ich nach Hause gekommen bin. Wer außer einem Bauunternehmer hätte wohl die Kaltschnäuzigkeit für einen solchen Überfall?«

Lotty lächelte gezwungen. »Allmählich beginne ich, deine Methoden zu begreifen, Victoria: Wenn man Verletzungen rein klinisch betrachtet, kann man eine gewisse Distanz wahren. Ich versuche es mal genauso wie du. Home Free ist mit Sicherheit nicht in den Mord an Deirdre verwickelt: Wieso sollte ein Anwalt, der sich mit der Unterbringung von Obdachlosen beschäftigt, eine ehrenamtliche Mitarbeiterin umbringen?«

Ich versuchte, mit den Achseln zu zucken. »Noch vor zwei Tagen hätte ich dir zugestimmt. Aber Jasper Heccomb bewahrt eine Menge Bargeld in seinem Büro auf – ich schätze, um die fünf Millionen Dollar. Vielleicht hat Deirdre die gesehen und gedroht, ihn beim Finanzamt zu verpfeifen.«

»Fünf Millionen in bar?« Max war inzwischen wieder in die Küche zurückgekommen. »Vielleicht bezahlt er seine Arbeiter bar, um sich die Lohnsteuer zu sparen. Aber du solltest jetzt lieber ein bißchen schlafen, statt dir darüber Gedanken zu machen.«

»Er hat keine Mitarbeiter im engeren Sinn, nur eine Assistentin und einen Lobbyisten...« Einen Lobbyisten. Vielleicht war das ganze Geld dazu bestimmt, Beamte zu bestechen, damit sie etwas für die Obdachlosen taten – was, war nicht so ganz klar.

Lotty zwang mich aufzustehen. Weil mir wieder schwindelig wurde, hielt ich mich an einem Stuhl fest. Natürlich mußte Jasper auch die Leute bezahlen, die die Projekte für Home Free bauten – möglicherweise tauchten die nicht in den Büchern auf. Insbesondere dann, wenn sie nicht Englisch sprachen und auch keine Möglichkeit hatten nachzufragen, was da eigentlich vor sich ging. Als Max mich den Flur entlangbegleitete, vorbei an Mingvasen und Tangstatuen, fragte ich ihn, welche Sprache wohl wie eine verfälschte Form von Spanisch oder Italienisch klingen könnte.

»Sardisch«, meinte er. »Oder Rumänisch.«

Natürlich, Rumänisch. Arbeiter aus den alten Warschauer-Pakt-Staaten überschwemmten gegenwärtig die amerikanischen Baustellen. Ich hätte wissen sollen, daß es Rumänisch sein mußte.

»Du kannst die Sprache nicht zufällig, oder?« fragte ich ihn.

»Ein paar Brocken. Die Mutter meines Vaters kam aus Sathmar, und ich habe als Junge mit ihr rumänisch gesprochen. Warum?«

Ich erklärte ihm, was ich auf der Baustelle von Home Free gesehen hatte. »Ich würde gern noch mal hingehen, wenn Anton grade nicht da ist, um zu hören, ob sich die Männer über das, was sie tun, unterhalten. Ich verstehe nicht, warum um die Baustellen ein solches Geheimnis gemacht wird, aber Jasper Heccomb gibt sich größte Mühe zu verhindern, daß ich eine zu Gesicht bekomme.«

Lotty, die hinter uns stand, gab mir einen Schubs zwischen die Schulterblätter. »Vic, ab ins Bett jetzt. Ich gehe mal davon aus, daß du dir nicht absichtlich eines über den Schädel hast geben lassen, aber wenn du klug bist, überläßt du die Sache jetzt Conrad.«

»Wenn ich ihn finden kann«, murmelte ich und ließ mich von ihr zum Bett führen.

Sie half mir beim Ausziehen und hängte meine Kleidung in einen Intarsienschrank. »Möchtest du den Blazer aufheben? Der linke Ärmel ist ganz zerrissen.«

Ich betrachtete den zerfetzten Stoff mit einem traurigen Blick. Wahrscheinlich war er zerrissen, als ich auf der Baustelle über die Steine gestolpert war. Die Jacke gehörte zu meinen Lieblingsstücken. Vielleicht konnte der schlaue Schneider, der Gabriella immer die Kleider als Bezahlung für die Klavierstunden seiner Tochter genäht hatte, den Blazer noch retten. Er war mittlerweile fast siebzig, schneiderte mir aber immer noch etwas, wenn ich was Besonderes wollte.

Bevor ich mich ins Bett legte, begutachtete ich den Schaden, den ich selbst genommen hatte. Der Facetteschliff des Spiegels reflektierte meine blauen Flecken größer, als sie eigentlich waren. Ich drehte mich zur Seite, konnte aber die Beule an meinem Kopf nicht sehen. Die Stelle tat immer noch weh, war jedoch offenbar nur noch so groß wie eine Pflaume. Ich zog ein Pyjamaoberteil von Max über meine mit Klebeband fixierten Rippen und stieg ins Bett.

»Man sieht kaum was«, versicherte Lotty mir und zog mir die Decke bis zum Kinn. »Ich glaube, du wirst nicht mal ein blaues Auge davontragen – so schlimm war der Schlag auch wieder nicht. Jetzt ist es sechs. Ich wecke dich um zehn, bloß zur Sicherheit, aber ich glaube, daß alles in Ordnung ist.«

Um halb elf zwang sie mich, mit steifen Beinen wieder in die Küche hinunterzugehen, Apfelsaft zu trinken und einen Marmeladentoast zu essen. Conrad hatte um acht angerufen. Er war mit seinen Nichten im Kino gewesen, deshalb hatte ihn niemand erreichen können.

»Er wollte herkommen, aber ich habe keine Veranlassung gesehen, weil du Ruhe brauchst und er sowieso nichts für dich tun kann. Ich habe ihm gesagt, du rufst ihn an, wenn du wach bist.«

Ich ging an das Telefon in der Küche. Conrad hob nach dem ersten Klingeln ab. Da Lotty ihn schon ein bißchen beruhigt hatte, machte er sich inzwischen mehr Sorgen darüber, was ich wieder ausgeheckt hatte, als über meine Gesundheit.

»Lotty meint, diesmal überlebst du's noch, aber sie weiß nicht, wie lange das so weitergehen soll. Was wollten sie denn unbedingt von dir haben, daß sie dafür deine Wohnung auf den Kopf stellen mußten? Sag mir die Wahrheit: Das ist kein Spiel mehr.«

Als ich ihm keine Antwort gab, sagte Conrad: »Na komm schon, Ms. W. Du bist gestern nacht bei Jasper Heccomb eingestiegen. Was hast du da mitgehen lassen, daß er sich auf eine so gefährliche Sache einläßt?«

»Ich hab' dir doch schon gesagt, daß ich eine ganze Schublade mit Geld gesehen habe, aber ich habe nichts davon mitgenommen. Habt ihr das übrigens nachgeprüft?«

»Das konnten wir nicht – der Typ hat uns nicht informiert. Was hast du sonst noch gesehen?«

»Nichts. Ehrenwort. Es sei denn, ich habe es verdrängt – aber ich leide nicht unter Gedächtnisverlust, abgesehen von dem Teil meines Lebens zwischen dem Überfall und dem Krankenhaus.« Wahrscheinlich würde ich mich nie mehr daran erinnern, daß ich das Bewußtsein wiedererlangt und die Stufen zu meiner Wohnung hinaufgegangen war, hatte Lotty mir erklärt.

»Tja, wen hast du denn in letzter Zeit noch ausgeraubt?«

»Nein ... ach.« Plötzlich fiel mir Senator Gantners Brief an Fabian ein. Ich hatte ihn auf dem Nachttisch liegenlassen. Mary Louise Neely hatte gemeint, daß die Typen wahrscheinlich nach irgendwelchen Papieren gesucht hatten, weil sie alle meine Bücher und schriftlichen Unterlagen im Wohnzimmer durchgeblättert hatten. Aber mein Schlafzimmer war nicht verwüstet. Sie waren hineingegangen, hatten den Brief entdeckt und waren wieder verschwunden.

»Woran erinnerst du dich?« wollte Conrad wissen. »Brichst du in letzter Zeit so oft ein, daß du dich an Einzelheiten nicht mehr erinnern kannst?«

Ich gestand ihm die Sache mit dem Brief. »Ich habe Alec Gantner davon erzählt, als ich gestern abend draußen bei ihm war. Der hat ein richtiges Sicherheitsteam da bei Gant-Ag. Wahrscheinlich machen die alles, was er von ihnen verlangt, wenn's sein muß, verprügeln die auch Frauen auf der Treppe vor ihrer Wohnung.«

Conrad heulte auf. »Warum hast du dir die Unterlagen von Messenger überhaupt angesehen? Verstehst du denn nicht, daß wir uns jetzt in einer unmöglichen Situation befinden? Was ist, wenn tatsächlich Gantner nach dem Brief gesucht hat? Was soll ich dann sagen – was kann Finch machen? Soll er vielleicht zu Clive Landseer gehen und sagen: ›Entschuldigen Sie bitte, aber wir hätten gern einen Durchsuchungsbefehl für das Gant-Ag-Anwesen und Alec Gantners Privatwohnung, weil eine Detektivin einem unserer angesehensten Bürger einen Brief gestohlen hat und sie es für möglich hält, daß die Sicherheitskräfte von Gant-Ag ihr aufgelauert haben, um ihn wiederzubekommen‹?«

Mein Kopf begann wieder zu pochen. »Ich erwarte gar nichts von dir. Hab' ich dich jemals gebeten, mir aus irgendeinem Schlamassel rauszuhelfen?«

»Nein, Baby. Aber genau das macht mich rasend. Wenn du

mit mir reden würdest, bevor du bis zum Hals in der Scheiße steckst, könnten wir vielleicht einen Weg finden, wie du das, was du möchtest, kriegst, ohne daß du irgendwo einbrechen, Leute bestehlen oder selber eins auf den Deckel kriegen mußt.«

Die aufgemalten Blumen auf den Fliesen hinter dem Waschbecken begannen, sich in einer Brise, die nur sie spürten, zu neigen und zu wippen. »Wenn ich mit dir geredet hätte, hättest du versucht, mich davon abzubringen. Und dann wüßte ich jetzt gar nichts.«

»Was? Was würdest du nicht wissen?«

»Zum Beispiel, daß es eine Verbindung zwischen Gantner und Fabian gibt. Oder daß Jasper einen Haufen Geld im Büro rumliegen hat. Möglicherweise finde ich raus, wer Deirdre ermordet hat, während ihr immer noch versucht, ihre arme Tochter zu finden.«

»Hör zu, Vic. Wenn ich auf deine Art Beweise gegen den Mörder beschaffe, kommt der ungeschoren davon, weil die Beweise nichts wert sind. Du hast doch Jura studiert, oder?«

Ich wurde rot. So hatte ich mir das nicht gedacht – daß ich mir von einem Bullen sagen lassen mußte, was ich zu tun oder zu lassen hatte. Schließlich war ich eine progressive Privatdetektivin.

»Bist du noch dran?«

»Ja, aber das, was du gesagt hast, hat mir die Sprache verschlagen. Du hast nämlich recht. Deshalb kann ich dir nicht widersprechen, das könnte ich nicht mal, wenn mein Kopf in Ordnung wäre, und das ist er nicht. Ich geh' jetzt wieder ins Bett. Viel Spaß in der Kirche morgen.«

»Glaub mir, Baby, ich spreche ein Gebet für dich und bitte die Engel, daß du dir in Zukunft öfter von mir in die Karten schauen läßt.«

Kurz nach halb sechs weckten mich Lottys Finger an meinem Handgelenk und holten mich aus einem Traum, den ich unter Streß oft träume: Ich versuche, meine Mutter hinter dem Gewirr von Kanülen zu erreichen, die sie kurz vor ihrem Tod noch am Leben erhielten, aber die Schläuche sprießen und breiten sich aus wie Wurzeln und verwachsen zu einem Geflecht aus Plastik, das einen Wall zwischen ihr und mir bildet.

»Tut mir leid, *Liebchen*. Ich muß in die Stadt – im Krankenhaus gibt's einen Notfall. Aber wo du schon mal wach bist – laß dich mal anschauen.« Sie prüfte meine Reflexe, hob meine Augenlider und hörte meinen Herzschlag ab. »In Ordnung. Ich spreche noch mal mit dem Radiologen wegen des EEGs, aber soweit ich das sehe, kannst du heute aufstehen, immer vorausgesetzt, du legst dich nicht wieder mit Schlägern an. Vergiß nicht, daß du viel trinken mußt, aber keinen Alkohol: Das ist das wichtigste.«

Ein paar Minuten später hörte ich Max' Buick die Auffahrt hinunterfahren. Ich stand auf und zog mir mit steifen Armen den Morgenmantel an, den Max für mich bereitgelegt hatte. Im Gästebadezimmer am anderen Ende des Flurs stellte ich mich dann unter die heiße Dusche und bewegte meine Arme langsam und vorsichtig, bis ich sie über den Kopf heben konnte. Danach massierte ich mir die verspannten Muskeln im Nacken. Nach einer Viertelstunde hausgemachter Hydrotherapie ging ich wieder ins Gästezimmer zurück und machte ausführliche Dehnübungen. Es kostet ganz schön viel Überwindung, mit schmerzenden Knochen Gymnastik zu machen, aber die Schmerzen verschwinden viel schneller wieder, wenn man die Durchblutung kräftig ankurbelt.

Als ich in die Küche hinunterkam, trank Max gerade eine Tasse Kaffee und las dabei die *New York Times*. Er hatte Lotty in die Stadt gefahren, weil sie ihren eigenen Wagen nicht dabeihatte und er Lottys Fahrkünsten nicht vertraute; seinen Buick wollte er ihr nicht leihen.

»Du siehst gut aus heut morgen, Victoria. Hast dich ja schnell erholt. Kaffee?«

Ich trank das heiße Gebräu, während Max mir einen Bagel

toastete. Max wollte mir einen Teil seiner Zeitung geben, aber ich interessierte mich an jenem Morgen weder für New Yorker Lokalnachrichten noch für Neuigkeiten aus Jugoslawien, und die *Times* hat einen miserablen Sportteil. Nachdem ich ihm vielleicht fünf Minuten beim Lesen zugeschaut hatte, fragte ich ihn, wann er Lotty wieder abholen wollte.

»Ich hole sie nicht ab. Ich habe sie zu ihrer Wohnung gefahren, und sie hat ihren Wagen genommen. Hättest du etwas gebraucht?«

»Ja, meinen eigenen Wagen. Ich muß noch ein paar Sachen erledigen.«

Max legte die Zeitung weg. »Du darfst nicht fahren, Victoria. Nicht nach der Schlägerei gestern. Warum fragst du nicht Conrad, ob er dich chauffiert?«

»So früh kann ich ihn nicht aufwecken – außerdem ist er bei seiner Mutter.« Der eigentliche Grund war unser Gespräch vom Vorabend, aber das sagte ich Max nicht.

»Und das, was du zu erledigen hast, kann nicht warten?«

Während ich an einem Glas Orangensaft herumfingerte, erklärte ich ihm, daß ich noch einmal zu der Baustelle zurückwollte, und zwar gleich, weil jetzt bestimmt noch niemand dort war. »Wenn ich bis morgen warte oder auch nur bis heute nachmittag, bis Conrad mich hinfahren kann, besteht die Gefahr, daß ich Anton oder Charpentier über den Weg laufe.«

Das Licht, das sich in seiner Brille spiegelte, verbarg seine Augen und Gedanken vor mir. »Du weißt, daß Lotty dir einen solchen Ausflug nicht gestatten würde.«

»Ich weiß: Deswegen haben wir auch die meiste Zeit ein gespanntes Verhältnis. Vielleicht setze ich mich nach diesem Fall zur Ruhe oder unterrichte Italienisch.«

»Und irgendwie landest du dann als Italienisch-Lehrerin auch wieder in Schwierigkeiten, zum Beispiel mit der Banco Ambrosiano ... Wenn du unbedingt zu dieser Baustelle möchtest, fahre ich dich hin.«

»Das wäre Lotty sicher auch nicht recht. Ich kann dich nicht in Gefahr bringen, nicht jetzt, wo sie endlich beginnt, mir zu verzeihen, daß ich das mit *ihr* gemacht habe.«

»Es freut mich zu hören, daß es nicht um meine persönliche Sicherheit geht.« Max lachte bloß, als ich versuchte, ihm mit hochrotem Kopf zu widersprechen. »Wenn die Sache gefährlich werden könnte, darfst du nicht gehen. Und wenn nicht, fahre ich dich hin.«

Ich kaute auf meinem Daumennagel herum. Wenn Anton und Charpentier dort waren, konnte es ziemlich scheußlich werden, und ich war nicht in der richtigen Verfassung, um mich mit ihnen auseinanderzusetzen. Aber ich war mir ziemlich sicher, daß wir sie nicht treffen würden. Schließlich fragte ich Max, ob er die Baustelle von der hinteren Straße beobachten könnte, während ich an der Montrose Avenue wartete. Wenn er irgend jemanden dort sähe, würden wir sofort nach Evanston zurückfahren.

»Ich glaube nicht, daß sie einfach auf ein unbekanntes Auto schießen würden, das an der Baustelle vorbeifährt«, pflichtete er mir bei.

Nachdem er einen Zettel für Lotty geschrieben hatte, für den Fall, daß sie früher als erwartet zurückkäme, dirigierte er mich am Ellbogen hinaus zu seinem Wagen und auf den Beifahrersitz. »Über den Lake Shore Drive?«

»Edens Parkway – wenn wir die Cicero-Ausfahrt nehmen, kommen wir praktisch direkt bei der Baustelle raus.« Das Innere seines Wagens war genauso makellos wie sein Haus; ich entdeckte ein paar Krümel auf meinem T-Shirt und schnippte sie zum Fenster hinaus.

Ich lehnte mich in den Sitz zurück. Max sagte ein paar Minuten lang nichts, aber als wir in die Dempster Road einbogen, die Straße, die zum Expressway führte, fragte er mich, ob ich meine Waffe dabeihätte.

»Ja. Ich hab' sie gestern nachmittag im Treppenhaus gefunden. Beunruhigt dich das?«

Er verzog das Gesicht. »Ich persönlich kann mit Waffen nichts anfangen, aber wenn dieser Rowdy wieder auf die Idee kommen sollte zu schießen, ist es wohl besser, wenn du auch eine Waffe hast. Wahrscheinlich weißt du ja, wie man damit umgeht.«

»Klar. Mein Dad hat zu viele Kinder gesehen, die sich mit Schußwaffen selbst verletzt haben. Deshalb hat er mich auf den Schießplatz mitgenommen, sobald ich zehn war. Meiner Mutter war das gar nicht recht – er wollte, daß sie das Schießen auch lernt, aber sie wollte nicht mal wahrhaben, daß er eine Waffe trug.«

Jedesmal, wenn ich auf dem Schießplatz übe, erinnere ich mich wieder an jene Samstagvormittage, wenn Gabriella wütend und mit stocksteifem Rücken ein Kind ans Klavier setzte, um es zu unterrichten. »Wenn du an deiner Stimme genauso eifrig arbeiten würdest wie mit diesem schrecklichen Spielzeug, könnten wir eine Sängerin aus dir machen, Victoria – einen lebensbejahenden Menschen, keinen todbringenden«, sagte sie jedesmal, wenn ich triumphierend, aber auch mit Schuldgefühlen darüber zurückkehrte, daß ich ins Schwarze getroffen hatte.

Wir fuhren ziemlich schnell durch die leeren Straßen. In der Stadt sind die Menschen immer mit irgend etwas beschäftigt, aber in den Vororten schlafen die Bewohner offenbar länger. Über große Strecken der Dempster Road waren wir das einzige Auto auf der Straße. Es war noch nicht einmal Viertel nach sieben, als wir vom Expressway herunterfuhren und in die Elston Avenue bogen. Als wir die Montrose Avenue erreichten, zeigte ich Max den Anfang der kleinen Straße, die hinter der Baustelle vorbeiführte.

Er setzte mich Ecke Montrose/Elston ab, wo ich so tun konnte, als warte ich auf einen Bus. Gleich in der Nähe befand sich eine Telefonzelle. Wenn Max in zehn Minuten nicht wieder da wäre, würde ich Conrad anrufen. Im Verlauf der Nacht waren mir etliche Dinge wieder eingefallen, unter anderem die Telefonnummer von Mrs. Rawlings, aber für den Fall, daß ich sie vor Aufregung wieder vergaß, hatte ich die Nummer auf mein Handgelenk gekritzelt.

Ich ging auf dem Gehsteig auf und ab, um meine Muskulatur zu lockern, und summte italienische Volkslieder vor mich hin, um mich abzulenken. Ein Streifenwagen wurde langsamer, um einen längeren Blick auf mich zu werfen. Ich schaute stirnrunzelnd auf die Uhr und spielte die ungeduldig Wartende. Der Wagen fuhr weiter. Aus den zehn Minuten wurden vierzehn. Ich wollte gerade Conrad anrufen, als Max zurückkam.

»Ich habe niemanden sehen können, aber ein großer Lieferwagen steht da. Ich bin zweimal dran vorbeigefahren, doch es scheint niemand in der Nähe zu sein. Willst du's riskieren?«

Ich konnte mir nicht vorstellen, warum Gary den Lieferwagen auf der Baustelle gelassen hatte. Irgendwie verunsicherte mich das – das bedeutete, daß er jeden Augenblick aufkreuzen konnte. Also beschlossen wir, die hintere Straße hinunterzufahren und den Wagen südlich der Baustelle zu parken. So konnten wir schnell zum Auto gelangen, wenn tatsächlich jemand käme – dank des Einbahnstraßensystems mußten alle Autos von Norden kommen. Ich versuchte Max zu überzeugen, im Wagen zu warten, von wo aus er Conrad im Notfall mit seinem Mobiltelefon erreichen könnte, aber er weigerte sich standhaft.

Wir warteten ein paar Minuten nicht allzuweit von dem Lieferwagen entfernt, so daß wir die ganze Baustelle überblikken konnten. Als niemand auftauchte, lenkte Max den Wagen ein Stück weiter nach vorne, wo die Überreste einer Tankstelle den Buick verdeckten.

Wir bahnten uns einen Weg durch den Schutt. Den Verkehr von der Elston Avenue konnten wir zwar nicht sehen, aber hören; bei jedem Wagen, der vorbeifuhr, zuckten wir nervös zusammen. Jetzt tat mir auch mein Kopf wieder weh. Ich merkte, daß es unsinnig gewesen war, auf dieser Fahrt zu bestehen.

Als ich gerade anfangen wollte, die Materialien zu inspizieren und die Lieferantennamen zu notieren, warnte mich Max mit einem lauten Flüstern. Ich drehte mich um und erstarrte. Die hintere Tür des Lieferwagens ging auf. Ich bedeutete Max, hinter einem Stapel Bauholz niederzuknien, und holte die Waffe aus dem Holster.

Ein Arbeiter stolperte durch das hohe Gras jenseits der Baustelle zum Pinkeln. Dann ging er zu einem großen Metallbehälter hinüber und machte sich daran zu schaffen. Ein Motor sprang an – offenbar handelte es sich um eine Art tragbaren Generator. Als er zum Lieferwagen zurückwollte, entdeckte er mich, grinste mich an und rief etwas. Noch zwei Männer kamen aus dem Lieferwagen und beäugten mich.

»Ba-by!« jauchzte einer von ihnen und sprang vom Wagen. Er machte eine ziemlich eindeutige Geste mit den Händen, verlor aber ein wenig von seiner Begeisterung, als sich Max hinter dem Stapel Bauholz erhob. Max ging zu dem Trio hinüber und begann sich zwar nicht fließend, aber doch offenbar verständlich, mit ihnen zu unterhalten. Der Mann, der mir etwas zugerufen hatte, klopfte Max auf den Rücken und deutete auf den Lieferwagen. Schon kamen noch ein paar von den Arbeitern aus dem Wagen und riefen Max Fragen, vielleicht auch eine Begrüßung, zu.

Ich stand dabei, die Hand auf dem Holster, obwohl die Männer eher freudig erregt als gefährlich wirkten. Da die Sprache irgendwie mit dem Italienischen verwandt war, bekam ich hin und wieder ein Wort mit, verstand aber nicht den Sinn des Gesagten. Antons Name fiel ein paarmal.

Nach ein paar Minuten wandte Max sich mir zu. »Sie sind aus Rumänien, wie wir gedacht haben. Und sie wollen dir nichts Böses, aber niemand darf ohne Antons Erlaubnis auf die Baustelle. Er hat jemandem den Kiefer gebrochen, weil er sich hier umgesehen hat, und sie meinen, wir sollten abhauen, denn er kreuzt wahrscheinlich bald auf.«

»Einverstanden. Aber könntest du ihnen zuerst ein paar Fragen stellen? Zum Beispiel, wie das Projekt aussieht, an dem sie arbeiten?«

Ich beobachtete die Gesichter der Männer, während Max sich bemühte, einige Fragen zu formulieren. Plötzlich redeten sie alle durcheinander und gestikulierten wie wild. Max bat sie, langsamer zu reden. Ein sehniger Mann mit riesigem Schnurrbart brachte seine Kollegen zum Schweigen und redete langsam, laut und in einfachen Sätzen, damit Max ihn verstand.

»Jemand hat sie vor ungefähr zwei Monaten hergebracht«, übersetzte Max. »Ich habe das Wort nicht verstanden, das er für den Mann verwendet, der das gemacht hat, aber ich nehme an, es handelt sich um einen Schlepper. Sie machen Überstunden...« Er wandte sich wieder an die Männer und fragte sie etwas. Dabei reckte er die Finger hoch, um sicherzugehen, daß er sie richtig verstanden hatte.

»Ja. Sie arbeiten sechs Tage die Woche, zehn Stunden am Tag. Sie wohnen im Lieferwagen.« Er warf einen Blick hinein. »Da drinnen sieht's aus wie im Frachtraum eines alten Schiffes – die haben einfach Kojen an die Wände genagelt.«

Ich fragte die Männer mit einer Geste, ob ich einen Blick hineinwerfen dürfe. Mit weiteren deftigen Ausrufen hießen sie mich an Bord willkommen. Als ich mich hochzog, jubelten sie wieder »Ba-by«. Der Sprecher der Männer stellte Max eine Kiste hin und half ihm dann ebenfalls hoch. Innen schalteten sie eine Lampe an, die an einem Kabel hing und ein hartes Licht auf ihre Unterkunft warf.

Kojen für zwölf Männer waren an den Wänden angebracht, acht davon belegt. An der hinteren Seite baumelten die Kleider der Männer an rohen Haken. Zwischen den Betten waren Bilder aufgehängt, die sie aus Zeitschriften ausgerissen hatten. Manche davon waren pornographisch, andere zeigten malerische Landschaften aus ihrer Heimat. Ein paar der Männer hatten auch Fotos von ihrer Familie angepinnt.

Ein Brett auf zwei Sägeböcken diente als Tisch. Er war übersät von leeren Bierflaschen und vollen Aschenbechern. Auf einem anderen standen eine Kochplatte und ein kleiner Schwarzweißfernseher.

Zwei Männer schliefen noch, als wir in den Wagen hineinschauten. Aufgeweckt durch die Rufe ihrer Kollegen, setzten sie sich auf, nackt und mißmutig. Ich drehte mich um und schwang die Beine über die Ladefläche, rutschte herunter und stellte mich auf die Kiste darunter. Meine Schultern und mein Kopf taten mir zu weh, als daß ich so schnell wie eine Ziege herunterhüpfen konnte. Die Männer verdienten meiner Ansicht nach ein bißchen Privatsphäre, denn sonst hatten sie ja kaum etwas. Es ist sehr hart, sich so sein Geld verdienen zu müssen.

Gleich darauf setzte sich Max neben mich. Er schüttelte bestürzt den Kopf und murmelte etwas von Dingen, die er in Amerika nicht für möglich gehalten hätte.

Der Sprecher kam wieder heraus und beugte sich zu Max hinunter, um ihn etwas zu fragen. Max übersetzte für mich. »Sie wollen wissen, wer du bist – ob du einen Liebhaber suchst oder ob du von der Regierung bist. Was soll ich ihnen sagen?«

»Ach. Die denken wahrscheinlich, daß ich was mit der Einwanderungsbehörde zu tun habe. Sag ihnen, ich hätte Freunde, die sich bereit erklärt haben, für Anton zu arbeiten, daß ich mir aber Sorgen mache, ob er sie anständig bezahlt. Ich wollte mich zuerst mit jemandem unterhalten, der schon für ihn gearbeitet hat.«

»Ich werde versuchen, ihnen das zu sagen.«

Sie lachten schallend über mein Anliegen und begannen, ihr Herz auszuschütten. Max unterbrach sie immer wieder, weil er dem, was sie sagten, nicht mehr folgen konnte. Einmal versuchte er es mit Deutsch, aber sie verstanden ihn genausowenig wie mich mit meinem Italienisch oder meinem Schulfranzösisch.

Soweit Max verstand, war Anton so etwas wie ein Aufseher. Er war Rumäne und schon seit fünfzehn Jahren in Amerika, weshalb er auch die Green Card hatte. Er hatte die Männer vor zwei Monaten am Flughafen abgeholt, nachdem sie mit Touristenvisa eingereist waren. Der Einwanderungsbehörde hatte er erklärt, es handle sich um Studenten, denen er Amerika zeigen wollte. Danach hatte er sie sofort zu dem Lieferwagen gebracht, wo sie seitdem lebten. Gleich nach ihrer Ankunft hatten sie anderswo einen Bau fertiggestellt. Hier in der Elston Avenue waren sie seit zwei Wochen.

Von dem Geld, das man ihnen bezahlte, wurde etwas für den Schlepper abgezogen, der sie hergebracht hatte, und ein anderer Teil wurde direkt den Verwandten in Rumänien geschickt. Man berechnete ihnen sogar Kost und Logis, obwohl sie in dem ausrangierten Brotwagen wohnen mußten. Ihr Nettolohn belief sich auf etwa dreißig Dollar die Woche.

»Das ist ja unglaublich – wie die Ausbeutung auf den Baumwollfeldern im Süden!« rief ich entsetzt. »Das müssen wir melden.«

»Das Problem ist, daß sie illegal hier sind«, meinte Max. »Anton droht ihnen ständig mit Ausweisung. Sie haben zu Hause alle Familien, die sie mit dem Geld über Wasser halten. Manche sind verheiratet, andere haben Eltern, die sie unterstützen. Natürlich werden sie ausgebeutet, aber sie brauchen das Geld.«

Ich runzelte die Stirn. Ich kannte eine Anwältin namens Ana Campos, die Einwanderer mit niedrigem Einkommen beriet. Ich wußte nicht, welche Alternativen die Männer hatten, aber mit ziemlicher Sicherheit konnte man ihnen etwas Besseres bieten als diesen unhygienischen Wagen. Ich erzählte Max von Ana.

»Ich denke, ich muß sie anrufen – ich kann hier nicht weggehen, als hätte ich nichts gesehen. Was glaubst du, wie viele solche Teams Charpentier in der Stadt hat?«

Bevor Max mir eine Antwort geben konnte, packte mich einer von den Männern am Arm und rief: »Anton!«

Der Stadtcowboy fuhr den Weg mit einem Pickup Truck herunter. Er hatte uns noch nicht entdeckt, aber wenn wir versuchten, die Straße hinauf zu fliehen, gaben wir ein leichtes Ziel für ihn ab. Außerdem waren weder Max noch ich in der körperlichen Verfassung für einen Sprint.

Ich rappelte mich hoch und streckte Max die Hand hin. »Komm. Frag die Jungs, ob wir eine Weile in ihre Betten kriechen dürfen.«

Max folgte mir und sagte keuchend ein paar Worte. Der Sprecher lächelte, stimmte zu und rief seinen Kollegen im hinteren Ende des Wagens etwas zu. Wir wurden unter ein paar Decken gesteckt. Einer von unseren neuen Freunden schob mir die Hand unter die Bluse, worauf ich ihm – ganz mechanisch – das Knie in den Unterleib stieß. Er zog mir hastig die Decke über den Kopf und sprang von meinem Bett.

Die hintere Tür des Lieferwagens ging auf. Ich konnte Anton hören, ihn aber weder sehen noch verstehen. Hilflos lag ich da, ohne zu wissen, was die Männer sagten. Ich packte die Smith & Wesson fester, aber meine Hände waren so feucht, daß sie mir immer wieder zu entgleiten drohte.

Nach einem Wortwechsel zwischen Anton und den Männern schien er nachzuzählen, ob alle da waren. Das Herz klopfte mir bis zum Hals – würde ihm die Überbelegung der Pritschen auffallen? Unter mir hörte ich Max keuchen, und ich betete, daß uns das Geräusch nicht verraten möge.

Anton bellte etwas Bedrohliches. Die Männer murmelten eine Antwort, und dann herrschte Schweigen. Ich lag ganz still da und atmete so flach wie möglich. Als mir jemand kurze Zeit später die Decke wegzog, drückte ich ihm die Waffe an den Kopf. Es war unser Sprecher. Er wurde bleich und sprang entsetzt zurück.

»Ist schon okay, Vic«, meinte Max mit ruhiger Stimme. »Anton ist weg. Er wollte offenbar nur nachsehen, ob alle hier sind – er hat ihnen gesagt, daß sie heute noch zu einer anderen Baustelle müssen und sich deshalb bereithalten sollen.«

»Ach.« Ich schob die Waffe ins Holster und kam mir ziemlich albern vor. »Sag dem Mann, daß ich ihn nicht erschrecken wollte.«

Nachdem Max das übersetzt hatte – es dauerte ziemlich lange, so daß ich mich fragte, was er über mich sagte –, zwinkerte der Sprecher und nickte, sah aber nicht sonderlich glücklich aus. Ich hatte das Gefühl, daß es an der Zeit war zu gehen. Mein Kopf pochte mittlerweile wie wild; Max sah erschöpft aus. Ich berührte seinen Arm und sagte ihm, daß ich den Wagen holen würde.

»Mir fehlt nichts, Vic, wirklich. Aber vielleicht warte ich doch lieber hier auf dich.«

Meine Arme und Beine waren so schlaff, als hätte ich zehn Stunden lang harte körperliche Arbeit verrichtet. Ich setzte mich auf die Ladeklappe wie eine alte Frau und ließ die Beine über die Kante gleiten. Ich war mit den Füßen gerade auf dem Boden aufgekommen, als ein Wagen sich näherte, ein alter blauer Dodge mit vier Männern darin.

Ich stolperte in den Lieferwagen zurück, als sie angerannt kamen. Bevor ich eine Warnung ausstoßen konnte, waren sie schon auf die Ladeklappe gesprungen. Einer von ihnen hielt eine Waffe in der Hand, ein anderer einen Ausweis.

»Einwanderungsbehörde, Jungs. Hände vor den Körper, wo wir sie sehen können. Wir machen jetzt eine hübsche Spazierfahrt.« Er wiederholte den Befehl auf rumänisch.

40 Nummer eins auf allen Beschwerdelisten

Die Beamten von der Einwanderungsbehörde hatten ihren Kleinbus am Ende der Straße hinter der Baustelle geparkt. Sie interessierten sich nicht im mindesten für die Proteste von Max und mir und weigerten sich, auch nur einen Blick auf unsere Ausweise zu werfen. Statt dessen schoben sie uns so unsanft in den Wagen, daß mein Kopf gegen den Rücksitz krachte. Einen Augenblick wurde mir schwindelig, und ich hatte Angst, wieder das Bewußtsein zu verlieren. Ich biß mir so fest auf die Lippe, daß der Schmerz mich in die Realität zurückriß.

In den Kleinbus hätten bequem acht Menschen gepaßt. Doch wir vierzehn waren in den unmöglichsten Positionen hineingequetscht. Ich war in eine Ecke gedrückt, einer der Arbeiter saß auf meinem Schoß. Der Geruch von Knoblauch und süßlichem Angstschweiß hing in der abgestandenen Luft.

Die Männer waren überzeugt, daß Max und ich sie verpfiffen hatten, obwohl wir genauso Handschellen trugen wie sie. Sie überschütteten uns auf der ganzen Fahrt zum Flughafen mit Beschimpfungen. Max weigerte sich zu übersetzen, aber es war nicht schwierig, ihre Wutschreie zu verstehen.

Wir verbrachten fast vier Stunden am Flughafen, zuerst zusammen in einem kleinen Raum mit den Rumänen, dann in einem noch kleineren Zimmer allein mit einem Wächter. Meine Waffe wurde mir gleich zu Beginn abgenommen, und ich mußte mich einer Leibesvisitation unterziehen, um sicherzustellen, daß ich keine weiteren Waffen bei mir trug. Die Polizisten spielten mit dem Gedanken, mich wegen unerlaubten Waffenbesitzes zu verhaften, obwohl ich einen Waffenschein hatte. Weder sie noch die Leute von der Einwanderungsbehörde wollten hören, daß Max und ich amerikanische Staatsbürger waren – sie behaupteten immer wieder, wir hätten unseren Führerschein und unsere Kreditkarten gestohlen. Sie hätten uns vermutlich umgehend nach Bukarest verfrachtet, wenn irgendein Flieger dorthin geflogen wäre.

Während der Zeit, die wir zusammen mit den Rumänen verbrachten, hörte der Mann mit dem Schnurrbart nicht auf zu schimpfen. Seine Kameraden hockten auf dem Boden und starrten niedergeschlagen ins Nichts. Max, der inzwischen ziemlich fahl aussah, versuchte ein paar Minuten lang höflich für mich zu übersetzen. Irgendwann gab er es auf – er sagte, das, was sie von sich gaben, sei so umgangssprachlich, daß er es nicht mehr verstand.

»Ich könnte natürlich raten, was sie sagen, aber mein englisches Vokabular würde ohnehin nicht ausreichen, das wiederzugeben, was sie auszudrücken versuchen«, fügte er hinzu.

»Meins schon«, sagte ich griesgrämig. »Und ich kann damit leben, es nicht noch mal zu hören.«

Es war Mittag, als ich endlich Freeman Carter anrufen durfte. Das lag nicht an meiner Eloquenz, sondern daran, daß sie uns Fingerabdrücke abgenommen hatten. Ein schneller Blick in den Computer hatte ergeben, daß eine Privatdetektivin mit meinen Fingerabdrücken sich meines Namens und meiner Adresse bediente. Irgendwie konnte sie das nicht davon überzeugen, daß ich tatsächlich die war, für die ich mich ausgab – oder besser gesagt: Wahrscheinlich waren sie so wütend über ihren Irrtum, daß sie uns keinesfalls freilassen wollten, ohne uns vorher durch die juristische Mangel zu drehen.

Mein Schwindelgefühl hatte sich in der Zwischenzeit verstärkt, mein Kopf fühlte sich an wie ein gigantischer Hammer, der immer wieder auf meinen Körper heruntersauste, aber die Sorge um Max hielt mich davon ab, mich einfach in die Bewußtlosigkeit zu flüchten. Ich war entsetzt über seine Blässe und die Schweißtropfen auf seiner Stirn. Dem zuständigen Beamten sagte ich, ich würde meine Beziehungen zu Senator Gantner spielen lassen, falls Max einen Herzanfall erlitte, und dafür sorgen, daß sie alle ihren Job verlören. Mürrisch, aber nicht sicher, ob ich nicht tatsächlich solche Kontakte hätte, ließen sie mich meinen Anwalt anrufen.

Als ich Freeman endlich aufgetrieben hatte – er war mit seinem Mobiltelefon auf dem Kemper-Golfplatz unterwegs –, sagte er mir, ich solle warten, bis er seine Runde beendet habe. Er amüsierte sich königlich darüber, daß ich als illegale Einwanderin am O'Hare-Flughafen festgehalten wurde, stimmte mir aber zu, daß Max' Charakter – anders als meiner – nicht durch Strafe geläutert werden mußte. Er versprach, nur noch einen Ball zu schlagen und dann gleich zum Flughafen zu kommen. Während wir auf Freeman warteten, versuchte ich die Polizisten davon zu überzeugen, daß ich noch Ana Campos anrufen mußte – meiner Meinung nach hatten auch die Rumänen ein Anrecht auf einen Rechtsbeistand, bevor man sie mit dem Flugzeug wieder heimschickte, aber von diesem Standpunkt konnte ich die Hüter von Gesetz und Ordnung nicht überzeugen.

Als Freeman schließlich aufkreuzte, lächelte er süffisant, aber beim Anblick von Max' fahlem Gesicht schwand seine Heiterkeit. Er wollte einen Notarzt rufen, doch Max meinte, er brauche lediglich frische Luft. Freeman notierte sich die Namen der Beamten, die uns festgenommen hatten, und sagte, sie würden noch von ihm hören. Dann dirigierte er uns zu seinem Maserati – er hatte den wachhabenden Beamten davon überzeugt, daß er seinen Wagen direkt vor dem Terminal parken durfte.

»Sie sollten sich lieber um Vic Sorgen machen«, sagte Max, als wir uns in hoher Geschwindigkeit vom Flughafen entfernten. »Sie ist gestern ziemlich schwer verletzt worden – sie war sogar bewußtlos. Ich hatte die ganze Zeit Angst, daß sie in dem stickigen Zimmer in Ohnmacht fallen würde.«

Seine Worte kappten die Seile, mit denen ich mich noch mühsam vor der Bewußtlosigkeit gerettet hatte. Ich versuchte zu sprechen, zuzuhören, was Freeman sagte, spürte aber plötzlich, wie ich in ein dunkles Loch fiel. Ich konnte mich an nichts mehr erinnern – nicht einmal daran, wie ich ins Haus gekommen war –, als Freeman mich in Max' Wohnzimmer wachrüttelte. Er reichte mir eine Tasse Kaffee und blieb bei mir stehen, während ich sie trank.

Als er den Eindruck hatte, daß ich wieder die Kraft hatte, ihm zu antworten, sagte er: »Ich weiß, daß du ziemlich weggetreten bist, Vic, aber ich hätte trotzdem gern von dir gehört, was eigentlich passiert ist, bevor ich wieder gehe. Gib mir nur einen kurzen Bericht, morgen kannst du mir dann alles detaillierter erzählen.«

Als ich ihm erzählt hatte, was vorgefallen war, meinte er: »Allzuviel Mitleid habe ich nicht mit dir. Erstens ist es die Aufgabe von deinem Freund Conrad, Deirdres Mörder zu finden, und zweitens begreife ich nicht, warum ein Unternehmer sich von dir in die Karten schauen lassen sollte. Bloß weil du etwas wissen willst, was die dir nicht sagen wollen, heißt das noch lange nicht, daß sie sich eines Vergehens schuldig gemacht haben.«

Er hob beschwichtigend die Hand. »Ich bin ganz deiner Meinung, daß sich die Leute schämen sollten, ein ganzes Flugzeug voll mit illegalen Einwanderern ins Land zu bringen, um sie hier auszubeuten. Charpentier wird den Leuten von der Einwanderungsbehörde ein paar Dinge erklären müssen. Und vielleicht sollten auch die Geldgeber von Home Free davon erfahren – aber das ist nicht dein Problem. So wie ich das sehe, ist es eher dein Problem, genügend Klienten zu finden, damit du allmählich anfangen kannst, die zweitausend Dollar abzustottern, die du mir noch schuldest. Ganz zu schweigen davon, was das kleine Vergnügen heute kosten wird. Zu deinem Glück berechne ich keine Feiertagszuschläge.«

Wenn ich nicht so müde gewesen wäre, hätte ich ihm vielleicht mit gleicher Münze herausgegeben, aber der Gedanke an seine Rechnung erinnerte mich auch wieder an meine Steuererklärung, die am nächsten Mittwoch fällig war. An meine ganzen anderen Verpflichtungen durfte ich gar nicht denken. Ich kroch müde vom Wohnzimmer ins Gästezimmer, ohne mich von ihm zu verabschieden.

Nachdem Lotty sich um Max gekümmert hatte, kam sie herein, um mich kühl, man könnte fast sagen, mitleidslos, zu untersuchen. Während sie mir die Decke wieder einmal bis zum Kinn hochzog, erklärte sie, daß sie das nächste Mal gern ein Leichentuch draus machen und mich damit begraben würde.

»Ich hab' dich auch gern, Lotty. Gute Nacht.«

»Und was soll ich Conrad und Mr. Contreras erzählen?« wollte sie wissen.

»Daß ich sie ebenfalls gern habe und sie morgen früh anrufe.«

»Nein. Du schläfst jetzt eine Weile, und dann rufst du sie an. Sie machen sich ernsthafte Sorgen um dich, obwohl ich persönlich eigentlich nicht verstehe, warum das überhaupt noch jemand tut. Nach dem, was du gestern erlebt hast, stellst du jetzt wieder was an – und setzt auch noch Max einem Risiko aus. Das ist absolut verantwortungslos.«

Als sie Max' Namen erwähnte, wachte ich noch einmal kurz auf. »Ist Max okay? Ich hatte Angst, er kriegt einen Herzinfarkt, aber diese Idioten haben ja nicht auf mich gehört.«

Lotty lächelte mich mit verzogenem Mund an, wie sie es so oft tut. »Das war nicht sein Herz, eher seine Seele. Max ist mit dreizehn aus Europa geflohen, um sein Leben zu retten. Der Gedanke an eine gewaltsame Rückreise muß ein schrecklicher Alptraum für ihn sein. Für mich übrigens auch, das weißt du. Ich habe ihm ein leichtes Beruhigungsmittel gegeben; morgen müßte es ihm eigentlich wieder gutgehen.«

»Ich wollte das alles nicht«, meinte ich. »Wir waren wirklich sehr vorsichtig. Woher sollte ich denn wissen, daß die in einem ausgedienten Brotlieferwagen auf der Baustelle illegale Einwanderer untergebracht haben?«

Lotty setzte sich neben mich aufs Bett. »Du *hättest* es wissen müssen. Weißt du auch, warum? Weil du, egal was du tust, mit den schlimmsten denkbaren Folgen rechnen mußt. Wenn du beispielsweise mal schnell in den Laden um die Ecke gehst, um Milch zu kaufen, ist das sozusagen die Garantie dafür, daß das Geschäft genau in dem Augenblick überfallen wird.«

»Bei meiner Geburt waren Mars und Venus im Aufsteigen begriffen oder wie das heißt. Und jetzt können sie sich einfach nicht einigen, wer mich beherrscht. Ist das denn meine Schuld?«

Ich versuchte, mich aufzusetzen. »Was meinst du denn, warum die Leute von der Einwanderungsbehörde heute aufgetaucht sind? Nicht, weil ich heute da war, sondern gestern. Einer von den Musketieren muß die Einwanderungsbehörde informiert haben, damit die Arbeiter aus dem Land wären, bevor ich nachhaken könnte. Die haben geglaubt, sie hätten heute Ruhe vor mir, weil sie mich gestern zusammengeschlagen haben.«

»Ich weiß nicht, wovon du redest. Allerdings beweist du mir damit, daß deine Anwesenheit zu der Katastrophe geführt hat. Und jetzt versuch zu schlafen.« Lotty drückte mich auf das Kissen zurück, aber ihre Berührung war sanfter als ihre Worte.

Es war neun, als sie mich wieder weckte, um mir zu sagen, daß Conrad am Telefon sei. Ich zog meine Jeans an und stolperte den Flur entlang zum Apparat, verwirrt über das fremde Haus und darüber, zu einer so ungewöhnlichen Tageszeit geschlafen zu haben.

»Wie kommt's, daß du verhaftet wirst und mir meine Mutter davon erzählen muß?« begrüßte mich Conrad.

»Ist das ein Frage- und Antwortspiel? Wie hat denn deine Mutter davon erfahren?«

»Durch die Nachrichten wie alle anderen Leute in Chicago auch. Ich meine, alle außer mir. Außerdem: Wie kommt's, daß man gestern auf dich schießt und ich das von diesem selbstgefälligen Arsch Ryerson hören muß?«

Ich saß auf dem spindelbeinigen Stuhl neben dem Telefon

und rieb mir die Augen. »Ich habe seit Donnerstag überhaupt nicht mehr mit Murray geredet. Ich kann mir also nicht vorstellen, woher er davon weiß.«

»Tja, den größten Teil der Geschichte habe ich von ihm erfahren – er hat doch glatt die Stirn besessen, mich nach Einzelheiten zu fragen.«

»Da hat er wohl irgendwo was aufgeschnappt und dann so getan, als ob ich mit ihm drüber gesprochen hätte. Das war ein Trick. Vielleicht wollte er auch einen Keil zwischen dich und mich treiben – das ist ihm ja auch gelungen. Bitte, Conrad – bitte, mach mir keine Vorwürfe.«

Conrad war zu wütend, vielleicht auch zu verletzt, um auf das zu achten, was ich sagte. »Warum zum Teufel hast du den Beamten draußen am Flughafen nicht gesagt, daß sie mich holen sollen? Ich hätte dich viel schneller und um etliches billiger aus dem Schlamassel rausholen können als dein Luxusanwalt.«

Ich rieb mir die Beule am Kopf. »Man hat mich in einen überfüllten Kleinbus gestoßen und mich nach O'Hare gekarrt, wo ich mich einer Leibesvisitation unterziehen mußte. Hast du das Vergnügen schon mal gehabt? Hinterher ist man ein bißchen verwirrt.«

»Du wärst also lieber nach Bukarest geflogen und per Anhalter wieder heimgekommen, statt mich um Hilfe zu bitten. Darauf läuft's doch raus, oder?« Seine Stimme klang verbittert.

»Natürlich würde ich am liebsten dich anrufen, zum Beispiel, wenn ich Angst habe, die Treppe zu meiner Wohnung hochzugehen. Aber verstehst du denn nicht, warum ich es nicht tue? Es geht um grundsätzliche Dinge, Conrad.«

Als ich das sagte, fragte ich mich, ob ich wirklich so stolz gewesen wäre, mich in ein Flugzeug nach Bukarest stecken zu lassen, statt meinen Freund um Hilfe zu bitten. Ich wollte es lieber nicht wissen.

»Und wann wolltest du mir von der ganzen Sache erzählen?« fragte er mich.

»Heute abend. Nach dem Aufwachen. Ich hätte dich schon früher angerufen, wenn ich gewußt hätte, daß wir in den Vieruhrnachrichten waren. Wenn ich's mir recht überlege, sollte ich gleich Mr. Contreras anrufen, bevor er völlig ausflippt.«

»Das ist er bereits. Ob du's glaubst oder nicht – der Alte hat *mich* angerufen. Da muß er schon ziemlich verzweifelt sein, wenn er so was macht. Aber zurück zu den grundsätzlichen Dingen, Vic. Ich habe den Eindruck, daß du alles, was du machst, versteckst wie den kleinen Moses vor dem Pharao. Wenn ich dann zufällig davon erfahre, überläßt du mir zähneknirschend einen Kolben Schilfrohr oder zwei.«

»Conrad, wenn du gewußt hättest, daß ich noch mal auf die Baustelle gehen wollte, hättest du mir die Leviten gelesen. War es denn so falsch von mir, einer solchen Reaktion auszuweichen?«

»Ich habe nur was dagegen, wenn du die Gesetze brichst, eine gesunde Neugier bezüglich deiner Fälle schadet meiner Ansicht nach nichts. Aber siehst du den Unterschied denn nicht? Und kannst du nicht ein bißchen Rücksicht auf meine Gefühle als dein Freund nehmen? Muß ich es unbedingt von einem Reporter erfahren, wenn auf dich geschossen wird?«

»Vielleicht hätte ich es dir gesagt, wenn du mir gestern abend nicht solche Vorwürfe gemacht hättest. Aber du hast mich zur Schnecke gemacht, obwohl mir der Kopf schon fast platzte, und da habe ich das Chaos vorher vergessen.«

»Ich glaube eher, daß du gern Alleingänge machst, Baby. Und wenn dir jemand in die Quere kommt, machst du ihn einfach nieder.« Er legte auf, bevor mir eine passende Antwort einfiel.

Allmählich wurde mir kalt in dem düsteren Flur. Lotty schaute wie ein Gespenst mit einer Tasse frischem Kaffee vorbei. Ich nippte dankbar daran und stellte sie dann auf meinen Oberschenkel, um keine Flecken auf den Pie-crust-Tisch zu machen, auf dem bei Max im Flur das Telefon stand.

»Schläft Max noch?« fragte ich.

»Er wird bis zum Morgen schlafen. Kommt Conrad her?«

»Er ist so wütend auf mich, daß ich nicht mal weiß, ob er überhaupt jemals wieder mit mir reden wird. Und bitte sag mir jetzt nicht, daß ich das verdient habe: Solchen Trost kann ich heute abend wirklich nicht brauchen.«

Sie stützte ihre Hand kurz auf mich, um die kleine Lampe neben dem Telefon einzuschalten; ihre Augen glänzten in dem goldenen Licht. »Ist es dir schon mal in den Sinn gekommen,

Vic, daß ich bei dir nicht dieselben Fehler sehen möchte, die ich selbst gemacht habe? Wenn man Mauern aus Angst und Wut zwischen sich und anderen Menschen aufbaut, lebt sich's ziemlich unbequem.«

Ich griff nach ihrer Hand. Verhielt ich mich wütend oder ängstlich, wenn ich mit Conrad redete? Es spielte wohl beides mit, dachte ich unsicher. Ich ließ Lottys Finger los, um Mr. Contreras' Nummer zu wählen.

Während des Gesprächs mit meinem Nachbarn fragte ich mich, warum ich seine hektischen Fragen ruhiger beantworten konnte als die von Conrad. Ich erklärte geduldig, wie Max in die Geschichte hineingeschlittert war, daß das aber nicht bedeutete, daß ich Max lieber mochte als ihn; wie leid es mir tat, daß er allein mit den Fernsehteams fertig werden mußte, die so gegen drei aufgekreuzt waren – obwohl ich natürlich wußte, daß er seinen Auftritt insgeheim genossen hatte.

»Wie lange wollen Sie denn noch wegbleiben? Die Hunde brauchen Auslauf. Und was haben Sie mit Conrad gemacht? Ich habe ihn angerufen, um zu hören, was mit Ihnen los ist, und da hat er mir gesagt, daß er das auch nicht weiß. Sie können nicht erwarten, daß ein Mann bei Ihnen bleibt, wenn Sie ihn so behandeln. Ich sage das nicht, weil ich so begeistert über Ihre Beziehung mit Conrad Rawlings bin, denn das könnte ich nicht behaupten. Aber für einen Farbigen ist er gar nicht so schlecht, und er hat Sie immer sehr zuvorkommend behandelt. Mich übrigens auch. Und schließlich gehen Sie ja auch schon auf die Vierzig zu. Dabei wohnen Sie allein und haben noch nicht mal ordentliche Möbel. Wie soll Ihr Leben denn aussehen, wenn Sie so alt sind wie ich?«

»Keine Ahnung. So weit kann ich nicht vorausplanen. Ich weiß ja nicht mal, wie das Leben heute abend aussehen wird. Also bitte drängen Sie mich nicht, ja? Ich kann das im Moment nicht so gut vertragen.«

»Schon gut, Süße, schon gut«, meinte er schroff. »Aber versuchen Sie doch hin und wieder mal, sich auch in die anderen hineinzuversetzen – mehr verlange ich gar nicht. Gehen Sie jetzt lieber wieder ins Bett. Und vergessen Sie nicht, mich morgen früh anzurufen.«

Nachdem er aufgelegt hatte, betrachtete ich die Tischlampe,

die Lotty eingeschaltet hatte. Genau wie alles andere in Max' Haus war auch sie sorgfältig ausgewählt: Zwei glockenförmige Schirme mit eingeätzten Blumenornamenten waren an einem niedrigen Messingständer befestigt. Manchmal flüchtete ich mich in Max' Oase des guten Geschmacks, wenn mir der Sinn nach Harmonie stand, aber heute hätte ich gute Lust gehabt, die Lampe gegen die chinesische Vasen im Treppenhaus zu schleudern.

41 Eine Hand wäscht die andere

Lotty hatte sich mit einem Roman von Ingeborg Bachmann in der Frühstücksecke zusammengerollt. Sie hatte ein paar Stunden geschlafen, nachdem sie Max ins Bett gesteckt hatte, und war jetzt hellwach. Ich machte *broccoli frittata*, die ich mit ihr teilte, und setzte mich dann mit einem gelben Block, den Lotty in Max' Arbeitszimmer gefunden hatte, vor die Kochzeile und versuchte, die Fakten, die ich über Home Free, Deirdre und die Century Bank kannte, zu ordnen.

Die fünf Millionen Dollar in Jaspers Kästchen waren mein wichtigster Hinweis. Vermutlich bezahlte er Bauunternehmer wie Charpentier bar. Wenn alle Arbeiter so ausgebeutet wurden wie das Team, mit dem ich den Morgen verbracht hatte, fielen die Lohnkosten ziemlich gering aus. Die Materialkosten sind im Regelfall ein nettes Sümmchen, aber wie viele Zulieferer ließen sich wohl bar bezahlen? Da waren mit Sicherheit manchmal Zehntausende von Dollar fällig. Doch selbst wenn alle Lieferanten Jaspers krumme Geschäfte machten, brauchte er nie das ganze Geld, daß er in der Schublade hatte.

Angenommen, Deirdre hatte das Geld entdeckt und Jasper darauf angesprochen. War vielleicht doch er der Mörder, nicht Fabian? Ich hing weiter an dem Gedanken, daß Fabian seine Frau getötet hatte. Das lag nicht nur an meiner Abneigung gegen ihn, sondern auch an der Heftigkeit, mit der ihr der Kopf eingeschlagen worden war – das sah nach einem sehr privaten Racheakt aus.

Doch Deirdres Persönlichkeit war alles andere als unkompliziert gewesen. Möglicherweise hatte sie auch jemand anders zur Weißglut getrieben. Sie konnte zum Beispiel herausgefunden haben, wie die illegalen Einwanderer ausgebeutet wurden – da sie oft im Büro von Home Free tätig war, wußte sie wahrscheinlich eine ganze Menge. Vielleicht hatte sie Jasper deswegen zur Rede gestellt, und der hatte ihr daraufhin den Schädel eingeschlagen.

Tamar Hawkings hatte möglicherweise gesehen, wer in der Mordnacht ins Pulteney gekommen war. Wenn ich sie vor der Polizei finden konnte, würde sie vielleicht mit mir reden. Ich setzte ihren Namen unter dem Stichwort »Deirdre« auf die Liste der zu erledigenden Dinge.

Dann war da noch Tish, die rechte Hand von Jasper Heccomb. Inwieweit war sie – wissentlich oder unwissentlich – an Jaspers unsauberen Geschäften beteiligt? Wie konnte ich sie soweit einschüchtern, daß sie mit mir redete? Ich hatte keine Ahnung, also zeichnete ich ein ordentliches Viereck neben ihren Namen und füllte es mit Fragezeichen.

Unter diesem Teil zog ich einen Strich und schrieb dann in Großbuchstaben »Lamia«. Die Century Bank hatte den bereits bewilligten Kredit zurückgezogen. Sobald ich begonnen hatte, deswegen herumzuschnüffeln, war Lamia von Home Free mit einem Sanierungsprojekt bedacht worden, und die Frauen hatten den Auftrag, angespornt von Phoebe, angenommen, ohne den Zuschüssen noch lange nachzutrauern. Mir hatten sie den Auftrag entzogen. Die Century Bank hatte Home Free einen Kreditrahmen von fünfzig Millionen Dollar eingeräumt – ein unglaublicher Betrag für ein gemeinnütziges Unternehmen. Warum?

Es bestand eine enge Verbindung zwischen Phoebe, Gantner und Jasper: Ich hatte sie gleich nach dem Deal bei einem Treffen ertappt. JAD Holdings – dieser Name brachte all diese Leute zusammen. JAD wollte Century kaufen. Fabians Ratschläge zur Boland-Novelle waren unter diesem Stichwort abgelegt gewesen, und auf Alec Gantner hatte der Name am Freitag große Wirkung gehabt. Ich schrieb ganz oben auf die Seite in Großbuchstaben JAD.

Warum war ich noch nicht tot? Diese Frage schlich sich in mein Gehirn und aufs Papier, ohne daß ich groß darüber nachgedacht hätte. Sie hätten mich auch umbringen können, statt mich bewußtlos zu schlagen und dann meine Wohnung zu durchsuchen. Die Schläger hatten sich bestimmt nicht durch ihre Angst vor der Todesstrafe und auch nicht durch Mitleid mit mir zurückhalten lassen. Wenn das die Killer von Deirdre waren, machten ihnen solche Überlegungen nicht zu schaffen. Sie nahmen an, daß ich etwas wußte oder hatte, was sie wollten. Deshalb konnten sie mich nicht umbringen, bevor sie dieses Etwas nicht besaßen.

Was, konnte ich mir allerdings nicht vorstellen. Schließlich knallte ich den Stift frustriert auf den Block.

Lotty sah mich an. »Zeit fürs Bett, *Liebchen*. Es ist schon Mitternacht. Trink noch ein bißchen Saft, und dann ab in die Falle.«

Als ich um zehn Uhr aufwachte, war ich allein im Haus. Nachdem ich vorsichtig Dehnungsübungen gemacht hatte, ging ich hinunter in die Küche, wo ich auf dem Tisch einen Zettel mit Lottys ordentlicher Handschrift fand.

8 Uhr früh

Max geht es gut; er ist schon zur Arbeit gefahren, und ich werde das auch gleich machen. Victoria, versuch, den Tag ruhig zu verbringen. Ich weiß, es geht Dir gegen den Strich, untätig herumzusitzen, aber Du brauchst die Ruhe. Du könntest ja einen langen Spaziergang am See machen. Die Schlüssel sind in der Schublade mit den Silbersachen.

Alles Liebe,
Lotty

Ihre liebevollen Worte erfüllten mich mit einem Gefühl des Friedens, das auch noch anhielt, als ich mir zum Frühstück einen Apfel und ein bißchen Käse aufschnitt. Während ich Wasser für den Kaffee aufsetzte, blätterte ich zum Zeitvertreib die Zeitungen auf dem Frühstückstisch durch, ohne sie richtig zu lesen.

Ich nahm das Wort aus den Augenwinkeln wahr, als ich den Wirtschaftsteil überflog: Zellaktivatortechnologie. Ich ließ den

Rest der Zeitung auf den Boden fallen und legte die Seiten des Wirtschaftsteils aufgeschlagen auf den Tisch. Der Artikel befand sich unten auf Seite drei, gleich über den Terminhandelsdaten. Wäre er ein bißchen weiter oben abgedruckt gewesen, hätte ich ihn vermutlich überhaupt nicht gesehen.

Zellaktivatortechnologie geht ins Versuchsstadium

Chicago. Die Food and Drug Administration gibt heute vormittag ihre Zustimmung zur ersten Testphase eines Mittels, das als T-Zellen-Aktivator zum Einsatz kommen soll. IG-65, so der Name des Lipoproteins, das angeblich die T-Zellen-Membran verstärkt, hat das Potential, das Immunsystem HIV-Positiver zu unterstützen. Das Präparat, das noch in der ersten Entwicklungsphase steckt, ist das Produkt eines kleinen Unternehmens mit dem Namen Cellular Enhancement Technology. Der republikanische Senator Alexander Gantner aus Illinois sagte bei der Verkündung der Entscheidung am Freitagnachmittag, daß es von allergrößter Bedeutung sei, Präparate wie IG-65 so schnell wie möglich ins Anwendungsstadium zu bringen, in einem Bereich, in dem so viele Menschenleben auf dem Spiel stünden.

Ich blätterte die Zeitung fieberhaft auf der Suche nach weiteren Berichten zu dem Thema durch, doch der Name des Unternehmens wurde nicht mehr erwähnt. Ich schob die Zeitung weg und starrte blind aus dem Fenster. Das war also Phoebes Gegenleistung. Sie hatte die Lamia-Frauen von ihrem Vorhaben abgebracht, und Alec Gantner überredete dafür die Food and Drug Administration, IG-65 für die Versuchsphase zuzulassen. Aber warum hatte sie das getan?

Zusammen mit meiner Wut meldete sich auch der Schmerz in meinem Kopf. Immer mit der Ruhe, redete ich mir zu. Wegen meiner Wut und Unvorsichtigkeit hatte ich mir Samstagnachmittag das Kopfweh eingehandelt.

Ich ging ans Telefon, um Phoebe anzurufen. Weil ich mein Adreßbuch nicht dabeihatte, wußte ich Phoebes Durchwahl nicht und mußte die Nummer der Zentrale von Capital Concerns wählen. Doch dort meldete sich nur der Anrufbeantworter.

»Wegen der Evakuierung unseres Gebäudes können wir Ihr Gespräch leider nicht persönlich entgegennehmen. Wenn Sie Ihren Namen, den Namen der Person, mit der Sie sprechen möchten, und Ihre Nummer hinterlassen, rufen wir Sie so bald wie möglich zurück.«

Evakuierung des Gebäudes? Ich hielt den Hörer mit verständnislosem Blick in der Hand, bis mich der Piepston vom anderen Ende der Leitung aufschreckte. Ich legte auf, ohne eine Nachricht zu hinterlassen, und ging in das kleine Wohnzimmer, wo Max seinen Fernseher stehen hatte.

Mary Sherrod von Channel 13 stand im Hinterhof eines Gebäudes beim Chicago River. Die Kamera bewegte sich gerade von ihr zu einem Pickup Truck, der Schotter in den Fluß kippte.

»Der Riß verläuft bei dem kleinen Strudel dort drüben. Im Moment versuchen städtische Arbeiter, diese Stelle von oben aufzufüllen. Noch können wir nicht sagen, wie groß das Loch ist; das ganze Ausmaß des Schadens läßt sich noch nicht feststellen. Für die Stadt mag das eine Katastrophe sein, aber die Frischverheirateten John und Kathy Beamish genießen den Blick von ihrem Logenplatz auf die Aktivitäten der entsetzten Bauingenieure.«

Die Kamera schwenkte zu einem Paar in einer Badewanne. Der Mann grinste und prostete der Kamera mit einem Glas Weißwein zu. Ich schaltete um.

Nach einer Weile wurde mir klar, was passiert war. Wasser strömte aus dem Chicago River in die Tunnels, die tief unter dem Loop verliefen. Die Wände, die den Flußlauf bestimmten, waren geborsten, vielleicht infolge der Arbeiten Anfang des Frühjahrs, als die Stege am Flußufer repariert worden waren. Das Wasser drang seit dem frühen Morgen in die Schächte.

Ich hatte noch nie etwas von diesen Schächten gehört. Laut Aussagen eines Reporters waren sie um die Jahrhundertwende gebaut worden. Sie hatten ursprünglich die unterirdischen Kabel einer Telefongesellschaft aufnehmen sollen, doch sie waren so groß geworden, daß verschiedene Firmen mit Frachtkähnen Kohle und andere Materialien durch die Tunnels direkt zu den

Büros transportierten. Zwar wurden diese Schächte schon seit Jahrzehnten nicht mehr für den Transport benutzt, aber sie eigneten sich wunderbar für die Verlegung der elektrischen Leitungen zu den modernen Hochhäusern.

Channel 5 berichtete von hektischen Aktivitäten bei der Handelskammer. Alle Computer waren wegen einer Beschädigung der Stromversorgung abgeschaltet worden; niemand wußte, wann die Geschäfte weitergehen konnten.

»Sie und ich wissen nichts von diesen Kellern unter den Kellern«, meinte der Reporter. »Sie liegen drei Stockwerke tiefer als die normalen Keller des Gebäudes. Wer schon einmal in Marshall Fields' ›Down Under Store‹ gewesen ist, wird überrascht sein, daß es unter diesem unterirdischen Einkaufsparadies noch drei weitere Stockwerke gibt. Eins davon dient als Warenlager; die Geschäftsführer können nur beten, daß das Wasser nicht mehr weiter steigt.«

Nicht alle Gebäude waren gleich stark betroffen, versicherte uns Beth Blacksin von Channel 13, aber trotzdem wurde der Loop evakuiert, bis die Stadt wußte, welche Häuser man ohne Risiko betreten konnte. Jedenfalls war der Strom in der Innenstadt ausgefallen, so daß heute niemand dort arbeiten konnte. Die nächste Einstellung zeigte den Loop als Geisterstadt. Weder Ampeln noch Straßenlaternen funktionierten, die Hochbahn stand still. Kein einziges Licht in den Wolkenkratzern. Ich schaute mir fasziniert die Bilder an und vergaß dabei kurzfristig meinen Zorn auf Phoebe.

Beth Blacksin beschrieb nun die Tunnels selbst. »Im Rathaus kann niemand mit Bestimmtheit sagen, wie ausgedehnt das Tunnelnetz ist – ich habe Schätzungen gehört, die von knapp siebzig bis über hundertzwanzig Kilometer reichen. Und niemand weiß, wie viele davon derzeit unter Wasser stehen – insbesondere nicht im Rathaus, wo Arbeiter fieberhaft versuchen, wichtige Akten vom Keller in die höheren Stockwerke zu schaffen und dabei die Ratten zurückzudrängen.«

Ich erschauderte unwillkürlich bei dem Gedanken an die Ratten, als Beth Blacksin weitere Bilder der Tunnels zeigte. Manche sahen aus wie alte Höhlen mit Kalkablagerungen und Schlamm, der einem Menschen fast bis zur Taille reichte. Andere machten den Eindruck, als könne man sie sofort benutzen.

Die Schienen für die ehemals von Maultieren gezogenen Wagen waren ordentlich wie die Gleise bei einer Modelleisenbahn unter dem Weihnachtsbaum.

Die Kamera schwenkte wieder zu Beth Blacksin zurück, die im Halbschatten vor einer Backsteinmauer stand.

»Einige Gebäude im Loop haben die Eingänge zu den Tunnels schon vor Jahren zugemauert. Ältere Gebäude mit kleineren Betrieben haben die Tunnels nie benutzt oder sich den Strom mit einem größeren Nachbarn geteilt.«

Irgendwie kam mir die Backsteinmauer hinter ihr bekannt vor. Ich betrachtete sie so eingehend wie möglich, solange die Kamera darauf blieb. Als sich der Bericht wieder Mary Sherrod am Chicago River zuwandte, schaltete ich den Fernseher aus und machte die Augen zu.

Die Wand hinter dem Boiler des Pulteney – die falsche innere Wand, bis zu der ich mich nie wirklich vorgewagt hatte, weil die Ratten so leicht hindurchschlüpfen konnten. Kein Wunder, daß sie dort ihre Nester hatten. Die Löcher zwischen den Backsteinen waren ihr Zugang zu den Tunnels dahinter. Genau wie für Tamar Hawkings und ihre Kinder.

So hatte sie das Pulteney also betreten, ohne daß jemand sie bemerkte. Aber wie kam sie in den Tunnel? Vielleicht durch einen Lüftungsschacht? Oder über das Lager von Marshall Fields' »Down Under Store«? Ich hörte unvermittelt mit meinen Mutmaßungen auf: Tamar und ihre Kinder wußten vermutlich nicht, in welcher Gefahr sie sich befanden. Wenn der Keller der Handelskammer bereits unter Wasser stand, wie sah dann wohl der Tunnel unter dem Pulteney aus?

Ich hastete zum Telefon im Flur und rief Mr. Contreras an. »Ich muß in die Innenstadt und in das Pulteney einbrechen. Dabei brauche ich Hilfe. Glauben Sie, Sie packen das? Es könnte gefährlich werden, weil es im Loop nur so von Polizisten wimmelt.«

Er war höchst erfreut, daß ich ihn gebeten hatte, nicht den Grünschnabel, nicht meinen Bullenfreund und auch nicht den Schlaumeier Ryerson, sondern ihn, den zuverlässigen Alten. Er hatte die Nachrichten noch nicht gesehen. Ich sagte ihm, er solle den Fernseher anschalten und sich informieren, weil ich keine Zeit hätte, ihm jetzt alles zu erklären.

»Wir brauchen ein Brecheisen, ein Seil, vielleicht auch eine Spitzhacke, Arbeitshandschuhe und Gummistiefel. Sehen Sie, was Sie auftreiben können. Ich bestelle mir jetzt ein Taxi.«

Er beteuerte aufgeregt, er werde alles besorgen, und legte auf. Ich schlug die Nummer eines lokalen Taxiunternehmens nach. Während ich auf den Wagen wartete, stopfte ich meine wenigen Habseligkeiten in meinen Rucksack, überprüfte das Magazin meiner Smith & Wesson und holte die Ersatzschlüssel aus der Schublade in der Küche. Ich wollte gerade aus dem Haus, als sich mein Gewissen regte.

Also ging ich noch einmal zurück und rief Lotty an. Sie sei bei einem Patienten, teilte mir die Helferin Mrs. Coltrain mit, und dürfe nicht gestört werden.

»Sagen Sie ihr, ich bin unserer vermißten Obdachlosen mit ihren Kindern auf der Spur«, meinte ich. »Wenn ich Glück habe, bringe ich sie später noch in der Klinik vorbei.«

Wieder wollte ich zur Tür und kehrte doch noch einmal zum Telefon zurück: Mein Gewissen überschlug sich fast vor Aktivität. Conrad war weder daheim noch bei seiner Mutter, noch im Revier. Draußen hörte ich das Taxi hupen. Hastig trug ich dem Beamten im Revier auf, er solle Conrad sagen, ich versuche, in die Tunnels des Pulteney zu gelangen, dann sprintete ich den Gehsteig vor Max' Haus entlang, zum Taxi hinüber.

42   Dead Loop

Der dunkle Loop wirkte wie eine verlassene Stadt aus einem Horrorfilm der Zukunft. Der Stromausfall hatte die Gebäude in schwarze Türme verwandelt, und der Himmel selbst war grau, nur ein weißer Ozonschimmer spiegelte sich auf einer trüben Wolkendecke wider. Normalerweise gingen an einem solchen Tag die Straßenlaternen an. Heute bewegten sich die Menschen fast lautlos durch die Straßen, als bringe der Blackout zwangsläufig Stille mit sich.

Das Parken in der Innenstadt war von einer Minute auf die andere verboten worden. Eine Phalanx von blauen Abschleppwagen fuhr durch die Straßen, um die Fahrzeuge zu entfernen, die unglücklicherweise schon vor dem hastig verkündeten Parkverbot dort abgestellt worden waren. Polizeisperren verhinderten die Zufahrt zu den meisten Straßen, so daß die Autos auf den freigegebenen nur im Schrittempo vorwärts kamen. An vielen Kreuzungen wurde das Wasser mit Feuerwehrschläuchen aus den unterirdischen Kanälen gepumpt.

Ich setzte Mr. Contreras zusammen mit unserer Ausrüstung Ecke Wabash Avenue/Monroe Street ab und versuchte, außerhalb der Abschleppzone einen Parkplatz zu finden. Nachdem ich ihn abgeholt hatte, waren wir in einen Haushaltswarenladen gegangen, um das, was wir noch brauchten, einzukaufen – ein paar starke Taschenlampen mit Ersatzbatterien, Gummistiefel, Schutzbrillen, einen Handwagen und eine tragbare Leiter.

Ich schaute nicht hin, als ich meine Unterschrift unter den Kreditkartenbeleg setzte – ich wollte gar nicht wissen, um wieviel sich meine Schulden erhöhten.

Schutzhelme und Overalls hatten wir bereits. Mr. Contreras besaß zusätzlich noch einen Keil und einen Vorschlaghammer. In der Hoffnung, die Hawkings auch tatsächlich zu finden, hatte ich ein paar Decken und saubere T-Shirts mitgenommen, einen Erste-Hilfe-Kasten und eine Kiste mit Fruchtsäften. Wir hatten eine gute Stunde gebraucht, um all das zu besorgen. Jetzt waren der Kofferraum und der Rücksitz voll, und der Handwagen ragte zum Fenster hinaus.

Während unserer Fahrt nach Süden hörte ich Nachrichten. Keiner der Sender erwähnte etwas davon, daß man Obdachlose gefunden hätte, aber es klang auch nicht gerade so, als suchten die städtischen Arbeiter, die in den Tunnels herumkrochen, eigens nach ihnen – alle brachten sich erst einmal vor dem Wasser in Sicherheit.

Nach allem, was ich im Fernsehen gesehen hatte, bildeten die Schächte ein ausgedehntes Labyrinth: Wenn das Wasser langsam eindrang, konnten Leute, die eventuell da unten waren, sich Ausweichwege suchen und vielleicht sogar trockenen Fußes wieder an die Erdoberfläche kommen. Und wenn Tamar Hawkings sich tatsächlich dort befand, konnte sie mit den Kindern wieder in den Keller des Pulteney zurück. Zwar wären sie dann in einem vernagelten Gebäude eingesperrt, aber wenigstens ertranken sie nicht.

Ich mußte den Wagen beinahe eineinhalb Kilometer vom Pulteney entfernt abstellen. Ich joggte durch die dunklen Straßen, so schnell es mit meinem Arbeitsanzug ging, und versuchte, dem wieder einsetzenden Pochen in meinem Kopf keine Beachtung zu schenken. Vor dem Pulteney traf ich Mr. Contreras in einer heftigen Auseinandersetzung mit einem Polizisten an.

»Ich bin befugt, in dieses Gebäude einzudringen«, sagte mein Nachbar gerade. »Die Eigentümer wollen, daß wir nachsehen, ob das Wasser reinkommt oder nicht.«

»Das Haus soll doch nächsten Monat abgerissen werden. Was macht da das Wasser im Keller noch?« wollte der Polizist wissen.

»Wer weiß?« antwortete der alte Mann. »Wenn Sie irgendwann mal rausfinden, was Chefs sich so denken, dann lassen Sie es mich wissen. Da kommt meine Partnerin, die kann Ihnen alles erklären.«

»Der Eigentümer heißt Freddie Culpepper«, erklärte ich dem Beamten. »Ich habe die Nummer seines Autotelefons, wenn Sie mit ihm sprechen wollen, um den Auftrag zu überprüfen – er ist heute in Olympia Fields, um sich ein paar seiner dortigen Gebäude anzusehen.«

Ich holte einen Kugelschreiber aus der Seitentasche meines Arbeitsanzugs und kritzelte Freddies Nummer auf einen Zettel. Ob wir dadurch glaubwürdiger wurden oder ob er einfach das Risiko einging, weil er dachte, aus einem verlassenen Gebäude wäre ohnehin nichts zu holen, weiß ich nicht, jedenfalls ließ er uns in Ruhe und wandte sich wieder dem Verkehr auf der Monroe Street zu.

Mit dem Wissen, daß wir uns über die Gesetzeshüter keine Gedanken zu machen brauchten, fiel uns unsere Aufgabe um einiges leichter: Wir mußten es nicht heimlich tun. Ich hielt den Keil, während mein Partner mit dem Vorschlaghammer dagegenschlug. Die Vibration setzte sich in meinem Arm fort und verstärkte das Pochen in meinem Kopf. Auch meine angebrochene Rippe schmerzte wieder.

Mr. Contreras wurde vielleicht schon bald achtzig, aber seine Muskeln waren immer noch beachtlich. Endlich splitterten die Bretter, und danach folgte das Klirren von herunterfallendem Glas: Er hatte den Keil so weit hineingetrieben, daß die Tür dahinter auch gleich zerbarst.

Mit schnellen Bewegungen stemmten wir die Bretter weg und brachten unsere Ausrüstung nach innen, bevor der Polizist es sich anders überlegen konnte. Abgesehen von einem geisterhaften Lichtstrahl, der durch unser Einstiegsloch hereindrang, war es im Foyer dunkel. Es roch nach Urin und Schimmel.

Ich knipste eine Taschenlampe an. Nachdem das Gebäude vernagelt worden war, war es noch schneller verrottet. Der Staub hatte sich zu schmierigem Ruß verdickt und bedeckte nun den Boden, die Wände und sogar die verzierten Messingtüren des Aufzugs.

Wenn die Hawkings tatsächlich nach oben gekommen waren, würden wir ihre Fußspuren in dem Schmutz am Boden sehen. Ich hielt Mr. Contreras mit einer Handbewegung zurück, untersuchte den Boden auf dem Weg, der vom Keller zur Treppe führte, konnte aber nichts entdecken.

Schließlich wollte ich die Tür zum Treppenhaus aufschließen, aber sie war bereits offen. Vielleicht hatte Tamar Hawkings den Schlüssel verwendet, den ich ihr dagelassen hatte. Wenn sie heraufgekommen war und festgestellt hatte, daß das Gebäude mit Brettern vernagelt war, konnte sie in den Schächten verschwunden sein, und dann würden wir sie nie aufspüren.

Wir banden jeder eine Taschenlampe am Körper fest, luden die restlichen Ausrüstungsgegenstände auf den Handwagen und versuchten, ihn die Treppe hinunterzuschieben. Professionelle Auslieferer machten das tagtäglich ohne allzu große Mühe, aber weder der alte Mann noch ich hatten die Rückenmuskulatur für eine solche Übung: Also luden wir den Handwagen wieder aus und trugen die Sachen einzeln in den Keller.

Am Fuß der Treppe hörte ich schon die Ratten. Sie huschten leichtfüßig und furchtlos um die Rohre herum und verständigten sich mit lauten, hohen Quiektönen. Meine Handflächen begannen zu kribbeln. Ich ließ die Sachen fallen, die ich trug. Seil, Hammer und Gummistiefel landeten auf dem Boden.

»Alles in Ordnung, Süße?« Mr. Contreras hastete die Treppe zu mir herunter.

»Alles in Ordnung – ich hab' mich bloß von diesen gräßlichen Viechern einschüchtern lassen.«

Ich leuchtete einer großen Ratte in die Augen, die herange-
kommen war, um sich das Seil genauer anzusehen. Sie starrte
mich mit verächtlichem Blick an und wandte sich dann gemächlich ab, als wolle sie sagen: »Ich gehe, weil ich das will,
nicht, weil ihr mir angst macht. Wehe, ihr greift mein Nest an!«

»Lassen Sie sich von denen nicht beeindrucken«, brummte
mein Nachbar. »Die Kanalarbeiter sind auch den ganzen Tag
hier unten – und die werden nie angegriffen. Das machen sie
bloß, wenn sie sich in die Enge getrieben fühlen.«

Das sagen die Leute immer über Ratten, aber ich glaube es
nicht. Ich denke eher, sie warten einfach auf eine günstige
Gelegenheit. Warum sonst fallen sie Babys an, die in Slums von
ihren Müttern allein gelassen werden?

Nervös hob ich die Sachen wieder auf, legte sie auf die
unterste Stufe und rannte hoch, um die nächsten Teile zu holen.
Die Gummistiefel zog ich im Foyer an. Das erschwerte zwar
das Treppensteigen, aber ich fühlte mich damit ein bißchen
geschützter.

Als wir alles wieder auf den Handwagen geladen hatten,
führte ich Mr. Contreras zu der Wand hinter dem Boiler. Das
Quieken wurde lauter, je näher wir kamen. Ich atmete tief
durch und zwängte mich hinter den Heizofen, dabei versetzte
ich zwei rotäugigen Ratten einen Fußtritt, die mir den Weg
versperrten. Sie zogen sich ein paar Schritte zurück und beobachteten mich dann. Mit unsicheren Fingern leuchtete ich sie
direkt an. Als sie keine Anstalten machten, sich zu verziehen,
nahm ich ein Stück Metallrohr aus dem Schutt und versuchte,
sie damit wegzustoßen. Sie gaben einen Laut von sich, der sich
fast wie ein Knurren anhörte, und zogen sich ein paar weitere
Schritte zurück. Der alte Mann hob ein anderes Rohr auf und
half mir, einen Weg zu bahnen.

»Ich geh' voraus, Süße«, bot er mir an.

Ich schüttelte den Kopf. Ich durfte meiner Angst jetzt nicht
nachgeben; schließlich mußten wir noch eine weite Strecke
Feindesland hinter uns bringen. Wenn Tamar Hawkings, die
lediglich Fetzen am Leib trug, zusammen mit ihren Kindern
mit diesen Biestern fertig geworden war, würde ich das auch
schaffen. Ich biß die Zähne zusammen und machte einen ent-
schlossenen Schritt nach vorn. Die Ratten starrten mich einen

315

langen Augenblick an und drängten sich dann an meinen Stiefeln vorbei in den Keller.

Der Zwischenraum zwischen Boiler und Wand war gerade breit genug für meine Schultern. Als ich mit dem linken Arm am Metall entlangschrammte, versuchte ich, nicht daran zu denken, was da vielleicht herumhuschte, aber die Haare unter meinem Schutzhelm waren ganz schweißnaß. Ein paar Tropfen liefen mir die Nase hinunter. Mr. Contreras, der gleich hinter mir stand, ermutigte mich weiterzugehen.

Als ich an dem Boiler vorbei war, hatten wir so viel Platz, daß wir nebeneinanderstehen konnten. Ich ließ den Strahl der Taschenlampe über die Ziegel gleiten, konnte aber keine Öffnung entdecken. Der alte Mann ging ächzend in die Knie. Plötzlich stürzten sich ein paar Ratten aus dem Nichts auf ihn. Er schrie vor Schmerz auf und fiel nach hinten. Dabei versuchte er, sie von seinem Gesicht wegzuwischen. Ich packte eins der Viecher beim Schwanz und schleuderte es gegen den Ofen. Die andere Ratte rannte Mr. Contreras' Arm hinunter und verschwand.

Ich zitterte, als ich den Strahl der Taschenlampe über Mr. Contreras gleiten ließ. Die Haut unter seinem linken Auge war aufgerissen und blutete.

»Alles in Ordnung, Süße.« Der alte Mann gab sich größte Mühe, nicht allzusehr zu schnaufen. »Wie dumm von mir. Sie haben natürlich gedacht, ich will an ihr Nest.«

»Genau. Sie greifen nur an, wenn sie das Gefühl haben, in die Enge getrieben zu werden.«

Zitternd ging ich rückwärts an dem Boiler vorbei zu unserem Handwagen. Ich suchte in unserem Erste-Hilfe-Kasten nach dem Peroxyd und beschloß dann, die ganzen Sachen zu bringen. Es war gerade genug Platz, um den Handwagen vor mir herzuschieben. Jedesmal, wenn ich eins der Biester neben mir hörte, bedeckte ich mein Gesicht. Die Ratte, die ich gegen den Boiler geschleudert hatte, kroch auf Mr. Contreras zu. Wutentbrannt und voller Angst überrollte ich den fetten Körper mit aller Kraft, die ich aufbringen konnte. Das Tier stieß einen gräßlichen Schrei aus. Ich war vor Angst fast wahnsinnig und konnte mich über das Geräusch nur noch freuen.

Der alte Mann machte einen Satz. »Ach. Sie haben eine erledigt. Ich hab' schon gedacht, es hat Sie erwischt, Süße. Das hat mich mehr erschreckt als das Vieh vorher in meinem Gesicht. Ich glaube, ich habe das Loch gefunden.«

Er hatte in einer Ecke hinter dem Boiler eine Lücke entdeckt. Ein Stück Mauerwerk vom Fundament war abgebrochen, so daß für einen schlanken Menschen gerade genug Platz war hindurchzuschlüpfen. Diese Lücke war mir vorher noch nie aufgefallen. Ich hätte sie nicht nur wegen der Ratten, sondern auch wegen des schlechten Lichts nicht gefunden, denn wenn man nichts von den Höhlen hinter der Mauer wußte, suchte man auch nach keinem Zugang zu ihnen. Mr. Contreras hatte sie nur gefunden, weil er die Wände abgetastet hatte, während er auf mich wartete.

Ich zog meine Handschuhe aus und reinigte seine Wunde. »Sie sollten damit zum Arzt. Glauben Sie, Sie könnten draußen auf der Michigan Avenue ein Taxi kriegen?«

»Ich glaube, ich werde Ihnen gleich noch eins auf den Deckel geben, wenn Sie meinen, ich lasse Sie hier allein, Warshawski. Machen Sie die Wunde lieber ordentlich sauber. Sie blutet, das ist ein gutes Zeichen. Später können wir uns immer noch Gedanken über Tollwut und Beulenpest und andere Krankheiten machen, die die Viecher angeblich übertragen.«

Ich tupfte die Wunde viel sorgfältiger ab, als eigentlich nötig gewesen wäre. Plötzlich zuckte der Mann zusammen, weil ich am rohen Fleisch herumrubbelte. Ich trug Salbe auf die Verletzung auf. Aus Sorge darüber, daß der Geruch der Salbe vielleicht die Ratten anlockte, verband ich die Wunde, so gut es ging. Sie schlichen um uns herum, während ich mich um Mr. Contreras kümmerte, aber sie wagten es nicht, den Tod ihres Kameraden zu rächen.

Als Mr. Contreras wieder auf den Beinen war, nahm er den Vorschlaghammer und vergrößerte die Öffnung hinter dem Mauerwerk. Immer mehr Ratten strömten heraus, während er arbeitete. Meine Haut war klatschnaß unter dem Arbeitsanzug. Ich begann zu frösteln in der klammen Luft.

Als Mr. Contreras fertig war, machte er eine kleine Pause, um Luft zu schöpfen. Ich spähte durch das Loch, das er geschlagen hatte. Die Öffnung führte direkt zu einer Treppe, von der ich die obersten zwei oder drei Stufen im Licht meiner Taschenlampe sehen konnte.

Ich nahm das Seil, die Leiter, die Batterien für die Taschenlampe und eine Decke für den Handwagen. Dann schlang ich mir ein Ende des Seils um die Taille und befestigte das andere an meinem Nachbarn. Schließlich nahm ich noch die Smith & Wesson aus meinem Schulterholster und steckte sie in eine meiner Seitentaschen. Das war absurd – schließlich konnte ich nicht das ganze Ungeziefer hier erschießen –, aber es gab mir ein sicheres Gefühl.

Mein Nachbar nickte mir zu, um mir zu bedeuten, daß er wieder richtig atmen konnte. »Fertig, Süße? Passen Sie auf beim Runterklettern. Sie wissen nicht, wie's da unten aussieht, nicht daß Sie vielleicht im Wasser landen.«

»Gut. Dann mache ich mich mal an die Arbeit.« Das Eisenrohr als Krücke in der einen Hand, kletterte ich durch das Loch in der Mauer.

43 Engel im Schacht

Die Feuchtigkeit hatte sich mit dem Kohlenstaub zu einer schwarzen Glasur auf den Stufen verbunden. Das Licht der Taschenlampe glitzerte darauf wie Mondlicht auf schwarzem Eis. Wir versuchten, die Treppe hinunterzuschauen, um zu sehen, wie weit wir gehen müßten, konnten jenseits des Lichtkegels jedoch nichts erkennen. Also machten wir uns, auf die Metallstangen gestützt, vorsichtig auf den Weg nach unten.

Die Dunkelheit jenseits des Lichtkegels war undurchdringlich, als habe eine riesige Hand jegliche Helligkeit aus der Luft gepreßt. Wir schienen uns durch schwarze Materie hindurchzukämpfen, die unser mickriges Licht erstickte, und bewegten uns leise, bedrückt vom Gewicht der Luft hier unten, von der Last der Erde über uns. Nur das Quieken der Ratten, die sich mit ihren schnellen, leichtfüßigen Bewegungen über uns lustig zu machen schienen, störte die Stille.

Einen Augenblick lang geriet ich in Panik und verwechselte den Mangel an Licht mit einem Mangel an Sauerstoff. Ein wenig benommen streckte ich die Hand nach der Eisenstange aus, die jemand an die Wand neben der Treppe geschraubt hatte. Als ich sie berührte, löste sie sich und landete mit einem Krachen auf meinem Hinterteil. Mr. Contreras fragte mich besorgt, ob ich mir weh getan hätte, aber mein Arbeitsanzug hatte den Schlag abgeschwächt, so daß mich nur mein Steißbein ein bißchen schmerzte. Der Schreck hatte zumindest dafür gesorgt, daß ich jetzt wieder klar denken konnte.

Hier unten stank es nach Schimmel und Rattenkacke, aber die Luft war nicht abgestanden. Ich zündete ein Streichholz an, um mich davon zu überzeugen, daß mein Eindruck stimmte. Die Flamme brannte hell und leuchtend. Um den psychischen Druck loszuwerden, begann ich, Figaros fröhlichen Abschiedsgruß an Cherubino zu singen. Mr. Contreras und ich waren selbst wie Schmetterlinge, doch flatterten wir hinunter in die Eingeweide der Erde, nicht in die Gefahren der Schlacht.

Mein Singen löste die Spannung, die Mr. Contreras am Reden gehindert hatte. Er begann, mich mit seinen Kriegsanekdoten zu unterhalten. Natürlich hatte ich die meisten schon gehört, zum Beispiel die Sache mit Clara, die er Mitch Krueger ausgespannt hatte, oder die Geschichte von dem Schrapnell, das ihn bei Anzio getroffen hatte, aber wenigstens erfüllte seine wohlklingende Stimme, die von den Wänden widerhallte, den Schacht mit Leben.

Am Fuß der zweiten Treppe fiel der Lichtkegel der Taschenlampe auf eine Erhebung. Ich blieb stehen, um das Ding, das da lag, aufzuheben. Es handelte sich um eine Art Säckchen, von dem das Futter in Fetzen weghing. Die synthetische äußere Hülle war noch als das zu erkennen, was sie einmal gewesen war: ein Kinderskihandschuh, ehemals leuchtend blau. Ich hatte keine Ahnung, wie schnell Schimmel und Schmutz Stoff zersetzen, aber der Handschuh sah aus, als habe er schon jahrelang dort gelegen. Ich legte ihn wieder zurück. Wenigstens bewies er, daß wir, wenn nicht schon Tamar Hawkings, so doch menschlichem Leben auf der Spur waren.

Wir bewegten uns weiter nach unten, erneut schweigend, nachdem wir den Handschuh gefunden hatten. Die Stufen schienen sich endlos ins Zentrum der Erde zu erstrecken. Ich verlor das Zeitgefühl völlig, dachte, wir seien schon seit Stunden unterwegs, doch als ich nach der dritten Treppe einen Blick auf meine Uhr warf, sah ich, daß wir insgesamt nur sieben Minuten auf den Stufen verbracht hatten.

Am Ende der vierten Treppe kamen wir an eine verschlossene Tür. Das Wasser leckte hier an der untersten Stufe. Wir wateten hinüber zur Tür. Ein paar Ratten kletterten durch ein Gitter am oberen Ende. Während Mr. Contreras die Klinke packte und daran zog, vertrieb ich die Ratten mit meiner Stange.

Er hatte Mühe, die Tür gegen den Druck des Wassers aufzubekommen. Schließlich gab ich meinen Kampf gegen die Ratten auf, um ihm zu helfen. Schwer atmend brachten wir sie schließlich auf.

Vor uns lagen die Tunnels. Um Batterien zu sparen, hatten wir auf dem Weg nach unten nur eine Taschenlampe benutzt, jetzt knipste ich auch die andere an, damit wir besser sahen.

Die Lichtkegel unserer Lampen tanzten über die schmierige Wasseroberfläche. Ein paar Ratten kamen auf uns und die offene Tür zu und liefen dann die Stufen hinauf. Ich versuchte, sie nicht zu beachten, und schaute den Tunnel entlang. Nachdem ich langsam einige Schritte durchs Wasser gemacht hatte, entdeckte ich die Schienen. Die Steinmauern rundeten sich knapp einen Meter fünfzig über unseren Köpfen zu einem Gewölbe.

»Was jetzt? Glauben Sie, daß sie sich irgendwo anders in Sicherheit gebracht haben?« Mr. Contreras' Stimme hallte dumpf von dem Gemäuer wider wie eine alte Glocke.

»Ich weiß nicht. Ich weiß nicht mal, ob sie wirklich hier unten sind. Der Fäustling, den wir gefunden haben, beweist nur, daß wahrscheinlich mal ein Kind hier gewesen ist, aber wann, ist nicht klar.« Ich steckte nervös die Hand in das stinkende Wasser, um zu sehen, woher es kam, und merkte, daß es an einer Stelle rechts von der Tür anstieg. »Wenn sie vom Wasser überrascht worden sind, haben sie sich vermutlich davon wegbewegt. Ich glaube nicht, daß sie zurück ins Gebäude sind. Warum gehen wir nicht einfach den Tunnel ein Stück rauf? Wenn uns das Wasser bis zum Knie reicht, kehren wir um.«

Ich wischte mir die Hand ein paarmal an einem Tuch ab, bevor ich den Arbeitshandschuh wieder anzog. Mr. Contreras sah zuerst mich an und dann das Wasser. Schließlich erklärte er sich brummend bereit, mit mir weiterzugehen.

»Vielleicht sollten wir den Weg irgendwie markieren«, meinte er. »Es könnte ja sein, daß es hier unten noch mehr von diesen Türen gibt.«

Wir hatten weder Farbe noch andere Mittel zum Markieren dabei, also riß ich ein Stück von einer Decke und band es um das Gitter der offenen Tür. Wahrscheinlich würden die Ratten sich nicht dafür interessieren, weil sie zu sehr damit beschäftigt waren, auf trockenes Terrain zu gelangen.

Gestützt auf die Metallstangen wateten wir den Tunnel entlang. Mr. Contreras schaltete seine Taschenlampe aus. In unregelmäßigen Zeitabständen überprüften wir den Wasserstand. Das Wasser stieg zwar nicht schnell, aber ich konnte trotzdem ein Gefühl der Panik nicht unterdrücken. Was, wenn uns der Rückweg abgeschnitten wäre? Wir würden ertrinken und niemals entdeckt werden.

»Wissen Sie, Süße, mein Leben war gar nicht so schlecht«, verkündete Mr. Contreras, dem offenbar ganz ähnliche Dinge durch den Kopf gingen wie mir. »Ich war glücklich verheiratet – Clara war wirklich die beste Frau, die man sich denken konnte. Schade, daß Sie sie nie kennengelernt haben – ihr beide hättet euch bestimmt wunderbar verstanden. Aber irgendwie habe ich das Gefühl, daß ich als junger Mann nie so glücklich gewesen bin wie jetzt, wo Sie bei mir im Haus wohnen. Wie lange sind Sie jetzt schon da – sechs Jahre? Was Sie sich immer ausdenken! Wenn einer von meinen Freunden heute morgen auch so was Interessantes macht wie ich – Einbrecher spielen oder nach einer vermißten Familie suchen –, fresse ich einen Besen mitsamt Bürste.«

Ich mußte lachen. »Sie vergnügen sich hier, und ich mache mir fast in die Hose vor Angst, daß wir ertrinken könnten.«

»Ja, Sie haben Angst – schließlich sind Sie kein gefühlloser Roboter –, aber Sie lassen sich nicht davon abhalten, etwas zu unternehmen. Deshalb bewundere ich Sie. Ich mag gar nicht dran denken, was passiert, wenn einer von uns aus der Racine Avenue wegziehen muß. Besonders, wenn dieser Jemand ich bin und wenn ich dann bei Ruthie draußen in Elk Grove Village lande.«

Wir kamen an eine Kurve des Tunnels. Hier wirbelte das Wasser in winzigen Strudeln und stand uns bereits bis zu den

Waden. Ich zögerte und ging dann weiter. Mr. Contreras zuckte mit den Achseln und folgte mir.

Nach ungefähr fünfzehn Metern gelangten wir zu einer Kreuzung mit einem anderen Tunnel. Das Wasser strömte von der rechten Seite in unseren Schacht. Das erklärte die Strudel – sie trafen auf die Flut, die hinter uns anstieg. Hier unten fehlte mir jede Orientierung; ich hatte keine Ahnung, in welcher Richtung sich die geborstene Wand befand oder woher das Wasser kam, deshalb wußte ich auch nicht, ob wir uns auf die Hauptquelle zu- oder von ihr wegbewegten.

»Können Sie einen Augenblick hierbleiben?« fragte ich Mr. Contreras. »Ich möchte mir den linken Schacht ansehen.«

Er knipste seine Taschenlampe wieder an. »Wenn Sie zurückkommen wollen, schalten Sie Ihre Taschenlampe aus, dann sehen Sie meine. Gehen Sie einfach darauf zu. Und rufen Sie alle dreißig Sekunden etwas, damit ich weiß, daß alles in Ordnung ist.«

Ich bog in den linken Schacht und rief pflichtschuldig alle zehn Schritte etwas. Nach dreißig Schritten schien mir das Wasser niedriger. Weitere fünfzig, und ich stand im Schlamm. Im Lichtkegel vor mir erkannte ich bereits trockene Abschnitte. Ich versuchte Mr. Contreras zuzurufen, daß er mir folgen könne, aber ich wußte nicht so recht, ob er mich bei dem Echo hörte, also ging ich wieder zu ihm zurück.

Das Wasser war leicht gestiegen, als ich wieder bei ihm war. »Wollen Sie mitkommen? Wenn wir in zehn Minuten niemanden gefunden haben, blasen wir die Sache ab.«

»Aber klar, Süße. Jetzt sind wir schon so weit gegangen, ohne irgendwas gefunden zu haben, da können wir ruhig noch ein paar Schritte weitergehen.«

Ich befestigte wiederum ein Stück von der Decke an einem Träger an der Kreuzung. Dabei entdeckte ich eine ganze Reihe ähnlicher Haken – vielleicht hatte man daran früher Laternen aufgehängt, als die Tunnels noch regelmäßig benutzt wurden. Über dem Haken sah ich eine ausgeblichene Schrift. Ich stellte mich auf die Zehenspitzen, um sie mir genauer anzusehen: Dearborn/Adams, stand da. Wir waren also zwei Häuserblocks nach Westen gegangen und einen Block nach Süden in den zwanzig Minuten, die wir mittlerweile hier unten waren.

Das Licht meiner Taschenlampe wurde allmählich schwächer. Ich knipste sie aus und ließ Mr. Contreras vorausgehen. Das Wasser war inzwischen ein Stück weiter in den linken Tunnel eingedrungen, aber sobald wir uns auf trockenem Boden befanden, ging es schneller. Jenseits der Kurve bewegte sich plötzlich ein Schatten von uns weg. Ich konnte nicht erkennen, was es war, doch die Bewegung konnte eigentlich nur von einem Menschen stammen.

»Hey, wartet mal!« rief ich. »Mrs. Hawkings? Jessie? Ich bin's, V. I. Warshawski. Ich bin gekommen, um euch zu helfen. In die Tunnels dringt Wasser ein!«

Die Gestalten huschten weiter von uns weg. Sie waren zwar nicht schnell, aber mit meinen Gummistiefeln kam ich auch nicht sonderlich gut voran. Also zog ich sie aus und lief in der Mitte des Tunnels zwischen den Gleisen weiter. Mr. Contreras folgte mir, so schnell er konnte, doch schon bald war ich aus dem Lichtkegel seiner Taschenlampe, deshalb schaltete ich wieder meine eigene an. Viel Licht spendete sie nicht mehr, aber immerhin reichte es noch, daß ich nicht über die Schienen stolperte.

Schon nach kurzer Zeit hatte ich die Gruppe eingeholt und packte die Gestalt, die mir am nächsten war, ein kleines Kind. Der Junge wehrte sich ein bißchen, blieb dann stehen und begann leise zu jammern. Auch die anderen blieben stehen. Es waren mehr als vier, wie viele, konnte ich jedoch bei dem schlechten Licht nicht sagen. Zusätzlich zu dem Schimmel, der Kohle und den Ratten roch ich jetzt auch noch den beißenden Gestank von Urin und Angst. Ich schluckte meinen Ekel hinunter.

»Lassen Sie ihn los. Sie haben kein Recht, ihn festzuhalten.«

Eine der Gestalten versuchte, meine Hand von seinem Arm zu lösen, aber sie hatte keine Kraft in den Fingern, so daß sie das Kind nicht befreien konnte. Der Arm des Jungen fühlte sich ziemlich zerbrechlich an. Endlich kam auch Mr. Contreras, ein wenig außer Atem, an.

»Sind Sie das, Süße?«

Im stärkeren Licht seiner Taschenlampe erkannte ich Tamar Hawkings, die lautlos mit ihren Kindern rückwärts in den Tunnel zurückwich. Die Frau, die versucht hatte, meine Finger vom Arm des Jungen zu lösen, blieb bei mir stehen. Sie hatte ein Kleinkind auf dem Arm, das mit dünner Stimme zu jammern begann.

»Keine Angst, Natie, es ist alles in Ordnung. Wein nicht; ich passe schon auf dich auf.«

»Emily?« platzte es so laut aus mir heraus, daß sie vor mir zurückwich. Ich starrte sie verblüfft an. Wenn sie den Mund nicht aufgemacht hätte, hätte ich sie nicht erkannt. Ihre krausen Haare klebten stumpf auf ihrem Kopf, das Gesicht war ausgezehrt und grau vor Hunger und Schmutz. Jeans und Bluse schlotterten an ihrem schmalen Körper.

Sie wich vor mir zurück. Ich legte ihr die Hand auf den Arm.

»Ich muß dich und deine Brüder in Sicherheit bringen. Du mußt mitkommen. Verstehst du?«

Ich sah fast nur das Weiße in ihren Augen. Sie schien Fieber zu haben; ihr Atem ging schnell und rasselnd. Ich war mir nicht sicher, ob sie das, was ich sagte, verstand. Ich wandte mich Mr. Contreras zu.

»Das sind die Messenger-Kinder. Können Sie Joshua halten, während ich Mrs. Hawkings hole?«

Er nahm den älteren Jungen auf den Arm, als wiege er nichts, und drückte ihn gegen seine Brust. Während ich den Tunnel wieder hinauftrabte, begann Mr. Contreras dem Kind leise etwas vorzusingen, wie es normalerweise nur Frauen machen, um ihre Babys zu beruhigen.

Als ich bei Tamar Hawkings angelangt war, ließ ich mich auf keinerlei Diskussionen ein, sondern packte einfach das kleinste der Kinder und machte mich auf den Weg zurück zu Mr. Contreras. Mrs. Hawkings folgte mir, versuchte, mir das Kind zu entreißen und beschimpfte mich mit heiserer Stimme. Ihre beiden älteren Kinder stolperten hinter uns her. Als die Gruppe wieder zusammen war, erklärte ich ihnen hastig die Sachlage.

»Der Chicago River strömt hier herein. Die Mauer zwischen dem Fluß und den Tunnels ist gestern abend geborsten. Ihr müßt jetzt hier raus, sonst ertrinkt ihr. Oder ihr verhungert, weil ihr nicht mehr nach oben könnt, um Nahrungsmittel zu beschaffen. Ihr müßt zu mir kommen. Wir müssen durchs Wasser zurück zum Pulteney. Ihr müßt unbedingt nach oben. Wenn nicht, sterbt ihr alle.«

Emily zupfte wild an meinem Arm. »Wir können nicht zurück. Wir können nicht zurück! Tamar, bitte, sie darf mich nicht zurückbringen!«

»Du mußt nicht zurück zu Fabian, Emily. Aber du mußt jetzt hier raus.«

Mr. Contreras hielt sowohl Joshua als auch die größere Tochter von Tamar Hawkings an der Hand, während ich meine Gummistiefel wieder anzog. Ich fischte die Ersatzbatterien für meine Taschenlampe aus einer Seitentasche und setzte sie ein. Mit Mr. Contreras an der Spitze, der Joshua wieder auf den Arm genommen hatte, wandten wir uns der Gabelung im Tunnel zu und machten uns auf den Weg zum Wasser. Ich trug das kleinere Kind von Tamar Hawkings und hielt den Jungen an der Hand. Alle Kinder außer Emily wimmerten vor sich hin, und Jessie bekam wieder einen Asthmaanfall.

Als wir bei unserem Tunnel anlangten, reichte das Wasser Emily bereits bis zum Knie. Mrs. Hawkings, die noch kleiner war als Emily, schwankte in der Strömung. Keiner von ihnen hatte Gummistiefel, und alle waren zu schwach, um durch die Wasserflut zurückgehen zu können.

»Wir müssen das in Etappen machen«, sagte ich zu Mr. Contreras. »Können Sie Joshua voraustragen und auf die Treppe setzen? Ich bleibe in der Zwischenzeit mit den anderen hier. Wenn Sie zweimal allein gehen können, schaffen wir die restlichen Kinder zu zweit.«

Er nickte mit grimmiger Entschlossenheit. »Also, Junge, du und ich, wir machen jetzt einen kurzen Spaziergang. Du brauchst nicht weinen, deine Schwester kommt sofort nach. Überlaß das einfach deinem Onkel Sal: Ich bring' dich sicher hier raus, du wirst schon sehen.«

Seine beruhigende Stimme vermischte sich mit Joshuas schwachen Rufen nach Emily. Die beiden Geräusche hallten von den Tunnelwänden wider, noch nachdem das Licht ihrer Taschenlampe hinter der Kurve verschwunden war. Emily stand zitternd neben mir; die Tränen bahnten sich einen Weg durch den Schmutz in ihrem Gesicht. Nathan klammerte sich an ihr fest und jammerte leise und monoton vor sich hin.

Die beiden älteren Kinder von Tamar Hawkings standen mittlerweile bis zur Taille im Wasser. Ich setzte das kleine

Mädchen in den Latz meines Overalls – es war wegen seiner schlechten Ernährung so klein, daß es darin ohne Probleme Platz hatte – und nahm den Jungen auf den Arm. Er klammerte sich an meinen Hals wie ein Äffchen; seine Arme zitterten vor Erschöpfung.

Jessie schnappte so verzweifelt nach Luft, daß ich Angst hatte, sie könnte ersticken. Ich konnte nichts für sie tun, weil ich selbst so außer Atem war, daß ich kaum die Kraft zum Reden fand.

Ich nahm das Seil und schlang es um Tamar Hawkings' Taille; das andere Ende wollte ich an Emily festbinden. Aber beide wehrten sich und drängten auf den trockenen Boden zurück, den wir hinter uns gelassen hatten.

Plötzlich rutschte Tamar aus und fiel ins Wasser. Ich zog sie wieder auf die Füße und versuchte dabei, die Kinder nicht fallen zu lassen.

»Verdammt«, keuchte ich. »Sie bringen Ihre Kinder um und sich dazu. Hören Sie auf, sich zu wehren.«

Sie blieb mit düsterem Gesicht stehen, hustete das schmutzige Wasser aus der Lunge und ließ es zu, daß ich ihr das Seil um die Taille schlang. Als Emily sah, daß Tamar sich widerstandslos anseilen ließ, gab auch sie den Kampf auf. Ich hielt das Seilende fest, lehnte mich gegen die Wand, um Luft zu schöpfen und die Last der Kinder ein wenig zu verteilen. Die Beule an meinem Kopf begann wieder zu pochen, und die angebrochene Rippe preßte schmerzvoll gegen meine Lunge.

Als ich noch an der Wand lehnte und nach Luft schnappte, kam Mr. Contreras wieder. Er stolperte ein bißchen in dem Wasser und stützte sich an der Wand ab.

»Wir sollten zusehen, daß wir jetzt alle hier rauskriegen«, sagte ich. »Das Wasser steigt schneller, und ich glaube nicht, daß Sie die Kraft haben, den Weg noch zweimal zu gehen.«

Er nickte und schnappte ebenfalls nach Luft. »Das Wasser... ist jetzt schon auf der vierten Stufe... auf dem untersten Treppenabsatz. Ich hab'... den kleinen Jungen... ganz raufgebracht. Da ist er in Sicherheit. Die Ratten sind noch nicht da. Ich hab' bis jetzt bloß zwei gesehen und dem Jungen für alle Fälle einen Stock gegeben.«

Wir warteten, bis sein Atem sich beruhigt hatte. Ich schlang das eine Ende des Seils um ihn, das andere um mich selbst. Dann nahm er Jessie auf den Arm, die jetzt flacher atmete. Sie rollte die Augen, ohne etwas wahrzunehmen.

Ich holte das kleine Kind aus meinem Overall und reichte das Mädchen seiner Mutter – ich konnte nicht gehen und zwei Kinder tragen. Dann setzten wir uns auf den Schienen in Bewegung, Mr. Contreras voran, gefolgt von Tamar, dann Emily, die Nathan an der Hand hielt, und ich am Ende.

Der Weg war ziemlich beschwerlich. Emily versteckte sich erst seit einer Woche im Tunnel, war aber von der schlechten Ernährung deutlich geschwächt. Mrs. Hawkings, die schon seit Monaten hier unten wohnte, war so schwach, daß sie die größte Mühe hatte, gegen das Wasser anzukämpfen. Sie fiel immer wieder hin. Als sie das dritte Mal stürzte, riß sie Emily mit sich. Behindert durch die Kinder, die wir trugen, war es auch für Mr. Contreras und mich nicht leicht, sie wieder aufzurichten. Ich hatte Angst, Jessie und die beiden Kleinkinder zu verlieren.

Das Wasser ging mir inzwischen fast bis zum oberen Rand der Gummistiefel. Wenn es noch weiter stieg, mußte ich sie ausziehen, damit mich das Gewicht des Wassers in den Schuhen nicht behinderte.

»Einen Augenblick«, keuchte ich Mr. Contreras zu. »Ich möchte das Seil an einem von den Haken festmachen und Mrs. Hawkings ziehen.«

Als ihm klar war, was ich vorhatte, nahm er mir ihren Sohn ab. Ich löste das Seil von uns allen. Mr. Contreras hielt das eine Ende fest, während ich den Tunnel weiterwatete, soweit das Seil reichte. Dann stellte ich mich auf die Zehenspitzen, band es an einem Haken fest und zog mit meinem ganzen Gewicht daran. Der Haken hielt.

Mr. Contreras band Emily hastig an dem Seil fest, und ich begann, sie langsam heranzuholen. Das war nicht allzu schwer, denn sobald ich zog, verlor sie das Gleichgewicht und fiel hin, was bedeutete, daß das Wasser für mich arbeitete.

Nachdem ich ihr gesagt hatte, sie solle aufstehen, watete ich wieder mit dem Seilende zu Mr. Contreras zurück. Wir banden Tamar fest, dann kämpfte ich mich zurück zu Emily und dem Haken und zog auch Tamar heran.

Wir mußten diesen Vorgang dreimal wiederholen. Am Ende

hatte ich den Kampf gegen meine Gummistiefel aufgegeben und sie ausgezogen, damit ich zwischen dem Haken und den Vermißten leichter hin- und herkam. Als wir endlich bei der Treppe des Pulteney anlangten, hatte Tamar beinahe das Bewußtsein verloren. Ich war völlig erschöpft, und mein pochender Kopf sowie meine schmerzenden Arme schienen nicht mehr mir selbst zu gehören. Mr. Contreras' keuchender Atem drang zu mir herüber, erinnerte mich an das Leben, an die Notwendigkeit, weiterzugehen. Einzig Emily schien noch Energiereserven zu haben: Als wir zu der Treppe gelangten, rief sie »Josh« und stolperte die Stufen hinauf, um ihren Bruder in den Arm zu nehmen.

Ich kann mich nicht mehr erinnern, wie wir die vier Treppen zum Pulteney hinaufkamen – wir trugen Kinder, schoben Kinder, hievten Kinder, zwangen Tamar und Emily, weiterzugehen –, jedenfalls kam es mir vor wie eine Lebensaufgabe. Ich hatte mittlerweile fast vergessen, wie Licht und Sonne aussahen – sie waren nur noch Träume, von den alten Schriftstellern überliefert. Es war nicht mehr der Wunsch nach Helligkeit, der uns nach oben trieb, sondern die Monotonie der Bewegung. Ich war so betäubt, daß ich das Loch hinter dem Boiler nur dumm anstarrte, als wir endlich dort ankamen.

Sobald wir im Keller waren, ging Mr. Contreras nach oben, um Hilfe zu holen. Ich selbst dirigierte die Gruppe inzwischen an dem Boiler vorbei zu den Kisten, wo ich mein Werkzeug aufbewahrte. Mit letzter Kraft stellte ich die Kisten in einem Halbkreis auf, setzte mich hin und lehnte mich gegen eine. Joshua, der sich an Emily klammerte, lag links neben mir. Auf der anderen Seite hörte ich Jessies mühsames Atmen. Die Ratten liefen um uns herum, aber ich war zu erschöpft, um sie zu verscheuchen. Ich schlief, als Mr. Contreras mit einem Polizisten zurückkam.

44 Für Dickschädel gibt's keine Regeln

Jessie starb noch in der gleichen Nacht. Die Kinderärzte des Northwestern Hospital, wohin wir alle gebracht worden waren, gaben ihr Bestes, aber die schlechte Ernährung und die Feuchtigkeit hatten ihre Lungen bereits zu sehr geschädigt. Lotty erzählte es mir, bevor sie wegfuhr, um ihre eigene Runde im Beth Israel zu machen.

Trotz meiner zusammenhanglosen Proteste hatten die Ärzte mich über Nacht zur Beobachtung im Krankenhaus behalten. Lotty – die ich auf den Formularen der Notaufnahme als meine behandelnde Ärztin angegeben hatte – hatte sie, sehr zu meiner Verärgerung übrigens, telefonisch auf meine noch frische Kopfverletzung hingewiesen und durch diese Information die Entscheidung der Ärzte unumstößlich gemacht.

»Und machen Sie doch gleich eine vollständige neurologische Untersuchung, wenn Sie schon dabei sind«, hatte sie ihnen aufgetragen.

»Und was ist aus deiner Überzeugung geworden, daß Patienten ein Mitbestimmungsrecht bei ihrer Behandlung haben sollten?« hatte ich sie gefragt, nachdem es mir endlich gelungen war, dem Pfleger den Telefonhörer wegzunehmen.

»Das gilt nicht für Dickschädel, meine Liebe, sondern nur für Menschen, die nicht unbedingt mit einem gebrochenen Bein den Mount Everest besteigen wollen.«

Sobald ich aufgelegt hatte, wußte ich, daß sie recht hatte. Ich war so erschöpft, daß ich mich nicht rühren konnte, wie hätte ich mich da vor jemandem schützen wollen, der mit einer Waffe auf mich losgegangen wäre? Ich riß mich gerade noch lange genug zusammen, um eine Nachricht für Conrad zu hinterlassen. Dem Beamten im Revier erklärte ich, daß er ihm unbedingt sagen solle, ich befinde mich im Northwestern Hospital, dann ließ ich mich von den Pflegern auf die Tragbahre hieven.

Hin und wieder schreckte ich hoch, wenn Leute mich wuschen oder mir Blut abnahmen, aber den größten Teil des Abends schlief ich so tief, daß ich nicht einmal aufwachte, wenn der Blutdruck oder die Temperatur gemessen wurde. Conrad war gegen sieben Uhr abends vorbeigekommen – ich fand einen Zettel von ihm an einem Strauß Gänseblümchen, als ich aufwachte –, aber nicht einmal das hatte ich gemerkt.

Etwa um vier Uhr morgens wachte ich endgültig auf. Nach anfänglicher Verwirrung darüber, wo ich mich befand, fielen mir die Ereignisse der letzten Wochen wieder ein. Ich wälzte mich im Bett hin und her, machte mir Sorgen um Mr. Contreras und die Kinder, dachte über den Mord an Deirdre und die Rumänen nach und fragte mich, was ich als nächstes unternehmen sollte, bis Lotty kurz nach sechs mein Zimmer betrat.

»Du hast also wieder mal recht gehabt.« Ich wandte mich ab, als sie mir vom Tod Jessies berichtete. »Ich hätte die Hawkings' nicht da unten im Keller lassen dürfen, als ich sie gefunden habe. Wenn ich Conrad gerufen hätte, wie du es mir geraten hast, wäre das Mädchen vielleicht noch am Leben.«

Lotty setzte sich neben mich aufs Bett. Ihre dunklen Augen wirkten groß in ihrem lebhaften Gesicht. »Das kann man nie wissen, Vic. Ich war an dem Abend damals ziemlich erregt, und ich hätte nicht... schließlich haben wir auch nicht richtig gehandelt, als wir sie dabehalten wollten, nachdem du sie ins Krankenhaus gebracht hattest. Außerdem meint Conrad, daß man die Verbindung zwischen den Tunnels und dem Keller mit ziemlicher Sicherheit nicht gefunden hätte, wenn du nicht danach gesucht hättest.«

Nachdem es Conrad nicht gelungen war, mich aufzuwecken, hatte er Lotty angerufen, damit sie sich um mich kümmerte – da wir nicht verheiratet waren, weigerten sich die Ärzte im Krankenhaus, ihm Auskunft zu geben. Er erzählte Lotty, er und Finchley hätten beim Pulteney vorbeigeschaut, um herauszufinden, warum Finchleys Suchmannschaft den Eingang zu den Schächten bei der Suche nach Tamar am Morgen nach Deirdres Tod nicht gefunden hatte. Als sie den Zugang hinter dem Boiler entdeckten, waren sie erstaunt, daß Mr. Contreras und ich ihn überhaupt gesehen hatten.

»Wir haben ein Kind verloren, Vic«, fuhr Lotty fort, »aber sechs andere Menschen sind am Leben, die jetzt tot wären, wenn ihr nicht gewesen wärt. Mr. Contreras scheint heute morgen übrigens in Kampfstimmung zu sein. Die Ärzte wollten ihm ein paar Spritzen gegen Tollwut verpassen wegen der Rattenbisse und untersuchen jetzt sein Herz, um festzustellen, ob er das aushält. Ich habe ihnen gesagt, den Mann könnte man nur mit einem großen Lastwagen aufhalten.«

Ich nickte. »Ohne ihn hätte ich die Sache nicht überstanden. Wie geht's Tamar Hawkings?«

Lotty runzelte die Stirn. »Sie hängt am Tropf – das tun sie alle. Aber größere Sorgen machen sich die Ärzte um ihren geistigen Zustand. Das gleiche gilt für Emily Messenger. Mr. Messenger ist gestern nachmittag vorbeigekommen, sobald er erfahren hatte, daß die Kinder gefunden worden sind. Offenbar hat Emily zu schreien angefangen und die Ärzte dazu gebracht, ihn wegzuschicken.

Jetzt kriegt keiner mehr eine zusammenhängende Geschichte aus ihr raus. Eine Psychologin soll sich mit ihr unterhalten, aber zuerst muß sie wieder auf die Beine kommen – dieses emotionale Trauma könnte ihren Tobsuchtsanfall ausgelöst haben. Ihre kleinen Brüder werden sich bald wieder erholen, zumindest körperlich, und die Ärzte sind auch wegen der anderen zwei Kinder von Tamar Hawkings zuversichtlich.«

Leon Hawkings sei dagewesen, um das Sorgerecht für die Kinder zu reklamieren, fügte sie hinzu. Er habe gedroht, gerichtliche Schritte wegen Jessies Tod einzuleiten und gefordert, daß seine Frau zu ihm zurückkehre. Gleichzeitig habe er verlangt, daß sie ins Gefängnis komme, weil sie das Leben der Kinder gefährdet habe. Lotty hatte Marilyn Lieberman von Arcadia House angerufen, die Eva Kuhn vorbeischicken wollte, um zu sehen, ob man etwas für Tamar Hawkings tun könne.

»Die Leute von den Ämtern werden ihr Vernachlässigung der Kinder vorwerfen. Sie wird sich mit vielen Leuten und Problemen auseinandersetzen müssen, wenn sie wieder die Kraft dazu hat«, meinte Lotty.

»Die Polizei hat Emily noch nicht festgenommen?« fragte ich.

Lotty lächelte mich spöttisch an. »Wegen des Mordes an Deirdre? Die Polizei geht sehr vorsichtig vor, weil Fabian überall so hohes Ansehen genießt.

Außerdem hat sich von deinen Freunden bei der Polizei ganz unerwartet jemand auf unsere Seite geschlagen – die rothaarige Frau, die dich am Samstag in der Notaufnahme befragt hat…

ja, Officer Neely, so hat sie sich vorgestellt . . . Vic, ich habe die Ärzte hier gebeten, eine Kernspintomographie zu machen und deine Gehirnfunktionen zu überprüfen, bevor sie dich rauslassen.«

»Weil jeder, der da unten in den Schächten war, einen Schlag weghaben muß?«

Lotty erhob sich von meinem Bett. »Nein, weil du innerhalb der letzten sieben Jahre die dritte schwere Kopfverletzung hast, und weil ich sichergehen möchte, daß dein polnischer Dickschädel keinen dauerhaften Schaden davonträgt.«

Ich setzte mich auf und bekam einen roten Kopf vor Wut. »Das kann ich mir nicht leisten. Du weißt doch, daß ich keine Versicherung habe. Außerdem habe ich einen Riesenberg Schulden. Die haben doch erst am Samstag im Beth Israel ein EEG gemacht. Ich muß was unternehmen. Es sind so viele Dinge liegengeblieben, und jetzt, wo wir Emily gefunden haben, ist alles noch dringender geworden.«

Sie legte die Finger um mein Handgelenk, um meinen Puls zu fühlen und mich zu beruhigen. »Die Geräte und die Techniker im Beth Israel sind nicht so gut wie die Einrichtungen hier. Der Radiologe hat mir gestern gesagt, das EEG sei nicht klar genug ausgefallen; er kann nicht mit hundertprozentiger Sicherheit feststellen, ob die Hirnhaut verletzt wurde. Ich werde mich mit denen über die Rechnung schon irgendwie einigen. Mit Kopfverletzungen ist nicht zu spaßen.«

Als sie weg war, stand ich auf, entschlossen, mich anzuziehen und abzuhauen. Ich hatte keine Zeit, hier herumzuhängen und dem Krankenhaus Tausende von Dollar für sinnlose Untersuchungen in den Rachen zu werfen.

Meine Muskeln waren längst nicht so geschmeidig, wie ich gedacht hatte. Ich ging mit steifen Gliedern zum Kleiderschrank hinüber. Jemand hatte meine Sachen in einen Plastiksack mit der Aufschrift WARSHAWSKI – 402-B gesteckt. Ich machte den Sack auf und trat angewidert einen Schritt zurück – der Gestank war gräßlich. Wenn man öliges Wasser über Nacht luftdicht in einen Plastiksack verpackt, könnte man das Ergebnis ohne weiteres als Mittel zur Selbstverteidigung abfüllen. Selbst in besserer Verfassung hätte ich mich vermutlich nicht überwinden können, die Sachen anzuziehen.

Als ich den Sack wieder zumachte, merkte ich, daß der Geruch an mir haftete: Die Schwestern hatten mich gestern mit einem Schwamm abgewaschen, aber meine Haare waren noch immer von Schweiß und getrocknetem Leckwasser verklebt. Zu meinem Zimmer gehörte ein eigener Duschraum. Ich stellte mich ungefähr eine halbe Stunde unter die Brause und genoß das Gefühl, wie die Wärme meine verspannten Muskeln lockerte und das Wasser den Dreck von meinem Kopf wusch.

Im Bad hingen ein sauberer Morgenmantel und ein Nachthemd. Ich zog es an und ging wieder ins Bett, um Conrad anzurufen.

»Lotty hat mir gesagt, daß alles in Ordnung ist, aber ich mache mir trotzdem Sorgen um dich, Baby. Ist schon bedenklich, wenn du nicht mal mehr merkst, daß ich deine Schulter streichle.«

»Als ich sieben war, hat mir eine Wahrsagerin in der Maxwell Street gesagt, ich hätte neun Leben. Ich müßte jetzt noch fünf oder sechs übrig haben.«

»So verschwenderisch, wie du in letzter Zeit damit umgegangen bist, könnte ich mir vorstellen, daß du sie schon aufgebraucht hast. Kann ich vorbeikommen?«

»Gern.« Ich bat ihn, mir aus meiner Wohnung frische Kleidung mitzubringen. »Das heißt, wenn du in dem Durcheinander, das die Schläger hinterlassen haben, noch irgendwas finden kannst. Ich brauche alles, auch Schuhe und Socken. Meine Turnschuhe werde ich wohl erst ausräuchern müssen, bevor ich sie wieder anziehen kann.«

Conrad erklärte sich bereit, meine Sachen zu holen, meinte aber, er würde erst nachmittags kommen. Lotty hatte ihm bereits das Versprechen abgenommen, mich nicht vor der Kernspintomographie aus dem Krankenhaus abzuholen.

»Außerdem solltest du deinem gequälten Körper etwas Ruhe gönnen, Ms. W. Lies ein Buch oder geh mit den Hunden rüber zum See. Das hast du dir verdient. Du brauchst das wirklich.«

Hin- und hergerissen zwischen meiner Freude über seine Sorge um mich und meinem Zorn über seine Versuche, mich ruhigzustellen, drückte ich mich um eine eindeutige Antwort. In den letzten Tagen hatte ich kaum etwas gegessen. Trotz meiner Probleme und meines angeschlagenen Körpers spürte ich so etwas wie Euphorie in mir aufkommen. Zum erstenmal seit drei Tagen war mein Kopf klar genug zum Denken. Wenn ich schon nicht vor Mittag aus dem Krankenhaus rauskam, konnte ich wenigstens meine Muskeln lockern, damit mir nicht mehr jeder Schritt weh tat.

Während ich ein paar Dehnungsübungen machte, schaute ich die Frühnachrichten an. Bisher war es noch nicht gelungen, das Loch zu stopfen; es drang weiterhin Wasser in die Tunnels. Ich bekam eine Gänsehaut: Mr. Contreras und ich hatten wirklich Riesenglück gehabt. Die Handelskammer war noch immer geschlossen – das war noch nie vorgekommen. Marshall Fields hatte mit Schäden in Millionenhöhe zu rechnen. Für die nächsten Tage wurde außerdem noch Regen vorhergesagt, was die Auspumparbeiten in den überschwemmten Kellern erschweren würde. Die Hochbahn im Loop stand still, weil die Dearborn Street überflutet war – die Pendler wurden mit Bussen befördert.

»Und im Northwestern Hospital konnten die Ärzte eins der Kinder, die die Chicagoer Privatdetektivin V. I. Warshawski und ihr Nachbar gestern aus den Tunnels geholt haben, nicht mehr retten.« Ich sah mir Beth Blacksin an, die vor dem Gebäude, in dem ich mich gerade befand, mit einem müde dreinblickenden Kinderarzt sprach. »Ms. Warshawski, die vor kurzem eine Kopfverletzung erlitten hat, bleibt zur weiteren Beobachtung vorerst im Krankenhaus. Unsere Reporter durften nicht mit ihr sprechen.«

Ich schaltete den Fernseher aus, als die Werbung kam. Mit zusammengepreßten Lippen versuchte ich, mich auf meine Übungen zu konzentrieren, statt mir Vorwürfe zu machen wegen Jessie Hawkings.

Eine ganze Schar von Ärzten mit ernsten Gesichtern trat in mein Zimmer, als ich gerade ein paar Beinübungen machte. Ich hatte bereits fünf Minuten damit verbracht, meine verspannten Kniesehnen zu dehnen. Jetzt lag ich auf dem Boden und versuchte, die Beine so hoch wie möglich zu bekommen. Die Ärzte verstanden nicht gleich, was ich da machte, und schienen etwas überrascht. Als ich es ihnen erklärte, beorderte mich der Neurologe wieder ins Bett zurück.

»Das kann warten, bis Dr. Herschel der Meinung ist, daß Sie fit genug sind, um wieder Gymnastik zu machen. Ich würde jetzt gern Ihre Reflexe prüfen.«

Jemand brachte das Frühstück herein, während er meine Fußsohlen mit Nadeln traktierte. Was da auf dem Tablett stand, war ziemlich einfallslos: eine Schüssel mit Frühstücksflocken, dazu ein süßes Brötchen und etwas, das aussah wie Rührei. Normalerweise hätte ich nichts davon angerührt, aber während der Untersuchung konnte ich den Blick nicht von dem Essen wenden – schließlich hatte ich am Vortag und auch am Sonntag kaum etwas zu mir genommen.

Der Neurologe erklärte mir, die Kernspintomographie solle um halb elf gemacht werden; es würde mich jemand im Rollstuhl hinbringen. Als ich erwiderte, ich könne selbst hingehen, lächelte er mich sanft an.

»Das glaube ich Ihnen gern, Ms. Warshawski. Aber während Sie hier bei uns sind, sollten Sie uns den Gefallen tun und sich an die Hausregeln halten. Das ist lediglich eine Vorsichtsmaßnahme und möglicherweise unnötig, aber wir hatten schon Leute, die fühlten sich kerngesund und sind dann mit Blutgerinnseln im Gehirn zusammengebrochen. Also ruhen Sie sich aus. Es kommt gleich jemand vorbei und bringt Ihnen eine Zeitung. Dann sind Sie in null Komma nichts hier raus.«

Ich versuchte zustimmend zu lächeln, aber da ich darin nicht sonderlich viel Übung habe, weiß ich nicht, wie gut mir das gelang. Sobald die Ärzte weg waren, stürzte ich mich auf das Essen und verschlang alles, sogar das süße Brötchen, das ziemlich altbacken war. So gestärkt schlenderte ich anschließend den Flur entlang, um Mr. Contreras aufzuspüren. Eine Schwester, die auf das Ende ihrer Schicht wartete, schlug gern seine Zimmernummer und die von Emily für mich nach.

Die Freude meines Nachbarn darüber, mich zu sehen, wurde durch seine Verlegenheit gedämpft, daß er ein jämmerliches Krankenhaushemdchen tragen mußte. In all den Jahren, die wir uns nun schon kannten, hatte er mir nicht einmal die Tür aufgemacht, wenn er nur mit Unterhemd und Hose bekleidet war.

Seine übliche gute Laune war zusätzlich durch einen Anruf seiner Tochter beeinträchtigt worden. Aufgescheucht durch die Fernsehberichte über unsere heroische Rettungsaktion, wollte sie am Mittag mit ein paar Kleidungsstücken vorbeikommen und ihn und die Hunde nach Elk Grove Village verfrachten.

»Ich hoffe bloß, daß Mitch sie beißt, wenn sie versucht, in die Wohnung zu kommen«, meinte er düster. »Aber dann wird sie ihn wahrscheinlich einschläfern lassen.«

»Sie müssen doch nicht gehen.«

»Sie nimmt die Hunde auch«, erklärte er mir. »Ich hab' den Fehler gemacht, ihr zu sagen, daß ich wegen Peppy und Mitch nicht zu ihr kann. Aber Sie holen uns doch wieder, gell, Süße? Wenn ich allerdings das Geld für die Grundsteuer nicht auftreibe, könnte es sein, daß ich bei ihr bleiben muß.«

»Am Donnerstag hole ich Sie gleich in der Früh ab«, versprach ich ihm, ohne zu wissen, was der nächste Tag bringen würde. Ich notierte mir die Adresse seiner Tochter und umarmte ihn. »Und wegen der Steuer wird uns schon noch was einfallen.«

Wäre ich doch genauso optimistisch gewesen, wie ich klang! Wo sollte ich leben, wenn ich gezwungen war, meine kleine Wohnung zu verkaufen? Ich versuchte, nicht darüber nachzudenken, während ich die Flure nach Emilys Zimmer absuchte – ich hatte schon genug um die Ohren, auch ohne die Steuergeschichten.

Schließlich fand ich Emily in der Kinderabteilung. Vermutlich war es das erste Mal seit Jahren, daß jemand sie als Kind betrachtete. Ich mußte die Straße überqueren, um zu dem Gebäude zu gelangen. Ich warf einen Blick auf meine dünnen Krankenhauspantoffel und das windige Nachthemd.

»Wo ein Wille ist, ist auch ein Weg«, murmelte ich und marschierte hinaus.

Unter dem düsteren Himmel schloß ich mich der Schar von Krankenhausangestellten an, die sich zwischen den Gebäuden des weitläufigen Klinikkomplexes bewegten. Beim Überqueren der Straße sah ich die Abteilung, wo die Kernspintomographien durchgeführt wurden. Ich kam ohne weiteres auch allein dorthin, immer vorausgesetzt, ich wollte das. Ich biß die Zähne zusammen und betrat die Kinderabteilung.

Als ich bei Emilys Zimmer anlangte, wurde ich Zeugin einer

Auseinandersetzung. Ein großer, bärtiger Mann diskutierte vor Emilys Tür lauthals mit einer Schwester. Er schwieg, als er mich entdeckte.

»Warshawski! Gott sei Dank! Erklär doch bitte dieser Frau, warum ich mich mit Emily Messenger unterhalten muß.«

»Keine Chance, Ryerson. Ich bin nur über mich selbst überrascht, daß ich dich hier nicht erwartet habe.«

45 Die Maus zwischen zwei Katzen

»Du könntest mir helfen, Warshawski«, sagte Murray. »Das Mädchen ist der Schlüssel zu dem Mord an Deirdre Messenger, aber sie lassen mich nicht zu ihr.«

»Du hast Nerven«, erwiderte ich in lockerem Tonfall, aber mit mörderisch funkelnden Augen. »Am Sonntag hast du Conrad gesagt, ich hätte mit dir gesprochen, obwohl das gar nicht stimmt. Und da glaubst du, daß ich dir jetzt dabei helfe, ein Kind zu quälen, das die Hölle durchgemacht hat? Keine Chance. Und wenn«, ich warf einen schnellen Blick auf das Namensschild der Schwester, »und wenn Ms. Higgins zögern sollte, dich von den Sicherheitskräften hinauskomplimentieren zu lassen, rufe ich höchstpersönlich die Polizei. Conrad würde sich über jede Gelegenheit freuen, dich ein paar Stunden einzubuchten.«

Murray legte einen Arm um mich. »Du machst mich richtig heiß mit deinen ultrabrutalen Drohungen, Vic. Ich will ja bloß mit reingehen, wenn du mit dem Mädchen redest.«

Ich wand mich aus seinem Griff. »Vergiß es! Sie ist eine Person, die Hilfe braucht und kein Kreuzverhör.«

»Das versuche ich ihm auch schon die ganze Zeit klarzumachen«, meinte die Schwester. »Dr. Morrison hat gesagt, keine Reporter, keine Aufregungen.«

»Murray, wenn Frauen ›nein‹ sagen, meinen sie auch ›nein‹. Hör auf, der Schwester auf die Nerven zu gehen. Sie hat was Besseres zu tun.«

»Wie wär's dann mit einem Exklusivinterview mit dir, Warshawski? Schließlich hast du doch das Mädchen zusammen mit ihren Brüdern aus dem Schacht geholt. Ich lade dich auf einen Kaffee ein, da kannst du mir dann alles erzählen. Ich würde dich rasend gern in dem Morgenmantel aufnehmen: Der V-Ausschnitt erinnert mich an ein paar wirklich nette Abende.«

»Warum nicht.« Ich machte mich auf den Weg zum Aufzug. »Na, was ist, Großer?«

Murray schluckte – er hatte offenbar nicht damit gerechnet, daß ich ihn beim Wort nehmen würde, folgte mir aber trotzdem und stellte mir auf dem Flur eine Frage nach der anderen. Als der Aufzug kam, stiegen wir gemeinsam ein, mit uns ein Labortechniker mit einem beladenen Wagen. Ich wartete, bis die Türen sich zu schließen begannen, und wand mich dann an dem Wagen vorbei hinaus. Murrays Proteste waren sogar noch durch die geschlossenen Türen hindurch zu hören.

Ellen Higgins, die gerade von einem Patienten kam, dankte mir, als sie mich den Flur zurückkommen sah. »Die ganze Nacht waren Reporter hier. Einer hat sogar versucht, heut früh um drei zu ihr reinzukommen. Und als Lila Dantry, die Nachtschwester, ihn aufhalten wollte, hatte er doch glatt die Kaltschnäuzigkeit zu behaupten, er wäre ein Freund von Mr. Messenger und wolle ihr nur helfen.«

»Um drei Uhr früh?« Mir zog sich der Magen zusammen. Ich konnte mir nicht vorstellen, daß ein Reporter so etwas tun würde, traute es aber einem von Fabians Freunden zu, den er geschickt hatte.

»Man sollte eine Wache aufstellen«, schlug ich vor.

»Darüber hat allein die Familie zu entscheiden«, erklärte mir Ellen Higgins. »Aber ich denke, wir können sie vor Journalisten schützen – normalerweise akzeptieren sie die Entscheidungen des Krankenhauspersonals.«

Der Gedanke, daß Fremde zu Emily ins Zimmer konnten, gefiel mir überhaupt nicht. In ein Krankenhaus können alle möglichen Leute. Ich spielte sogar mit dem Gedanken, die Gebrüder Streeter anzurufen, Freunde von mir, die als Leibwächter arbeiten.

Als die Schwester merkte, daß ich diejenige war, die die Kinder am Vortag gerettet hatte, brachte sie mich zu Joshua und Nathan. Sam und Miriam, die beiden Kinder von Tamar Hawkings, lagen auf der Intensivstation. Emilys Brüder hingen am Tropf, aber mittlerweile hatten sie schon wieder eine gesündere Gesichtsfarbe. Joshua beschäftigte sich mit einem Spiel, das er in der Hand hielt, und schenkte mir, Ellen Higgins und der Schwester, die sich um seinen Tropf kümmerte, keine Beachtung, aber Nathan war ziemlich unruhig. Die Stationsschwester sagte, er rufe ständig nach seiner Schwester.

Draußen auf dem Flur unterhielt ich mich mit Schwester Higgins darüber, ob ich zu Emily könne. »Sie hat sich völlig zurückgezogen. Anfangs haben wir sogar befürchtet, sie hätte einen Hirnschaden, aber das EEG sieht ganz normal aus.«

Ich nickte. »Wenn sie sich bedroht fühlt, zieht sie sich hinter eine Maske zurück, die sie fast zurückgeblieben aussehen läßt. Haben die Leute von der Polizei schon mit ihr gesprochen?«

»Ich habe gehört, daß eine ziemlich nette Beamtin sich mit Emily über den Tod ihrer Mutter unterhalten wollte, aber das hat sie so aufgeregt, daß die Frau gehen mußte. Was soll sie denn nach Ansicht der Polizei über ihre Mutter wissen?«

Ich schüttelte den Kopf. »Die Polizei vertraut mir solche Sachen nicht an. Möglicherweise glauben die Beamten, sie wüßte etwas über die Mordwaffe.«

»Ach.« Schwester Higgins machte große Augen. »Wir haben einen Psychiater zu Rate gezogen, weil wir glauben, daß die Zeit im Tunnel eine traumatische Erfahrung für sie gewesen ist. Als er sie nach ihrem Namen gefragt hat, hat sie geantwortet, sie habe keinen, sie sei eine Maus zwischen zwei Katzen. Mehr war nicht aus ihr herauszukriegen. Er meint, sie hat einen psychischen Zusammenbruch.«

»Vielleicht ist sie auch so wütend, daß sie sich mit keinem Erwachsenen mehr unterhalten will«, überlegte ich laut. »Als sie letzte Woche von zu Hause weggelaufen ist, wollte sie zu mir. Wahrscheinlich vertraut sie mir eher als einem Fremden.«

Schwester Higgins entschloß sich zu einem Kompromiß und versuchte, Dr. Morrison zu erreichen, um sie um Erlaubnis zu fragen. Als sich die Kinderärztin trotz des Piepserrufs nach fünf Minuten nicht gemeldet hatte, entschied sie, mich zu Emily zu lassen. Die meisten Kinder waren in Vier-, manche sogar in Sechsbettzimmern untergebracht, aber Emily war allein. Das, so erklärte Schwester Higgins, hatte mit ihrer hysterischen Reaktion auf Fabian zu tun. Dr. Morrison hatte Sorge gehabt, daß Emily mit weiteren Ausbrüchen die anderen Kinder negativ beeinflussen könnte.

Als ich den Raum betrat, lag Emily mit geschlossenen Augen da, die Anspannung in ihrem Nacken und ihren Armen ließ mich jedoch vermuten, daß sie wach war. Die sieben Tage im Untergrund von Chicago waren nicht spurlos an ihr vorübergegangen. Auch sie hing am Tropf. Ihre krausen Haare lagen auf dem Kissen wie ein schlecht ausgewrungener Wischlappen.

Ich rückte einen Stuhl an ihr Bett. »Hallo, Emily. Ich bin's, Vic Warshawski. Du wolltest zu mir, als du von zu Hause weggerannt bist. Es tut mir leid, daß du mich nicht gefunden hast, daß du in letzter Zeit so viel durchmachen mußtest.«

Ihre Kiefermuskeln bewegten sich, doch sonst gab sie kein Zeichen, daß sie mich gehört hatte.

»Dem Psychiater hast du gesagt, du hättest keinen Namen, du wärst eine Maus zwischen zwei Katzen. Solche Sachen finden Ärzte ganz toll – die beginnen dann gleich drüber nachzudenken, was für interessante Artikel sie über dich in den medizinischen Zeitschriften veröffentlichen können. Vielleicht solltest du wieder die ganz normale Emily werden, damit sie dich nicht so ausnützen können.«

Sie gab ein Schnauben von sich, das halb Kichern, halb Schluchzen war. Zwar öffnete sie die Augen nicht, um mich anzusehen, aber sie sagte mit trotziger Stimme: »Ich bin nicht Emily. Ich bin eine Maus zwischen zwei Katzen.«

Ich leckte mir die Lippen nervös, während ich darüber nachdachte, wie ich sie am besten zum Reden veranlassen könnte. »Ich habe dein Gedicht über die Maus gelesen. Das war stark – du solltest dieses Talent fördern. Aber das Gedicht deutet auch darauf hin, daß du von deinen Eltern gequält worden bist. Wann hast du es geschrieben? Nach der Abendeinladung, die dein Dad für Manfred Yeo gegeben hat? Er hat dich an dem Abend ziemlich mies behandelt. Du weißt, daß ich das da auch schon gedacht habe.«

Ich wartete ziemlich lange auf eine Antwort; aber sie schwieg mit angespanntem, verkrampftem Körper. Ich spürte, wie sich mein eigener Nacken verspannte, doch ich wußte, daß ich ruhig bleiben mußte. Ich schloß die Augen und versuchte, mir die Dinge ins Gedächtnis zu rufen, die Emily in die Schächte getrieben hatte.

»Du hast das Gedicht nach der Abendeinladung geschrieben. Nachdem Fabian und Deirdre sich im Schlafzimmer gestritten hatten und nachdem ich mit dir gesprochen hatte. Wahrscheinlich hattest du das Gefühl, daß sich die beiden deinetwegen streiten, du arme kleine Maus.«

Sie zitterte, sagte aber immer noch nichts. Ich spürte, daß sie mir aufmerksam zuhörte. Wenn es mir gelang zu erraten, was tatsächlich passiert war, würde sie vielleicht mit mir darüber reden.

An dem Abend hatte ich mich noch einmal umgedreht und gesehen, daß in einem anderen Zimmer ein Licht eingeschaltet wurde. Ich hatte mir damals gedacht, Emily sei vielleicht aufgestanden, um noch etwas zu erledigen. Die Party war am Mittwoch gewesen. Am Freitag war Deirdre gestorben, doch Emily hatte das Gedicht Alice Cottingham sozusagen als Hilfeschrei bringen wollen. Ich kniff mich in die Nase, um mich besser konzentrieren zu können.

»Deine Mutter hat dir auf einem Zettel mitgeteilt, daß sie wegmuß und ihr den restlichen Lachs essen sollt, weil die Haushälterin ihren freien Abend hatte.« Soweit stimmte die Geschichte, oder besser gesagt: So viel hatte mir Fabian erzählt – die Polizei hatte Deirdres Zettel nie zu Gesicht bekommen.

»Sie hatte geschrieben, daß sie zu mir ins Büro wollte. Dein Vater ist deswegen ausgerastet und hat den Zettel zerrissen.« Den Teil der Geschichte erfand ich, aber er stimmte wahrscheinlich, denn Deirdre hatte ihrer Familie bestimmt mitgeteilt, wohin sie wollte. Ich wußte nicht, was aus dem Zettel geworden war, aber Fabian oder Emily oder auch beide waren zum Pulteney gefahren: Wie sonst sollte der Baseballschläger wieder ins Haus der Messengers zurückgekommen sein? Emily konnte ich nicht fragen – eine so direkte Frage würde sie mir im Moment nicht beantworten.

Sie begann zu zittern. Ich hatte nur eine einzige Chance, die Geschichte richtig zu rekonstruieren – das war wie ein Balanceakt über dem Grand Canyon. Entweder: Emily war allein zum Pulteney gefahren. Oder: Fabian fuhr ins Pulteney, ermordete Deirdre und versteckte den Baseballschläger im Zimmer seiner

Tochter. So wahnsinnig war wahrscheinlich nicht einmal Fabian. Ich atmete tief durch.

»Du hast deine Mutter gebraucht. Obwohl sie eine der Katzen war, die dich quälten, war sie auch der einzige Mensch, der dich vor deinem Vater schützen konnte. Also bist du in die Stadt gefahren, um nach ihr zu suchen. Und sie war tot. Du hast den Baseballschläger erkannt – er trug die Unterschrift von Nellie Fox, gehörte deinem Vater und stand normalerweise im Hausflur. Du hattest Angst, daß er deine Mutter umgebracht haben könnte. Du wolltest ihn schützen, also hast du den Schläger mit nach Hause genommen und ihn in deinem Schlafzimmer versteckt.«

Sie schluchzte leise vor sich hin, und plötzlich sagte sie, fast unhörbar: »Ich hab' ihn gesehen.«

Ich hätte ihr gern die Hand auf den Arm gelegt, aber ich wußte nicht, wie sie das in ihrem gegenwärtigen Zustand auffassen würde, also kniete ich neben ihrem Bett nieder. »Wen hast du gesehen?«

»Meinen – meinen . . . Fabian. Er war . . . in Ihrem Büro.« Sie bekam fast keine Luft mehr, so sehr mußte sie sich beherrschen, nicht zu weinen. »Ich hab' gedacht, er ist daheim und liegt im Bett. Ich weiß nicht . . . ich weiß nicht, wie er schneller in die Stadt gekommen ist als ich. Ich hab' gedacht, ich . . . könnte vor ihm fliehen. Aber das geht jetzt nicht mehr.«

»Emily, als du letzten Montag mit Joshua und Nathan weggelaufen bist, bist du wieder zu mir ins Büro gekommen, weil du mit mir sprechen wolltest. Du hast gewußt, daß ich dir helfen würde. Und da hattest du recht. Ich werde dir helfen. Auch jetzt. Wenn du nicht mehr zu deinem Vater zurückmöchtest, kann ich dir helfen, andere Alternativen zu suchen.« Ich hoffte, daß meine Stimme überzeugend klang. »Aber wenn ich dich von ihm wegholen soll, mußt du mir so klar wie möglich erzählen, was dir von dieser Nacht noch in Erinnerung geblieben ist.«

Als ich den Blick hob, sah ich Ellen Higgins und zwei andere Leute mit Ärztekitteln – eine Frau in meinem Alter und einen jüngeren Mann – in der Tür stehen. Sie beobachteten uns besorgt und sahen aus, als wollten sie sofort ins Zimmer stürzen. Ich hatte keine Ahnung, wie lange die drei schon dort gestanden hatten. Ich schüttelte den Kopf leicht, in der Hoffnung, daß sie nicht hereinkommen würden, und wandte mich wieder Emily zu.

Sie schnappte so heftig nach Luft, daß sich ihr ganzer Körper aufbäumte. Ich suchte auf dem Tischchen nach einem Becher und einem Strohhalm.

»Trink das«, sagte ich hastig.

Sie nahm den Becher, aber ihre Hände zitterten so sehr, daß sie die Flüssigkeit verschüttete. Sie schrie wütend auf – wütend über sich selbst, mich oder den Becher – und schleuderte ihn quer durchs Zimmer. Dann begann sie wieder zu schluchzen.

Schon standen die drei in dem Raum.

»Ich glaube, Sie sollten jetzt besser gehen«, sagte die Frau. »Sie muß sich wieder beruhigen.«

Ich blieb im Zimmer, weil ich hoffte, Emily würde spüren, daß ich versuchte, die Verbindung mit ihr aufrechtzuerhalten. Ich hatte den Eindruck, als habe Emily den Becher aus einer tiefen Ohnmacht heraus durch den Raum geschleudert. Der größte Fehler wäre es jetzt wahrscheinlich, sie wie ein Kind zu behandeln, denn das würde dieses Gefühl der Hilflosigkeit nur noch verstärken. Sie hatte die Hände vors Gesicht geschlagen und schluchzte immer weiter.

Ich sprach sie mit deutlich vernehmbarer Stimme an: »Emily, du mußt jetzt eine Entscheidung treffen. In diesem Raum sind vier Leute, die alle nur dein Bestes wollen. Willst du mit mir weiter über die Nacht sprechen, in der deine Mutter gestorben ist? Oder möchtest du, daß ich gehe, damit du dich ein bißchen ausruhen kannst? Egal, wie deine Entscheidung aussieht: Wir werden sie respektieren. Niemand ist dir böse wegen der Entscheidung, die du triffst. Aber du mußt uns sagen, was du möchtest.«

Die drei blieben stehen. Unter den gegebenen Umständen konnten sie mich kaum hinauswerfen. Ellen Higgins trat zu Emily und reichte ihr einen Becher mit frischem Wasser. Ohne auf uns zu achten, legte sie Emily den Arm um die Schulter und brachte sie dazu zu trinken. Ganz allmählich wurde aus Emilys Schluchzen ein leichter Schluckauf.

»Möchtest du jetzt schlafen?« fragte Schwester Higgins.

Emily schlang die Arme um die Knie und wiegte sich leicht hin und her. Schließlich flüsterte sie: »Ich will mit Vic reden.«

»Bist du sicher, daß du das möchtest?« fragte die Ärztin. »Du weißt, daß du mit niemandem sprechen mußt.«

»Ich bin doch nicht blöde«, kreischte Emily. »Sie müssen mir das nicht immer wieder sagen.«

Der Mann und die Frau warfen mir einen merkwürdigen Blick zu, eine Mischung aus Groll und Bewunderung, verließen dann aber den Raum. Ellen Higgins blieb neben dem Bett, den Arm weiter um Emilys Schulter gelegt. Ich setzte mich wieder auf meinen Stuhl.

»War das Dr. Morrison?« erkundigte ich mich.

Schwester Higgins nickte. »Der andere war Michael Golding, unser Psychiater... Soll ich gehen, Kleines?« fragte sie Emily.

Emily schüttelte den Kopf und lehnte sich gegen sie. Mit leiser Stimme und vielen Pausen erzählte sie uns, was in der Nacht von Deirdres Tod passiert war.

46 Eine denkwürdige Nacht

Deirdre war oft zu Beiratssitzungen von Home Free oder Arcadia House gegangen, hatte aber jeden Sonntag einen Wochenplan an die Pinnwand in der Küche geheftet, so daß Fabian wußte, an welchen Abenden sie vorhatte wegzugehen. Sie achtete darauf, an den freien Abenden von Mrs. Sliwa daheim zu sein. Obwohl Fabian häufig selbst nach Büroschluß noch Termine hatte, erwartete er von Deirdre oder der Haushälterin, daß sie sich an den Abenden, an denen er zu Hause war, um das Essen kümmerten. Emily konnte sich nicht erinnern, daß Deirdre vor dem Freitag, an dem sie ermordet worden war, jemals unangekündigt das Haus verlassen hatte.

»Daddy ist schrecklich wütend geworden deswegen. Er plant alles gern im voraus«, sagte sie mit leiser Stimme, hin und wieder von einem Schluckauf unterbrochen.

»Wie hat sich das geäußert?«

»Er hat ziemlich rumgebrüllt und uns angst gemacht. Joshua

hat sich in seinem Zimmer verkrochen und wollte gar nicht zum Essen runterkommen. Er hat gesagt, wenn Daddy schon immer meint, wir sollen uns zusammenreißen, dann könnte er das selber auch mal tun. Daddy hat gesagt, ich wäre nicht streng genug mit ihm. Wenn Josh freche Antworten gibt, soll ich ihm das abgewöhnen. Dann... dann ist Joshua runtergekommen, und wir haben zusammen gegessen, und ich habe ihn und Natie ins Bett gebracht. Bis dahin war alles in Ordnung. Ich lese ihnen normalerweise eine Gutenachtgeschichte vor, auch wenn Mrs. Sliwa sie vorher gebadet hat. Dann bin ich in mein Zimmer, um meine Hausaufgaben zu machen.«

Jetzt begann sie wieder zu weinen, ganz leise, ohne sich zu bewegen. Nach einer Weile versuchte ich sanft, sie zum Weitersprechen zu bringen.

»Wann hast du beschlossen, zu mir ins Büro zu kommen? Nachdem du deine Hausaufgaben gemacht hattest?«

Sie schüttelte den Kopf. »Ich bin ins Bett und... und dann ist Daddy zu mir ins Zimmer gekommen. Das macht er oft. Dann will er reden. Er redet gern mit mir im Dunkeln.«

»Berührt er dich dabei auch?« fragte Ellen Higgins leise.

»Nein. Er redet bloß.« Emily lehnte sich immer noch gegen Ellen Higgins' Arme und starrte vor sich hin, ohne uns anzusehen. »Er sagt, ich bin die einzige, die ihn versteht. Wir müssen Geduld haben mit Mom, weil... weil sie trinkt. Er meint, ich helfe ihm dabei, geduldig zu sein.«

Sie schwieg, als ihr einfiel, daß Deirdre jetzt tot war. »Ich wollte sagen, wir mußten Geduld haben mit ihr.«

»Redet er auch noch über was anderes?« fragte ich nach einer langen Pause.

»Ach, er erzählt mir, was in der Kanzlei los ist, daß die Leute da ihn nerven, daß die Arbeit der guten Leute nicht honoriert wird.« Sie sprach in schnellen, monotonen Sätzen, jedoch so leise, daß ich sie kaum verstand. »Ich weiß, er braucht meine Hilfe, aber für mich ist das auch nicht leicht... es fällt mir sehr schwer. Ich versuche, nicht ins Bett zu gehen, bis... Sie wissen schon, er und Mom, aber in der Nacht war sie nicht daheim, es wurde immer später, ich konnte einfach nicht mehr aufbleiben. Und da ist er reingekommen. Er war immer noch wütend und hat sich gar nicht mehr beruhigen können, wegen... Vic.«

Sie sah mich das erste Mal an, ganz vorsichtig, um festzustellen, wie ich auf diese Kritik reagieren würde. Ich lächelte ihr beruhigend zu, und sie schaute wieder weg.

»Er hat mir erzählt, was er dachte ... zuerst wollten Sie mich negativ beeinflussen, und jetzt Mom. Daß alles Ihre Schuld ist, wenn Josh ihm freche Antworten gibt und Mom in Ihr Büro gefahren ist. Er hat gesagt, daß wir alle seiner Karriere nicht die nötige Beachtung schenken, daß er sich abrackere, um uns ein angenehmes Leben zu ermöglichen, und wir ihn dafür nur demütigen. Und dann ist er ... ist er schrecklich wütend geworden und hat angefangen ... zuerst habe ich nicht gewußt, was er macht ... wissen Sie ... er ... er ...«

Sie fing an zu würgen. Ich nahm schnell ein Tablett vom Nachttischchen, das Ellen Higgins ihr unters Kinn hielt, während sie ein bißchen Schleim erbrach. Ich ging ins Bad, um einen nassen Waschlappen zu holen, den ich der Schwester reichte. Mir wurde selbst fast schlecht, als ich sah, wie Emily sich quälte. Ellen Higgins' Augen waren feucht, als sie Emilys Gesicht vorsichtig abwischte.

»Du mußt es nicht erzählen«, sagte ich. »Aber jedenfalls wolltest du zu Deirdre, zu deiner Mutter.«

Sie nickte und schluckte. »Er ... er hat gesagt, daß ich ein unartiges Mädchen bin, dann ist er aus dem Zimmer. Ich hab' mich angezogen, bin zur Hintertür rausgeschlichen und mit dem Bus in die Stadt gefahren. Ich weiß nicht, wie spät es war, wahrscheinlich Mitternacht. Aber es war schrecklich. Abgesehen von einem Betrunkenen, der mich anfassen wollte, war niemand auf den Straßen. Ich bin zu Ihrem Büro gerannt. Ich habe Tamar im Foyer gesehen, aber damals habe ich noch nicht gewußt, daß sie so heißt. Ihren Namen hat sie mir erst später gesagt, als sie mir den Weg in den Schacht gezeigt hat. Sie hat gesagt, ich soll nicht in das Büro gehen, aber ich hab' ihr geantwortet, da drin ist meine Mutter, ich muß sie sehen. Also hab' ich die Tür aufgemacht. Das Licht war an, Mom ist mit dem Oberkörper über dem Schreibtisch gelegen.«

Sie kicherte hysterisch vor sich hin. »Zuerst habe ich gedacht, Mom ist wieder mal besoffen, und ich bin richtig wütend geworden. Ich hab' sie geschüttelt und sie angebrüllt: ›Wach auf. Kannst du nicht mal was für *mich* tun?‹ Erst da hab' ich gesehen... ihr Kopf war ganz blutig. Ich hab's nicht begriffen; ich hab' gedacht, sie ist ohnmächtig geworden und hat sich den Kopf aufgeschlagen. Dann ist plötzlich die Tür aufgegangen. Tamar hat geflüstert, ich soll mich verstecken, weil jemand kommt. Inzwischen hatte ich gemerkt, daß Mom tot war... ihr Gehirn...« Sie brachte eine ganze Weile kein Wort heraus.

»Ich war so durcheinander, daß ich mich nicht von der Stelle gerührt habe. Ich hab' bloß Tamar angestarrt. Sie ist irgendwann verschwunden, und ich hab' Schritte gehört, Männerschritte, also bin ich unter den Schreibtisch gekrochen. Ich hab' gesehen, wie er zum Schreibtisch ist. Ich hab' gedacht, wenn er mich hier findet, verprügelt er mich. Ich hab' gemeint, er sucht nach mir.«

»Du hast gedacht, es ist dein Dad«, sagte ich. »Bist du dir sicher? Hast du sein Gesicht gesehen?«

»Nein. Ich war unterm Schreibtisch.«

»Seine Schuhe? Hast du seine Schuhe erkannt?« drang ich weiter in sie.

Sie schwieg. »Ich weiß es nicht. Vielleicht... wer sonst könnte es gewesen sein? Welcher andere Mann wäre wohl so wütend auf Mom gewesen, daß er ihr so weh tut?«

»Was hat er gemacht? Hast du das gesehen?«

»Ich hab' Angst gehabt, daß er mich hört, wenn ich mich rühre. Ich hab' die Luft angehalten, da hab' ich ein klickendes Geräusch gehört. Zuerst hab' ich's nicht begriffen. Dann hab' ich gedacht, er macht was am Computer, so hat sich's jedenfalls angehört. Danach ist er gegangen. Ich hab' gewartet. Ich hab' gehofft, daß Tamar kommt und mir hilft; aber es ist niemand gekommen. Also bin ich irgendwann wieder rausgekrochen. Ich hab' schreckliche Angst gehabt. In dem Gebäude waren so viele Geräusche; als ich draußen war, hab' ich gedacht, ich seh' ihn an der Ecke stehen. Da bin ich gerannt. Den ganzen Weg aus der Innenstadt nach Hause. Ich bin gerannt und gegangen, und ich hab' solche Angst gehabt, er könnte mich sehen, daß ich mich nicht mal am Seeufer gefürchtet hab'.«

»War dein Dad daheim, als du wieder zu Hause warst?«

»Das wollte ich gar nicht wissen«, flüsterte sie. »Denn dann

hätte er ja sicher gewußt, daß ich ihn gesehen habe... ihn...
alles. Ich hab' meinen Schreibtisch vor die Tür geschoben,
damit... damit niemand reinkonnte, und dann bin ich ins Bett
und einfach dagelegen, bis es hell geworden ist und ich gehört
habe, daß Nathan zu mir reinwill.

Den ganzen Tag hat Daddy so getan, als wär' überhaupt
nichts Ungewöhnliches passiert. Er hat mich angebrüllt, daß
Joshua seine Milch trinken und ich ihn nicht so verwöhnen soll.
Er hat gefragt, wo Mom steckt, als ob er ihr nie was getan
hätte... oder so. Ich hab' nichts gesagt. Er ist nun mal so. Er
wird wütend, er schlägt Mom oder... oder macht andere Sachen, und dann tut er so, als ob nichts passiert wäre.«

Sie hatte sich eine Ruhepause verdient, aber ich wollte ihr
noch eine Frage stellen über den Baseballschläger. Wo hatte sie
ihn gefunden?

»Als ich unterm Schreibtisch vorgekrochen bin.« Sie flüsterte immer noch. »Plötzlich hab' ich ihn da liegen sehen, voll
mit... mit... Sie wissen schon. Deswegen war ich mir so
sicher, daß Daddy da war. Ich hab' ihn mitgenommen und
hinter der Heizung versteckt. Ich hab' gedacht... ich weiß
nicht mehr, was ich gedacht habe. Wenn er in der Nacht wieder
reinkäme, hab' ich mir gedacht, würde ich ihn anbrüllen, ihm
sagen, daß ich der Polizei von dem Schläger erzählen würde,
mit dem er sie umgebracht hat.«

Wieder fing sie zu kichern an, jedoch nicht aus Fröhlichkeit,
sondern vor Schmerz. »Natürlich hab' ich das nicht gemacht.
Er ist wieder reingekommen, wann er wollte, und ich bin bloß
dagelegen... wie eine Maus.«

Ellen Higgins wiegte Emily sanft in ihren Armen und redete
beruhigend auf sie ein. Ich mußte mich zusammenreißen, um
nicht zu weinen. Ich wollte nicht mit zittriger Stimme sprechen.

»Du warst sehr tapfer, Emily. Du hast versucht, Hilfe zu
holen, du hast versucht, dich um deine Brüder zu kümmern.
Wir lassen dir jetzt eine Weile Ruhe, aber das heißt nicht, daß
ich dich im Stich lasse. Wenn du wieder bei Kräften bist und aus
dem Krankenhaus heraus darfst, suchen wir dir einen sicheren
Ort, wo du hinkannst.«

»Sehen Sie doch mal nach, ob Dr. Morrison auf unserem

Stockwerk ist«, sagte Ellen Higgins zu mir. »Ich glaube, wir sollten Emily ein Beruhigungsmittel geben, damit sie sich eine Weile wirklich ausruhen kann.«

Als ich aufstand, merkte ich, daß meine Beine wieder steif waren. Deshalb bewegte ich mich ziemlich ungelenk zur Tür, als hätte ich das Wasser aus den Schächten in den Schuhen, das mich jetzt bei jedem Schritt behinderte. Ich sah Dr. Morrison und Dr. Golding auf dem Flur vor der Tür. Offenbar hatten sie gelauscht, aber ich wußte nicht, ob sie Emilys geflüsterte Worte verstanden hatten. Dr. Morrison warf mir einen merkwürdigen Blick zu, wollte etwas sagen, verschwand dann schnell hinter Emilys Tür.

Als ich endlich wieder in meinem eigenen Zimmer war, schlotterten mir die Knie so sehr, daß ich fast nicht mehr zum Bett kam. Etwa eine halbe Stunde später erschien eine Schwester mit einem Rollstuhl. Ich begriff nicht so ganz, was sie mir erklären wollte, nämlich, daß sie mich hinüber ins andere Gebäude schieben würde, wo eine Aufnahme von meinem Gehirn gemacht werden sollte.

Anscheinend glaubte sie, daß ich einen Gehirnschaden hatte – jedenfalls holte sie eine andere Schwester, die ihr half, mich in den Rollstuhl zu hieven. Während der Fahrt versuchte ich mir vorzustellen, was so ein Bild von meinem Gehirn zeigen, wie der Techniker entsetzt zurückweichen würde, wenn er meine Gedanken sähe: Die Qualen, die Emily durchlitten hatte, festgehalten auf einem Röntgenfilm.

47 Brainstorm

Als ich in der Metallröhre des Kernspintomographen lag, wurde mir plötzlich etwas klar. Das Gerät machte einen Höllenlärm, und es war knalleng. Um keinen klaustrophobischen Anfall zu bekommen, versuchte ich, mich auf etwas Angenehmes zu konzentrieren – auf die Hunde am Ufer des Sees, auf einen Abend mit Conrad –, aber immer wieder kreisten meine Gedanken um Emily.

In ihrem überreizten Zustand mußte es ihr völlig logisch

vorgekommen sein, daß ihr Vater in die Stadt gefahren war, Deirdre getötet hatte, nach Hause zurückgekehrt war, um seine Tochter anzugreifen und dann noch einmal in mein Büro zurückfuhr, um etwas an meinem Computer zu manipulieren. In ihrer Angst war ihr Fabian als allgegenwärtig und unentrinnbar erschienen. In Wirklichkeit war Fabian wahrscheinlich zu Hause gewesen, so, wie er es die ganze Zeit behauptete.

Der Gedanke, daß er seine Frau tatsächlich nicht umgebracht hatte, enttäuschte mich so sehr, daß ich unruhig wurde in dem Kernspintomographen. Erst jetzt dämmerte mir der Rest der Geschichte. Jemand anders hatte Deirdre umgebracht. Der Mann, den Emily an der Ecke des Pulteney gesehen und für ihren Vater gehalten hatte, war in Wahrheit der Mörder.

Angenommen, meine Theorie stimmte. Der Mörder wartete... auf wen? Auf ein Taxi? Einen Helfer? Jedenfalls sah er, wie Emily das Gebäude verließ. Und überlegte, ob sie Zeugin des Mordes geworden war. Er glaubte das eigentlich nicht, denn er hätte es gemerkt, wenn jemand im Flur oder im Büro gewesen wäre. Vielleicht war das nur eine Mieterin, die spätabends noch aus dem Haus kam. Also ließ er sie gehen. Erst nachdem der Baseballschläger in Emilys Schlafzimmer entdeckt worden war, wußte er, daß sie in meinem Büro gewesen war, was bedeutete, daß er sie unbedingt finden mußte, um zu sehen, ob sie ihm schaden konnte.

Deswegen war ich also am Samstag nicht getötet worden. Sie hatten gedacht, ich wüßte, wo Emily steckte, und könnte sie zu ihr führen. Was wiederum bedeutete, daß Jasper mit Sicherheit wußte, wer Deirdre umgebracht hatte – er oder einer der drei Musketiere. Vielleicht auch der Bauunternehmer Charpentier. Der Mann, der mitten in der Nacht vor Emilys Krankenzimmer aufgetaucht war, war weder ein Reporter noch ein Freund von Fabian, sondern der Mörder.

Schweiß perlte in meinem Nacken und tropfte in das Krankenhausnachthemd. Ich steckte in einer überdimensionalen Stahlzigarre, und der Lärm pochte in meinen Schläfen. Panik stieg in mir auf, drohte, mich zu ersticken.

»Sie dürfen sich nicht rühren«, ermahnte mich eine Stimme über Lautsprecher. »Wenn Sie sich bewegen, wird die Aufnahme nichts, und wir müssen noch mal von vorn anfangen.«

Mein Gehirn zerbarst fast unter dem Lärm, den das Gerät machte. »Ich muß hier raus.«

»Wir sind fast fertig.« Die metallische Stimme gab sich beruhigend. »Versuchen Sie, nicht an die Untersuchung zu denken. Atmen Sie tief durch und bleiben Sie ruhig.«

Die glatten Seitenwände des Tomographen umschlossen mich wie ein Sarg, und der Lärm erschien mir wie eine besonders raffinierte Foltermethode. Meine Finger vergruben sich so tief in meine Handflächen, daß sie fast bluteten. Ich hatte eine schreckliche Wut auf Lotty, weil sie mich zu einem solchen Zeitpunkt zwang, diese Untersuchung über mich ergehen zu lassen. Es war ein ohnmächtiger Zorn, ähnlich dem, den Emily wahrscheinlich empfand, als sie den Plastikbecher quer durchs Zimmer geschleudert hatte.

Mein Gehirn hatte ob meines dringenden Wunsches zu verschwinden, aufgehört zu funktionieren. Ich wollte hier raus, bevor jemand anders sich an Emily heranmachen konnte. In den endlosen fünf Minuten, die ich hilflos dalag, versuchte ich, alle Figuren des Dramas Revue passieren zu lassen, die mir in den beiden letzten Wochen begegnet waren, von Phoebe Quirk bis zu Gary Charpentier. Als Ablenkung funktionierte die Übung, aber die Gesichter und Fakten wollten keine rechte Ordnung annehmen in meinem Gehirn.

Endlich hörte der Lärm auf. Die Pritsche, auf der ich lag, glitt aus der Röhre heraus. Ich setzte mich auf und schwang die Beine über die Kante der Liege. Als der Techniker, der das Gerät bedient hatte, mir ein Glas Wasser anbot und mich mit einem fröhlichen »War doch gar nicht so schlimm, oder?« begrüßte, hätte ich ihm am liebsten eine Ohrfeige gegeben, aber weil der Mann schließlich auch nichts dafür konnte, lächelte ich ihn lediglich grimmig an und kletterte von dem Untersuchungstisch herunter.

»Warten Sie bitte noch ein paar Minuten, bis der Arzt sich die Aufnahmen angesehen hat und wir sicher sind, daß wir nichts mehr brauchen. Trinken Sie das Wasser, dann fühlen Sie sich besser. Gleich kommt jemand mit einem Rollstuhl und holt Sie ab.«

Ich nahm das Glas Wasser und folgte ihm ins Vorzimmer. Meine Muskeln waren immer noch steif, aber eins war sicher:

Ich würde nicht hier rumhängen, bis der Radiologe sich die Aufnahme von meinem Gehirn angeschaut hatte oder bis der Rollstuhl kam. Ich holte mein Morgenmäntelchen aus dem Unkleideraum. Sobald der Techniker das Vorzimmer verlassen hatte, verschwand ich.

Die Krankenhauspantoffel behinderten mich, also zog ich sie aus und joggte barfuß über den rauhen Asphalt. Als ich wieder in meinem Zimmer war, hatte ich Seitenstechen und schnappte nach Luft.

Ich machte den Plastiksack mit meinen Sachen auf und legte ihn aufs Bett. Fast hätte ich gekotzt, so unerträglich war der Gestank. Ich hielt den Atem an, während ich meine Hose und das T-Shirt aus dem Durcheinander in dem Sack herausfischte und dann in den Taschen des Overalls nach den Schlüsseln und meiner Smith&Wesson suchte. Meine Brieftasche steckte noch immer in der Tasche meiner Jeans. Ich hatte bereits ein Hosenbein übergestreift, als Conrad das Zimmer betrat.

»Ms. W.! Was machst du denn da? Ich hab' gedacht, du gönnst dir heute einen ruhigen Tag.«

»Conrad! Gott sei Dank! Hast du mir meine Sachen mitgebracht?« Dankbar zog ich die Jeans wieder aus.

»Schön, daß du gesund und munter bist, Baby. Du hast mir gestern abend einen ganz schönen Schreck eingejagt.« Conrad nahm mich in den Arm, trat aber mit gerümpfter Nase sofort wieder einen Schritt zurück. »Igitt, du stinkst ja wie eine ganze Müllkippe.«

Trotz meiner Eile konnte ich mir ein Lächeln nicht verkneifen. »Noch schlimmer: nach den Abwässern der Stadt. Das sind die Kleider, die ich gestern getragen habe. Ich wollte sie aus reiner Verzweiflung wieder anziehen.«

Conrad verschloß den Plastiksack und führte mich zurück zum Bett. »Weshalb bist du so verzweifelt? Du hast gestern sieben Leute aus dem Tunnel geholt. Du bist eine Heldin. Du hast sogar vorher versucht, mir mitzuteilen, was du machen willst, also bist du eine Heldin, die ich auch akzeptieren kann. Immer mit der Ruhe, Baby. Mach mal eine Pause.«

»Keine Zeit«, antwortete ich ungeduldig. »Emily hat den Mörder ihrer Mutter gesehen. Er glaubt, daß sie ihm was anhaben kann. Wir müssen sie irgendwie schützen.«

»Verdammt noch mal, Vic, ich versteh' kein Wort von dem, was du sagst. Tu einfach so, als würdest du dich freuen, mich zu sehen, und erzähl mir dann alles von Anfang an.«

Ich hätte vor Frustration laut losschreien mögen. »Ich freue mich ja, dich zu sehen. Aber ich habe jetzt keine Zeit für persönliche Sachen. Gestern nacht wollte jemand in Emilys Zimmer. Ein Glück, daß die Nachtschwester ihn gesehen hat. Ich will sie nicht allein lassen.«

Er lächelte mich schräg an. »Du solltest zum Militär, Ms. W. – Pflichterfüllung, Pflichterfüllung, dein Job ist dein ein und alles. Aber ich weiß immer noch nicht, wovon du eigentlich redest. Wer wollte gestern nacht in das Zimmer des Mädchens, und warum regst du dich deswegen so auf?«

»Ach.« Endlich merkte ich, daß ich unzusammenhängendes Zeug redete. Nachdem ich meine Gedanken kurz geordnet hatte, schilderte ich ihm meine Unterhaltung mit Emily. Als ich damit fertig war, erklärte ich ihm, warum ich im Tomographen fast in Panik geraten war.

»Und du glaubst ihr?« fragte er mich, als ich fertig war mit meiner Erzählung.

»Was meinst du damit? Ich glaube, daß sie in jener Nacht ziemlich verzweifelt in die Stadt gefahren ist. Ich glaube, daß sie die Leiche ihrer Mutter an meinem Schreibtisch gesehen hat. Ich glaube, daß sie sich unter meinem Schreibtisch versteckt hat, als der Mann hereingekommen ist und sich an meinem Computer zu schaffen machte. Ich glaube nicht mehr, daß dieser Mann Fabian war, obwohl ich mir das wünschen würde – denn das wäre die einzige Möglichkeit, die mir momentan einfällt, wie man ihm das Sorgerecht für Emily entziehen kann.«

Conrad verschränkte die Hände im Schoß. »Sie will nicht mit uns reden. Terry hat Mary Louise zu ihr geschickt, weil er dachte, vielleicht redet sie mit einer Frau eher, aber sie hat kein Wort aus dem Mädchen herausgebracht.«

»Ich erzähle Officer Neely gern noch mal, was ich dir gerade gesagt habe. Verstehst du denn nicht, Conrad – wenn ich recht habe mit meiner Vermutung darüber, wer meine Verfolger sind und warum sie das machen, schwebt Emily jetzt in großer Gefahr.«

Er warf einen traurigen Blick auf seine Hände. »Ihre Geschichte hat dich tief beeindruckt. Aber wir dürfen die Möglichkeit nicht aus den Augen verlieren, daß *sie* ihre Mutter umgebracht hat... daß alles, was sie erzählt hat... nicht notwendigerweise...«

»Nein!« Ich spürte, wie mir die Zornesröte ins Gesicht stieg, und versuchte, ruhiger zu sprechen. »Wenn du sie gehört hättest – ihre Qualen –, würdest du das, was sie erzählt, nicht bezweifeln. Ellen Higgins, das ist eine Schwester, war mit dabei bei dem Gespräch. Sie kann das, was ich dir gesagt habe, bestätigen.«

»Ich sage ja gar nicht, daß Emily dich absichtlich hinters Licht führen will, Vic, aber sie könnte die Dinge, die sie an dem Abend erlebt hat, verzerrt sehen. Sie ist in einem Alter, wo sie sich höchstwahrscheinlich als Konkurrentin ihrer Mutter versteht. Soweit ich weiß, hat das Mädchen sich sowieso am meisten um den Haushalt gekümmert. Wenn sie ausgerastet ist, hat sie möglicherweise vergessen, was sie getan hat, und projiziert ihre eigenen Handlungen auf ihren Vater.«

Ich hatte das Gefühl, als habe sich das Bett unter mir in Treibsand verwandelt, der mich in Sekundenschnelle verschluckte. Ich atmete ein paarmal tief durch, hielt die Luft an, atmete langsam wieder aus, versuchte nachzudenken.

»Fabian«, sagte ich plötzlich. »Du hast mit Fabian über sie gesprochen.«

»Ja, schließlich ist der Mann ihr Vater. Er hat ein Recht darauf, sich Sorgen zu machen, sich mit uns zu unterhalten. Sie schreit, wenn er das Zimmer betritt. Er ist völlig fassungslos. Er sagt, er macht sich schon seit einiger Zeit Sorgen um sie – sie mußte Deirdre ziemlich viele Aufgaben im Haushalt abnehmen, weil seine Frau ein Alkoholproblem hatte. Die kleine Emily hat vielleicht so viel im Haus gemacht, daß sie plötzlich gedacht hat, sie ist...«

»Erspar mir deine Theorien«, fiel ich ihm ins Wort. »Fabian wendet da den denkbar schäbigsten Trick an, einen Trick, der auf den guten alten Freud höchstpersönlich zurückgeht. Wir wollen nicht glauben, daß ein angesehener Mann seine Tochter vergewaltigt, also sagen wir, sie bildet sich das nur ein. Sie nimmt nicht nur körperlichen, sondern auch psychischen Schaden, wenn wir ihr auch keinen Glauben schenken.«

»Beruhige dich, Vic. Als Polizist mußt du als erstes lernen, unparteiisch zu bleiben. Alle wollen dir ihre Version der Geschichte andrehen. Du mußt abwägen, was am wahrscheinlichsten ist. Vielleicht solltest du mit Finch reden, ihn fragen, was er über den Vater weiß, bevor du Emily alles abkaufst.«

Er nahm meine Hände und sah mir in die Augen, voller Mitleid, ohne Zynismus. Eine Kluft zwischen uns würde bedeuten, daß ich einen Teil meines Herzens verlor. Aber Emily im Stich zu lassen, um mein Leben mit Conrad zu retten, hieße, ein Stück aus meiner Seele herauszureißen.

»Ich versuche, keine Vorurteile gegenüber Fabian Messenger zu haben«, sagte ich langsam, »wenn du dich bereit erklärst, eine Wache vor Emilys Tür aufzustellen, bevor wir gehen.«

Conrad sah nicht gerade glücklich aus. »Ich kann das nicht veranlassen, bloß weil du das möchtest, Vic.«

»Vergangene Nacht hat jemand versucht, in Emilys Zimmer einzudringen – er hat behauptet, ein Freund von Fabian zu sein. Die Nachtschwester hat ihn gesehen.«

»Die Nachtschwester hat ihn für einen übereifrigen Reporter gehalten«, erwiderte Conrad. »Sie könnte recht haben.«

»Natürlich.« Wann hatte ich mich bloß das letzte Mal so hilflos gefühlt? »Hast du mir ein paar frische Sachen mitgebracht? Ich muß mich schnell duschen und anziehen, dann komme ich in ein paar Minuten zu dir raus.«

Conrad musterte mein Gesicht und sagte, er würde mit dem Wagen vor dem Eingang Huron Street auf mich warten. Dann reichte er mir die Segeltuchtasche und verließ das Zimmer. Sobald er weg war, rief ich die Streeter-Brüder an, die nicht nur Umzüge machten, sondern auch Jobs als Leibwächter übernahmen. Wir haben schon häufig zusammengearbeitet. Ich erreichte Tim und erklärte ihm Emilys Situation.

»Sobald es ihr wieder bessergeht, hole ich sie hier raus. Aber das könnte noch ein paar Tage dauern. Wenn du da bist, wendest du dich am besten an Schwester Ellen Higgins. Ich versuche, sie noch zu erreichen, bevor ich weggehe, sie ist die einzige hier, die sich im Moment für Emily einsetzen würde.«

»Wo kann ich dich erreichen, wenn ich rausgeschmissen werde?« erkundigte sich Tim.

»Hinterlaß eine Nachricht auf meinem Anrufbeantworter.

Aber laß dich nicht so schnell abwimmeln, paß auf, daß ihr niemand Strychnin in den Tropf mischt, ja?«

Als er mir das mit dem lakonischen Humor versichert hatte, der das Markenzeichen der Streeters war, zog ich die Jeans an, die Conrad mir mitgebracht hatte. Er hatte eine Rosenknospe in die Tasche des T-Shirts gesteckt. Ich spürte, wie sich mein Herz zusammenkrampfte, kämmte mir die Haare besonders sorgfältig und steckte mir die Rose mit einer Tropfklemme, die ich unter dem Bett fand, hinters Ohr.

Bevor ich das Zimmer verließ, rief ich noch Ellen Higgins an, um ihr zu sagen, daß die Streeters kommen würden. Emily schlief, erzählte mir die Schwester, weil man ihr ein starkes Sedativum verabreicht hatte. Sie würde wahrscheinlich den ganzen Nachmittag nicht mehr aufwachen. Schwester Higgins wußte nicht, ob Fabian oder Dr. Morrison es gestatten würden, daß ich eine Wache vor Emilys Zimmer postierte, aber sie persönlich würde Tims Anwesenheit fürs erste tolerieren.

Als ich auflegte, kam Ken Graham mit einem Strauß Tulpen herein. »Ich hab' schon fast befürchtet, daß ich die auf Ihrem Grab pflanzen muß, aber jetzt kann ich sie Ihnen doch persönlich überreichen. Wieso treiben Sie sich eigentlich in den unterirdischen Tunnels von Chicago herum, während ich daheim in Kenilworth sitze und Darraugh davon überzeugen muß, daß ich kein Psychopath bin?«

»Ist Ihr Dad denn daheim? Sind seine Büros auch vom Wasser stillgelegt?«

»Tja, Sie haben keinen Strom, aber er führt die Geschäfte von einem Notbunker aus. Typisch Darraugh: Während alle anderen jammern, sichert er sich ein paar Räume im Gold Coast Hotel. Aber Sie jammern natürlich auch nicht – Sie machen die wirklich interessanten Sachen. Diese Episode führt vielleicht endgültig dazu, daß Darraugh überschnappt: Es dürfen Leute in das Gebäude, aber aus Sicherheitsgründen kann immer nur einer rein. Also holen die Durchtrainierten einer nach dem anderen die wichtigen Unterlagen raus. Zu Fuß, vierzig Treppen rauf, weil es keinen Strom gibt. Ich war auch schon einmal drin, aber er hält mich immer noch für einen Psychopathen. Also hab' ich mir gedacht, ich gehe zu Ihnen und frage Sie, ob Sie mich heiraten möchten.«

»Und den Brautstrauß haben Sie gleich mitgebracht. Wie aufmerksam. Haben Sie sich in letzter Zeit auch ein bißchen mit meiner Buchhaltung beschäftigt? Meine Steuer ist morgen fällig.« Ich nahm den Sack mit meinen schmutzigen Sachen in die eine Hand und seine Blumen in die andere.

»Das Finanzamt gewährt allen Unternehmen und Privatpersonen im Loop eine Fristverlängerung – das haben sie heute vormittag in den Nachrichten gebracht.« Er schlang die Arme um mich. »Heiraten Sie mich, wenn ich Ihre Daten rechtzeitig rekonstruiere?«

Ich ließ die Blumen und den Plastiksack fallen und löste mich aus seiner Umarmung. »Wenn Sie meine Daten rekonstruieren, sorge ich dafür, daß Ihre Arbeit als soziale Tätigkeit anerkannt wird. Das ist für Sie wichtiger als eine Frau ... Ich möchte einer Patientin in der Kinderabteilung eine Nachricht zukommen lassen. Würden Sie die bitte Schwester Ellen geben?«

Ich schrieb einen sorgfältig formulierten Satz über die Streeter-Brüder auf ein Stück Papier und reichte es Ken. Mit einem übertriebenen Seufzen steckte er den Zettel in seine linke Brusttasche. Er mußte wieder zu seinem Vater ins Hotel zurück, um seine Aufgaben als Laufbursche zu erledigen, aber am Abend würde er sich meinen Unterlagen widmen, versprach er.

»Ich glaube nicht, daß meine Waden noch mal die vierzig Treppen zu Darraughs Büroräumen hoch wollen. Warum müssen Sie denn schon wieder weg? Wir könnten uns doch zusammen in dem gemütlichen kleinen Bett hier ausruhen.«

Ich nahm den Plastiksack in die Hand und verließ das Zimmer, ohne ihn einer Antwort zu würdigen.

48 Die drei Musketiere

Meine Erschöpfung ließ mich in einen tiefen Schlaf voll qualvoller Träume versinken. Manchmal hörte ich Emily weinen, konnte sie aber nicht sehen. Ich folgte ihrer Stimme durch die dunklen, überfluteten Tunnels, ohne sie zu finden. Dann wieder war ich in einem Sarg aus Stahl gefangen, durch dessen Seiten hindurch ich sehen konnte, wie Fabian seine Tochter quälte, während Conrad und Terry Finchley sich über mich lustig machten, weil ich mich nicht bewegen konnte.

Als ich endlich aufwachte, hatte ich einen schalen Geschmack im Mund, und meine Arme fühlten sich an, als hätte jemand systematisch mit Ziegelsteinen darauf eingeschlagen. Ich schnappte nach Luft, als ich mich umsah und meine Umgebung nicht erkannte. Einen Augenblick dachte ich, ich befinde mich in einem jener Alpträume, in denen man glaubt, wach zu sein, es aber nicht ist. Nach ein paar Sekunden normalisierte sich mein Puls wieder: Das ordentlich aufgeräumte Zimmer gehörte Conrad. Ich mußte ein bißchen über mich selbst lachen – ich würde ihm erzählen, daß ich es für einen Alptraum hielt, in einer ordentlichen Umgebung aufzuwachen.

Auf seinem Wecker sah ich, daß es kurz nach fünf war. Ich hatte fast vier Stunden geschlafen. Ich hörte Conrad im Wohnzimmer herumhantieren. Nachdem ich seinen Frotteebademantel angezogen hatte, gesellte ich mich zu ihm. Doch wer da mit einem Teller Pommes und Dip vor dem Fernseher saß, das war nicht Conrad, sondern Camilla. Als sie mich sah, stellte sie den Ton ab.

»Na, wenn das nicht Lady Lazarus höchstpersönlich ist«, meinte sie. »Als mein Bruder gesagt hat, er müsse wieder arbeiten, hab' ich ihm angeboten, Babysitter zu spielen. Ich wollte mit eigenen Augen sehen, wie du redest und dich bewegst.«

Ich ging zu ihr hinüber und nahm sie in den Arm. »Ich komme mir eher vor wie Lady Zombie. Warum muß Conrad arbeiten? Ich hab' gedacht, er hat jetzt bis Sommeranfang Tagschicht.«

»Er hat mit einem Kollegen die Schicht getauscht, damit er heute auf dich aufpassen konnte. Ab Mitternacht hat er frei. Aber jetzt erzähl mir mal alles. – Alles, was die Leute vom Fernsehen in den sechzig Sekunden deines großen Auftritts noch nicht erwähnt haben.«

Ich nahm eine Handvoll Pommes und erzählte ihr die Highlights meiner Suche im Tunnel. Obwohl sie das nicht hören wollte, erzählte ich ihr auch von Gary Charpentiers illegalen Geschäften mit den rumänischen Arbeitern.

Sie schwieg, als ich fertig war. Über ihren Kopf hinweg

beobachtete ich die Helfer, die hektisch versuchten, das Wasser aus Chicagos Eingeweiden herauszupumpen. Im Loop wimmelte es nur so von Polizisten, Kanalarbeitern und Aufräumungsteams.

»Weißt du, was Scheiße ist?« platzte es plötzlich aus Camilla heraus. »Unternehmen wie das unsere, die sich abstrampeln müssen, um sich einen Namen zu machen, können ihren Mitarbeitern nicht mal die gewerkschaftlich ausgehandelten Löhne zahlen. Aber leben können wir auch nicht von unserer Arbeit, weil Ärsche wie Charpentier uns noch unterbieten.«

»Home Free hat euch doch den Sanierungsauftrag gegeben«, erinnerte ich sie.

»Ja, aber wir wollten eigentlich lieber einen Neubau machen. Natürlich hatte das Gebäude, das wir ursprünglich bauen wollten, nichts mit Home Free zu tun. Unternehmen wie das unsere kriegen nicht die gleichen Aufträge wie Charpentier.«

Sie folgte mir in Conrads Küche, wo ich mir einen Kaffee machte. Am liebsten hätte ich mich eine Woche lang ausgeruht, aber das ging nicht. Ich mußte weitermachen. Koffein war nicht die Antwort auf meine Probleme, aber es konnte mir vielleicht die Illusion von Energie vermitteln.

Während ich den Kaffee trank, inspizierte Camilla den Kühlschrank. »Seit Conrad weiß, daß er beim Cholesterin kürzer treten muß, ist nichts Richtiges mehr im Haus. Ich hätte gern ein Schinkensandwich nach einem harten Arbeitstag, keinen fettarmen Joghurt.«

»Sag mir doch folgendes, Zu-Zu: Gegen welche städtische Verordnung hat Charpentier da draußen auf der Baustelle verstoßen?«

Sie schüttelte den Kopf: »Keine Ahnung. Die Bundespolizei ist zuständig für illegale Einwanderer. Die Baustelle selbst wird von einem Inspektor der Stadt überwacht. Sanitärarbeiten sind am schlimmsten – die Leute, die die kontrollieren, sind die reinsten Höllenhunde.«

Ich konnte mir nicht vorstellen, daß Cyrus Lavalle, mein kleiner Spitzel im Rathaus, wegen eines Problems mit den Inspektoren von sanitären Anlagen so nervös geworden war. Ich versuchte, mir vorzustellen, über welche anderen Dinge sich die Leute von der Stadt noch Gedanken machten.

Camilla fand eine Dose Thunfisch und teilte ihre Aufmerksamkeit zwischen mir und den Sandwiches, die sie herrichtete. »Lohnabrechnungen.« Sie leckte fettreduzierte Mayonnaise von einem Löffel und verzog das Gesicht. »Sie kontrollieren, ob man die derzeit üblichen Löhne zahlt. Natürlich geht niemand auf die Baustellen selbst. Angenommen, man bezahlt fünftausend Dollar die Woche laut Lohnliste – bei den derzeitigen Löhnen würde das bedeuten, daß ungefähr sechs Leute voll beschäftigt sind. Es könnte aber durchaus sein, daß dort zwölf arbeiten und jeder nur die Hälfte des üblichen Lohnes kriegt – die Leute von der Stadt schauen nicht auf der Baustelle vorbei, um zu überprüfen, wie viele Menschen dort arbeiten. Wenn man sechs sagt, glauben sie einem das.«

Ich dachte über das nach, was sie mir gesagt hatte. Die Löhne machen nicht die gesamten Personalkosten aus, es gibt auch noch Steuern. Dazu kommen die Unfallversicherung, die im Baugewerbe wahrscheinlich ziemlich hoch ist, und die Krankenversicherung, wenn das Unternehmen einer Gewerkschaft angehört.

Auf der Baustelle, auf der ich gewesen war, hatten acht Männer gearbeitet. Wenn Charpentier ihnen die üblichen Löhne bezahlte, waren das insgesamt sechstausendvierhundert Dollar. Dazu kamen etwa dreitausendsechshundert für Versicherungen und Lohnsteuer. Machte zehntausend die Woche. Da die Männer aber illegal hier waren, zahlte Charpentier keine Steuern. Und sie bekamen auch mit Sicherheit nicht die von der Gewerkschaft ausgehandelten Löhne. Charpentier – und Heccomb – sahnten wahrscheinlich sechs- oder siebentausend Dollar wöchentlich ab. Kein Wunder, daß Home Free den Liberalentraum von günstigen Wohnungen erfüllte.

Bestachen die Leute von Home Free die Inspektoren, damit sie ein Auge zudrückten – auf so hoher Ebene, daß Lavalle lieber keine Fragen stellte? Ich mußte meinen Informanten anrufen, aber seine Nummer stand leider nicht im Telefonbuch, sondern nur in meinem Adreßbuch. – Das entweder irgendwo inmitten des Chaos in meiner Wohnung lag oder von den Schlägern am Samstag geklaut worden war.

Ich aß eines von Camillas Thunfischsandwiches, ohne ihren Protesten Beachtung zu schenken. Sie hatte die vier Brote für sich gemacht, aber selbst eine hart arbeitende Bauschreinerin konnte mit drei auskommen. Wenn ich Cyrus nicht bis morgen auftreiben konnte ... o nein, da fiel mir etwas ein: An seinem Arbeitsplatz konnte ich ihn nicht erreichen, denn das Rathaus war wegen der Flut bis auf weiteres geschlossen. Aus dem gleichen Grund würde ich ihn vermutlich auch nicht im Golden Glow finden.

»Phoebe«, sagte ich laut. »Hast du Phoebes Privatnummer?«

»Vielleicht.« Camilla aß das letzte Sandwich. »Aber du kriegst sie nicht, wenn du ihr wieder Vorträge wegen Lamia halten willst. Vielleicht ist Jasper ein Ekelpaket, das illegale Arbeiter ausbeutet und den amerikanischen Kollegen die Butter aufs Brot nicht gönnt. Aber unseren ersten richtigen Vertrag will ich nicht gefährden.«

Ich legte den Kopf schräg. »Ich glaube, daß ich mich mit Phoebe unterhalten kann, ohne mich in eure Sachen einzumischen.«

»Versprochen? Schriftlich?«

Ich nahm Conrads Einkaufsliste vom Kühlschrank und kritzelte mein Versprechen auf die Rückseite. Camilla mußte lachen und ging hinüber ins Wohnzimmer, um ihr Adreßbuch zu holen. Ich rief Phoebe von der Küche aus an, während Camilla mich von der Tür her beobachtete.

»Phoebe!« rief ich fröhlich in den Hörer. »Gute Arbeit! Ich hab's gestern in der Zeitung gelesen, dich aber nicht früher erreichen können. Mir ist was dazwischengekommen – vielleicht hast du ja in den Nachrichten gestern abend davon gehört.«

»Was willst du, Vic?« Sie klang nicht gerade, als habe sie mich schrecklich vermißt.

»Ich möchte dir dazu gratulieren, daß Mr. T. die Genehmigung für die klinischen Versuche von der Food and Drug Administration erhalten hat. Ich habe dich schon immer bewundert, aber dieser Schachzug war einfach genial.«

»Das mußte früher oder später sowieso genehmigt werden. Natürlich haben wir uns sehr gefreut, daß es so schnell gegangen ist.« Sie klang argwöhnisch.

»Und was hast du Senator Gantner als Gegenleistung versprochen? Doch wohl nicht hunderttausend für seine Schatulle. Es muß was anderes gewesen sein. Darf ich dreimal raten?«

»Kümmer dich verdammt noch mal um deine eigenen Angelegenheiten.« Sie war wütend, legte aber nicht auf.

»Camilla steht neben mir und beobachtet mich. Ich habe ihr versprochen, weder Lamia noch die Handwerkerinnen zu erwähnen. Also mache ich das auch nicht. Wieso wollten Gantner und Heccomb die Century Bank schützen – was war so wichtig, daß Alec junior seinen mächtigen Daddy dazu gebracht hat, der Food and Drug Administration für dich Dampf zu machen?«

»Weißt du, in all den Jahren, die wir zusammen studiert haben, ist mir nie aufgefallen, was für eine lebhafte Phantasie du hast.« Phoebe hatte sich, zumindest an der Oberfläche, wieder gefangen und mokierte sich über mich. »Mit Century ist alles in Ordnung. Die hatten einen Engpaß und konnten sich Lamia nicht mehr leisten, also sind sie zu Jasper gegangen...«

»Und haben den dazu gebracht, den Weihnachtsmann zu spielen«, fiel ich ihr ins Wort. »Jasper und Alec Gantner haben dir Mr. T. als Köder hingehalten – Alec junior hat dir versprochen, daß sein Daddy sich bei der Food and Drug Administration für dich einsetzt. Wahrscheinlich hättest du Alec senior am Gewinn bei Cellular Enhancement beteiligen können, aber ich halte es eher für unwahrscheinlich, daß der Eigentümer von Gant-Ag Capital Concerns braucht, um seine Finanzen aufzubessern. Du mußt gemerkt haben, daß da was faul ist. Vielleicht bist du die arroganteste Frau, mit der ich je zusammengearbeitet habe, aber jedenfalls bist du nie dumm gewesen. Und auch nicht unehrlich.«

Camilla begann, nervös in der Küche hin und her zu laufen, Schranktüren aufzumachen, Conrads ordentlich aufgehängte Geschirrtücher zurechtzurücken. Sie ließ einen Topf fallen, daß er laut scheppernd durch die Wohnung knallte.

»Schmeißt du jetzt mit Geschirr?« erkundigte sich Phoebe. »Ist schon ein denkwürdiger Tag, wenn eine Frau wie du sich einbildet, mich arrogant nennen zu müssen. Na schön – ich glaube nicht, daß es ein Verbrechen war, Alec um Hilfe zu bitten. Mr. T. – Cellular Enhancement – ist ein sauberes kleines Unternehmen. Sie brauchten bloß ein bißchen Aufmerksamkeit bei wichtigen Leuten. Also hat Alec Jasper dazu gebracht, Lamia ein Sanierungsprojekt von Home Free zu geben. Daran ist nichts Ungewöhnliches.«

Camilla stellte den Topf wieder auf den Herd zurück. Ängstlich die Stirn runzelnd, verließ sie die Küche.

»Da hast du also gleich *zwei* Sachen von ihnen gekriegt. Soso. Und die wollten keine Gegenleistung von dir. Ist ja wie an Weihnachten. Hat Jasper sich mit dir darüber unterhalten, wen er wegen seiner Baustellen im Rathaus kaufen muß? Und bitte tu nicht so, als wüßtest du nicht, wovon ich rede – die Geschichte von meiner Festnahme auf der Home-Free-Baustelle war am Samstag in allen Nachrichten.«

Ich hörte ein Klicken. »Bescheißen die bei den Lohnabrechnungen?« Camilla hatte den Hörer im Schlafzimmer abgehoben.

»Hallo, Zu-Zu«, begrüßte Phoebe sie. »Wenn sie das tun, haben sie mir nichts davon erzählt.«

So ging das eine ganze Weile hin und her. Phoebe war eine erfahrene Pokerspielerin; sie würde im Verlauf dieses Telefongesprächs mit Sicherheit nicht klein beigeben. Nicht einmal Camillas nervöses Bitten, ihr doch mehr über die Geschäfte von Home Free mitzuteilen, konnten Phoebe erweichen. Schließlich drohte ich in meiner Verzweiflung, die Sache mit Murray zu besprechen.

»Vielleicht werde ich nie erfahren, wer da im Rathaus solche Angst hat, aber wenn der *Herald-Star* eine Geschichte über die Lohnabrechnungen bringt, kann Murray die übrigen Baustellen von Home Free wenigstens vorübergehend ins Licht der Öffentlichkeit rücken. So schnell fliegen die jedenfalls keine Rumänen mehr ein. Vielleicht kriegen dann auch ein paar amerikanische Arbeiter wieder einen Job. Und Senator Gantner wird sich bestimmt freuen, wenn die breite Öffentlichkeit erfährt, was er für seine Wähler tut.«

»Leuchte nur nicht alles so hell aus, sonst kriegen wir das Projekt nicht«, ermahnte mich Camilla eindringlich von ihrem Ende der Leitung.

»Ich möchte wissen, was sie zum Ausgleich für euren Job erhalten haben. Der Schlüssel ist die Century Bank.«

»Aber Home Free hatte nichts mit dem Deal zu tun«, erinnerte mich Camilla.

»Genau das würde ich gern wissen. Eleanor Guziak sitzt im Vorstand von Century. Sie ist die rechte Hand von Donald Blakely, also müßte sie eigentlich wissen, was da vor sich geht, und wenn das so ist, wissen auch die anderen beiden Musketiere Jasper und Alec Bescheid...« Ich schwieg. »JAD Holdings. Was bin ich blöd! J wie Jasper, A wie Alec, D wie Donald. Einer für alle, alle für einen. Stimmt's, Phoebe?«

»Du wirst schon wissen, was du sagst, Vic«, meinte Phoebe.

»Ich weiß es nicht. Geh ruhig zu Murray. Aber wenn du die Sache mit Lamia verpatzt, solltest du lieber noch was für die Frauen in der Hinterhand haben.«

Sie legte auf. Camilla kam in die Küche zurück, besorgt über den Verlauf des Gesprächs. Ich konnte ihr nicht versprechen, daß das Lamia-Projekt sicher war – wenn ich Home Free bei meinen Nachforschungen den Boden unter den Füßen wegzog, war vielleicht auch die Finanzierung von Lamias Sanierungsprojekt gefährdet.

»Was haben die bloß vor?« wollte ich wissen. »Die kaufen Century und machen ein großes Geheimnis draus. Wenn ich richtig geraten habe, wer hinter JAD Holdings steckt, bedeutet das, daß Jasper sich aus dem ursprünglichen Projekt zurückgezogen und euch dann die Sanierungsgeschichte als Trostpflaster überlassen hat. Interessiert es dich nicht, warum?«

»Sind unsere Jobs nicht wichtiger als das Wissen, ob Jasper mit dem Rathaus oder ein paar Banken was mauschelt? Für Frauen ist es wirklich schwierig, solche Jobs zu kriegen«, meinte Camilla mit flehender Stimme.

»Jemand hat Deirdre umgebracht«, erklärte ich ihr. »Wenn das diese Typen waren, willst du dann wirklich ihr Geld?«

Camilla kam zu mir herüber und tat so, als starre sie in mein Ohr. »Hab' ich's mir doch gedacht«, verkündete sie schließlich. »Kompromisse kann ich in deinem Kopf nicht finden. Schlag im Wörterbuch nach, was das Wort heißt. So ein Kompromiß kann nämlich hin und wieder ganz nützlich sein. Ich gehe jetzt heim. Du brauchst keinen Babysitter, sondern eine Zwangsjacke.«

Es gefiel mir nicht, daß sie wütend ging, aber ich konnte sie nicht beruhigen – außer ich hätte ihr versprochen, nicht mehr hinter Jasper Heccomb herzuschnüffeln. Sie schlug mir sogar vor, meine Nachforschungen bis Ende des Sommers auf Eis zu legen, bis Lamia den Auftrag ausgeführt hätte. Ich schüttelte bedrückt den Kopf und sah ihr nach, wie sie zur Tür hinausstürmte.

Ich spürte wieder jenen Schmerz, den ich jedesmal empfinde, wenn ich mich mit jemandem streite, den ich mag. Vom Küchentelefon aus fragte ich meinen Anrufbeantworter ab. Es war eine Nachricht von Eva Kuhn, der Therapeutin von Arcadia House, drauf.

Sie wollte mir erzählen, was sie von Tamar Hawkings erfahren hatte. Es war schwierig gewesen, aber am Ende hatte sie Tamar doch dazu gebracht, etwas zu sagen. Eva hatte sie außerdem überredet, sie mit Sam und Miriam, den überlebenden Kindern, sprechen zu lassen. Tamars Mißtrauen gegenüber dem Wohlfahrtsstaat lag offenbar in der Geschichte mit ihrer Schwester Leah begründet.

Leah, die mit einem gewalttätigen Mann verheiratet gewesen war, hatte alles richtig gemacht: Nachdem sie aus dem Gefängnis gekommen war und er sie weiterhin verprügelt hatte, hatte sie sich an ein Frauenhaus gewandt, sich eine eigene Wohnung gesucht, eine einstweilige Anordnung zum Schutz ihres Vermögens durchgesetzt, eine Ausbildung gemacht und schließlich eine Beschäftigung als Datentypistin gefunden. Und dann war sie ermordet worden. Tamar war überzeugt davon, daß sie das gleiche Schicksal erwartete, wenn sie sich ebenfalls an ein Frauenhaus wandte. Der Tod ihrer Tochter konnte sie nicht davon überzeugen, daß es besser war, das soziale System in Anspruch zu nehmen, als auf den Straßen herumzuziehen.

»Ich gebe mir größte Mühe mit ihr, aber das wird nicht leicht. Ich hab' mir bloß gedacht, du möchtest wahrscheinlich gern auf dem laufenden gehalten werden«, meinte Eva. »Ich hab' mich übrigens über die Schwester erkundigt – sie wurde von ihrem wütenden Mann ermordet, der sie vorher monatelang verfolgt hat. Einmal hat er ihr sogar am Arbeitsplatz aufgelauert und sie verprügelt. Danach war sie drei Wochen lang im Krankenhaus.«

Als ich auflegte, war meine Laune noch düsterer als zuvor.

Am liebsten hätte ich mich wieder im Bett verkrochen. Wenn ich an all die Männer dachte, die ihre Frauen und Kinder verprügelten, konnte ich mir nicht vorstellen, daß meine schwachen Interventionsversuche dagegen etwas fruchten würden.

»Aber wenn du nichts tust, könnte noch ein Kind sterben«, sagte ich laut. »Und dann solltest du dich wirklich besser unter einen Felsen verkriechen.«

Ich trommelte mit den Fingern auf der Arbeitsfläche in der Küche. Ich brauchte Hilfe, wenn ich Cyrus die Daumenschrauben anlegen wollte. Ich rief Murray im *Herald-Star* an.

»Warshawski!« Seine Stimme klang sarkastisch. »Die Königin höchstpersönlich gibt sich die Ehre, mit dem gemeinen Volk zu sprechen.«

»Tja, manchmal kannst du ganz schön gemein sein, so viel ist sicher. Möchtest du übers Geschäft reden oder mir ein paar Liebeslieder ins Ohr säuseln? Ich bin bereit, dir alles zu sagen, was ich weiß.«

»Und was willst du dafür?«

»Wenn du denkst, daß es wirklich eine heiße Story ist und du was drüber schreibst, locken wir vielleicht ein paar Leute aus der Reserve. Außerdem könntest du mich zum Essen einladen. Ins Filigree. Dann würde ich dir sogar verzeihen, daß du am Sonntag Conrad Lügen über mich erzählt hast.«

»Edle Königin, Euer Wunsch läßt mich erzittern und auf der Stelle gehorchen. In einer halben Stunde im Filigree.«

Ich warf einen Blick auf die Uhr: halb acht. Conrad wohnte in Chatham, fast eine halbe Stunde südlich vom Loop, und ich mußte vorher noch einen Anruf erledigen. Murray erklärte sich bereit, mir eine Stunde Zeit zu lassen.

Ich erreichte Sal Barthele zu Hause. Sie war deprimiert, weil sie das Golden Glow auf unbestimmte Zeit schließen mußte – in den harten Zeiten war das Lokal ihre Haupteinnahmequelle. Aber sie hatte noch Glück, weil das Glow über einem nicht sehr tiefen Keller gebaut war.

»Ich habe deine Aktionen im Fernsehen verfolgt«, meinte sie. »Am einen Tag wirst du fast verhaftet und abgeschoben, am nächsten bist du schon die große Heldin, die Obdachlose aus dem Wasser zieht. Ich hab' im Krankenhaus angerufen, aber da hat man mir gesagt, du wärst schon weg. Wo steckst du jetzt, Mädchen?«

»Bei Conrad. Jemand hat am Samstag meine Bude durchsucht, und ich hab' noch nicht die Kraft gehabt, alles aufzuräumen.«

»Dazu fehlt dir nicht die Kraft, Vic, sondern das Bedürfnis. Wenn bei mir was schiefläuft, putze ich. Wenn bei dir was schiefläuft, schießt du. Ziehst du jetzt zu Conrad, um deine Wohnungsprobleme zu lösen?«

Diese Alternative war mir noch gar nicht in den Sinn gekommen. Ich sagte so nachdrücklich »Nein«, daß Sal lachen mußte.

»Eigentlich habe ich dich angerufen, um zu hören, wie ich an Cyrus Lavalle rankomme«, sagte ich.

»Was willst du denn mit diesem lächerlichen Kleiderständer?« fragte sie. »Jemand hat mir erzählt, daß er im Grand Guignol ist, wenn er nicht bei mir trinkt. Das ist oben am Broadway, Ecke Cornelia oder Brompton, irgendwo da in der Gegend. Wenn du ihn wirklich brauchst, findest du ihn über kurz oder lang dort.«

Nachdem sie aufgelegt hatte, rief ich noch einmal Murray an. Murrend ließ er sich breitschlagen, mit mir ins Grand Guignol statt ins Filigree zu gehen – das Lokal lag ziemlich weit nördlich vom Zeitungsgebäude, und wahrscheinlich konnte man dort auch nicht essen. Ich hinterließ Conrad eine Nachricht und zog die Jeans an, die er mir ins Krankenhaus gebracht hatte. Gerade wollte ich gehen, als mir etwas einfiel. Ich nahm mir noch eine halbe Stunde Zeit, um meine Smith & Wesson zu reinigen und zu ölen und mit einem frischen Magazin zu laden.

49   Alles hat seinen Preis

Sobald ich das Grand Guignol betreten hatte, wußte ich, daß ich fehl am Platz war. Das Innere der massiven Tür war mit gehämmerter Bronze verkleidet, und die Wände mit, wie es mir in dem düsteren Licht erschien, dazu passendem Leder. Die Gäste, die sich an den Tischen und am Tresen im engen Eingangsbereich drängten, waren ausnahmslos Männer. Männer in Leder, Männer in Seide, Männer mit abgeschnittenen Hosen und Löchern darin, die den Blick auf tätowierte Hinterteile freigaben, Männer mit Make-up und Stöckelschuhen und sogar ein paar im Geschäftsanzug. Am anderen Ende des Tresens sang die einzige Frau im Lokal mit kehliger Stimme Schnulzen. Ihr paillettenbesetztes Kleid bedeckte gerade das Allernötigste.

Als ich an der Theke vorbeiging, beäugten mich die Männer auf ihren Hockern mißtrauisch und rutschten unsicher auf ihren Sitzen herum. Ich kam mir vor wie Gary Cooper vor dem Showdown in *Zwölf Uhr mittags*. Um nicht so klein zu wirken in meinen Halbschuhen, hielt ich mich ganz gerade. Fast fühlte ich mich versucht zu sagen: »Immer mit der Ruhe, Jungs, dann passiert niemandem was.«

Cyrus konnte ich nirgends entdecken, aber Murray war schon vor mir da und hatte sich einen kleinen Tisch in der Ecke gesichert. Ein junger Mann mit olivfarbenem Teint und wasserstoffgebleichtem blonden Haar, der einen bis zum Bauchnabel offenen, pinkfarbenen Seidenoverall trug, beugte sich vom gegenüberliegenden Sitz her quer über den Tisch. Als ich an den Tisch trat, sah er mich an, verzog das Gesicht und säuselte Murray noch etwas zu.

Ich lächelte ihn freundlich an. »Sorry, *wir* sind miteinander verabredet, aber ich hab' bloß für die erste Stunde bezahlt. Wenn ich weg bin, können Sie ihn gern haben.« Der Junge erhob sich träge, küßte Murray auf die Handfläche und schlenderte hinüber zur Theke. Murray begrüßte mich mit einem giftigen Blick. Ich konnte mir das Lachen nicht verkneifen. Die anderen Gäste sahen stirnrunzelnd zu uns herüber.

»Die Rache ist dir geglückt, Warshawski, das muß ich dir lassen«, meinte Murray in grimmigem Tonfall.

»Ich hab' nicht gewußt, daß das eine Schwulenkneipe ist«, gluckste ich. »Aber wenn du dein Gesicht gesehen hättest, wie der Typ dir die Hand geküßt hat...« Mir tat schon der Bauch weh vor Lachen. »Den Anblick werde ich mein Lebtag nicht vergessen.«

»Dein Leben wird nicht mehr allzu lange dauern, wenn du nicht sofort mit dem Gegacker aufhörst«, zischte mich Murray an.

Als ich mich immer noch nicht beruhigen konnte, packte er

mich an der Schulter und zeigte auf einen Kasten von einem Mann, den Rausschmeißer, der mich anschaute wie ein streunender Hund, der gerade sein Mittagessen entdeckt hat. Ein Kellner runzelte ebenfalls die Stirn über uns. Ich riß mich zusammen, so gut es ging, und bestellte, nach Luft ringend, einen Whisky. Murray trank Budweiser, sein Lieblingsbier.

Der Kellner erklärte mir, die anderen Gäste wollten Musik hören und wüßten es zu schätzen, wenn ich mich nicht über sie lustig machen würde. Als ich mich wortreich entschuldigte, war der Auftritt der Frau im paillettenbesetzten Kleid zu Ende, und donnernder Applaus dankte ihr. Erst als sie hinter die Bühne stolzierte, merkte ich, daß sie ein Mann war. Ich würde wahrscheinlich nie so gut aussehen, nicht mal dann, wenn ich mir so ein Kleid leisten könnte.

Als der Applaus verebbte und auch die anderen Gäste ihre Gespräche wiederaufnahmen, erzählte ich Murray, warum wir in dem Lokal waren.

»Cyrus ist eine meiner Quellen. Es macht mir nichts aus, wenn du mit ihm sprichst, aber wenn du irgendwas über ihn schreibst, versiegt die Quelle. Kapiert?«

»Halt deiner Großmutter Vorträge«, meinte er verärgert. »Warum machen wir das Affentheater hier mit? Was hat deine Quelle zu bieten?«

»Ich hab' meiner Oma früher immer dabei zugeschaut, wie sie alte Pullover aufgetrennt hat, um neue zu stricken. Sie hat das formlose Ding hin und her gedreht, hier und da gezupft, und plötzlich hatte sie den richtigen Faden gefunden, an dem sie bloß noch ziehen mußte. Ich hoffe, daß Cyrus den Faden für mich hat.«

Ich holte einen Block aus meiner Tasche und begann, Rechtecke aufs Papier zu zeichnen: eins für Century, eins für Gateway, eins für Lamia, eins für Home Free. Über den Rechtecken notierte ich die Leute, die mit jedem Block verbunden waren.

»Die Leute gehören alle irgendwie zusammen, ich weiß bloß noch nicht, wie. Wenn ich das herausfinden könnte, wüßte ich wahrscheinlich auch, warum Deirdre gestorben ist. Ich glaube zwar, daß Jasper Heccomb oder einer von seinen Kumpeln sie getötet hat, aber hundertprozentig sicher bin ich

369

nicht. Und bis ich nicht weiß, warum sie ermordet wurde, kann ich auch nicht sagen, wer's war.«

Nachtragend war Murray nicht. Noch bevor ich ihm die Hälfte meiner Geschichte über Century, Phoebe, Lamia, Jaspers Bargeldschublade und meine Begegnung mit Anton auf der Baustelle von Home Free erzählt hatte, hatte er schon seinen Block herausgeholt und schrieb eifrig mit.

»Du glaubst also, daß deine drei Musketiere zusammen die JAD Holdings bilden. Das müßte ich eigentlich rausfinden können.«

Ich grinste. »Hört sich gut an.«

»Woher kommt Jaspers Geld?«

»Keine Ahnung. Ich weiß auch nicht, wo das Geld hinfließt. Ein Teil davon geht mit Sicherheit an die Bauunternehmer direkt, damit die keine Steuern zahlen müssen, aber dafür braucht man keine fünf Millionen.«

»Und Emily Messenger?«

Ich schüttelte den Kopf. »Ich würde gern nur einen Teil ihrer Geschichte publik machen. Meiner Meinung nach ist der Mörder ihrer Mutter hinter ihr her, weil er glaubt, daß sie ihn identifizieren kann. Wenn er aber erfährt, daß sie lediglich ein Paar Schuhe gesehen hat, läßt er sie vielleicht in Ruhe. Sie hat in letzter Zeit ziemlich viel durchgemacht. Da müssen sich nicht auch noch die Medien auf sie stürzen.«

Murray leerte die Flasche und bestellte eine neue. »Soweit ich weiß, glauben deine Freunde von der Polizei, daß sie ihre Mutter umgebracht hat. Sie könnten jederzeit einen Haftbefehl beantragen – es kommt ganz darauf an, was Fabian als nächstes machen wird.«

Ich versuchte, mir nicht anmerken zu lassen, wie schockiert ich über diese Nachricht war, aber ganz konnte ich meinen Ärger über Conrad und Finchley doch nicht verbergen. Conrad hatte das mit dem Haftbefehl sicher schon am Morgen gewußt, aber er hatte es nicht geschafft, es mir zu sagen. Der Applaus, der die Rückkehr des Künstlers im paillettenbesetzten Kleid begleitete, gab mir Gelegenheit, mich zu sammeln – ich wollte Conrad vor Murray nicht schlechtmachen.

Etwa nach der Hälfte der ersten Nummer betrat Cyrus das Lokal. In einem Raum voller grellbunt gekleideter Männer zogen sein weißes Seidenhemd und seine fließende schwarze Hose die Blicke auf sich. Schon das Hemd allein mit seinen Epauletten und dem gekerbten Kragen, auf dem die Aufschrift »Thierry« prangte, hatte Cyrus bestimmt einen Tausender gekostet. Er begrüßte einen Mann mit einem Kuß, winkte ein paar anderen zu und setzte sich auf einen Barhocker wie ein Löwe, der hofhält. Ich rückte mit meinem Stuhl weiter in die Ecke, damit er mich nicht sofort sah.

»Wir müssen versuchen, ihn von den anderen abzusondern, bevor er sich mit jemandem unterhält«, murmelte ich Murray zu.

»Du erwartest hoffentlich nicht von mir, daß ich mit den Talenten hier in Wettstreit trete«, murmelte Murray zurück.

»Spielverderber.« Ich kritzelte etwas auf meinen Block. »Gib ihm das, und versperr ihm mit deinem Körper die Sicht in den Raum. Wenn ich Glück habe, ist er bereit, das Lokal mit dir durch den Hinterausgang zu verlassen.«

Sobald Murray mich mit seinem massigen Körper verdeckte, legte ich einen Zwanziger auf unseren Tisch und verschwand unauffällig durch den Vorhang am hinteren Ende des Raums. Dahinter verbargen sich Toiletten, Telefone und ein paar Zimmer, die die Inhaber als Büro- und Lagerräume nutzten. Pärchen knutschten in dem engen Flur miteinander; einige benutzte Kondome lagen auf dem Boden. Der Geruch von Schweiß und Sperma hing in der Luft.

Ich atmete durch den Mund, während ich versuchte, die Tür zu einem Büro zu öffnen. Sie war verschlossen, wenn auch nicht unüberwindbar. Die Leute rund um mich herum waren mit sich selbst beschäftigt. Ich zog eine Kreditkarte aus meiner Brieftasche und öffnete damit das Schloß, gerade als Murray und Cyrus durch den Vorhang traten. Cyrus wirkte etwas nervös, mich hatte er noch nicht entdeckt. Bevor er mich sehen konnte, packte ich ihn am Arm und schob ihn mit Murrays Hilfe ins Büro. Dann schaltete ich das Licht an, holte mir einen Stuhl heran und setzte mich mit dem Rücken zur Tür.

»Cyrus, es ist mir wirklich ein Vergnügen.«

In dem fluoreszierenden Licht wirkte seine Haut teigig. »Warshawski! Was…? Wie…?«

»Sal hat mir gesagt, ich soll's doch mal hier versuchen. Mach dir keine Sorgen wegen der Schläger – den Zettel hab' *ich* geschrieben.«

Ich hatte ihm – natürlich anonym – mitgeteilt, daß jemand von ihm Geld wolle, daß dieser Jemand mit einem Wagenheber bewaffnet sei, daß mein Freund ihm aber helfen würde, durch den Hinterausgang zu entkommen. Angesichts seines kostspieligen Geschmacks war es nur allzu wahrscheinlich, daß er mehr als einem Menschen Geld schuldete.

»Was willst du? Ich könnte anfangen zu schreien. Gee-Gee würde mich hören und euch rauswerfen.«

»Nö. Mein Freund hier würde dann einfach sagen, daß es gerade ziemlich aufregend geworden ist – wie bei den Typen draußen im Flur. Gee-Gee wär's vielleicht nicht so recht, daß ihr so was in seinem Büro macht, aber rauswerfen würde er euch bestimmt nicht. Wir werden uns jetzt unterhalten. Beziehungsweise du wirst uns erzählen, was im Rathaus vor sich geht.«

»Und was ist, wenn ich das nicht mache?« Er schmollte, hatte aber wenigstens keine Angst mehr – er kannte mich gut genug, um zu wissen, daß sein Körper nicht in Gefahr war.

»Weißt du, mein Freund Murray hier ist beim *Herald-Star* – zeig ihm deinen Presseausweis, damit er sieht, daß ich ihn nicht anlüge –, und wenn du nicht redest, schreibt er einen großen Artikel über Cyrus Lavalle, den Rathausspitzel. Das würde ein paar Leuten gar nicht gefallen. Könnte dich sogar um deinen Job bringen.«

Murray hockte sich auf die Kante des mit Papier überladenen Schreibtischs, der den größten Teil des Raums einnahm. Er holte seine Brieftasche heraus, zeigte Cyrus seinen Presseausweis und bat mich dann um die korrekte Schreibweise von Cyrus' Nachnamen.

Cyrus sah zuerst Murray an, dann meinen Stuhl, der ihm den Fluchtweg versperrte. »Das würdest du nicht wagen. Das wäre Verleumdung...«

»Nur wenn es eine Lüge wäre. Aber das, was ich sage, ist die Wahrheit. Wenn du dich natürlich dazu überwinden könntest, mir ein paar Fakten zu erläutern, könnte ich Murray überreden zu vergessen, daß er dich jemals gesehen hat. Er hat eine ganze Menge Informanten im Rathaus. Niemand würde bei einem Artikel, den er schreibt, sofort an dich denken.«

Während Cyrus sich noch widerwillig die Lippen leckte, zog Murray das Telefon heran, das auf dem Schreibtisch stand. »Ich könnte die Redaktion anrufen und sagen, daß sie ein bißchen Platz lassen sollen in der Spätausgabe.«

Natürlich konnte er das nicht – bloß im Fernsehen werden Storys über Korruption sofort gesendet, ohne daß zuerst Hunderte von Redakteuren, Rechercheuren und Anwälten herangezogen werden, die überprüfen, ob die Geschichte nicht einem wichtigen Inserenten schaden könnte. Aber Cyrus wußte das nicht. Er sank in sich zusammen.

»Century Bank, Rathaus, Home Free, Lamia.« Ich zählte die Namen an meinen Fingern auf. »Wenn wir über die geredet haben, kannst du gehen. Ich weiß, daß Home Free seine Lohnabrechnungen in großem Umfang türkt. Wen bezahlen sie, damit keine Nachforschungen angestellt werden?«

Sein Gesicht hellte sich auf – er war so erleichtert, daß ich sofort wußte: Die Arbeitszeit- und Lohnprotokolle waren nicht das Problem. Er erzählte von den unterschiedlichsten Personen im Rathaus, die für solche Geschichten zuständig waren. Ich kannte nur manche der Leute. Murray jedoch waren sie alle ein Begriff – schließlich ist die Lokalpolitik sein täglich Brot.

Cyrus rasselte etwa fünf Minuten lang Namen herunter und erwähnte dann abgesehen von Charpentier noch zwei weitere Bauunternehmer, mit denen Home Free zusammenarbeitete. »Mehr weiß ich auch nicht. Das heißt, daß du die Tür jetzt freigeben kannst.«

»Das ist alles, was du über die Geschichte mit den Lohnabrechnungen weißt«, berichtigte ich ihn. »Aber das ist nicht der Grund für die Aufregung über das Lamia-Projekt. Lamia hatte eine Baugenehmigung, und plötzlich, sozusagen über Nacht, wird die zurückgezogen. Warum? Stecken die Stadträte dahinter oder der Bürgermeister? Die Stadträte sind in ihren Bezirken für diese Dinge zuständig, also kann's nicht die Baubehörde gewesen sein.«

Ich mußte noch weitere fünf Minuten nachbohren. Das machte keinen großen Spaß, denn ich gefalle mir nicht in der Rolle der Tyrannin, und Cyrus war als verängstigtes Kaninchen nicht gerade attraktiv. Als Murray schließlich mit der

Lokalredaktion des *Herald-Star* verbunden wurde, begann Cyrus zu reden – allerdings auch nur, nachdem wir ihm mehrfach versprochen hatten, seinen Namen nicht zu erwähnen.

»Eigentlich hat alles mit der Bank zu tun. Century ist immer eine kleine Bank gewesen, die den größten Teil ihres Geldes in der eigenen Kommune angelegt hat. Dann hat sie plötzlich angefangen, ihre Kreditpolitik zu verändern. Offenbar hat jemand die Bank gekauft oder das zumindest versucht – den Teil der Geschichte kenne ich nicht.«

Er leckte sich nervös die Lippen, besorgt darüber, daß ich ihm das vielleicht nicht glaubte und mein Versprechen brach, seinen Namen nicht zu erwähnen. Ich beruhigte ihn, sagte ihm, er brauche sich keine Gedanken zu machen, denn ich wisse, wer die neuen Besitzer von Century seien.

»Wir haben Wind davon bekommen, weil sich ein paar Leute bei der Stadt beklagt haben, als Century plötzlich Kredite für Wohnungsbauvorhaben verweigert hat, die früher immer gewährt wurden – Kredite für Minoritäten, Geschäfte von Frauen, Hypotheken für Angehörige von Minderheiten. Solche Sachen. Natürlich ist die Bundesregierung für die Bankenaufsicht zuständig, nicht das Rathaus, aber die Leute beschweren sich, reden mit ihrem Stadtrat, der möglicherweise jemanden im Kongreß kennt, vielleicht informiert der Stadtrat auch einfach nur die Abteilung, die für den Wohnungsbau zuständig ist.

Als du mich angerufen und Fragen über Lamia gestellt hast, hab' ich gedacht, das ist die ganze Story. Ich hab' mich umgehört, wollte mal sehen, wer der zuständige Stadtrat ist. Da hättest du dann weitermachen können. Also habe ich mich mit ein paar Leuten unterhalten, die mit Wohnungsbau und Finanzierung zu tun haben. Und ich habe Gerüchte gehört, nichts Spezielles, aber alle möglichen Gründe, warum man keine Fragen stellen sollte über die Century Bank. Einer hat behauptet, der Präsident – der Vereinigten Staaten, meine ich – hätte dem Bürgermeister gesagt, das Thema ist tabu. Eine Frau in der Finanzbehörde meinte, das wäre nicht der Präsident gewesen, sondern jemand im Kongreß. Wieder jemand anders hat gesagt, es war jemand im Ministerium für Wohnungsbau – alle Gelder für den sozialen Wohnungsbau in Chicago würden gestrichen, wenn wir die Entscheidungen von Century anzweifelten.«

Wieder leckte er sich die Lippen und holte eine Schachtel Zigaretten aus seiner Hose, die so eng saß, daß in den Taschen eigentlich gar nichts sein konnte. Ich hasse den Geruch von Rauch, aber Cyrus stand unter größerem Streß als ich. Also sagte ich nichts, als er sich eine Zigarette ansteckte und tief inhalierte.

»Da die Gerüchte so brisant waren, wußte ich, daß mit Sicherheit eine wichtige Persönlichkeit mit der Sache zu tun hatte. Folglich habe ich nicht mehr weitergebohrt. Ich bin bloß ein Angestellter der Baubehörde. Ich wollte dich anrufen, um dir zu sagen, daß die Sache eine Nummer zu groß ist für mich. Aber zuerst hat *mich* jemand angerufen.«

Er spielte nervös mit seiner Zigarette herum, bis er sich die Finger verbrannte. Er sah sich nach einem Aschenbecher um. Murray reichte ihm wortlos eine Kaffeetasse. Cyrus ließ den Stummel hineinfallen und rieb sich die Finger.

»Sie haben mir gesagt ... ich kann nicht erzählen, was sie mir gesagt haben. Dann haben sie gesagt, daß niemand Fragen über die Century Bank oder Lamia stellen darf. Vic – du mußt mir glauben, daß sie mich auf gräßliche Weise bedroht haben.« Einen Augenblick dachte ich fast, er finge an zu weinen, aber er unterdrückte die Tränen. »Ich ... sie haben genau gewußt, was Sache ist. Ich habe ihnen gesagt, daß du dahintersteckst. Daß du mit mir befreundet bist und dir Gedanken machst, weil die Lamia-Frauen wiederum mit dir befreundet sind. Da haben sie mir erklärt, daß es gefährlich ist, mit dir zu reden, und daß sie es herausfinden würden, wenn ich wieder mit dir spreche. Ich wollte dich nicht verraten, Vic, aber ich konnte einfach nicht anders.«

Wir schwiegen alle einen Augenblick. Ich rieb die Beule, die ich mir am Samstag eingehandelt hatte. Die Typen waren zu allem fähig. Ich sah Murray an, der leicht mit dem Kopf nickte: Cyrus hatte alles gesagt, was er wußte.

»Wir gehen hinten raus«, erklärte ich Cyrus. »Ich glaube nicht, daß dich noch irgend jemand beschattet – schließlich ist die Sache jetzt zwei Wochen her. Die wissen sicher, daß du dich nicht mehr mit mir in Verbindung gesetzt hast, aber wir wollen kein Risiko eingehen.

Ich bin pleite«, fügte ich an Murray gewandt hinzu. »Aber

ich finde, Cyrus sollte sich eine Flasche Schampus zur Feier des Tages gönnen. Die haben Veuve Clicquot auf der Karte. Kostet achtzig Dollar.«

Murray verzog das Gesicht, holte aber vier Zwanziger aus seiner Brieftasche. Wir ließen Cyrus ein paar Minuten Vorsprung und drückten uns dann an den schönen Körpern im Flur vorbei hinaus auf die Straße.

50 Nachtwache

Murray und ich gingen schweigend den Broadway hinunter. Es war schon fast zehn, aber auf der Belmont Avenue fanden wir dann doch noch einen Italiener, der bereit war, uns ein paar Nudeln zu machen. Der Kellner saß zusammen mit den fünf anderen Gästen an einem Tisch und unterhielt sich über die jeweiligen Vorteile von Eagle River und Spring Green, Wisconsin, als Ferienorte. Sobald er unsere Bestellung aufgenommen hatte, schloß er sich wieder der Diskussion an. Der Kellner äußerte sich eindeutig zugunsten von Eagle Rivers.

»Also verstoßen die neuen Inhaber von Century gegen die Bestimmungen zur Kreditvergabe an die Kommunen. Aber heißt das unbedingt, daß sie Cyrus zum Schweigen bringen müssen, wenn er Fragen stellt?« meinte ich, als ich mir sicher war, daß uns niemand zuhörte.

»Vielleicht ist der Verkauf noch nicht abgeschlossen, und sie haben Angst, daß die Bundespolizei was spitzkriegt und sich einschaltet. Vielleicht hat aber auch Cyrus recht und du bist wirklich gefährlich. Möglicherweise haben sie Angst, daß die Geschichte zu bekannt wird, wenn du deine Nase da reinsteckst. Solange die Leute bloß bei ihren Stadträten meckern, hat JAD Holdings keine allzu großen Probleme. Das gilt besonders dann, wenn die Gerüchte, die Cyrus gehört hat, stimmen und jemand ganz oben in Washington die Stadt zum Stillhalten ermahnt. Mir persönlich gefällt Theorie Nummer zwei am besten, daß der Druck vom Kongreß kommt, weil das bedeutet, daß unser Freund Alec Gantner die Finger mit drin hat.«

»Ist letztlich egal.« Ich schwieg, während der Kellner mir

einen Teller Spinattortellini vor die Nase stellte. »Ich meine, es ist egal, ob es Gantner ist, der Präsident höchstpersönlich oder der Minister für Wohnungsbau – das sind nämlich alles Republikaner, und die ziehen alle am selben Strang. Ich habe eher Schwierigkeiten mit der Frage, warum das Weiße Haus oder auch nur der Senator sich die Mühe machen sollten, solche Verstöße gegen das Bankengesetz zu vertuschen.«

Murray schnaubte verächtlich. »Wenn du so naiv tust, bist du unerträglich, Warshawski. Denk doch an Irakgate oder den BCCI-Skandal. Oder die Kinder der Reichen und Mächtigen beider Parteien, die sich wie die Banditen aufführen, weil sie wissen, daß Daddy das FBI und das Finanzamt immer daran hindern wird, allzutief zu bohren.«

»Vielleicht hat JAD ja noch was anderes mit Century vor als nur die Kürzung der Kredite für soziale Zwecke.« Die Nudeln waren zu weich, weil sie schon den ganzen Abend im heißen Wasser gelegen hatten; ich stillte meinen schlimmsten Hunger, den Rest schob ich zur Seite.

»Du meinst also, es geht um Geldwäsche.« Murray aß gerade die letzte Gabel Lasagne und sprach mit vollem Mund.

»Das kann man sich doch an fünf Fingern abzählen. Die räumen Home Free einen Kreditrahmen von fünfzig Millionen Dollar ein. Kein gemeinnütziges Unternehmen braucht so viel Geld. Aber die eigentliche Frage lautet doch – wo fließt das Geld hin? Wenn wir wüßten, was JAD Holdings vorhat – wie schnell kannst du was über die rausfinden?«

Murray beugte sich über den Tisch und machte sich über die Reste meiner Tortellini her. »Kommt drauf an, was wir über Lexis rausfinden können. Und darauf, ob mein Informant in Washington bereit ist zu plaudern. Im Moment kann ich nicht zu den Ämtern in der Innenstadt, weil die auf unbestimmte Zeit geschlossen sind, das weißt du ja.«

»Hätte ich mir denken können.« Ich schlug frustriert mit der flachen Hand auf den Tisch. »Wenn ich nicht bald was Beweiskräftiges rausfinde, landen Emily und ich demnächst als Fischfutter im Lake Michigan.«

In dem Restaurant befand sich gleich neben dem Eingang ein Münzfernsprecher. Während Murray auf die Rechnung wartete, hörte ich meinen Anrufbeantworter per Fernabfrage ab.

Darauf hieß es, ich solle mich so schnell wie möglich mit den Streeter-Brüdern in Verbindung setzen.

Ich holte Tim Streeter aus dem Bett. »V. I. Nein, nein, ich bin froh, daß du mich aufgeweckt hast. Wir sind aus dem Krankenhaus rausgeschmissen worden.«

»Was ist denn passiert?« erkundigte ich mich besorgt. »Ich dachte, Ellen Higgins war auch der Meinung, daß Emily Schutz braucht.«

»Tja, Fabian und die Leute von der Nachtschicht haben uns hinauskomplimentiert. Tagsüber war's kein Problem, weil Schwester Higgins mir einen Stuhl im Flur hingestellt hat. Als Emily am späten Nachmittag aufgewacht ist, bin ich rein und hab' mich vorgestellt, dann habe ich ihr ihre Brüder dazugeholt, und wir haben uns ein bißchen unterhalten. Dein Zettel hat mir geholfen. Sie war mißtrauisch, hat sich aber wohl gedacht, wenn ich von dir komme, bin ich in Ordnung.

Die Nachtschwester hat mich dann jedenfalls aufgefordert, in den Warteraum zu gehen. Higgins hat ihr die Geschichte erzählt, aber sie war nicht davon überzeugt. Und als dann auch noch Fabian auftauchte, war sowieso alles aus.

Er ist so gegen halb sieben zusammen mit einem älteren Typ gekommen – weiße Haare, schwarze Augenbrauen, Anzug. Die beiden haben sich mit der Schwester unterhalten, und die hat einen Arzt geholt. Als der da war, sind sie alle vier zu Emily ins Zimmer. Eine von den Schwestern hat mir gesagt, daß der Typ mit den schwarzen Augenbrauen ein Psychiater ist, den Fabian angeschleppt hat – Mort Zeitner.« Er buchstabierte mir den Namen. »Also bin ich rein und hab' dem Mädchen gesagt, es kann sich weigern, die Medikamente zu nehmen, die sie ihm geben wollen, und muß sich auch sonst auf nichts einlassen.«

Murray und der Kellner versuchten mir mit Zeichensprache zu sagen, daß das Restaurant geschlossen wurde und ich mit dem Telefonieren aufhören sollte. Ich drehte ihnen den Rücken zu und beugte mich über den Hörer.

»Und was war dann?« fragte ich. »Fabian ist ausgerastet, oder?«

»Genau«, antwortete Tim. »Vielleicht hätte ich im Gang warten sollen, aber mit Vieren wollte ich's dann doch nicht aufnehmen. Fabian war drin und hat ihr einreden wollen, daß sie mit Zeitner über den Tod ihrer Mutter sprechen muß. Ich hab' ihr gesagt, sie hat das Recht, den Mund zu halten, da hat Fabian mich gefragt, wer ich bin. Daraufhin hat Emily zu heulen angefangen und wollte dich sehen, und Fabian ist komplett ausgeflippt. Gleich darauf haben mich drei Sicherheitskräfte vom Krankenhaus vor die Tür gesetzt.«

»Scheiße!« Mir tat der Magen weh vor Sorge um Emily. »Das heißt, daß sie seit halb sieben allein ist?«

»Nein, ganz so schlimm ist es nicht. Es war schon nach sieben, als sie mich rausgeschmissen haben. Dann habe ich Tom geholt, der immerhin bis halb neun im Wartezimmer bleiben konnte, doch da ist die Schwester dann mißtrauisch geworden. Wir wollten eigentlich die Eingänge bewachen, aber erstens sind das zu viele, und zweitens wußten wir ja nicht, auf wen wir achten sollten. Fabian und Zeitner sind so gegen acht verschwunden. Wenn du irgendeine Idee hast, gehen Tom und ich wieder hin. Wir haben ein schlechtes Gewissen, weil wir in dem Fall so versagt haben.«

Ich sackte in mich zusammen. »Ich habe keine Ideen mehr. Ich bin im Moment im Norden und will nach Süden. Ich schau' beim Krankenhaus vorbei und unterhalte mich mit der Oberschwester, die Nachtdienst hat. Die heißt doch Lila Dantry, oder?«

»Ja, aber glaub ja nicht, daß die dich mit offenen Armen empfängt, wenn du sagst, wer du bist.«

Ich legte auf und marschierte hinaus. Murray hatte ich völlig vergessen, bis er mich Ecke Broadway einholte.

»Wo willst du denn so schnell hin?« erkundigte er sich keuchend. »Willst du mich bescheißen? Du schuldest mir noch acht Dollar fürs Essen.«

An der Ampel kramte ich ein paar Eindollarscheine aus der Tasche und gab sie ihm. »Du hast fast meine ganzen Tortellini gegessen. Hier sind vier Dollar.«

Er kam mir nach und packte mich an der Schulter. »Wenn du eine grandiose Idee hast, solltest du mir lieber was davon sagen – du schuldest mir noch was für das Affentheater im Grand Guignol heute abend.«

»Im Moment mache ich mir mehr Sorgen um Emily Messenger. Ich habe eine Wache vor ihrem Zimmer aufgestellt, aber

Fabian hat meinen Plan durchkreuzt. Vielleicht wäre es tatsächlich besser, wenn Finchley sie festnimmt: Dann wüßte ich wenigstens, daß sie von dem wirklichen Mörder nichts zu befürchten hat.«

»Du bist dir also ganz sicher, daß sie ihre Mutter nicht umgebracht hat.«

Mittlerweile waren wir wieder beim Grand Guignol angelangt, wo wir unsere Autos abgestellt hatten. Ich blieb mit der Hand an der Tür stehen, um ihm noch einmal in die Augen zu sehen. »Ja, ich glaube ihr ihre Geschichte. Wenn du – anders als die Polizei – versuchen könntest, mir zu glauben, daß ich das, was ich höre und sehe, durchaus realistisch beurteilen kann, würde ich dir deine ganzen Fehler der letzten Zeit verzeihen. Vielleicht würde ich dir dann sogar noch die andern vier Dollar für mein Essen geben.«

Murrays sarkastische Antwort ging fast ganz im Lärm meines Motors unter. Ich wendete hastig und ließ ihn in einer Wolke von Auspuffgasen stehen.

Es war schon fast Mitternacht auf der Uhr an meinem Armaturenbrett. Conrad würde bald Dienstschluß haben; vielleicht konnte er Terry überreden, einen Polizisten als Wache vor Emilys Zimmer zu stellen.

Die Alternativen, die sich Emily boten, gefielen mir nicht. Wenn Terry sie verhaftete, schützte sie das vielleicht vor dem Mörder, denn für ihn war es die beste Verteidigung, wenn jemand anders vor Gericht gestellt wurde. Aber das Trauma einer Verhaftung war etwas, was die arme Maus jetzt wirklich nicht brauchen konnte. Und ob sie sie nun einsperrten oder nicht – in spätestens zwei Tagen hätte Fabian sie wieder in den Fängen.

Ich lenkte den Trans Am um einen Zeitungswagen herum, der in zweiter Reihe stand, und bog dann in den Lake Shore Drive ein. Selbst wenn ich mich jetzt um sie kümmerte, konnte ich sie doch langfristig nicht vor Fabian schützen, wie ich es ihr versprochen hatte.

Der Gedanke an dieses Versprechen erinnerte mich an ein weiteres – ich mußte Mr. Contreras am Donnerstagmorgen von seiner Tochter in Elk Grove Village abholen. Während ich an der Ampel am Lake Shore Drive auf Grün wartete, hämmerte ich wütend auf das Lenkrad ein. Er mußte jeden Tag ins Krankenhaus wegen der Spritzen gegen die Tollwut. Würde ich Zeit haben, mich darum zu kümmern, wenn ich ihn wieder nach Hause brachte?

Ich nahm die Chicago-Ausfahrt und fand einen Parkplatz auf der Straße. Die Sorge ließ mich die beiden Häuserblocks bis zum Krankenhaus sprinten. Während ich auf den Aufzug wartete, trommelte ich mit den Fingern auf einem Übertopf herum, der daneben stand. Als der Lift endlich kam, fuhr ich zusammen mit einer Mutter hinauf, deren Kind am offenen Herzen operiert werden mußte.

Ich folgte ihr zu einem Warteraum, der sich ungefähr auf halber Höhe des Flurs befand und wo die Eltern anderer schwerkranker Kinder voller Angst Wache hielten. Von einem Münzfernsprecher aus konnte ich Emilys Zimmer gerade noch sehen. Ich rief Conrad an, um ihm zu erklären, wo ich gewesen war und warum ich später nach Hause kommen würde.

Conrad konnte es fast nicht glauben, daß ich mich nur mit Murray getroffen hatte, mußte aber laut lachen, als ich ihm von der Episode mit dem Mann in dem pinkfarbenen Seidenoverall erzählte.

»Danke, Baby. Das war besser als ein Bier. Was glaubst du, wie lange du dort bleiben mußt?«

»Bis ich das Gefühl habe, daß ich sie guten Gewissens allein lassen kann. Du meinst nicht, daß du Terry überreden könntest, einen Wachposten vor ihrem Zimmer aufzustellen, oder?«

»Ich glaube, ich würde lieber die South Morgan Street ohne kugelsichere Weste runtergehen, als mich in dem Fall zwischen dich und Finch zu stellen. Ich muß morgen um acht wieder ran, also warte ich nicht auf dich. Fahr keinen allzu kessen Reifen, wenn du heimsteuerst, okay?«

»Ja, Papa.« Ich legte auf.

Ich spielte einen Augenblick mit dem Gedanken, mich der Nachtschwester vorzustellen, wollte aber jetzt keine Auseinandersetzung provozieren. Auf den Fluren war keine Menschenseele, also schlüpfte ich einfach in Emilys Zimmer.

Sie schien zu schlafen. Ich ging leise zu einem Sessel in einer

Ecke hinüber. Nach einer Weile forderten die Stille in dem Zimmer und der Streß der letzten vier Tage ihren Tribut, und ich döste weg.

Als um zwei Uhr das Licht anging, schreckte ich hoch: Eine Schwester war ins Zimmer gekommen, um Emilys Herz- und Lungenfunktion zu überprüfen. Als sie mich entdeckte, bat sie mich hinaus auf den Flur, um mich zu fragen, wer ich sei.

»V. I. Warshawski. Man hat mir gesagt, daß sie mit mir sprechen wollte. Ich wollte hierbleiben, für den Fall, daß sie aufwacht und nach mir sucht.«

»Sind Sie mit ihr verwandt?« fragte die Schwester.

Ich schüttelte den Kopf. »Soweit ich weiß, hat sie in dieser Stadt keine weiblichen Verwandten. Sie kennen doch ihre Geschichte, oder? Sie hat in letzter Zeit sehr viel durchgemacht. Ich bin hier, damit sie sich ein wenig sicherer fühlt.«

Diese Schwester wußte offenbar nichts Negatives über mich. Jedenfalls warf sie mich nicht hinaus, sondern sagte mir lediglich, ich solle mich im Warteraum bereithalten, weil ich nicht Emilys Mutter sei und deshalb kein Recht habe, mich in dem Zimmer aufzuhalten.

»Die Besucher müssen sich normalerweise bei der Stationsschwester anmelden«, sagte sie. »Wir versuchen selbstverständlich, es den Kindern so angenehm wie möglich zu machen, aber wir können nicht zulassen, daß Fremde einfach in die Zimmer gehen. Ich hoffe, Sie verstehen das.«

Natürlich verstand ich das. Ich hoffte, daß das auch für die Musketiere, oder wer auch immer Deirdre umgebracht hatte, galt. Die Schwester brachte mich in den Warteraum. Ich rückte mir den Stuhl so zurecht, daß ich Emilys Tür im Auge behalten konnte. Jetzt durfte ich nicht mehr eindösen: Ich mußte den Flur genau beobachten.

Die Frau mit dem herzkranken Kind befand sich in Gesellschaft dreier anderer Eltern schwerkranker Kinder. Wir wechselten immer wieder mal ein paar besorgte Worte. Um halb drei erbot sich einer der Männer, Kaffee zu holen – er war schon öfter in dem Krankenhaus gewesen und kannte deshalb den kürzesten Weg zum Getränkeautomaten.

Um drei Uhr kam der Herzchirurg heraus, um sich mit der Mutter zu unterhalten. Sie stand unmittelbar vor dem Wartezimmer und versperrte mir die Sicht auf den Flur. Also erhob ich mich, um besser zu sehen. Nach ein paar Minuten entfernten sich die beiden in Richtung Aufzug. Es war zwanzig nach drei, als Anton mit schnellen Schritten am Schwesternzimmer vorbeiging und die Tür zu Emilys Zimmer öffnete.

»Rufen Sie die Polizei«, sagte ich zu dem Mann, der den Kaffee geholt hatte. »Da ist gerade jemand zu meinem Kind ins Zimmer – ich kenne den Typ.« Ich rannte den Flur hinunter, die Waffe in der Hand, bevor er irgendwelche Fragen stellen konnte.

Anton beugte sich gerade mit einem Kissen über Emily, als ich ins Zimmer stürmte. Ich schlug ihm die Waffe über den Hinterkopf. Er fiel nicht hin, aber der Schlag brachte ihn aus dem Gleichgewicht, so daß er das Kissen losließ. Ich trat ihm ins Kreuz. Daraufhin drehte er sich um und wollte mir einen Schlag auf den Kopf versetzen. Ich duckte mich unter seinem Arm hindurch und warf mich gegen seine Beine. Die Wucht des Aufpralls ließ ihn vorwärts über mich stolpern. Emily war mittlerweile aufgewacht und schrie.

Anton richtete sich im Fallen auf und packte mich am Hals. Ich wand mich in seinem Griff, konnte mich aber nicht befreien. Ich versuchte, ihm einen Tritt zu versetzen, während er mich würgte. Es gelang mir, die Beine über seinen Kopf zu schwingen und meinen rechten Zeh unter sein Kinn zu schieben. Sein Griff an meinem Hals lockerte sich. Ich drückte mit aller Kraft gegen seine Luftröhre.

Dann plötzlich war es ganz hell in dem Raum, und überall waren Leute. Anton ließ mich los. Er stieß eine Schwester und einen Mann vom Sicherheitsdienst nieder und stürzte zur Tür hinaus.

51 Droit du Père

»Das kapier' ich nicht. Ich hindere den Typ daran, daß er Emily erstickt, und ihr wollt sie verhaften. Versteht ihr denn nicht – Anton hat wahrscheinlich Deirdre getötet, und Emily hat sich unter meinem Schreibtisch versteckt. Sie hat bloß seine Füße gesehen, aber sie glaubt, daß sie ihn identifizieren kann. Er weiß, daß sie in meinem Büro war – er weiß es, weil sie den Schläger mit nach Hause genommen hat. Warum um Himmels willen bestraft ihr *sie*?«

Ich saß zusammen mit Terry und Mary Louise Neely in einem Zimmer des Reviers in der Eleventh Street. Fabian war auch mit von der Partie. Und Dr. Mortimer Zeitner. Conrad hatte wieder einmal die Schicht getauscht, als er von dem Treffen erfuhr, doch jetzt saß er auf der anderen Seite des Tisches, bei Finchley. Es war Mittwochvormittag um halb elf, und ich kam mir vor wie ein Gebäude, das mit einem Sandstrahler gereinigt wird.

Nachdem Anton die Schwester und den Mann vom Sicherheitsdienst über den Haufen gerannt hatte, war es kein Problem für ihn gewesen, das Krankenhaus zu verlassen: Die Leute vom Sicherheitsdienst waren zu verblüfft gewesen, um ihn schnell genug zu verfolgen. Sobald sie mich aus dem Zimmer gezerrt, sich meine Geschichte angehört und mit den Schwestern beraten hatten, ob sie Emily befragen konnten, hatten sie die Polizei geholt – doch das war nicht allzu schnell geschehen.

Ich war so gegen fünf in Conrads Wohnung gestolpert, wo ich dann nach einem Gespräch mit Conrad immerhin drei Stunden geschlafen hatte. Danach war ich wieder in die Stadt zu dem Treffen gefahren. Soweit Terry wußte, war Anton immer noch auf der Flucht.

»Wir haben mit Gary Charpentier gesprochen, wie du es uns geraten hast«, meinte Terry. »Er sagt, Anton war hinter dir her, nicht hinter dem Mädchen. Von dem Baseballschläger hat er nichts wissen können, weil wir das der Presse nie mitgeteilt haben.«

»Emily!« herrschte ich Terry an. »Sie ist nicht ›das Mädchen‹ oder ›das Kind‹. Sie hat einen Namen. Bitte benutze ihn auch. Außerdem wißt ihr doch sicher, daß Alec Gantner bestens über eure Nachforschungen informiert ist – ihr habt selber eins auf den Deckel gekriegt, nachdem er letzte Woche mit Kajmowicz gesprochen hat. Natürlich wissen die Bescheid über den Baseballschläger.«

»Wir können nicht so ohne weiteres behaupten, daß Alec

384

Gantner etwas mit der Sache zu tun hat, Vic. Beschränken wir uns doch erst mal auf das, was wir mit Sicherheit wissen. Gary Charpentier war ziemlich durcheinander und hat uns sehr geholfen. Er meint, Anton ist durchgedreht, weil die Rumänen abgeschoben worden sind und weil er glaubt, daß du daran schuld bist. Charpentier sagt, er hatte keine Ahnung, daß Anton bei ihren Löhnen mitkassiert...«

Ich wollte Terry gerade heftig etwas erwidern, aber er beschwichtigte mich mit einer Geste. »Ich weiß, ich weiß – er schiebt die Schuld einfach auf seinen Vorarbeiter. Aber Charpentier sagt immerhin, er habe sich Sorgen darüber gemacht, daß Anton dich beschattete. Er hat uns die Adresse des Mannes gegeben und ein paar Hinweise, wo wir ihn finden könnten. Außerdem, Vic, hat das Mäd... Emily gesehen, wie er dich angegriffen hat. Sie kann sich jedoch nicht erinnern, selbst von ihm angegriffen worden zu sein.«

Fast hätte ich laut losgeschrien. »Sie hat geschlafen. Willst du damit sagen, daß ich mir den Angriff nur einbilde und in Ermangelung von Zeugen auch nicht beweisen kann?«

»Ich will lediglich sagen, daß Charpentiers Geschichte plausibel klingt. Bevor wir Anton nicht gefunden haben, können wir sie nicht überprüfen. Dr. Zeitner ist davon überzeugt, daß Emily an einer hysterisch bedingten Amnesie leidet, die sie verdrängen läßt, daß sie ihre Mutter umgebracht hat. Es gibt einiges, was für diese Theorie spricht. Die Mordwaffe war in Emilys Zimmer. Und ihre Fingerabdrücke waren darauf.«

»Terry, ich hab' dir doch schon erzählt, was Emily dazu sagt. Sie war fest davon überzeugt, daß ihr Vater ihre Mutter ermordet hat. Deshalb hat sie die Tatwaffe versteckt.«

Fabian zuckte zusammen – er war ganz der aufmerksame, besorgte Vater, der sich Gedanken über die emotionale Labilität seiner Tochter machte. Dann erzählte er uns seine Version der Ereignisse in der Nacht, in der Deirdre ermordet wurde: Er hatte hart an seinem Vortrag gearbeitet, wahrscheinlich hatte er vergessen, daß seine Frau erwähnt hatte, sie wolle in die Stadt; er war froh darüber gewesen, daß Emily sich um ihre Brüder kümmerte; er hatte sich nicht darüber gewundert, als Deirdre nicht nach Hause kam – schließlich hatte sie eine ganze Reihe ehrenamtlicher Tätigkeiten übernommen, derentwegen sie oft noch spät am Abend Termine hatte, besonders wenn es um Unterkünfte für Obdachlose ging; er hatte nicht bemerkt, daß Emily das Haus mitten in der Nacht verlassen hatte.

Die drei Männer lauschten verständnisvoll. Ich war so müde, daß ich mich kaum noch gerade halten konnte, noch viel weniger war ich in der Lage, bei dem Spiel mitzumachen, das alle hier zu spielen schienen.

»Vic, du kannst dir gar nicht vorstellen, wie dankbar ich dir bin, daß du meine Kinder gefunden hast«, schloß Fabian. »Ich wünschte, du hättest Emily nie ermutigt, zu dir zu kommen – deswegen ist sie ja erst zu dir ins Büro –, aber ich weiß, daß du nur einem Kind mit großen Problemen helfen wolltest. Und ich wünschte, ich hätte Emilys Zustand in der Nacht, in der Deirdre… starb… mehr Aufmerksamkeit geschenkt.«

Er warf Terry einen reuigen Blick zu. »Wenn die kleine Tochter langsam zum Teenager heranwächst, nimmt man die täglichen Auseinandersetzungen als Teil der Pubertät hin. Man schenkt den einzelnen Streitereien nicht mehr so viel Beachtung.«

Vor der Unterredung hatte Fabian herausgefunden, daß er und Terry die einzigen in der Gruppe waren, die Kinder hatten. Sein Lächeln setzte er jetzt als spezielle Form der Kommunikation mit Finchley ein. Terry, der sich Fabians Charme nicht gänzlich entziehen konnte, lächelte schüchtern zurück.

»Warum meinst du denn, daß Emily sich in jener Nacht besonders aufgeregt hat, Fabian?« unterbrach ich ihre stumme Unterhaltung.

»Im nachhinein betrachtet haben wir – ihre Mutter und ich – ihr wahrscheinlich zuviel Verantwortung aufgebürdet. Emily hat für ihr Alter immer so reif gewirkt, daß wir sie für eine kleine Erwachsene hielten. Als Deirdre unerwartet zu dem Termin in die Stadt mußte, habe ich Emily gebeten, sie zu vertreten, damit ich mich auf meinen Vortrag konzentrieren konnte.« Er verzog das Gesicht. »Meine Arbeit war mir wahrscheinlich zu wichtig. Möglicherweise hat sich Emily ungerecht behandelt gefühlt. Ich kann sie das jetzt nicht fragen, weil sie nicht mit mir reden will.«

Er machte eine mißbilligende Handbewegung. »Sie verdrängt schmerzliche Erinnerungen, die mein Anblick vermutlich in ihr hervorruft. Ich will Ihnen diese Deutung ja nicht in den Mund legen, Dr. Zeitner, aber soweit ich Sie verstanden habe, glauben Sie das doch, oder?«

Zeitner räusperte sich. »Emily hat eine rege Phantasie, sie ist ausgesprochen sensibel und sehr einsam. Wir wissen alle, daß ihre Mutter... gewisse Probleme hatte. Es ist durchaus nachvollziehbar, daß Emily das Gefühl hatte, sie übernehme die Aufgaben ihrer Mutter, auch in sexueller Hinsicht. Wir können uns natürlich nicht sicher sein, ob das der Grund war, warum sie in jener Nacht den Kopf verloren hat – im Moment fällt es ihr schwer, darüber zu reden. Aber ich bin überzeugt, daß sie wieder darüber sprechen kann, wenn sie sich in der richtigen Umgebung befindet und die richtige Hilfe bekommt.«

»Warum ist sie Ihrer Meinung nach mitten in der Nacht allein in die Innenstadt gefahren?« fragte ich. »Glauben Sie nicht, daß es schon einen ziemlich gewichtigen Grund für sie geben mußte, sich im Dunkeln allein in einen gefährlichen Teil der Stadt zu begeben?«

Zeitner antwortete: »Das können wir erst sagen, wenn Emily uns wieder genug vertraut, um sich mit uns zu unterhalten.«

»Wenn Sie ihr genug vertrauen würden, um ihr zuzuhören, würde sie Ihnen vielleicht auch genug vertrauen, um mit Ihnen zu sprechen«, erwiderte ich.

Zeitner hob die Augenbrauen, um mir auf höfliche Weise seine Verachtung zu zeigen. Am liebsten hätte ich ihm den Hals umgedreht. Statt dessen wandte ich mich an Fabian.

»Emily hat mir erzählt, daß du gern noch zu ihr ins Zimmer kommst, wenn sie schon im Bett liegt, und daß du das auch in der Nacht von Deirdres Tod getan hast. Erinnerst du dich noch, was du gesagt oder getan hast in jener Nacht?«

Aus den Augenwinkeln sah ich, wie Officer Neely zusammenzuckte und unruhig auf ihrem Stuhl hin und her rutschte. Zeitner lächelte selbstgefällig, als habe ich gerade eben seine Diagnose bestätigt.

Fabian beugte sich über den Schreibtisch zu mir herüber. »Vic, um ehrlich zu sein, ist in der Zwischenzeit so viel passiert, daß ich mich an den Abend nicht mehr im einzelnen erinnern kann. Wenn du selbst Kinder hättest, würdest du wissen, daß man in der Nacht oft noch mal in ihr Zimmer schaut, um sicher zu sein, daß alles in Ordnung ist. Möglicherweise wollte ich mich vergewissern, daß Emily nicht wütend ist – weil Deirdre sie im Stich gelassen hatte – und nachsehen, ob sie schläft, aber ich kann das wirklich nicht mehr so genau sagen.«

»Du erinnerst dich also nicht mehr daran, daß du in der Nacht mit ihr geschlafen hast.« Ich zwang mich, ihm in die Augen zu schauen, in seine grauen Augen, die mich so aufrichtig ansahen. Das winzige Fältchen zwischen seinen Brauen schien auf nichts weiter hinzuweisen als seine ungeteilte Aufmerksamkeit für mich.

Er legte die Hand auf die Stirn, als könne er den Gedanken an ein so gestörtes Kind nicht ertragen. Dann wandte er sich an Zeitner, der tröstend seinen Arm tätschelte.

»Wenn Emily das behauptet, bestätigt es nur das, was ich sage«, meinte der Psychiater. »Allerdings sind ihre Phantasien dann sehr viel ausgeprägter, als ich gedacht hatte. Diese Information wird uns jedoch bei den Empfehlungen helfen, die wir gegenüber dem Gericht aussprechen werden.«

Er sah mich mit strengem Blick über die Ränder seiner Brille hinweg an. »Ms. Warchassi, vielleicht meinen Sie es ja gut, aber ich muß Sie eindringlichst bitten, sich Emily nicht mehr zu nähern, weil Sie sie zu sehr verwirren. Der Rückschlag zum Beispiel, den sie nach den Ereignissen von gestern abend erlitten hat – Ihre rauhe Art, mit den Dingen umzugehen, hat in der Kinderheilkunde nichts zu suchen.«

»Dr. Zit, ohne meine rauhe Art wäre Emily Messenger jetzt tot. Ich wäre sehr dankbar, wenn alle hier im Raum ihre eigenen Vorstellungen darüber aufgeben könnten, was Emily sich angeblich zusammenphantasiert, und dafür einmal zuhören würden, was sie wirklich sagt. Sie ist weder verrückt noch hysterisch, noch leidet sie unter Gedächtnisverlust. Sie erinnert sich klar und deutlich an die schmerzlichen Vorfälle, die mit dem Tod ihrer Mutter zu tun haben.«

»Und Sie sind eine ausgebildete Psychiaterin, Ms.... äh?« erkundigte sich Dr. Zeitner.

»Ich bin eine ausgebildete Beobachterin. Ich höre viele Geschichten. Ich weiß, wie man die Wahrheit von den Phantasien trennt.«

Er schüttelte den Kopf. »Sie sind Feministin, nicht wahr? Und wahrscheinlich sind Sie, wie so viele Feministinnen, der Meinung, daß viele Mädchen von ihren Vätern sexuell mißbraucht werden. In Ihrem Eifer könnten Sie Emily unbewußt diese Inzestgeschichte suggeriert haben. Ich will damit nicht sagen, daß Sie sie ermutigt haben, sich vorzustellen, ihr Vater habe sie vergewaltigt, sondern nur, daß Sie sich dessen vielleicht selbst nicht bewußt waren und sie ermutigt haben, diese Version der Ereignisse zu präsentieren.

Nach dem Mord an ihrer Mutter und nach einer Woche in den unterirdischen Schächten ist Emily ziemlich verwirrt. Wir müssen dafür sorgen, daß sie die richtigen Medikamente erhält und irgendwann ihre eigenen Erinnerungen wieder an die Oberfläche kommen. Und dabei müssen ihr Spezialisten helfen, keine Amateure, auch wenn die es noch so gut meinen.«

Fabian nickte. »Vic, ich kann Dr. Zeitner nur beipflichten. Als Emilys Vater muß ich darauf bestehen, daß du dich von jetzt an von ihr fernhältst. Ich habe das Krankenhauspersonal angewiesen, dich nicht in ihr Zimmer zu lassen. Das gleiche gilt auch für deine Freunde – die Schlägertypen, die ich gestern vor ihrem Zimmer angetroffen habe. Detective Finchley, Sie verstehen sicher, daß ich im Moment sehr viel zu tun habe. Wenn sonst nichts mehr...?«

»Doch, ich habe noch eine Frage, Mr. Messenger«, meldete sich Conrad zu Wort. »Wann haben Sie den Baseballschläger mit der Unterschrift von Nellie Fox das letzte Mal bewußt in Ihrem Flur wahrgenommen?«

Fabians huldvolle Antwort vermischte sich mit Überheblichkeit. »Unter den gegebenen Umständen würde mir das Gericht vermutlich verzeihen, daß ich mich nicht mehr an dieses Detail erinnere, Sergeant. Ich hoffe, Sie halten mich auf dem laufenden über den Erfolg Ihrer Ermittlungen, Detective Finchley.«

Fabian und Zeitner verabschiedeten sich. Finchley beugte sich vor und schaltete den Kassettenrecorder aus.

»Das, was sie sagen, klingt ziemlich plausibel, Vic.«

»Ich weiß, Terry. Ein Arzt und ein Anwalt – was für ein achtbares Gespann! Emily hat auch ziemlich plausibel geklungen. Ich hoffe, daß du dich erst mit Schwester Higgins unterhältst, bevor du etwas Voreiliges tust, zum Beispiel Anzeige gegen Emily erstatten.«

Terry kniff die Lippen zusammen. »Vergiß die alten Sprüche aus den Siebzigern von wegen alle Bullen sind Schweine, Vic. Ich kann das nicht mehr hören.«

»Wieso schenken wir der Geschichte des Mannes viermal soviel Glauben wie der der Tochter?« brach es aus Mary Louise Neely heraus. »Liegt das daran, daß er männlich ist und sie weiblich? Oder daran, daß er erwachsen ist und eine Menge Geld verdient? Würden Sie beide Emily mehr Glauben schenken oder weniger, wenn es sich um eine schwarze Familie handelte, die von der Sozialhilfe lebt?«

Wir zuckten alle erschreckt zusammen, als wir ihre Stimme hörten. Sie hatte sich während des gesamten Gesprächs so still verhalten, daß wir ihre Anwesenheit völlig vergessen hatten.

»Heute wird ziemlich viel über sexuelle Belästigung geschrieben und wie leicht es ist, ein Kind diesbezüglich zu manipulieren«, erwiderte Terry. »Ich habe mich in den letzten Tagen eingehender darüber informiert. Emily Messenger hat zusammen mit einer Frau, die selbst vor einer ganz ähnlichen Situation geflohen ist, eine Woche in den Schächten unter Chicago gehaust. Es ist gut möglich, daß Emilys Geist davon beeinträchtigt worden ist.«

»Genau so würde Zeitner argumentieren«, sagte Neely. »Aber glauben Sie das wirklich? Meinen Sie denn, Vic – Ms. Warshawski – hat sich das, was sie gestern nacht gesehen hat, aus den Fingern gesogen?«

Terry rutschte unsicher auf seinem Stuhl hin und her. »Ich glaube nicht, daß Vic lügt. Aber sie steht selbst unter Streß. Ich würde mich gern mit Anton unterhalten, bevor ich irgendwelche Schlüsse ziehe.«

Ich spürte, wie mir die Zornesröte ins Gesicht schoß, doch bevor ich etwas sagen konnte, hörte ich, wie Mary Louise Neely mit vor Entrüstung zitternder Stimme sagte: »Ich werde bei einer Verhaftung von Emily Messenger nicht mitmachen, Terry. Wenn Sie mich wegen Insubordination melden oder mich Streife fahren lassen wollen in Wentworth, ist mir das auch egal.«

Sie marschierte aus dem Zimmer und knallte die Tür hinter

sich zu. Terry und Conrad standen neben dem Schreibtisch wie die Ölgötzen.

»Gib dafür bitte nicht mir die Schuld, Terry – ich habe ihr im Hinblick auf Fabian Messenger absolut nichts suggeriert.« Ich klang verbitterter, als ich eigentlich wollte.

»Meinst du nicht, daß du dich täuschen könntest?« fragte Conrad.

»Vielleicht. Ich täusche mich oft. Aber ich täusche mich nicht in bezug auf die Ereignisse der letzten Nacht. Ich täusche mich auch nicht, was Emilys Aussagen von gestern vormittag angeht. Und ich täusche mich ebenfalls nicht in Deirdre Messenger: Sie hat jemanden in meinem Büro erwartet in der Nacht, in der sie ermordet wurde. Aber auch das wollt ihr mir nicht glauben.

Während ihr zwei euch die Köpfe darüber zerbrecht, ob ihr Emily festnehmen sollt oder nicht, ist da draußen ein Mann unterwegs, der versucht hat, sie umzubringen, sehr wahrscheinlich auf Anweisung von Gary Charpentier, möglicherweise auch von Alec Gantner oder Jasper Heccomb.«

Ich erinnerte mich wieder an das erste Mal, als ich Gary Charpentier gesehen hatte. »Ich habe sogar gehört, wie Jasper Heccomb das mit Gary Charpentier besprochen hat! Er hat was gesagt von wegen den Job ›untervergeben‹. Dabei ging es um den Mord an Deirdre.«

Sie verstanden nicht, was ich sagen wollte. Nachdem ich ihnen von meiner Begegnung mit Charpentier vor zwei Wochen im Büro von Home Free erzählt hatte, erklärte Finchley, seiner Meinung nach beweise das gar nichts.

Conrad schüttelte den Kopf. »Du bist zu emotional, Vic. Ich habe das Gefühl, daß du versuchst, mich einen Hügel hinunterzujagen, auf dem du selbst nichts zu suchen hast.«

»Ihr kennt Fabian nur als den weltmännischen Juristen. Aber ich habe ihn dreimal im privaten Rahmen ganz anders erlebt. Ich habe gehört, wie er seine Frau geschlagen hat. Ich habe gehört, wie er seine Tochter fertiggemacht hat. Und ich habe gehört, was Emily über jene Nacht erzählt hat. Das war einfach zu detailliert für jemanden, der angeblich unter hysterisch bedingter Amnesie leidet. Ich reagiere nicht zu emotional – ich bin eine glaubwürdige Zeugin.«

»Ich vertraue deinem Urteil.« Conrad gab sich größte Mühe, seinerseits glaubwürdig zu klingen. »Aber kannst du Terry und mir nicht das gleiche Vertrauen schenken? Schließlich haben wir beide über fünfzehn Jahre Erfahrung in unserem Job.«

Ich nickte müde. »Natürlich, ihr seid beide gute Polizisten. Das habt ihr schon oft bewiesen.«

»Dann hack nicht auf uns rum, weil wir in diesem Fall anderer Meinung sind als du und Mary Louise.«

Jetzt runzelte ich die Stirn. »Es geht nicht nur um die Frage, ob Emily hysterisch ist, sondern auch darum, wessen Füße sie in der Nacht von Deirdres Tod in meinem Büro gesehen hat. Und darum, hinter wem Anton gestern nacht im Krankenhaus her war.«

Finchley winkte ab. »Genau das ist die Crux bei dieser Angelegenheit. Nichts deutet darauf hin, daß er in der Nacht von Deirdres Tod in deinem Büro gewesen ist, aber alles, sogar ihre eigene Geschichte, daß Emily da war. Dr. Zeitner könnte recht haben: Sie ist so entsetzt darüber, ihre Mutter umgebracht zu haben, daß sie sich das nicht eingestehen kann und deshalb einen anderen beschuldigen muß.«

Er ging zur Tür, blieb aber noch einmal stehen, um mich anzusehen. »Ich biete dir einen Kompromiß an, Vic: Wir verhaften sie erst, wenn wir Anton gefunden und seine Version der Geschichte gehört haben. Aber dafür mußt du dich fernhalten von dem Mädchen... Ich meine Emily. Ihr Vater ist ihr Vormund, und er hat dir jeglichen Kontakt mit ihr untersagt. Ich werde deswegen noch einmal mit dem Krankenhauspersonal sprechen.«

Er wich meinem Blick nicht aus. Ich nickte leicht – aber nur um ihm zu zeigen, daß mir seine Feindseligkeit nicht entgangen war.

Als er weg war, legte Conrad vorsichtig den Arm um mich. »Und was jetzt, Ms. W.?«

»Du meinst, was jetzt mit uns passiert? Ich glaube, ich gehe lieber wieder in meine eigene Wohnung zurück, egal, wie's dort im Moment ausschaut. Wir... es ist einfach zu viel...« Meine Stimme zitterte, und ich mußte mich zusammenreißen, um nicht die Fassung zu verlieren. »Ich will mich nicht von dir trennen. Aber wahrscheinlich ist es besser, wenn wir uns ein paar Tage nicht sehen.«

Conrad ließ mich los und steckte die Hände in die Hosentaschen. »Und was ist, wenn dieser Charpentier recht hat und Anton tatsächlich hinter dir her ist und nicht hinter dem Kind – Emily?«

»Dann findet er mich, egal, wo ich bin.«

Daß ich den Flur hinunterschlurfte, hatte nichts mit meinen müden Knochen zu tun. Ich hatte die Hände in den Taschen und den Kopf gesenkt und schenkte der Welt um mich herum keine Beachtung. Als Officer Neely mir auf den Arm tippte, während ich meinen Wagen aufschloß, drehte ich mich erschreckt um.

Ihr Gesicht war fleckig, als habe sie gerade geweint, und ihre Stimme klang rauh und quäkend. Sie war zu sehr mit ihrem eigenen Elend beschäftigt, als daß ihr das meine aufgefallen wäre.

»Ich muß mit Ihnen sprechen.«

Ich deutete auf den Beifahrersitz. Da es in dem Trans Am zu laut ist, um sich in Ruhe unterhalten zu können, fuhr ich nach Norden, zum Montrose Drive, wo sich in dieser Jahreszeit kaum jemand am See aufhält. Ganz am äußeren Ende der Landzunge stellte ich den Motor aus und lehnte mich auf dem Fahrersitz zurück. Mary Louise Neely starrte geradeaus.

»Ich habe einen Vater wie Fabian Messenger. Aber das haben Sie sich wahrscheinlich schon gedacht, oder?« platzte es aus ihr heraus.

Sie schien eine Antwort von mir zu erwarten. »Ich habe schon gemerkt, daß Sie an dem Fall ein persönliches Interesse haben«, sagte ich.

»Ich weiß nicht mehr, wie alt ich war, als mein Vater zum erstenmal nachts in mein Zimmer gekommen ist. Vielleicht sieben. Meine Mutter...« Sie schwieg, ihre Stimme zitterte zu sehr, als daß sie noch etwas hätte sagen können.

Nach einer Weile fuhr sie fort, heiser und monoton. »Ich habe meiner Mutter gesagt, daß er mir in der Nacht weh tut. Daraufhin hat sie mir den Mund mit Seife ausgewaschen, weil ich schmutzige Sachen gesagt habe. In der High-School habe ich mich mit zwielichtigen Typen rumgetrieben, und dann bin ich einfach weggelaufen, nach Chicago, dahin, wo die aufmüpfigen Kids sind – Ecke Clark/Division. Sex und Drogen, Sie wissen schon, aber kein Rock'n'Roll.«

Sie lachte bitter. »Vor meinem achtzehnten Lebensjahr war ich dreimal schwanger. Beim drittenmal hat mich die Abtreibungsklinik zu einer Beraterin geschickt. Daraufhin habe ich mit den Drogen aufgehört und mir eine Arbeit gesucht. Ich bin auf die Abendschule und hab' den High-School-Abschluß nachgeholt. Danach bin ich auf die Polizeischule. Meine Eltern habe ich seit dreizehn Jahren nicht mehr besucht.

Mein Vater ist Geistlicher. Fast so was wie ein Heiliger in unserer Gemeinde. In den Gebetskreisen am Mittwochabend beten die Gläubigen zu Gott, daß Er meinem Vater hilft, seinen Kummer über seine Tochter zu bewältigen, die nie zu Hause anruft oder auch nie zu Besuch kommt.«

Ein einsamer Jogger lief am Wagen vorbei. Ich starrte seinen Beinen nach, bis Kleidung und Haut in der Ferne zu einem verwaschenen Grau verschwammen.

»Das war ganz schön mutig von Ihnen, daß Sie sich so von zu Hause gelöst haben.«

Sie sah mich zum erstenmal an, ziemlich grimmig. »Ich habe Ihnen meine Geschichte nicht erzählt, um Mitleid zu erregen. Ich bin zur Polizei gegangen, weil ich Schweine wie meinen Vater dingfest machen wollte. Verstehen Sie das nicht? Aber jetzt soll ich statt des Schweines das Opfer festnehmen. Das ist so, als würde ich mich selbst ins Gefängnis schicken. Oder noch schlimmer: in eine Nervenheilanstalt, wo ein Mädchen wie Emily eine Chance von eins zu tausend hat, heil wieder rauszukommen.«

Ich dachte an all die Jahre, die ich Mary Louise Neely jetzt schon kannte – sie hatte sich immer kerzengerade gehalten und härter geschuftet als jeder andere Polizist, härter sogar als Conrad. »Die Polizei ist so etwas wie Ihre Familie gewesen, stimmt's? Was wollen Sie jetzt machen?«

»Ich weiß es nicht«, flüsterte sie. »Wenn ich deswegen meine Kündigung einreichen muß, mache ich es – aber – was würden Sie in meiner Situation tun?«

Ich schüttelte den Kopf. »Keine Ahnung. Ich glaube, eine Festnahme wäre im Moment die zweitschlechteste Lösung für

Emily. Die schlimmste wäre ihre Ermordung. Vielleicht ist es aber noch schlimmer für sie, wenn sie wieder zu Fabian zurückmuß.«

»Wenn sie nur die Wahl hat zwischen Fabian und dem Gefängnis, landet sie mit hundertprozentiger Sicherheit Ecke Clark/Division«, platzte es aus Mary Louise Neely heraus. »Sie braucht einen sicheren Ort und eine Beraterin wie die meine. Bloß die ist nach Kansas, um dort zu graduieren.«

»Ich kenne eine gute Beraterin«, sagte ich langsam. »Und einen sicheren Ort. Aber ich weiß nicht, ob ich noch in Emilys Zimmer komme. Terry will die Krankenhausverwaltung bitten, eine Wache aufzustellen.«

52 Freilaufende Maus

Es war fast eins, als ich in meine Wohnung zurückkam. Ich war zu müde, um mir Sorgen darüber zu machen, ob Anton oder Gantner oder eine ganze Armee an meiner Wohnungstür auf mich wartete. Den Trans Am stellte ich draußen vor dem Haus ab und ging zur Tür, ohne einen einzigen Blick auf die Straße zu werfen. Drinnen ließ ich meinen Rucksack im Gang fallen, schaltete meine Alarmanlage ein und fiel ins Bett, ohne mich auszuziehen.

Als ich wieder aufwachte, war es dunkel. Ich lag im Bett und betrachtete durchs Fenster den Abendhimmel. Warum hörten Terry und Conrad mir nicht zu? War Finchley gegenüber Kajmowicz und Fabian so sehr im Zugzwang, daß er den für ihn einfachsten Weg wählte, sich auf Emily stürzte und Dinge wie den Angriff am Samstag oder den Zwischenfall vom Vorabend einfach ignorierte?

Ich war es leid, immer gegen alle kämpfen zu müssen. Damit handelte ich mir nur Beulen am Kopf, eine verwüstete Wohnung und Anschuldigungen von selbstgefälligen Kretins wie Zeitner ein.

Ich kletterte aus dem Bett und imitierte das Dröhnen eines Flugzeugtriebwerks. »Die Femikazes kommen. Aufgepaßt, Jungs! Haltet eure Schwänze fest und duckt euch!«

Das Brüllen erleichterte mich ein bißchen. Ich ging ins Wohnzimmer und begann, Unterlagen zu sortieren. Wenn auch nur einer der Musketiere verhaftet werden sollte, mußte ich ein lückenloses Protokoll des Weges erstellen, den das Geld bis zu Home Free nahm. Obwohl das immer noch nicht bewies, daß Deirdre etwas davon gewußt hatte. Ich versetzte vor lauter Frustration dem Klavierhocker einen Tritt.

Ich hatte gerade die Bücher und Papiere im Wohnzimmer geordnet und wollte mich an den großen Schrank im Flur machen, als Fabian und Finchley mit einem Beamten, den ich nicht kannte, ankamen. Ich machte meine Tür zu und begrüßte sie draußen im Treppenhaus.

»Terry, Fabian, was für eine Überraschung! Was wollt ihr denn schon wieder?«

»Emily«, antwortete Finchley knapp.

»Kommt mir vor wie ein Déjà-vu-Erlebnis.« Ich sah auf meine Uhr. »Ist der Loop immer noch überschwemmt, oder sind die Uhren um eine Woche zurückgestellt worden?«

»Warshawski, *bitte*!« flehte mich Fabian mit brüchiger Stimme an. »Quäl mich nicht. Sag mir nur, wo meine Tochter ist.«

»Terry, ich habe nicht den blassesten Schimmer.« Heute konnte ich mit Fabians Schauspielerei nichts anfangen. »Du weißt ganz genau, was ich in den letzten paar Tagen durchgemacht habe. So was kann ich heute nicht vertragen. Ist Fabian jetzt durchgedreht, oder hat er seine Tochter schon wieder verloren?«

Mit zusammengepreßten Lippen erklärte mir Terry, daß Emily aus dem Krankenhaus verschwunden war. »Aber das weißt du ja sicher. Wir haben dir gesagt, daß du dich von ihr fernhalten sollst. Ich kann dich festnehmen aufgrund von Messengers Unterlassungstitel. Aber er ist bereit, noch mal ein Auge zuzudrücken, wenn du seine Tochter rausrückst.«

»Bin ich vielleicht ein Zauberer?« fauchte ich ihn an. »Ich habe seine Tochter nicht. Seitdem ich ihr heute nacht das Leben gerettet habe, habe ich sie weder gesehen noch mit ihr geredet, noch bin ich ihr nahe gekommen. Und jetzt verschwindet hier und gebt eine Suchmeldung nach ihr raus.«

»Hör auf mit dem Scheiß«, herrschte Finchley mich an.

»Eine der Schwestern hat mir gesagt, daß eine Frau, die ein paarmal bei dem Mädchen gewesen ist, heute mittag das Krankenhaus mit ihr verlassen hat. Eine Frau. Mit kurzen Haaren. Ich könnte dich zu einer Gegenüberstellung ins Revier mitnehmen. Statt dessen durchsuchen wir lieber deine Wohnung.«

»Dann zeig mir mal deinen Durchsuchungsbefehl. Und sag Lieutenant Mallory bitte, er kann sich darauf gefaßt machen, daß ich gleich morgen früh eine Klage gegen die Stadt einreiche.«

»Ich habe einen Durchsuchungsbefehl.« Terrys Stimme war hart wie Stahl. »Das ist Officer Galatea. Er wird die Haussuchung durchführen.«

Ich nahm Galatea das Dokument aus der Hand und las es durch. Mit vor Wut zusammengepreßten Lippen ließ ich sie in meine Wohnung, wo ich mich vor den Fernseher stellte. Während sie meine Schränke, Betten, mein Kellerabteil und den Schlupfspeicher durchsuchten, sah ich den Cubs zu, wie sie kurz hintereinander zwei Fehler machten.

Finchley wollte Mr. Contreras' Wohnung ebenfalls durchsuchen. Als ich ihm sagte, daß mein Nachbar sich bei seiner Tochter erholte, war er überzeugt davon, mich in die Ecke getrieben zu haben. Ich weigerte mich, ihm Ruthies Nummer in Elk Grove Village zu geben, so daß er im Revier anrufen mußte, um an ihren Nachnamen zu kommen.

Während wir darauf warteten, daß der Beamte im Revier die Information für ihn beschaffte, meinte Terry: »Falls du dir gerade Gedanken darüber machst: Bei Dr. Herschel und Mr. Loewenthal ist schon jemand gewesen. Du weißt hoffentlich, daß Entführung ein Schwerverbrechen ist, Vic? Das gleiche gilt, wenn du einem flüchtigen Verbrecher Unterschlupf gewährst.«

Ich starrte Finchley wütend an. »Könntest du dich mal entscheiden, Finchley? Ist Emily nun das Opfer eines Verbrechens oder selbst eine gefährliche Verbrecherin? Warum willst du sie eigentlich finden – um sie zu schützen oder um sie zu quälen? Wir haben uns über genau diesen Punkt schon mal vor acht Tagen unterhalten. Während du mir auf die Nerven gegangen bist, hatte Emily ziemliche Probleme. Jetzt sage ich dir, daß ihr jemand auf den Fersen ist, weil sie eine Gefahr für den Mörder ihrer Mutter darstellt, daß der Mann sie entführt haben könnte, um ihr etwas anzutun – und was machst du? Du beleidigst mich und verletzt zudem den Privatbereich meiner Freunde. Ich hab' sie schon einmal für dich aufgespürt. Du wirst dich ganz schön zum Narren machen – nicht nur in den Augen der Reporter, sondern auch in denen von Kajmowicz, wenn dir das noch einmal passiert. Aber vielleicht solltest du lieber beten, daß ich sie noch lebend wiederfinde.«

Finchley sah mich mit zusammengekniffenen Augen an. »Herzlichen Dank für deine tätige Mithilfe. Ich kenne dich, Vic, und das ist genau das Problem. Das Kind zu verstecken könnte deinen Vorstellungen von einer edlen Handlung entsprechen.«

»Danke, Terry. Ich fühle mich geehrt.« Ich verbeugte mich ironisch vor ihm und wandte mich wieder den Cubs zu.

Dann rief der Beamte vom Revier an, um die Nummer von Ruthie durchzugeben. Bevor Terry sie wählen konnte, bat ich ihn, mit Mr. Contreras sprechen zu können.

»Er läßt dich ohne Durchsuchungsbefehl nicht in seine Wohnung, aber vielleicht hat er nichts dagegen, wenn ich mit ihm rede. Und je früher du endlich kapierst, daß Emily nicht hier ist, kannst du anfangen, dir Gedanken zu machen, wo sie wirklich steckt.«

Fabian warf ein, ich könnte meinem Komplizen vielleicht geheime Signale durchs Telefon geben, also bot ich ihm an, über den Apparat im Schlafzimmer mitzuhören. Terry, der meinen Nachbarn schon kennengelernt hatte, stimmte mir zu. Fabian mußte sich trotz seiner Ungeduld Mr. Contreras' ausführlichen Bericht anhören über sein Leben im Vorort, über das Wohlergehen der Hunde – mit denen tollten jetzt seine Enkel herum, also brauchte ich mir keine Sorgen zu machen –, über die lästigen Spritzen gegen die Tollwut – das war aber nichts im Vergleich zu der Verletzung, die er bei Anzio erlitten hatte, weshalb ich mir wieder keine Gedanken machen mußte – und schließlich über seine Sorge hinsichtlich des Verschwindens von Emily.

Fabian versuchte immer wieder, ihn zu unterbrechen, aber Mr. Contreras reagierte entrüstet. »Wieso belästigen Sie die ganze Zeit Vic, statt sich um Ihre Kinder zu kümmern? Wir haben sie schon am Montag für Sie aufgespürt. Wenn Sie gleich auf Vic gehört hätten, hätten Sie eine Wache vor Emilys Zimmer aufgestellt. Und jetzt haben Sie, verdammt noch mal, den Nerv – hoppla, Süße, ist mir so rausgerutscht, aber dieser Esel muß einfach Benimm lernen.«

»Kann er sich also Ihre Wohnung anschauen?« fragte ich ihn. »Je schneller sie merken, daß Emily nicht hier ist, desto schneller können sie versuchen rauszufinden, wo sie wirklich steckt.«

Nach einem weiteren Redeschwall stimmte er zu. Er wollte unbedingt wieder nach Hause zurück, doch als ich ihn fragte, ob er noch bis zum Samstag bei Ruthie bleiben könne, erklärte er sich wehmütig dazu bereit.

»Aber Sie lassen mich nicht auf ewig hier draußen schmoren, oder?«

»Bloß bis ich mich so weit beruhigt habe, daß ich da rausfahren kann, ohne jemanden umzumähen«, versprach ich ihm.

Nachdem wir aufgelegt hatten, holte ich seine Ersatzschlüssel aus dem hinteren Fach meines Werkzeugkastens und gab sie Officer Galatea. Mittlerweile wußten alle, daß Emily sich nicht in diesem Gebäude aufhielt, aber trotzdem sahen sich Galatea und Fabian Mr. Contreras' Wohnung an. Ich begleitete sie, um sicherzustellen, daß sie nichts beschädigten – Fabian hätte ich es in seinem labilen Zustand zugetraut, daß er Möbel zerschlug, um seine Frustrationen loszuwerden.

Terry entschuldigte sich nicht für seinen ungerechtfertigten Verdacht. »Bloß damit du's weißt, Vic: Ich lasse dich von einem Team beschatten, das dich nicht mehr aus den Augen läßt. Wenn du das Mädchen irgendwo versteckt hast, finden wir sie. Und dann geht's dir schlecht. Vergiß das nicht.«

»Ganz meinerseits, Finchley. Und jetzt raus hier.«

Sobald ich gesehen hatte, daß sein Wagen wegfuhr, hastete ich die Belmont Avenue hinauf in den Diner, um mir ein Essen zu genehmigen und Lotty anzurufen. Möglicherweise hatten sie mein Telefon ja schon angezapft.

Ich wählte Lottys Nummer, während ich auf mein Brathähnchen wartete. »Tut mir leid, daß die Polizei dich heimgesucht hat.«

»Das ist nicht so schlimm, Vic – wichtiger ist das arme Mädchen. Was ist mit ihr passiert? Glaubst du...«

Ich unterbrach sie. »Ich bin mir nicht hundertprozentig sicher, aber ich glaube, daß es ihr gutgeht.«

Lotty knabberte eine Weile an dieser Information und meinte dann: »Du hast sie doch nicht irgendwo allein gelassen, oder? Oder sie bei deinem Nachbarn und den Hunden untergebracht?«

»Ich habe überhaupt nichts mit ihr gemacht. Was dich und mich angeht: Wir haben nichts von ihr gehört. Ich sage dir das bloß, weil ich dich als einzigen Menschen auf der Welt nicht hinters Licht führen mag.«

»Verstehe«, sagte Lotty in trockenem Tonfall. »Und du – alles in Ordnung? Oder möchtest du die Nacht gern hier verbringen?«

»Ich glaube, ich möchte zur Abwechslung mal wieder in meinem eigenen Bett schlafen. Aber trotzdem danke, Lotty.«

Als mein Abendessen serviert wurde, verschlang ich es hungrig, aber freudlos. Ich mochte Conrad wirklich. Aber ich mochte niemanden so sehr, daß ich mich so behandeln ließ. Und ganz bestimmt hatte ich kein schlechtes Gewissen, weil die Polizei meinetwegen Überstunden machen mußte.

»Sie hätten nur auf mich zu hören brauchen«, sagte ich laut. »Das kommt davon, wenn man Frauen nicht zuhört.«

»Genau, Mädel.« Ich hatte gar nicht gemerkt, daß die Kellnerin nahe genug bei mir gestanden hatte, um das, was ich sagte, zu verstehen. »Diese ganze verdammte Welt wäre besser dran, wenn die Männer mal auf die Frauen hören würden.«

53   Die neununddreißig Stufen

Am Morgen packte ich alle wichtigen Dinge in einen Aktenkoffer und ging zur Clark Street, um von dort aus einen Bus zum Loop zu nehmen. Ich stieg an der Madison Street aus, knapp einen Kilometer vom Gateway-Gebäude entfernt.

Einige Geschäfte im Loop waren zwar schon wieder geöffnet, aber auch die Wolkenkratzer, in denen der Strom nicht ausgefallen war, mußten warten, bis die Tunnels trocken und somit die Fundamente wieder sicher waren. Die Stadtverwaltung hatte die Straßen in der Innenstadt gesperrt, wo am stärksten abgepumpt wurde, so daß sich die Autos in den Schleichwegen stauten. Das Chaos verschlimmerte sich durch die Tatsache, daß die Ampeln nach wie vor nicht funktionierten. Wütende Polizisten versuchten, den Verkehrsteilnehmern so etwas wie Ordnung aufzuzwingen.

Ein paar der Gebäude westlich des Flusses waren hell erleuchtet, weil die Arbeiter sich bereits darin zu schaffen machten, aber zu meiner Erleichterung gehörte das Gateway nicht dazu. Seine dunklen Fenster hoben sich kaum vom grauen Himmel ab.

Der Wachmann im Foyer ließ mich herein, als ich an die Tür hämmerte und ihm einen alten Ausweis unter die Nase hielt, den ich am Abend zuvor in meinem Schrank gefunden hatte. Darauf hieß es, ich sei im offiziellen Auftrag von Cook County unterwegs.

»Ich soll auf allen Stockwerken, auf denen Eßbares zubereitet wird, nach Nagetieren Ausschau halten. Können Sie mir sagen, wo ich anfangen soll? Vielleicht möchten Sie mich ja auch begleiten. Wir haben gehört, in den Gebäuden hier soll es Ratten geben, so groß wie Biber.«

Der Wachmann wehrte eiligst ab und erklärte mir dafür, die Kantine für die leitenden Angestellten befinde sich im fünfunddreißigsten Stock, die Cafeteria im Kellergeschoß. Wie erhofft, hielt ihn der Gedanke an riesige Ratten davon ab, meinen Ausweis allzu genau anzusehen: Er war von einem Mann unterzeichnet, der schon seit drei Jahren nicht mehr in der Kommunalpolitik tätig war.

»Sie müssen zu Fuß in den fünfunddreißigsten Stock«, warnte er mich. »Wir haben im Moment keinen Strom hier.«

Ich stöhnte. »Ist die Kantine für die leitenden Angestellten im gleichen Stock wie ihre Büros? Ich möchte mich so schnell wie möglich mit Donald Blakely oder Eleanor Guziak unterhalten, wenn ich etwas Ernstes finde.«

»Im Augenblick darf hier niemand arbeiten, Miss, weil es zu gefährlich ist. Mr. Blakely und die Leute aus seinem Büro haben die wichtigen Unterlagen am Dienstag abgeholt. Sie hätten mal sehen sollen, wie die die neununddreißig Stockwerke hoch sind. Ein paar von den jüngeren Leuten haben schon auf halber Höhe schlappgemacht, aber Mr. Blakely nicht, der ist immer in Topform.«

»Ich hoffe, daß ich ihm in nichts nachstehe.« Ich lächelte und folgte seinen Anweisungen in Richtung der Treppe.

Dann ging ich die Stufen langsam und gleichmäßig hinauf und blieb immer wieder mal stehen, um meine Wadenmuskeln zu entlasten. Auf jedem zweiten Stockwerk brannten Notlichter, so daß ich die Etagennummern an den Türen in geisterhaftem Licht lesen konnte.

Etwa im vierzehnten Stock ließ ich meinen Aktenkoffer stehen und steckte meine Dietrichsammlung und die Chirurgenhandschuhe in die Taschen. Im einundzwanzigsten Stock brannten meine Beine wie Feuer. Nach dem dreißigsten Stockwerk mußte ich mich nach jeder Treppe eine Weile hinsetzen und ausruhen. Als ich endlich an der Tür mit der Aufschrift »neununddreißig« war, fühlten sich meine Beine an wie Gummi. Ich legte mich zehn Minuten lang flach auf den Boden und stemmte meine Füße gegen den Türpfosten, bis das Brennen in den Waden nachgelassen hatte. Als ich wieder einigermaßen auf dem Damm war, wankte ich den Flur bis zu Blakelys Büro entlang.

Plötzlich ertappte ich mich dabei, wie ich auf Zehenspitzen an den leeren Büros vorbeischlich. Ein Ort, dessen einziger Sinn darin besteht, viele Leute aufzunehmen, die dort hektisch Geschäfte tätigen, erscheint nicht nur verlassen, sondern auch lächerlich, wenn sich niemand dort aufhält. Fast hätte ich die Wände des Gebäudes getätschelt, um es meiner Sympathie zu versichern und zum Verbündeten bei meiner Suche zu machen.

Als ich bei Blakelys Büro anlangte, zog ich die Latexhandschuhe an. Die äußere Tür war verschlossen. Ich hatte vergessen, eine Taschenlampe mitzubringen, so daß ich länger an dem Schloß herumfummeln mußte, als ich eingeplant hatte. Wahrscheinlich würde der Wachmann mir nicht die Stufen hinauffolgen, aber vielleicht stand ihm ja ein Aufzug zur Verfügung, der über ein Notstromaggregat betrieben wurde.

Als ich das Türschloß geknackt hatte, eröffnete sich mir der Blick auf den typischen Arbeitsbereich eines Managers: ein Vorzimmer mit einem Warteraum für Gäste, ein Sitzungszimmer, dessen Tür offenstand, und die Tür zum Allerheiligsten, die allerdings verschlossen war. Ich schenkte dem Schreibtisch von Blakelys Sekretärin und den Aktenschränken keine Beachtung, weil ich davon ausging, daß er die wirklich wichtigen Geheimnisse nicht mit ihr teilte. Seine Bürotür ließ sich mit den gleichen Dietrichen öffnen wie die Eingangstür.

Sobald ich in seinem Büro war, ging alles ziemlich schnell. Blakely hatte einen Schreibtisch mit einer Schublade in der Mitte und einen dazupassenden Aktenschrank in Mahagoni. Beide waren verschlossen, ließen sich aber leicht öffnen. Ich begann Akten herauszuziehen und die Aufschriften in dem Dämmerlicht zu entziffern. Zum Glück hatte Blakely ein Eckbüro, so daß durch zwei Fensterfronten Licht hereindrang.

Leise durch die Zähne pfeifend, blätterte ich in Berichten über Kredite, Gewinne, Expansionsbestrebungen, ausländische Kunden, Firmenkunden – die laut dem Schreiben ganz vorne in der Akte ein Guthaben von mehr als hundert Millionen Dollar bei Gateway hatten; es waren insgesamt nur elf, unter ihnen Gant-Ag –, über Für und Wider von Bankgeschäften im Ausland, kleine Banken, die es sich vielleicht lohnte aufzukaufen, Personal, das direkt Blakely unterstand.

Die Einzelheiten der vertraulichen Berichte über das Personal interessierten mich nicht, deshalb steckte ich sie sofort wieder in die Schreibtischschublade zurück. Ich überflog die Akten über mögliche Übernahmeprojekte, konnte aber nichts über die Century Bank finden. Unter den ausländischen Kunden befand sich ein ansehnlicher Anteil aus dem Nahen Osten. Ich blätterte diese Akten hastig durch und wollte auch sie gerade wieder in die Schublade zurückstecken, als mir der Name »Gant-Ag« ins Auge sprang.

Nachdem ich einen feudalen Sessel zum Fenster hinübergeschoben hatte, schaute ich mir die Akten genauer an und fand schließlich den Eintrag zu Gant-Ag wieder. Er befand sich in einem Brief von einem Mann namens Manzoor Khalil, dessen Briefkopf ihn als Exporteur mit Niederlassungen in Karatschi und Amman auswies. Er bedankte sich bei Blakely für die Gelegenheit, Geschäfte mit Gateway und Gant-Ag machen zu können, und versicherte ihm, daß Gant-Ags Agrarprodukte ihren Bestimmungsort unbeschädigt erreicht hatten.

Mein Kunde ist ausgesprochen zufrieden mit den Leistungen von Gant-Ag und hat die Zahlung wie vereinbart bei seiner eigenen Bank auf den Caymaninseln hinterlegt. Ich warte auf Ihre Anweisungen, wie das Geld von diesem Konto zu Ihrem Kunden gelangen soll.

Manzoor Khalil grüßte Donald Blakely zum Schluß noch als geschätzten Kollegen. Ich las den Brief dreimal und hielt ihn dann ein wenig schräg, als erhielte er dadurch mehr Sinn.

Wenn Gant-Ag Geschäfte mit dem Nahen Osten machte, warum wurde dann das Geld nicht einfach auf die eigenen Konten des Unternehmens überwiesen? Vermutlich hatte es Transferagenten auf der ganzen Welt. Selbst wenn es sich um ein Land handelte, in dem es riskant war, Geschäfte zu machen, konnten sie sich das Geld immer noch in Dollars auf eine Bank ihrer Wahl überweisen lassen. Warum dieser Umstand mit dem ausländischen Kundenkonto?

Plötzlich kam mir der Brief in den Sinn, den ich aus Fabian Messengers Schublade gefischt hatte. Senator Gantner dankte ihm darin für seinen Rat bezüglich der Boland-Novelle. Mir war das damals nicht aufgefallen, aber vermutlich arbeiteten Dutzende von Anwälten im Büro des Senators, die ihm Ratschläge zu den unterschiedlichsten Fragen des Bundesrechts gaben. Doch er hatte sich an Fabian gewandt, weil er in Washington niemanden mit der Nase darauf stoßen wollte, daß sein Familienunternehmen illegale Geschäfte tätigte.

Ich wußte nicht allzuviel über die Boland-Novelle. Meines Wissens hatte sie lediglich mit Waffenlieferungen an die nicaraguanischen Contras zu tun. Aber vielleicht untersagte sie ja grundsätzlich alle Geschäfte mit terroristischen Organisationen? Ich überlegte, was Fabian wohl tun würde, wenn ich ihn anriefe und um seine Meinung zu der Frage bäte.

Von Gant-Ags Geschäften mußte etwas im Kongreß ruchbar geworden sein: denn in dem Stapel Artikel, die Murray mir herausgesucht hatte, waren auch ein paar Berichte darüber gewesen, daß Alec junior und Craig, der Bruder des Senators, vor einem Untersuchungsausschuß des Senats ausgesagt hatten, Gant-Ag verletze das Embargo nicht. Alle getreideproduzierenden Unternehmen waren schwer betroffen gewesen von diesem Embargo. Wenn Gant-Ag es umgehen wollte, mußte die Firma das Geschäft über einen Mittelsmann wie Khalil abschließen.

Und der 50-Millionen-Dollar-Kreditrahmen der Century Bank für Home Free: War das das Geld, das für Gant-Ag durch ein gemeinnütziges Unternehmen geschleust wurde?

Wenn Century und Home Free für Gantner Geld wuschen, wunderte es mich nicht, daß Blakely und Heccomb es nicht paßte, wenn ich in der Sache Century herumschnüffelte. Die Musketiere hatten das Darlehen für Lamia gestrichen, denn als JAD Century kaufte, wurden die Kredite für Minderheiten und von Frauen geleitete Unternehmen reduziert. Und dann war laut Aussage von Cyrus die Omertà über das Rathaus verhängt worden.

Probleme hatten sich ergeben, als ich anfing, Fragen zu stellen, warum Lamia nicht nur die Baugenehmigung, sondern auch der Kredit entzogen worden war. Gantner redete mit Phoebe und bat sie, mich dazu zu bringen, daß ich meine Nachforschungen auf Eis legte. Dafür wollte er seinen Papa überreden, ihr die Zustimmung der Food and Drug Administration für ihren T-Zellen-Aktivator zu besorgen. Und um den Schlag gegen Lamia abzumildern, leierten sie Heccomb ein Sanierungsprojekt für die Frauen aus dem Kreuz.

Auch folgendes war keine große Überraschung: Home Free hatte sich aus der direkten Vermittlung der Unterkünfte für Obdachlose zurückgezogen. Wenn die Organisation tatsächlich dazu diente, Gant-Ags Geld ins Land zu bringen, hatte sie weder Zeit noch Energie übrig für die Arbeit als sozial orientiertes, gemeinnütziges Unternehmen. Und Heccomb hatte mit Sicherheit auch kein sonderliches Interesse daran, daß der Staat oder die Stadt die ständigen Kontrollen durchführten, denen sich gemeinnützige Einrichtungen unterziehen müssen.

Gleichzeitig schwamm Home Free in Geld. Warum also nicht einen Teil davon ins Bauwesen einschleusen? Indem man mit den Rumänen arbeitete und ihnen so gut wie nichts zahlte, konnte man die eigenen Gehaltsabrechnungen gewaltig in die Höhe treiben, damit es so aussah, als flössen tatsächlich große Beträge in Bauvorhaben.

Wieviel von alledem hatte Deirdre gewußt? Vielleicht hatte

sie die frisierten Gehaltsabrechnungen bei ihrer ehrenamtlichen Tätigkeit entdeckt. Möglicherweise hatte sie sogar von dem Kreditrahmen gewußt. Da sie mit Fabian verheiratet war, konnte sie auch ohne allzu große Aufmerksamkeit mitbekommen haben, daß Gant-Ag gegen die Boland-Novelle verstoßen wollte.

Ich bekam eine Gänsehaut bei dem Gedanken, der mich jetzt durchfuhr: Hatte Deirdre den drei Musketieren von ihrem Wissen erzählt? Machte sie sich Hoffnung – aber auf was? Vielleicht wollte sie ja gar nichts Materielles mit ihrer Drohung gewinnen, vielleicht glaubte sie lediglich, wenn sie den Mund hielte, würden sie sie als Mitarbeiterin ernst nehmen. Aber wenn fünfzig Millionen Dollar im Spiel waren, hatten sie sie wahrscheinlich als überflüssiges Ärgernis eingestuft.

Deirdres Dinnerparty kam mir in den Sinn: Sie war betrunken gewesen und aggressiv und hatte Andeutungen fallenlassen – über Jasper Heccomb und darüber, wie zufrieden Blakely und Gantner mit ihm sein müßten. An jenem Abend war ihnen vermutlich klargeworden, daß ihre Geheimnisse nicht mehr wert waren als die nächste Flasche Burgunder, die sie trank.

Wenn. Wenn all meine Mutmaßungen stimmten. Ich nahm ein Stück Papier von Blakelys Schreibtisch und notierte mir Khalils Namen, seine Adresse und das Datum des Briefes. Nachdem ich die Akte mit den ausländischen Kunden in die Schublade zurückgelegt hatte, holte ich die Unterlagen von Gant-Ag heraus. Das war die dickste Akte, die Blakely überhaupt hatte – sie maß fast fünfzehn Zentimeter.

Ich warf einen Blick auf meine Uhr: Ich war mittlerweile seit mehr als einer Stunde hier oben. Ob der Wachmann schon argwöhnisch wurde? Wenn ja, was würde er tun? Ohne Elektrizität konnte ich nichts fotokopieren. Ich mußte die Unterlagen hier durchsehen, heute war wahrscheinlich die letzte Gelegenheit dazu.

Wie auf Kohlen blätterte ich die Papiere durch, nicht einmal sicher, wonach ich suchen sollte. Schließlich holte ich die Teile heraus, die mit Gant-Ags Schulden zu tun hatten. Fast am Ende befand sich ein Abschnitt über Steuern. Ach ja, und da war auch noch das Gegenstück zu Gantners Brief an Fabian: die

Bitte um Auskunft über Steuerfragen im Zusammenhang mit ausländischen Banken.

Als ich es mir zusammen mit den Unterlagen in dem Sessel beim Fenster bequem gemacht hatte, hörte ich plötzlich ein Brummen im Hintergrund. In dem Büro war es mäuschenstill gewesen, doch anfangs hatte mich das Geräusch trotzdem nicht irritiert, weil es so normal für ein Büro war – es stammte von einem Aufzug.

Ich fluchte. Wie befürchtet, war der Wachmann mißtrauisch geworden. Und wie befürchtet, hatte er tatsächlich einen Notlift.

54 Hinunter in den Schacht

Ich machte die Schubladen zu, stopfte mir die Papiere, die ich gerade in der Hand hielt, hinten in die Jeans, schaute mich noch schnell um, um mich zu vergewissern, daß ich keine persönlichen Dinge zurückließ, und verschwand, die Tür hinter mir zuschlagend, so schnell meine müden Beine mich trugen. Zwar beklagten sich meine Kniesehnen, aber ich schenkte ihnen keine Beachtung. »Nimm die Beine in die Hand«, murmelte ich, »sonst kannst du dich die nächsten paar Jahre im Knast ausruhen.«

Als ich beim Aufzug angelangt war, hörte ich das Brummen nicht mehr. Vielleicht hatte ich mich getäuscht. Oder vielleicht gab es noch einen Lift in einem anderen Teil des Gebäudes. Wenn ich die Treppen hinunterlief, bestand auf jedem Stockwerk die Gefahr, dem Wachmann zu begegnen, aber wenigstens konnte ich ihn dort auch hören.

Ich wollte gerade wieder den Flur zurückgehen, als das Brummen erneut anhob. Ich lauschte an allen Türen und stellte fest, daß der Aufzug hinter der letzten Türe hinten links sein mußte. Ich sah mich nach einem Versteck um. Die Lifttür ging auf den Empfangsbereich der Managerbüros. Eine hohe Mahagonitheke trennte den Flur von dem Schreibtisch, an dem die Vorzimmerdame hofgehalten hatte. Das mußte als Deckung genügen. Als der Lift ächzend zum Stillstand kam, rannte ich zu der Theke, stützte mich mit der Hand ab und schwang mich darüber.

Ich landete krachend auf einer im Schreibtisch eingebauten Telefonanlage und verkniff mir gerade noch einen Fluch. Schon glitten die Türen auseinander. Mit ein bißchen Glück würde der Wachmann meine Bruchlandung nicht bemerken. Ich hörte das Knistern eines Sprechfunkgeräts und das Ächzen eines Mannes, der sich bückte. Ich schlüpfte so leise wie möglich unter den Schreibtisch. Ein paar Sekunden später wanderte der Lichtkegel einer Taschenlampe über den Teppich hinter mir. Ich bekam einen Krampf im linken Bein, biß aber die Zähne zusammen.

Das Licht verschwand. Die Schritte waren kaum wahrnehmbar auf dem dicken Teppich, doch da es sonst keinerlei Geräusche gab in dem Gebäude, hörte ich, wie der Wachmann sich raschelnd und mit knisterndem Sprechfunkgerät in die Richtung von Blakelys Büro bewegte. Während er sich mit dem Schlüssel am Schloß zu schaffen machte, streckte ich mein Bein aus und kroch aus meinem Versteck hervor. Ich nahm mir die Zeit, meine verkrampften Muskeln zu massieren, und spähte dann um den Schreibtisch der Empfangsdame herum. In dem Zwielicht konnte ich nicht erkennen, wo der Wachmann war und ob die Tür zu Blakelys Büro offenstand, aber das hatte den Vorteil, daß der Wachmann mich auch nicht sehen konnte.

Auf Händen und Knien kroch ich über die freie Fläche zum offenen Aufzug hinüber. Der Wachmann hatte die Türen mit einem Holzkeil festgestellt, weil der Rufknopf nicht funktionierte und er sichergehen wollte, daß der Lift in diesem Stockwerk blieb. Ich stieg ein. Ohne Taschenlampe sah ich darin nicht die Hand vor Augen – es war schon draußen in dem fahlgrünen Licht der Notbeleuchtung schwierig genug gewesen, etwas zu erkennen.

Mit zusammengekniffenen Augen entdeckte ich, daß der Wachmann die Verkleidung des Schaltbretts entfernt hatte, so daß der Lift nur mit Hilfe eines Schlüssels in Betrieb zu nehmen war. Mit zittrigen Händen fummelte ich im Dunkeln an meiner Dietrichsammlung herum. In der Ferne hörte ich Blakelys Tür zuschlagen.

»Geduld, Victoria«, flüsterte ich. »Das Schloß ist nichts

weiter als eine Verlängerung deiner Finger. Versuch, dich darauf zu konzentrieren.«

Das Licht des Wachmanns huschte schon vor der Tür herum, als es mir endlich gelang, die Anlage zu überlisten. Ich drückte den Hebel daran zwei Drittel herunter und trat den Holzkeil mit den Füßen weg. Der Wutschrei des Wachmanns hallte den Schacht hinunter.

Der Aufzug blieb im elften Stock stehen. Gar nicht schlecht: Ich wollte sowieso in den fünfzehnten zurück, um meinen Aktenkoffer zu holen. Abgesehen von der Tatsache, daß auf dem Koffer natürlich überall meine Fingerabdrücke waren, befand sich auf der Innenseite auch an deutlich sichtbarer Stelle ein Aufdruck meines Namens. Belohnung für den ehrlichen Finder, oder irgend so ein Blödsinn.

Ich holte die Gantner-Akten aus meiner Jeans und stopfte sie vorn in die Bluse. Den braunen Umschlag, in dem sie sich befunden hatten, faltete ich sorgfältig und steckte ihn als Keil zwischen die Aufzugtüren.

Als ich am Treppenhaus anlangte, rechnete ich damit, den Wachmann von oben runterrennen zu hören. Doch alles war still. Natürlich: Er rief über sein Sprechfunkgerät Hilfe.

Wahrscheinlich würden sie annehmen, daß ich mit dem Aufzug bis zum Erdgeschoß fuhr, und mich dort erwarten. Das hoffte ich zumindest. Ich überschlug kurz, wieviel Zeit mir blieb, beschloß aber dann, auf jeden Fall zuerst meinen Aktenkoffer zu holen.

Die vier Stockwerke hinaufzugehen, war eine Strafe für meine müden Beine. Ich konnte es mir nicht leisten zu singen oder irgendwelche Geräusche zu machen, um mich abzulenken. Aber wenigstens mußte ich nicht wieder in die unterirdischen Schächte. Weg von den Tiefen und hinaus ans Licht.

Nachdem ich bei meinem Koffer angekommen war, blieb ich lauschend erst mal eine Weile stehen, bevor ich wieder nach unten ging. Ich hatte nicht das Gefühl, daß mir jemand folgte oder jemand auf mich zukam.

Auf dem Weg nach unten stellte ich fest, daß ich doch noch mehr Kraft hatte als erwartet. Jedenfalls war ich tatsächlich in der Lage, die vier Treppen zum elften Stock hinunterzusprinten. Im Aufzug schob ich den Hebel ganz nach links. Wenn er normal funktioniert hätte, hätte er mich bis zum Erdgeschoß gebracht, jetzt jedoch hielt er im Keller. Also war ich doch wieder ziemlich nahe an den Tunnels.

Ich hielt die Waffe schußbereit, doch falls der Wachmann überhaupt Hilfe herbeigerufen hatte, wartete die oben im Foyer. In der Dunkelheit sah ich das rote Licht eines Ausgangs. Ich arbeitete mich tastend voran und gelangte schließlich zu einer Tür, die zur Garage des Gebäudes führte. Nach weiteren fünf Minuten befand ich mich in der Canal Street.

Ungeachtet meiner desolaten Finanzen winkte ich Ecke Washington Street einem Taxi und ließ mich bis vor meine Haustür fahren. Ich war so erledigt, daß ich mich nicht einmal nach Anton umschaute. Mit der entsicherten Smith & Wesson in der Hand stolperte ich die drei Treppen hinauf: Wenn er sich auf mich stürzte, würde ich ihn einfach abknallen.

Ich gelangte ohne größere Zwischenfälle an meine Wohnungstür. Vielleicht hatte Terry seine Drohung mit der polizeilichen Überwachung tatsächlich wahr gemacht, und vielleicht halfen mir die Bullen ja zur Abwechslung mal.

Ich schaltete lediglich noch die Alarmanlage ein und schob alle Riegel vor, bevor ich mir ein heißes Bad gönnte. Ich blieb ungefähr eine Stunde lang darin liegen, ließ immer wieder warmes Wasser nachlaufen, drückte meine Beine gegen die Wanne, streckte und dehnte sie. Während ich mich im heißen Wasser aalte, las ich die Gantner-Akten.

Die Papiere, die ich mitgenommen hatte, erwähnten nichts von Banken auf den Caymaninseln, sondern faßten die Schulden von Gant-Ag und Gantohol bei der Bank sowie die Rückzahlungsbeträge zusammen und gaben einen Hinweis auf die Übernahme von Gant-Ags Verbindlichkeiten durch die Century Bank.

Nachdem ich schließlich aus der Badewanne geklettert war, ging ich ganz langsam hinüber ins Wohnzimmer, um Murray anzurufen. Ich hatte seine Nummer schon zur Hälfte gewählt, als mir Terrys Drohungen wieder einfielen. Vielleicht hatte er mein Telefon angezapft. Ich zog meine Jeans wieder an und ging hinaus zu meinem Wagen. Dann fuhr ich den Diversey Parkway entlang, bis ich einen Münzfernsprecher entdeckte.

Ich erreichte Murray an seinem Arbeitsplatz. »Ich habe eine

Hypothese, aber die müßte überprüft werden. Kannst du dich heute nachmittag mit mir treffen?«

»Hat das was mit Emily Messenger zu tun?« brummte Murray. »Es gibt Gerüchte, daß sie schon wieder verschwunden ist, aber die Bullen, die Leute vom Krankenhaus und ihr Papi schweigen sich aus. Ich hätte eigentlich wissen sollen, daß du meine beste Quelle bist und bleibst.«

»So diskret waren die Bullen und Papi mir gegenüber nicht – bei mir und meinen Freunden haben sie gestern abend die Wohnung durchsucht. Wundert mich sowieso, daß sie dich nicht auch beehrt haben.«

»Vielleicht wissen die, daß du nicht allzu freundlich mit mir umgehst. Nein, nein, ich nehme alles zurück. Du bist wunderbar. Tut mir leid, das hätte ich jetzt fast vergessen. Hast du die Kleine versteckt?«

»Ich habe keine Ahnung, wo sie ist. Ich hab' Finchley gesagt, er soll sich auf den Baustellen von Home Free umsehen, aber er hört mir in letzter Zeit nicht mehr richtig zu. Meine Hypothese hat mit Gantner und Heccomb, vermutlich auch mit dem Mord an Deirdre zu tun.«

Er war so aufgeregt über die Aussicht, einen der Gantners dranzukriegen, daß er mich nicht weiter löcherte, wo Emily steckte. Er habe bis halb drei zu tun, erklärte er mir, könne mich aber um drei abholen.

»Die Bullen sind mir auf den Fersen. Ich fahre lieber zum Illinois Center – da kann man an der Michigan Avenue rein und fast überall wieder raus. Treffen wir uns doch am Fairmont Hotel – du kennst doch den Dienstboteneingang am südlichen Wacker Drive, oder?«

»Yes, Ma'am. Die Erkennungsparole lautet: John trägt einen langen Schnurrbart.«

Ich war nur einen halben Häuserblock von der Hochbahn weg. Um Terrys Team die Sache ein bißchen zu erschweren, ließ ich meinen Wagen auf dem Parkplatz gleich neben dem Münzfernsprecher stehen und ging den Diversey Parkway bis zur Sheffield Avenue zu Fuß hinunter, wo ich die alten Stufen zur Bahn hochlief. An der Chicago Avenue winkte ich dann ein Taxi heran, mit dem ich bis Ecke Wacker Drive/Michigan Avenue fuhr.

Das Illinois Center ist über eine Reihe von unterirdischen Passagen mit fast einem Dutzend anderer Gebäude verbunden, darunter auch drei Hotels. Aufgrund der Überschwemmung waren diese Gänge ein paar Tage lang geschlossen gewesen, mittlerweile jedoch wieder geöffnet. Die langen Flure und steilen Rolltreppen erleichterten es mir festzustellen, daß ich allein war. Ich kam genau um drei Uhr am Ausgang an der Fairmont Avenue wieder an die Erdoberfläche.

Murray hielt mir mit großer Geste die Wagentür auf. »Heccomb ist nicht da und wird auch nicht vor fünf zurückerwartet. Ich habe ihn von meinem Autotelefon aus angerufen, während du hergekommen bist. Was sollen wir jetzt unternehmen?«

»Machen wir's doch einfach wie die Chicago Bears in ihrer besten Zeit. Wie Fencik und Singletary: Immer druff. Wenn sie keine kaltblütige Verbrecherin ist, bricht sie unter unseren Fragen zusammen.«

Murray grüßte mich mit einem zackigen Salut. »*Skrupel* ist wohl ein Fremdwort für dich, O-Göttin-der-ich-gehorchen-muß?«

»Das Wort hab' ich tatsächlich noch nie gehört.«

55 Der nächste Schlag

Als wir bei Tish einfielen, saß diese, immer noch mit ihrem formlosen khakifarbenen Pullover, in dem ich sie das letzte Mal gesehen hatte, vor ihrem Computer.

»Hallo«, begrüßte ich sie mit meiner fröhlichsten Stimme. »Das ist Murray Ryerson vom *Herald-Star*. Er schreibt eine Story über Home Free und würde Sie gern interviewen.«

Ihre sonst eher graue Haut nahm einen mahagonifarbenen Ton an, weil sie wütend wurde. »Sie können hier nicht jedesmal reinplatzen, wenn Ihnen der Sinn danach steht. Und Sie können mich auch nicht interviewen. Für alle Pressesachen ist Jasper zuständig.«

»Und das aus gutem Grund.«

Ich holte meine Dietrichsammlung aus der Tasche, und sie riß nur wütend und erstaunt den Mund auf, als ich damit

Jaspers Büro aufschloß. Sie streckte die Hand nach dem Telefon aus, doch Murray zog mit einer knappen Entschuldigung den Stecker aus der Wand und stellte den Apparat auf den Boden.

Ich holte ein paar Stühle aus Jaspers Büro. »Wir werden uns länger unterhalten müssen; da wollen Murray und ich es uns bequem machen. Wie gesagt: Es gibt einen Grund, warum Jasper Ihnen verboten hat, mit der Presse zu reden. Er und seine Freunde haben ein paar ziemlich schmutzige Geheimnisse. Und er hat Angst, daß Sie in Ihrer Naivität vielleicht was Belastendes ausplaudern könnten.«

Sie war aufgesprungen und boxte nun auf Murray ein, der sich jedoch nicht von der Stelle rührte. »Das können Sie nicht machen«, keuchte sie. »Ich hole die Polizei.«

»Kein Problem«, erwiderte ich, nahm das Telefon vom Boden und schloß es wieder an. »Ich wähle die Nummer für Sie, damit wir sicher sind, daß Sie wirklich bei der Polizei anrufen und nicht bei Gary Charpentier oder Anton.«

Sie hörte auf, auf Murray einzuschlagen, und sah mich mit mürrischem Blick an. Murray stellte inzwischen seinen Kassettenrecorder auf und überprüfte das Mikrofon. Ich wartete, bis er fertig war, bevor ich fortfuhr.

»Wir zeigen den Beamten zuerst das Bargeld, das Jasper in seinem Büro hat. Sie wissen schon – die Scheinchen, mit denen er die Bauunternehmer bezahlt, ohne daß das in seinen Buchhaltungsunterlagen auftaucht. Damit Leute wie Charpentier illegalen Einwanderern aus Osteuropa Brosamen zuwerfen können, während er selbst die Hunderter in die Tasche schiebt.«

Sie lächelte verächtlich, sagte aber nichts.

»Sie hat von den illegalen Arbeitern gewußt«, erklärte ich Murray. »Ich würde wetten, daß sich Ihre Mutter über die Geschichte in der Zeitung freuen wird.«

»Wir haben niemandem Schaden zugefügt«, fauchte Tish mich an. »Sie haben hier mehr Geld bekommen, als sie zu Hause je verdient hätten. Und sie haben ja auch nur ein paar Monate so leben müssen. Schließlich waren das keine Penner oder Obdachlose.«

»Klingt fast wie Jasper Heccomb. Sind Sie sicher, daß Sie das, was Sie sagen, selbst glauben, Tish?« fragte Murray mit großen blauen Augen. »Von der Frage, ob amerikanische Arbeiter vielleicht diese Arbeit hätten machen können, statt auf der Straße zu stehen, wollen wir mal gar nicht sprechen. Waren Sie denn wirklich einverstanden mit dieser Unternehmenspolitik?«

Als Tish die Hände rang, ohne etwas zu sagen, meinte ich: »Sie wissen also, daß die Zahlungen an die Arbeiter nie in den Büchern aufgetaucht sind. Wissen Sie auch, daß Jasper fünf Millionen Dollar in der Schublade in seinem Büro hatte?«

Sie hob erstaunt den Blick, dann platzte es aus ihr heraus: »Sie täuschen sich: Er hat mir das Geld am Montag selbst gezeigt. Das waren nur fünfzehntausend Dollar.«

Ich nickte. »Jasper mußte Ihnen das Geld zeigen, weil ich Freitagnacht hier eingebrochen bin und gesehen habe, daß die Schublade bis zum Rand mit Hundertern voll war. Er hat sich wohl gedacht, wenn er Ihnen die Story zuerst erzählt, glauben Sie ihm. Schließlich haben Sie schon oft den Mund gehalten, weil Sie ihm glauben *müssen*. Nun verläßt er sich drauf, daß Sie es wieder tun.

Aber hören Sie mir gut zu, wenn ich Ihnen jetzt etwas erkläre: Jasper und seine Freunde werden wahrscheinlich ins Gefängnis müssen, und zwar eine ganze Weile. Sie müssen nun entscheiden, ob Sie ihn begleiten oder nicht. Es würde mich nicht wundern, wenn Jasper Ihnen die Schuld in die Schuhe schiebt, sobald er sich in die Enge getrieben sieht. Er könnte beispielsweise behaupten, daß die finanzielle Blütezeit von Home Free mit Ihrer vorübergehenden Tätigkeit als Leiterin begonnen hat. Ich weiß mit Sicherheit, daß Anton auf der Abschußliste steht – Sie kennen doch Anton, oder?«

Sie tat so, als starre sie gelangweilt zum Fenster hinaus, aber sie konnte ihre wahren Gefühle nicht verbergen. Trotz ihrer äußerlichen Gefaßtheit zitterte sie leicht.

»Sie können sich eine Menge Kummer ersparen, wenn Sie jetzt offen reden. Sie können natürlich auch darauf hoffen, daß das bißchen Aufmerksamkeit, das Jasper Ihnen schenkt, Ihnen über die nächsten fünf Jahre im Knast hinweghelfen wird.«

»Sie sind hier diejenige, die ins Gefängnis muß«, sagte sie mit zornig funkelnden Augen. »Sie haben gerade zugegeben, daß Sie hier eingebrochen sind.«

»Ja, Sie haben recht. Ich habe gegen das Gesetz verstoßen. Aber das weiß die Polizei.« – Zumindest Conrad wußte davon. »Und es gefällt ihr gar nicht, aber ein Haftbefehl gegen mich wurde deswegen nicht beantragt. Es wird sich sowieso das FBI, nicht die Polizei hier in der Stadt, um Jaspers Geschichte kümmern. Ich bin ja nur gespannt, ob Senator Gantner genügend Einfluß hat, auch noch das Justizministerium auszuschalten.«

Tish schob den Unterkiefer vor. »Ich habe gewußt, daß Jasper Leute schwarz für sich arbeiten läßt, aber das ist kein großes Verbrechen. Das Schlimmste, was uns passieren kann, ist eine Geldstrafe. Alle Leute wollen billige Wohnungen für die Obdachlosen, niemand möchte die Rechnung dafür übernehmen. Wenn wir die gewerkschaftlich ausgehandelten Löhne zahlen würden, säßen viele von den Leuten noch . . .«

»Auf der Straße, ich weiß«, fiel ich ihr ins Wort. »Aber davon rede ich überhaupt nicht. Ein paar Millionen im Lauf der Jahre – das sind doch Kinkerlitzchen im Vergleich zu den wirklich große Geschäften.

Jasper hat zusammen mit Alec Gantner und Donald Blakely eine Holdinggesellschaft mit dem Namen JAD gegründet, die die Century Bank gekauft hat. Dann haben sie die Century benutzt, um Geld von den Caymaninseln auf das Konto von Gant-Ag bei der Gateway Bank zu transferieren. Aber wieso, werden Sie sich sicher fragen, mußte Gant-Ag das Geld so klammheimlich ins Land bringen? Die Antwort lautet: Weil das Unternehmen das Handelsembargo gegen den Irak unterlaufen hat. Die Leute von Gant-Ag haben mit einem Mann namens Manzoor Khalil in Jordanien zusammengearbeitet – also mit jemandem, der dort sozusagen einen Logenplatz hatte. Ich kann das zwar nicht beweisen, aber ich würde wetten, daß Gant-Ag Getreide und Mais an Saddam geliefert hat – was bedeutet, daß die Zahlungen geheim erfolgen mußten.«

Murray fiel die Kinnlade herunter. Er sprang auf, warf dabei sein Mikrofon um und packte mich an der Schulter. »Ist das die Wahrheit, Warshawski, oder bloß wieder eine von deinen Geschichten? Wieviel davon stimmt? Und woher weißt du das alles?«

»Ein Teil davon ist in ihrem Computer.« Ich legte den Kopf

schräg und sah Tish an. »Der 50-Millionen-Dollar-Kreditrahmen von Century. Ist Ihnen denn nie in den Sinn gekommen, daß das viel mehr ist, als ein kleines gemeinnütziges Unternehmen wie Home Free jemals brauchen würde? Auch wenn Sie die Unterkünfte nicht mehr direkt vermittelten und statt dessen selbst preiswerte Wohnungen bauten?«

Aus Tishs Wangen war alle Farbe gewichen, sie sahen jetzt irgendwie beige aus. Sie formte mit dem Mund das Wort »nein«, sprach es aber nicht aus.

»Das möchte ich sehen.« Murrays Bariton klang gierig; er hörte sich an wie Mitch, wenn er unbedingt zu einem Eichhörnchen auf der anderen Seite des Zauns wollte.

»Er hat Senator Gantner damit einen Gefallen getan, stimmt's – eigentlich der ganzen Gantner-Familie.« Ich schenkte Murray keine Beachtung, wandte mich direkt an Tish. »Das Geld ist als Teil des Kreditrahmens für Gant-Ag über Gateway gekommen. Das heißt, die kriegten das Geld nicht nur, nein, sie kriegten es auch noch in Form eines Kredits. Das bedeutet, sie konnten die Darlehenszinsen von der Einkommensteuer absetzen, während sie den Kredit zurückzahlten – mit Bargeld aus Jaspers magischer Schublade. Die Darlehensrückzahlung finanzierte ihrerseits die Übernahme der Century Bank durch JAD. So schloß sich der Kreis.«

»Nein«, flüsterte Tish. »Das kann nicht sein. Jasper hat den Kreditrahmen tatsächlich so eingerichtet, um Senator Gantner einen Gefallen zu tun. Aber dafür hat der Senator uns beinahe hunderttausend Dollar gegeben. Das war ziemlich viel – wir konnten so viel Gutes tun mit dem Geld.«

Ich hielt ihr die Unterlagen über Gant-Ag hin, die ich aus Blakelys Büro mitgenommen hatte. »Es steht alles hier drin, Tish: das Gateway-Geld, die Zusammenfassung der Berichte, die die Bank ans Finanzamt geschickt hat. Senator Gantner hat vor achtzehn Monaten juristischen Rat über die steuerlichen Bestimmungen bei der Zusammenarbeit mit ausländischen Banken eingeholt. Zur selben Zeit hat er sich übrigens über die Boland-Novelle erkundigt.«

Murray riß mir die Unterlagen so hastig aus der Hand, daß sie auf dem Boden landeten. Er kniete nieder, um sie wieder aufzuheben; Tish blieb vor Schreck wie angewurzelt sitzen.

»Dann ist Deirdre über die Sache gestolpert«, fuhr ich fort. »Sie hat die Buchhaltungsunterlagen bei ihrer ehrenamtlichen Tätigkeit entdeckt.«

»Ich hatte damals eine Grippe«, flüsterte Tish. »Sie hätte diese Unterlagen nie zu Gesicht bekommen dürfen, aber Jasper war nicht im Büro, und sie hat ausgeholfen und die Kassenbelege eingegeben.«

»Und danach hat sie Heccomb zur Rede gestellt«, half ich ihr auf die Sprünge, als sie nicht mehr weitersprach.

»Er hat ihr das gleiche gesagt – das, was ich gerade Ihnen gesagt habe. Daß wir viel Gutes tun könnten mit dem Geld und niemanden in Schwierigkeiten bringen sollten, da doch das Gesetz so große Lücken habe. Er sagte, Senator Gantner würde ihre Unterstützung zu schätzen wissen – er wußte ja, daß Mr. Messenger sich Hoffnungen auf die Stelle des Bundesrichters machte.«

»Sie waren bei der Unterhaltung dabei?« erkundigte sich Murray.

Sie wurde tiefrot, während ihr Blick zu der Gegensprechanlage auf ihrem Schreibtisch hinüber wanderte. Sie würde das nie zugeben, aber ich war mir sicher, daß ihre Eifersucht sie dazu getrieben hatte, das Gespräch zu belauschen, das Jasper mit Deirdre allein im Büro geführt hatte.

»Hat Blakely Gateway deshalb veranlaßt, Arcadia House etwas zu spenden?« erkundigte ich mich.

»Wahrscheinlich«, meinte sie mit einem Blick auf ihre Hände. »Ich habe nichts von dem Geld gewußt – ich meine, von dem Century-Kreditrahmen –, bis Deirdre über die Unterlagen gestolpert ist. Jasper hatte die Belege von den großen Spendern immer bei sich im Büro. Ich weiß nicht mal, wie Deirdre die Diskette gefunden hat. Wahrscheinlich hat sie rumgeschnüffelt. Sie konnte die Finger nicht davonlassen. In den letzten beiden Wochen, die sie hergekommen ist, wollte sie sich immer wieder mit mir darüber unterhalten.«

Wir saßen eine Weile schweigend da. Straßengeräusche drangen schwach durch die Thermopanefenster – Kinder, die fröhlich schreiend von der Schule nach Hause liefen, hin und wieder ein Wagen, der eine Abkürzung zum Montrose Drive fuhr.

»Als Deirdre dann tot war, haben Sie nicht gedacht, daß Jasper oder seine Freunde etwas damit zu tun haben könnten, oder?«

»Nein!« platzte es so heftig aus ihr heraus, daß wir alle überrascht waren. »Sie hatten einer von ihren Lieblingseinrichtungen fünfundzwanzigtausend Dollar gespendet. Sie wollten ihren Mann zum Bundesrichter machen. Was wollte sie denn noch?«

Mir fiel eine ganze Reihe von Dingen ein, die Deirdre wahrscheinlich noch gewollt hatte, aber laut sagte ich nur: »Haben Sie in letzter Zeit einen Baseballschläger hier drin gesehen?«

Überrascht über den plötzlichen Themenwechsel, antwortete Tish, ohne lange nachzudenken: »Ja. Den hat Donald Blakely mitgebracht – vielleicht vor drei Wochen. Er und Jasper haben darüber gelacht, und dann hat Jasper etwas davon gesagt, daß man noch einmal für Gantner zuschlagen müsse. Warum wollen Sie das wissen?« fügte sie verspätet hinzu.

Die Polizei hatte die Entdeckung von Fabians Baseballschläger vor der Presse geheimgehalten, aber die unmittelbar vorangegangene Erwähnung von Deirdres Tod ließ Murray den Zusammenhang erkennen. Mit blitzenden Augen wollte er etwas sagen, hielt aber gerade noch rechtzeitig den Mund und versuchte statt dessen, Tish zu einer genauen Schilderung dessen zu bringen, was an dem Tag passiert war, an dem Blakely den Schläger vorbeigebracht hatte. Als ich sie fragte, ob der Schläger signiert gewesen war, konnte sie sich nicht mehr erinnern, weil sie sich nicht für Baseball interessierte; sie wußte nicht einmal, was ein signierter Schläger ist.

Murray hatte das ganze Gespräch auf Kassette aufgenommen. Das würde Finchley sicher veranlassen, noch einmal über den Haftbefehl gegen Emily nachzudenken. Tishs Aussage schloß auch Fabian als möglichen Täter aus. Schade. Aber vielleicht war er ja wenigstens ein Helfershelfer.

Nein, das war unwahrscheinlich. Blakely oder Gantner hatten den Schläger vermutlich mit der Absicht mitgenommen, Fabian den Mord an seiner Frau in die Schuhe zu schieben. Keiner von ihnen hatte damit gerechnet, daß Emily den Schläger wegnehmen würde.

»Und was sollen wir jetzt machen?« fragte mich Murray.

»Sollen wir das ganze Material zum Staatsanwalt bringen? Oder soll ich bloß einen Exklusivartikel schreiben?«

»Was meinen Sie dazu, Tish?« meinte ich.

»Fahr zur Hölle«, fauchte sie mich an.

»Gern. Aber das war keine der angebotenen Möglichkeiten.«

»Lassen Sie mir Zeit zum Überlegen. Sie können sowieso nicht alles drucken. Schließlich haben Sie nur Mutmaßungen, keine Beweise.«

Tiefe Falten durchfurchteten ihr Gesicht. Irgendwie tat sie mir leid. Sie war intelligent und hatte ihre Arbeitskraft in den Dienst einer brisanten sozialen Sache gestellt. Ihr einziges Verbrechen war es gewesen, sich in Jasper Heccomb zu verlieben. Und er machte sich einen schönen Abend, während sie sich daheim im Bett die Augen nach ihm ausweinte.

»Wir haben genügend Beweise.« Murray sprach unerwartet sanft – ihr Elend berührte ihn offenbar auch. »Können wir ihr achtundvierzig Stunden zum Überlegen geben, kleine Detektivin?«

»Nicht in der Geschichte mit dem Baseballschläger. Und in der Sache mit dem Geld? Das verschwindet nicht so schnell.«

Murray schob ihr das Telefon hin und tätschelte ihr mitfühlend die Schulter. Sie zuckte mit einem Aufschrei zurück. Als wir hinausgingen, hörten wir, daß sie schluchzte.

56 Die Stimme der Toten

»Sie tut mit leid«, sagte Murray, als wir vor seinem Wagen standen. »Du warst ganz schön grob zu ihr.«

»Mir tut sie auch leid. So leid, daß ich ihr gern noch mal so einen Schrecken einjage, der sie davon abhält, immer weiter die schmutzige Wäsche für Heccomb zu waschen.«

»Apropos Wäsche – diese Unterlagen deuten auf etliches hin, aber sie beweisen gar nichts. Gateway hat zwar Gant-Ag-Schulden von Century übernommen, aber das führt uns noch lange nicht zu den Caymaninseln.«

Ich grinste ihn an. »Das ist wieder mal der beste Beweis, daß du immer noch der eifrige junge Reporter bist, der alle anderen in die Tasche stecken kann. In einer der Storys, die du für mich ausgegraben hast, stand, daß Craig Gantner vor einem Untersuchungsausschuß des Senats ausgesagt hat, Gant-Ag habe das Embargo nicht unterlaufen. Erkundige dich doch mal in Washington, wer da genug gewußt hat, um eine Vorladung für den Bruder des Senators zu kriegen. Rede mit Messenger: Er hat Gantner im Zusammenhang mit der Boland-Novelle beraten. Fabian würde nie mit mir sprechen, aber dir könnte er unter Umständen anvertrauen, was der Senator mit der Novelle drehen wollte.«

Murray drückte mir einen feuchten Kuß auf die Nase. »Das könnte eine große Story werden, Warshawski. Ich lade dich zum Essen ins Ritz ein, wenn ich den Pulitzerpreis bekomme.«

»Sei still, mein wartend Herz. Wie wär's, wenn du mich statt dessen zu meiner Tür begleitest? Ein großer häßlicher Typ ist mir auf den Fersen, dem ich nicht allein begegnen möchte.«

Murray reagierte spöttisch, wie nicht anders zu erwarten, aber als ich von Antons Angriff auf Emily erzählte und davon, daß ich am gleichen Vormittag auf der Treppe von Gateway rumgeschlichen war, pflichtete er mir bei.

»Ich weiß nicht so recht, Warshawski. Wann hat die kleine Detektivin Nancy Drew ihren Ned jemals drum gebeten, daß er sie nach Hause begleitet?« fragte er, nachdem wir ohne Zwischenfälle bei meiner Wohnung angelangt waren. »Du mußt mir Anton jetzt schon persönlich apportieren, wenn du möchtest, daß ich dir in Zukunft weiter glaube.«

»Bloß, wenn er in Latex gehüllt ist – ich will mir keine Tollwut oder noch was Schlimmeres holen, wenn ich ihn anrühre.«

Mit diesem kleinen Scherz trennten wir uns, aber ich machte mir Gedanken, wie lange mich die Musketiere noch in Ruhe lassen würden. Vielleicht hatten sie über ihren Informanten bei der Stadt erfahren, daß ich vom Krankenhaus aus zu Conrad gefahren war. Doch schon bald würden sie vermutlich von meiner Rückkehr in meine eigene Wohnung wissen.

Ich beobachtete die Straße vom vorderen Fenster aus. Mein Wagen stand dort groß und rot und einladend, als wolle er sagen: »Komm und hol mich.« Es war zu spät, ihn an einen anderen Platz zu fahren – er hatte bereits mehr als einen Tag da gestanden. Darüber konnte ich mir jetzt nicht auch noch Sorgen machen.

Mir taten die Beine weh, also ging ich in die Küche und machte mir aus ein paar Packungen gefrorener Erbsen Eisbeutel. Mit Leukoplast befestigte ich sie an meinen Beinen und legte mich aufs Sofa. Eigentlich hatte ich bloß ein kurzes Nikkerchen machen wollen, aber das Klingeln des Telefons weckte mich erst kurz nach sechs.

»Hören Sie Ihren Anrufbeantworter eigentlich nie ab?« Das war Ken Graham. »Ich habe gestern viermal angerufen.«

»Verzeihung, Euer Ehren, daß ich nicht sofort heraneile, um Eure Wünsche zu erfüllen. Darf ich mich vor der Exekution noch kurz von meinen Hunden verabschieden?«

»Ach. Sie finden mich also penetrant. Tut mir leid. Aber ich hab' was wirklich Interessantes in Ihrem Computer gefunden. Einen Brief von Deirdre an Sie.«

Er lachte, als ich nur ein paar halb verständliche Fragen herausbrachte. »Wußt' ich's doch, daß Sie das überraschen würde. Ich habe eine ganze Reihe von Ihren buchhalterischen Daten rekonstruiert und ausgedruckt. Und ich habe mir Ihre Textverarbeitung angesehen, weil ich dachte, es könnte ja was neueren Datums dabei sein, das Sie vielleicht brauchen. Und da habe ich die Botschaft aus dem Grab gefunden.«

»Was steht drin? Woher wissen Sie, daß Deirdre den Brief geschrieben hat?« Ich setzte mich auf und schaltete die Lampe ein.

»Sie hat's formuliert wie ein Memo: An Vic von Deirdre. Datum und alles. Sie schreibt – ich lese Ihnen vor, was sie schreibt: ›Ich habe Fabian gezwungen, mir zu erklären, wie sie das Geld ins Land bringen. Frag ihn einfach.‹«

»Sie haben das wirklich in meinem Computer gefunden? Sie würden mich doch nicht aufs Kreuz legen wollen, oder?«

»Wieso sollte ich? Ich habe keine Ahnung, von was sie spricht«, meinte er weinerlich.

»Sie haben doch das ganze Geld in dem Büro von Home Free gesehen.«

»Was für Geld?« wollte er wissen.

Jetzt fiel mir ein, daß Jasper gekommen war, als ich mir

gerade die Schublade angesehen hatte. Vielleicht hatte ich Ken nie davon erzählt. Ich entschuldigte mich dafür, gedacht zu haben, er wolle sich über mich lustig machen, nur um meine Aufmerksamkeit zu erregen.

Warum um Himmels willen hatte sie diese Nachricht geschrieben – vorausgesetzt, sie stammte wirklich von ihr? Wollte sie, daß ich sie am nächsten Morgen auf meinem Computer flackern sah? Denn das wäre der einzig denkbare Weg gewesen, Daten zu bemerken, von deren Existenz ich nichts wußte. Hatte sie geahnt, daß sie sterben mußte, und mich dazu zwingen wollen, den Mord an ihr aufzuklären?

Ich konnte mir Deirdre gut vorstellen mit ihrem schadenfrohen Lächeln. Sie hatte wohl geglaubt, Fabian am Wickel zu haben. Oder Gantner? Oder Heccomb? Oder alle Musketiere zusammen. Diese Nachricht war nicht in höchster Not geschrieben, sondern voller Bedacht, während sie auf ihren Mörder wartete. Sie hatte sie ihm gezeigt, und er hatte ihr dafür den Kopf eingeschlagen. Vielleicht hatte er die Nachricht gelöscht, nachdem er sie getötet hatte. Auf halbem Weg nach Hause war ihm wahrscheinlich eingefallen, daß sich noch andere für ihn wichtige Botschaften in meinem Computer befinden konnten. Also war er umgekehrt und hatte sicherheitshalber die ganze Festplatte gelöscht.

Ich saß so lange schweigend da, daß Ken irgendwann wissen wollte, ob ich aufgelegt hätte.

»Tut mir leid.« Ich riß mich zusammen und dankte ihm überschwenglich. »Sie haben sich eine Belohnung verdient – aber machen Sie sich nicht gleich wieder übertriebene Hoffnungen. Ich werde dafür sorgen, daß Sie nicht nach Harvard zurückmüssen. Ich bringe Darraugh dazu, Ihnen Ihre eigene Wohnung zu finanzieren.«

»Verbringen Sie die Nacht mit mir.«

»Nein, Junge. Jedenfalls nicht im Bett.«

»Dann gehen wir zusammen essen. Ins Filigree. Und anschließend tanzen.«

Irgendwie war ich doch gerührt. Ich versprach ihm, mit ihm auszugehen, sobald ich nicht mehr um mein Leben rennen müßte. Obwohl ich ihm nicht sagen konnte, wann das sein würde.

»Und was ist mit Ihrer Buchhaltung? Sie müssen Ihre Steuererklärung immer noch bis nächsten Mittwoch machen«, rief er in den Hörer, als ich auflegen wollte.

Ich hob den Hörer wieder ans Ohr. »Haben Sie meine Buchhaltung auch rekonstruiert? Toll. Dann treffen wir uns am Sonntag, es sei denn, Sie hören etwas anderes von mir.«

Oder Sie sehen meine Leiche in den Zehnuhrnachrichten, fügte ich insgeheim hinzu und legte auf. Ich sollte Conrad oder Terry anrufen und ihnen von Tishs Aussage über den Baseballschläger erzählen. Aber wahrscheinlich würden sie das nicht als Beweis gelten lassen, weil ihr die Unterschrift von Nellie Fox nicht aufgefallen war. Und Deirdres Botschaft an mich würden sie ebenfalls nicht akzeptieren, weil Ken sie ja ganz leicht auf meine Festplatte geschmuggelt haben könnte. Die Idioten hätten sie auch wirklich selbst sehen können in der Zeit, die mein Computer im Revier gewesen war.

Aber in Wahrheit war ich so wütend darüber, wie sie mit Antons Angriff auf Emily umgegangen waren, daß es mir egal war, ob ich Conrad jemals wiedersehen würde. Ich würde mir jedenfalls kein Bein ausreißen, um ihnen bei der Suche nach Deirdres Mörder zu helfen. Wenn ich den Musketieren immer einen Schritt vorausblieb, konnte ich die ganze Geschichte schon in ein paar Tagen an die Öffentlichkeit bringen.

Ich stand auf und stolperte auf Beinen, die sich anfühlten wie schlecht sitzende Prothesen, über die Hintertreppe aus meiner Wohnung. Mit einer Taschenlampe leuchtete ich alle Treppenabsätze sorgfältig aus, bevor ich mich weiterbewegte; die Waffe hielt ich im Anschlag. Verärgert stellte ich fest, daß Mr. Contreras und die Hunde mir abgingen. Ohne sie kam ich mir klein und verloren vor, als ich aus dem Haus hinaus und zu meinem Wagen schlich.

Niemand versuchte, mich zu überfallen, als ich die Tür öffnete. Niemand hatte mir eine Stange Dynamit an den Motor gebunden. Er sprang wie immer gleich an und gab mir das Gefühl, die Königin der Straße zu sein, als ich wendete und in Richtung South Side fuhr.

Fabians Haus sah von der Straße aus dunkel und abweisend aus. Es war eine kühle Nacht, und ich hatte meinen Mantel zu Hause vergessen. Zitternd ging ich den Weg zur nördlichen

Seite des Hauses hinauf. Ein Streifen Licht blitzte durch die Ritzen in den Fensterläden seines Arbeitszimmers. Ich kehrte zur Haustür zurück und klingelte. Dabei rieb ich mir die Arme und biß schnatternd vor Kälte die Zähne zusammen.

Mehrere Minuten vergingen, dann klingelte ich noch einmal, diesmal ausdauernder. Gerade als ich überlegte, ob ich zum Fenster des Arbeitszimmers gehen und Steinchen dagegen werfen sollte, hörte ich, wie der Riegel zurückgeschoben wurde.

»Ach.« Fabian blinzelte mich an. »Ich hab' nicht gedacht, daß um diese Zeit wirklich noch jemand klingelt.«

»Aber jetzt weißt du's. Wie geht's Josh und Nathan – alles in Ordnung mit ihnen?« Ich machte einen Schritt auf ihn zu, und er trat ohne Murren beiseite, so daß ich ins Haus konnte.

»Möchtest du sie sehen? Dr. Zeitner meint, sie haben ein schweres Trauma davongetragen. Er hat eine Therapie vorgeschlagen. Wahrscheinlich ist es ein ziemlich prägendes Erlebnis für so kleine Jungen, wenn sie eine Woche unter der Erde verbracht haben. Emily ist gestört, sehr gestört. Ich habe keine Ahnung, was sie damit bezwecken wollte, als sie sie in die Schächte mitgenommen hat. Ich hoffe nur, daß wir ihr helfen können, bevor es zu spät ist.«

»Genau.« Ich war nicht überrascht, daß Fabian sich so mit mir unterhielt, obwohl er noch am Vortag in meiner Wohnung auf mich losgegangen war. Seine Launenhaftigkeit machte mich nervös, erstaunte mich aber nicht mehr.

Ich schloß die Tür hinter mir und betrat den Flur. »Sollen wir uns in deinem Arbeitszimmer unterhalten? Oder fühlst du dich im Wohnzimmer wohler?«

»Unterhalten? Worüber sollten wir uns unterhalten? Es sei denn natürlich, du möchtest dich dafür entschuldigen, daß du Emily dazu gebracht hast, wegzulaufen. Eigentlich möchte ich rechtliche Schritte gegen dich einleiten, aber wenn wir Emily finden und sie davon überzeugen können, daß sie sich in psychiatrische Behandlung begibt, werde ich die Sache wahrscheinlich auf sich beruhen lassen.«

»Ich will mich heute abend mit dir über Alec Gantner unterhalten, nicht über Emily. Über das Geld, das er und der Senator von den Caymaninseln ins Land bringen. Heute habe ich ein Memo gefunden, das Deirdre mir in der Nacht ihres Todes

424

geschrieben hat. Darin heißt es: ›Ich habe Fabian gezwungen, mir zu erklären, wie sie das Geld ins Land bringen. Frag ihn einfach.‹ Also frage ich dich jetzt.«

Mit offenem Mund starrte er mich sprachlos eine Weile an, dann sagte er: »Ich hab' gedacht, im Tod könnte sie mich nicht mehr in Verlegenheit bringen, aber offenbar habe ich mich da getäuscht.«

»Alle Menschen sind dir gegenüber gedankenlos, nicht wahr, Fabian?« meinte ich. »Deine Tochter, deine Frau, ich. Ich fürchte, Alec Gantner und Jasper Heccomb werden sich als ähnlich unfreundlich erweisen. Weißt du, sie haben nach deiner Party für Manfred Yeo den Baseballschläger mitgenommen und damit deine Frau umgebracht. Sie haben gehofft, daß du deswegen verhaftet würdest.«

»Da täuschst du dich. Emily hat ihre Mutter umgebracht. Die Polizei hat den Baseballschläger in ihrem Schlafzimmer gefunden. Ich dachte, du weißt das?«

»Ich habe den Brief gesehen, den Senator Gantner dir geschrieben hat, nachdem du ihn bezüglich der Boland-Novelle beraten hast. Er wollte doch auch noch ein paar Dinge über Steuerfragen in Verbindung mit ausländischen Geldern wissen, nicht wahr? Hast du ihm einen Experten vermittelt, oder hast du ihm selbst geraten, die Sache als Darlehen zu behandeln? Das war mit Sicherheit die leichteste Methode, eine so große Summe zu waschen, weil das Finanzamt so nicht erfuhr...«

»Du hast den Brief gesehen?« brüllte er mich an. »Obwohl Deirdre mir versprochen hatte, Stillschweigen zu bewahren, hat sie ihn dir gezeigt?«

»Ich glaube nicht, daß sie dich verraten wollte«, antwortete ich. »Aber wenn sie zuviel getrunken hat, hat sie manchmal vergessen, was sie erzählen durfte und was nicht. Hat sie den Brief in deinen Akten gefunden?«

»Er hat ihn vorsichtshalber an meine Privatadresse geschickt – er wußte, wie aufmerksam Sekretärinnen und Studenten werden, wenn sie einen persönlichen Brief von einem Senator sehen. Ihm war allerdings nicht klar, daß eine Ehefrau genauso neugierig sein kann. Sie war immer da, wenn der Postbote kam, und sie hat den Brief gesehen. Sie ist sogar in mein Arbeitszimmer gekommen und hat ihn mir aus der Hand gerissen, während ich ihn gelesen habe.«

Er sah leidend aus wie ein tragischer Held. »Sie war wie Lady Macbeth: Sie hat mir keine Ruhe gelassen, bis ich herausgefunden hatte, warum er das wissen wollte. Sie dachte, wenn ich ihm einen so großen Gefallen tue, würde er mir sicher zu der Stelle als Bundesrichter verhelfen. Ich weiß nicht, warum ihr das so wichtig war, aber offenbar ging es ihr ums Prestige. Vielleicht hat sie gedacht, daß sie dadurch an Ansehen gewinnt in den Kaffeekränzchen im Hyde-Park-Viertel.«

»Du selbst hattest natürlich keinerlei Ehrgeiz«, sagte ich mit sanfter Stimme. »Als sie umgebracht wurde, bist du nicht auf die Idee gekommen, daß der Mord an ihr vielleicht etwas mit der Geldwäsche zu tun haben könnte? Wie haben sie das Geld übrigens ins Land gebracht?«

»Das hat Deirdre dir nicht gesagt?«

»Nun, ich weiß Bescheid über die großen Geschäfte, zum Beispiel über die telegrafische Anweisung an die Century Bank von den Caymaninseln aus, und auch, warum die drei Mus... Gantner und seine Freunde so ein großes Geheimnis um diese Erwerbung gemacht haben. Aber die fünf Millionen, die Jasper in seiner Schublade hatte – das konnten nicht nur Gehaltserhöhungen sein.«

Er verzog die Lippen verächtlich. »Wenn Deirdre schon mal die Güte hatte, einen Teil dessen zu verschweigen, was sie wußte, werde ich das jetzt doch nicht ausplaudern.«

»Fabian, dir scheint nicht klar zu sein, daß du im Moment ziemlich leicht abzuschießen bist. In ein paar Tagen steht die Story über Gant-Ags illegale Verkäufe an den Irak auf den Titelseiten. Und weißt du, was Gantner und Blakely dann tun werden? Sie machen dich zum Sündenbock. ›Fabian Messenger hat uns den Rat gegeben, das so zu machen‹, werden sie sagen. ›Ein Juraprofessor der University of Chicago hat uns versichert, daß wir damit weder gegen das Steuerrecht noch gegen die Boland-Novelle verstoßen.‹ Sie hätten nichts dagegen gehabt, wenn du wegen des Mordes an deiner Frau verhaftet worden wärst. Deswegen haben sie auch...«

Als Fabian wieder mit Emily und seiner Ödipuslitanei anfing, redete ich einfach weiter. »Nein, jetzt wirst du *mir* mal zur

Abwechslung zuhören, Messenger. Ich habe einen Zeugen, der eine Aussage auf Kassettenrecorder gemacht hat. Donald Blakely hat am Donnerstagmorgen nach deiner Abendeinladung den Baseballschläger in Jasper Heccombs Büro gebracht. Wahrscheinlich hat er ihn einfach in seinen Mantel gehüllt und mitgenommen, als er gegangen ist. Wenn wir alle Gäste befragen, finden wir vielleicht sogar jemanden, der ihn dabei beobachtet, aber nichts gesagt hat, weil er meinte, du wüßtest davon.

Aber egal, wie's war: Blakely hat jedenfalls deinen Baseballschläger gestohlen. Heccomb, vielleicht auch Anton, sein Vorarbeiter auf einer seiner Baustellen, hat in jener Nacht Deirdre damit erschlagen. Blakely ist davon ausgegangen, daß du festgenommen wirst. Das hätte bedeutet, daß all ihre Probleme mit einem Schlag gelöst wären. Deirdre, die bei der Abendeinladung allerlei Andeutungen fallenließ, war tot, bevor sie noch weitere Dinge ausplaudern konnte. Vielleicht würdest du dich versucht fühlen, sie zu verpfeifen, aber das wäre egal, denn du würdest ja wegen des Mordes an deiner Frau einsitzen. Die Geschichte wäre wunderbar aufgegangen. Bloß hast du leider Emily vergewaltigt, und sie ist mitten in der Nacht in die Stadt gefahren, um ihre Mutter zu suchen. Als sie...«

»Wie kannst du es wagen?« brüllte Fabian mit fahlem Gesicht. »Wie kannst du es wagen, mir etwas so Niederträchtiges zu unterstellen? Emily ist ziemlich gestört...«

»Vielleicht«, herrschte ich ihn an. »Aber sie hat ihre Mutter nicht umgebracht. Und jetzt möchte ich dir einen kleinen Deal vorschlagen, Messenger. Eigentlich finde ich das zum Kotzen, aber es geht nun mal nicht anders. Sag mir, was du Deirdre gesagt hast: Wie sie das Geld ins Land gebracht haben. Dann erzähle ich dem Staatsanwalt nichts von deinem Schriftverkehr mit Gant-Ag.«

Es kostete ihn unglaubliche Mühe, nicht loszubrüllen. »Deirdre war krank. Wenn sie dir tatsächlich eine Nachricht hinterlassen hat, und ich betone das Wörtchen ›wenn‹, dann würde ich dem, was drinsteht, nicht allzuviel Glauben schenken. Aber dir kommt diese Nachricht doch sehr gelegen.«

Ich verschränkte die Arme und lehnte mich gegen die Wand bei der Treppe. »Murray Ryerson vom *Herald-Star* schreibt im Moment eine Story über Gant-Ag. Er hat einen Informanten im Büro von Senator Gantner, der deinen Schriftverkehr mit ihm bestätigen wird, wenn wir ihm die Richtung angeben.«

Fabian sah mich haßerfüllt an, die Lippen zusammengepreßt. »Ich denke drüber nach und setze mich dann mit dir in Verbindung.«

Zuerst Tish, jetzt Fabian. Ich war es allmählich leid, daß in Chicago alle Leute so viel Zeit zum Nachdenken brauchten – das war ja wie in einem Meditationszirkel in Kalifornien.

»Bis morgen mittag, Messenger. Sonst gehe ich zu Murray Ryerson und dann zum Staatsanwalt. Gib mir eine Nummer, unter der ich dich morgen erreichen kann; ich werde unterwegs sein.«

Er wehrte sich noch ein bißchen, doch dann sagte er mir mit der schmollenden Stimme eines kleinen Jungen, der schließlich doch Frieden mit seiner verhaßten Schwester schließen muß, ich könne ihn im Büro anrufen.

Wir hörten Kinderschritte über uns. Nathan erschien auf der Treppe und jauchzte: »Emii? Is' Emii wieder da?« Plötzlich sah er, daß ich nicht seine große Schwester war, sondern eine Fremde, und fing enttäuscht zu weinen an. »Ich will zu Emii.«

Fabian wandte sich mir mit bitterer Miene zu. »Siehst du jetzt, was du angerichtet hast? Das wird eine Weile dauern, bis er sich wieder beruhigt hat.«

Er ging an mir vorbei, um seinen Sohn auf den Arm zu nehmen. »Emily kann nicht heimkommen. Sie ist sehr, sehr krank. Sie muß erst gesund werden, bevor sie nach Hause kommen kann ... Sheila! Sheila! Nathan muß zurück ins Bett.«

Eine junge Frau in Jeans und Pullover kam angerannt und nahm Fabian seinen Sohn ab. Das war wahrscheinlich das Kindermädchen. Niemand achtete auf mich, als ich den Riegel zurückschob und das Haus verließ.

57 Ein Senator für alle

Am Morgen merkte ich, daß ich es nicht mehr aushielt in meiner einsamen Wohnung, und rief Mr. Contreras in Elk Grove Village an. Trotz der wütenden Einwände seiner Tochter machte ich mit ihm aus, ihn abzuholen, sobald er sich seine Tollwutspritze hatte geben lassen. Als ich an die vielen Male dachte, die ich ihn dafür verflucht hatte, daß er sich immer wieder in mein Leben einmischte, schämte ich mich.

Ich ging hinunter in seine Wohnung, um alles in Ordnung zu bringen und sein Bett frisch zu überziehen. Ich schüttete die Milch weg, die inzwischen sauer geworden war, gab den Blumen Wasser und legte die Morgenzeitung so auf den Tisch, daß die Ergebnisse der Pferderennen obenauf lagen. In letzter Zeit verbrachte ich erstaunlich viele Stunden damit sauberzumachen. Wenn die Geschichte mit meiner Detektei wirklich den Bach runterging, konnte ich mich ja als Haushälterin verdingen.

Ich wollte gerade zurück in meine Wohnung, als ich meine eigene Klingel im Treppenhaus hörte, also lief ich wieder hinunter in Mr. Contreras' Apartment, um von dort aus auf die Straße zu schauen. Draußen stand eine marineblaue Limousine in zweiter Reihe. Würde sich ein Killer so offen hinstellen?

Ohne Waffe ging ich inzwischen nicht mehr aus dem Haus. Ich steckte meine Smith & Wesson in die Tasche, wo ich sie schnell erreichen konnte, wenn ich sie brauchte, verließ das Haus durch den Hinterausgang und schlich mich von hinten an den Mann heran. Er trug einen marineblauen Nadelstreifenanzug, der zum Wagen paßte, und hatte einen ordentlichen Haarschnitt wie alle erfolgreichen Geschäftsleute.

»Kann ich Ihnen helfen?« fragte ich.

Er zuckte zusammen. »Ich suche nach Victoria Warchaski.«

Den Namen hatte er fast richtig ausgesprochen. »Und wer sind Sie?«

Er musterte mich mit kühlem Blick. »Sind Sie Victoria?«

»Ich bin Ms. Warshawski. Und wer sind Sie?«

»Es wäre angenehmer, wenn wir uns im Wagen unterhalten könnten.«

Ich schenkte ihm ein kurzes Lächeln. »*Ihnen* ist das angenehmer. Ich persönlich habe nichts dagegen, hier zu stehen. Warum sagen Sie mir nicht einfach, wie Sie heißen und was Sie wollen.«

Er machte einen Schmollmund, während er versuchte, sich eine Strategie für sein weiteres Vorgehen zurechtzulegen –

offenbar hatte ihm niemand gesagt, daß ich vielleicht nicht mitspielen würde. »Es geht um eine private Angelegenheit.«

»Kein Problem. Abgesehen vom UPS-Mann kommt um diese Tageszeit niemand an meine Tür. Nun spucken Sie schon aus, was Sie wollen – das ist leichter, als Sie vielleicht denken. Sie wollen mich bitten, daß ich den Freund Ihrer Tochter beschatte? Sie wollen herausfinden, wer die Geheimnisse Ihres Unternehmens ins Ausland verkauft? Sie wollen mich auf Geheiß von Donald Blakely erschießen? Oder wollen Sie mich warnen vor weiteren Nachforschungen im Fall Gantner?«

Er schnaubte vor Verzweiflung. »Wir müssen uns ernsthaft unterhalten. Ich komme von Senator Gantner.«

»Und Sie haben sicher einen Namen.«

»Der tut nichts zur Sache.«

»Für mich schon – ich werde wohl in Ihrem Büro anrufen und mich erkundigen müssen, ob Sie wirklich dort arbeiten. Da könnte ja jeder mit einem teuren Anzug daherkommen und behaupten, daß er für einen Senator der Vereinigten Staaten arbeitet.«

Bevor er reagieren konnte, hatte ich schon die Hand in seine linke Brusttasche geschoben, aus der ich seine Brieftasche holte, ein braunes Ding, so zart wie ein Windhauch. Mit einer Hand auf meiner Smith & Wesson klappte ich die Brieftasche auf und zog seinen Führerschein mit den Zähnen heraus. Er wurde laut – was für eine Unverschämtheit, was glaubte ich eigentlich, wer ich sei. Ich holte meine Waffe heraus und hielt sie ihm unter die Nase. Der Führerschein wies ihn als Eric Bendel aus.

Ich gab ihm die Brieftasche wieder. »Ich weiß nicht, ob Sie wirklich dieser Bendel sind – der Mann auf dem Bild sieht mehr wie ein aus dem Irrenhaus in Elgin Entsprungener aus. Wollen Sie den Ausweis tatsächlich wieder?«

»Ich habe eine Botschaft für Sie von einem Senator der Vereinigten Staaten«, sagte er mit zusammengebissenen Zähnen. »Sie sollten das ernst nehmen.«

»Hoppla, einen Augenblick mal. Ich gehe zur Wahl und zahle meine Steuern. Wenn er das gleiche von sich behaupten kann, sind wir ebenbürtig. Aber Sie und er halten Ihren Besuch wahrscheinlich für etwas Besonderes.«

»Der Senator hat mich vor einer Stunde aus Washington angerufen.« Sein Blick war mittlerweile noch kühler geworden. »Er sagt, Sie könnten Ihre Energien nutzbringender auf andere Tätigkeiten verwenden – Sie wüßten schon, was er meint. Er hat außerdem gesagt, wenn Sie weiterhin Nachforschungen anstellen, die das Wohl seiner Wähler bedrohen, würde er sich erkundigen, ob er Ihnen nicht aufgrund Ihrer Gesetzesverstöße in den letzten beiden Wochen die Detektivlizenz entziehen lassen kann. Auch der Staatsanwalt wird sich für die Angelegenheit interessieren.«

»Soso. Und auswendig gelernt haben Sie das alles auch noch. Kein Wunder, daß er Sie als Mitarbeiter schätzt. Auf Wiedersehen, Eric. Einen schönen Tag noch.« Ich schloß die Tür auf und winkte ihm abschließend mit der Hand, in der ich meine Waffe hielt.

»Und was soll ich dem Senator sagen?« erkundigte er sich mit einer Stimme wie zermahlenes Glas.

»Daß ich mich als Wählerin geehrt fühle über sein Interesse an meinen Angelegenheiten, und daß ich mein möglichstes tun werde, mich erkenntlich zu zeigen. Auf Wiedersehen, Mr. Bendel.«

Frustriert machte er noch einen letzten Versuch: »Der Senator ist es gewöhnt, ernst genommen zu werden.«

»Er und ich müssen uns eines Tages mal persönlich unterhalten. Wir haben sehr vieles gemein – unser Interesse für die Angelegenheiten des anderen und das Bedürfnis, ernst genommen zu werden. Hoffentlich haben Sie sich meine Antwort gemerkt. Auf Wiedersehen.«

Ich wartete, bis er beim Wagen war, und ging dann hinein. Vielleicht hatten sie mich deshalb in letzter Zeit nicht mehr zusammengeschlagen – weil sie hofften, ich würde auf die Überredungskünste des Senators reagieren. Mir meine Lizenz als Privatdetektivin entziehen? Pah! Ich lachte höhnisch. So wie die Geschäfte augenblicklich liefen, würde das kaum einen Unterschied ausmachen.

Ich war besonders vorsichtig, als ich nach Elk Grove Village fuhr, um Mr. Contreras abzuholen. Auf dem ganzen Weg zu Fabian in den Süden der Stadt und auch wieder zurück hatte ich das Gefühl, daß mich jemand verfolgte. Wenn das Terrys Leute waren, beruhigte mich das, aber wenn nicht – wenn nicht, mußte ich die ganze Zeit Augen und Ohren spitzen.

Als ich in Elk Grove Village ankam, mußte ich mich erst einmal mit Mr. Contreras' Tochter auseinandersetzen, denn Ruthie Marcano war verständlicherweise eifersüchtig auf mich. Sie wollte nicht, daß ich ihn wieder mit nach Hause nahm. Ich hätte einen schlechten Einfluß auf ihn. Dies war das dritte Mal innerhalb von sechs Jahren, daß er im Krankenhaus gewesen war, weil ich ihn in eine gefährliche Situation gebracht hatte. Zwei Schußverletzungen und jetzt ein Rattenbiß. Hielt ich mich etwa für Gott? Wenn ich dachte, ihn zurück nach Chicago bringen zu können, damit wieder irgend jemand auf ihn schoß, hatte ich nicht alle Tassen im Schrank.

In einer Hinsicht war sie ihrem Vater sehr ähnlich: Auch ihrem Mund entströmten die Worte in einem unversiegbaren Fluß. Ich murmelte in angemessenen Zeitabständen »ja« und »nein« – schließlich hatte sie ja recht. Ich hatte wirklich dafür gesorgt, daß der alte Mann seine Krankenversicherung weidlich in Anspruch nahm. Bevor mir eine Methode einfiel, ihren Redeschwall einzudämmen, tauchte ihr Vater an der Schwelle auf.

»Hören Sie zu«, unterbrach ich ihn sofort, als er mich wortreich begrüßte. »Ihre Tochter hat mich gerade an die ganzen Gefahren erinnert, denen ich Sie im Lauf der Jahre ausgesetzt habe. Vielleicht sollten Sie doch lieber in Elk Grove Village bleiben, bis wir... bis wir die Typen los haben, die die ganze Zeit hinter mir her sind.«

Er war entrüstet. Wenn ich glaubte, er wolle jetzt schon den Löffel abgeben, dann täuschte ich mich. Mit Sicherheit würde er das nicht hier draußen in den Vororten tun. Er würde in eine Altenkommune ziehen – seine Stammkneipe hatte da was in Edgewater. Jedenfalls würde er sich von mir nicht behandeln lassen, als wäre er bereits tot.

Ruthie warf ihm seine Undankbarkeit vor. »Hab' ich nicht sofort alles liegen- und stehenlassen, als ich gehört habe, daß du im Krankenhaus bist? Und wofür – damit du mir erklärst, daß dir dieses Flittchen wichtiger ist als dein eigenes Fleisch und Blut!«

»Und hat dir nicht deine Mutter ein dutzendmal den Mund

ausgewaschen, wenn du solche Sachen gesagt hast?« schrie ihr Vater sie an. »Entschuldige dich sofort bei Vic.«

»Nicht nötig, nicht nötig«, sagte ich hastig.

Doch dies war eine innerfamiliäre Auseinandersetzung – sie schenkten mir keine Beachtung. Sie fingen an, sich gegenseitig in solcher Lautstärke sämtliche Verfehlungen der Vergangenheit vorzuwerfen, daß Mitch und Peppy angerannt kamen, um zu sehen, was los war.

Die Hunde kriegten sich fast nicht mehr ein vor Freude darüber, mich wiederzusehen. Schließlich war ich ja volle fünf Tage weggewesen. Während sie den Gehsteig ein dutzendmal auf und ab liefen, um mir ihre Freude zu zeigen, kam Ruthies jüngerer Sohn, ein schlaksiger Vierzehnjähriger, mit Mr. Contreras' Koffer aus dem Haus. Er drückte sich in typischer Teenagermanier hinter dem alten Mann herum – er wollte sich verabschieden, wußte aber nicht so recht, was er mit seinen überlangen Gliedmaßen anfangen sollte.

Als wir die Hunde endlich im Wagen hatten, meinte Ruthie: »Ich kann nicht jedesmal nach Chicago reinfahren, wenn diese Detektivin dich wieder in Schwierigkeiten gebracht hat.«

»Gott sei Dank«, erwiderte mein Nachbar trotzig. »Ich sag' dir doch immer, du sollst mich in Ruhe lassen. Tschüs, Ben.« Er klopfte seinem Enkel auf die Schulter und stieg in den Wagen.

Auf dem Weg zurück in die Stadt ertappte ich mich dabei, wie ich mir ein paar von Ruthies Warnungen aufsagte. »Zu viele Leute wollen zur Zeit meinen Kopf. Gerade hat mich ein Gesandter von Senator Gantner besucht, der mir eine milde Drohung vom Senator höchstpersönlich überbracht hat.«

»Das haben wir schon oft genug durchgekaut, Süße. Ich mag jetzt nicht mehr darüber streiten. Erzählen Sie mir lieber von den Kindern, die wir aus den Schächten geholt haben. Wie geht's denen?«

Ich hatte noch schnell Eva Kuhn angerufen, bevor ich meine Wohnung verlassen hatte, so daß ich Mr. Contreras jetzt sagen konnte, welchen Eindruck sie von den beiden überlebenden Hawkings-Kindern hatte.

»Meiner Meinung nach ist der Prozeß um das Sorgerecht, den Leon Hawkings anstrebt, das größte Problem. Die Kinder erholen sich körperlich schnell, aber Tamar scheint psychisch völlig auf dem Hund zu sein. Eva meint, solange sie sich mit der Überlebensfrage beschäftigen mußte, war alles in Ordnung, aber angesichts der Drohung, ihre Kinder zu verlieren, zieht sie sich immer mehr zurück und gibt auf.«

»Tja, Mutter des Jahres wird sie sicher nicht, aber trotzdem sollten wir uns überlegen, wie wir ihr helfen können. Denn wenn der Kerl sie wirklich mißhandelt hat und die Tochter auch, dann darf er die Kinder keinesfalls zurückbekommen.«

»Diese Aufgabe überlasse ich Ihnen – denken Sie mal drüber nach, wie man Tamar helfen könnte. Vielleicht wollen Sie ja die Kinder adoptieren.«

Ich hatte das im Scherz gesagt, aber seine Augen strahlten. »Na, das ist doch was Handfestes, Süße. Wir sollten ein Kind zu uns nehmen, damit die Hunde Gesellschaft haben.«

»Tolle Idee. Dann könnte ich jeden Morgen mit allen dreien zum See und wieder zurück rennen.«

»Wissen Sie, Süße... ach, Sie nehmen mich auf den Arm. Okay, okay. Vielleicht brauchen wir kein Kind, aber wir könnten ihnen allen ein besseres Zuhause geben als das, in das sie zurückmüssen.«

Da konnte ich ihm nicht widersprechen. Das gehörte zu den vielen Dingen, die mir in letzter Zeit zu schaffen machten.

Es war gerade Mittag, als ich ihn wieder in seiner Wohnung untergebracht hatte. Ich ließ ihn mit seinen Pflanzen allein und ging hinauf, um Fabian anzurufen.

Nachdem ich von Sekretärin zu Sekretärin weiterverbunden worden war, durfte ich endlich mit dem Herrn Professor sprechen. Seine Stimme klang ziemlich angespannt.

»Bevor ich irgend etwas sage, möchte ich dich darauf hinweisen, daß ich nicht deswegen mit dir rede, weil irgendeine der monströsen Anschuldigungen, die du gestern abend erhoben hast, stimmt.«

»Ist schon recht, ist schon recht«, antwortete ich gelangweilt. »Du bist Anwalt, und du hast dich sicher mit einem Kollegen unterhalten. Das Kleingedruckte haben wir hinter uns, und jetzt würde ich gern von dir erfahren, wie das Geld ins Land kommt.«

»Per Flugzeug, Warshawski. Immer am Samstagabend.«

»Per Flugzeug?« wiederholte ich. »Wo? Doch sicher nicht am O'Hare-Flughafen.«

»Du bist doch immer so stolz auf deine Klugheit, also denk nach.«

»Fabian...«

Er legte auf, und ich war wütend. Als ich noch einmal anrief, ließ er mir durch eine Institutssekretärin ausrichten, er sei nicht zu sprechen.

Per Flugzeug, immer am Samstagabend. Na großartig. Ich ging im Kopf alle Flughäfen im Großraum Chicago durch.

Wahrscheinlich war es nicht O'Hare, es sei denn, Gantner hatte eine ganze Reihe von Leuten bestochen – Mechaniker, Fluglotsen, Zollbeamte. Das gleiche galt für Midway. In der Nähe von O'Hare befand sich ein Militärflughafen – vielleicht hatte der Senator Zugang dazu. Und dann war da noch ein Luftwaffenstützpunkt draußen in den nördlichen Vororten. Meigs Field, der kleine Firmenflugplatz am Ufer des Sees, war eine weitere Möglichkeit. Auch in Gary, Indiana, gab es einen Flughafen. Dazu kam noch etwa ein Dutzend privater Landebahnen im Seven-County-Gebiet, aber vermutlich brauchten die Musketiere einen Jet, wenn das Geld die weite Strecke von den Caymaninseln herbefördert wurde.

Ich schlug mir gegen die Stirn. Natürlich – Gant-Ag hatte eine Landebahn! Keine Zollformalitäten, und die Mechaniker arbeiteten alle für das Unternehmen. Die ausgeklügelten Sicherheitsmaßnahmen, die ich bei meinem Besuch in der vergangenen Woche dort registriert hatte – das hatte nichts mit den experimentellen Maishybriden zu tun. Gantner wollte nur einfach immer wissen, wenn Fremde den Grund betraten.

»Fabian hat recht: Ich bin wirklich klug«, sagte ich laut.

Oder vielleicht doch nicht? Hatte der Senator Eric Bendel geschickt, weil Fabian ihn um Hilfe gebeten hatte? Oder weil Alec junior zu seinem Papa gerannt war? Vielleicht hatte sich Fabian zuerst an Alec junior gewandt. Was bedeutete, daß sie mir eine Falle stellen wollten. Aber selbst wenn das eine Falle war, stimmte die Geschichte – das Geld kam tatsächlich immer am Samstagabend dort an, und sie hofften, mich dabei zu erwischen, wie ich widerrechtlich ihr geheiligtes Versuchsgelände betrat, und dann einfach abzuknallen.

(»In der Dunkelheit konnten wir nicht erkennen, wer's war«, würde Alec junior dann sagen, eher bekümmert als verärgert. »Sie ist letzte Woche schon einmal hiergewesen und hat einen Maiskolben abgebrochen. Wir haben sie gewarnt – woher sollten wir wissen, daß sie Gesetz und Privateigentum gleichermaßen mißachtet?«)

Ich rief Murray an. Wenn Alec Gantner tatsächlich am Wochenende ganze Säcke mit Hundertdollarscheinen auf seinem Familienanwesen entlud, wollte ich nicht die einzige Zeugin sein. Terry hatte mir bereits klipp und klar erklärt, daß die Polizei die Finger von der Bank eines Senators lassen würde, und ebenso von seinem Sohn. Ich mußte Fotos, Namen und Daten beibringen, bevor mir jemand zuhörte.

Wie erhofft war Murray erfreut, mir Schützenhilfe leisten zu dürfen. Nachdem ich ihm die ganze Situation erläutert hatte, erklärte er sich bereit, mich mit einer Kamera zu begleiten, die auch in der Nacht Bilder machen konnte. Außerdem versprach er, vor dem Wochenende keine seiner Quellen in Washington anzuzapfen.

»Weißt du, das ist noch keine richtige Story«, teilte er mir mit. »Ich habe gestern meinem Chef die Kassette mit Tishs Aussage vorgespielt. Er läßt mich weiterstochern, aber im Grunde genommen geht er mit mir genauso um wie Finchley mit dir. Wenn wir was Hieb- und Stichfestes in der Hand haben, wie zum Beispiel ein Bordbuch oder Fotos, könnte ich der Zeitung vermutlich eine anständige Unterstützung aus dem Kreuz leiern.«

Wir beschlossen, gegen Mittag zusammen nach Morris zu fahren, damit wir genug Zeit hatten, uns die Gegend anzusehen. Murray wollte mich um elf in der Straße hinter dem Diner an der Belmont Avenue abholen.

58 Lauter Freunde

Die Kälte hatte sich durch meine Windjacke und meinen Pullover gefressen. Als ich neben Murray auf dem feuchten Boden lag, mußte ich mich zusammenreißen, um nicht mit den Zähnen zu klappern. Ich holte die Decke aus meinem Rucksack und hängte sie mir um die Schultern. Murray zog brummend einen Zipfel zu sich hinüber und schlang ihn sich um den Hals.

Wir waren kurz nach eins bei Gant-Ag angekommen und hatten dann die Grenzen des Anwesens abgefahren. Am südwestlichen Ende des riesigen Grundstücks mit seinen Gebäuden und Versuchsgeländen stießen wir auf ein Dickicht, durch das ein Bach floß. Über vier oder fünf Morgen erstreckten sich ursprüngliches Buschland und ein paar Bäume.

Wir wußten, daß wir Gefahr liefen, von den Videokameras entdeckt zu werden, wenn wir uns auf das Grundstück vorwagten, hielten das aber hier in diesem Gebiet für eher unwahrscheinlich. Die wild wuchernden Büsche begrenzten einen Feldweg, der von den Frühjahrsregenfällen so schlammig war, daß Murray mehrmals die Kontrolle über seinen Cobra verlor.

Den restlichen Nachmittag verbrachten wir in Morris. Nach einem späten Mittagessen gingen wir in die öffentliche Bibliothek, wo Murray in einem leeren Sitzungszimmer seine Videoausrüstung testete. Ein Freund aus dem PR-Büro von Ft. Sheridan hatte ihm nicht nur eine Nachtsichtvideokamera geliehen, sondern auch einen extraleichten Feldstecher. Weil wir nicht nur diese beiden Dinge, sondern auch Ersatzbatterien, weitere Videotapes, eine Decke, eine Thermoskanne, Murrays Kassettenrecorder, meine Waffe, die Dietrichsammlung und die Taschenlampe in der Dunkelheit durch die schlammigen Maisfelder schleppen mußten, waren wir schon bald außer Atem. Meine Beine, die mir immer noch die Jagd durch die Gateway Bank verübelten, fühlten sich wieder einmal an wie Gummi, als wir endlich nahe genug an der Landebahn waren, um uns niederzulassen.

Die Decke war Mr. Contreras' Idee gewesen. Wir hatten uns heftig darüber gestritten, daß ich ohne ihn losziehen wollte. Der Gedanke, ich könnte ein Abenteuer mit einem anderen Mann als ihm bestehen, verletzte ihn; besonders schlimm war es jedoch, daß ich mich ausgerechnet Murray anvertraute, den er für einen arroganten Schnösel hielt.

»Es könnte sein, daß wir die ganze Nacht weg sind«,

warnte ich ihn. »Also geraten Sie nicht in Panik, wenn wir am Morgen noch nicht zurück sind. Falls Sie jedoch bis Mittag immer noch nichts von mir gehört haben, informieren Sie bitte Conrad.«

»Sie gehen los, ohne ihm was zu sagen? Das ist ja das letzte«, brummte der alte Mann.

Nachdem er erfahren hatte, daß nicht einmal Conrad Bescheid wußte, beruhigte er sich ein wenig. Er war sogar wieder soweit mit mir versöhnt, daß er mir eine Decke, Schokolade, ein Schinkensandwich – allerdings keins für Murray – und eine Thermoskanne voll Kaffee mit einem Schuß Grappa einpackte. Letzteren hatte ich in dem Diner, wo wir zu Mittag gegessen hatten, gegen ganz normalen Kaffee ausgetauscht. Jetzt war ich froh über diese Ausrüstung. Murray aß das Sandwich, während ich Kaffee trank und an einem Stück Schokolade knabberte.

Wir unterhielten uns leise. Die Gebäude rund um die Landebahn waren zwar dunkel, aber im Haupttrakt konnten wir ein paar Lichter erkennen. In der Ferne hörten wir hin und wieder einen Laster durch den Vordereingang rumpeln.

»Du meinst nicht, daß dein Freund Fabian sich das bloß ausgedacht hat, um dir eins auszuwischen, oder?« murmelte Murray so gegen zehn.

»Mein Freund Fabian ist zu allem fähig. Wir sind jetzt seit einer Stunde da und haben absolut nichts gehört. Laß uns mal nachsehen, was in dem Hangar ist.«

»Immer Action, was? Wenn uns da drin jemand auflauert, bin ich durch die Kamera ziemlich behindert.«

»Dann hau sie ihm über den Kopf. Außerdem gebe ich dir Deckung. Wenn wir da sind, läßt du mich zum Eingang gehen. Wenn jemand sich auf mich stürzt, rufe ich nach dir, und du kannst uns auf Video aufnehmen.« Murray war genauso kalt wie mir. Er machte nur Zicken, weil es ihm nicht gefiel, daß alle Ideen von mir kamen. Wir packten sorgfältig unsere Habseligkeiten zusammen, denn diese Stelle würden wir in der Dunkelheit nie mehr wiederfinden, und wir wollten auf keinen Fall etwas zurücklassen, was auf uns hinweisen konnte.

Die letzten hundert Meter zum Hangar krochen wir auf allen vieren zwischen den Maisfeldern hindurch. Wir wollten nicht von den Scheinwerfern eines Lastwagens erfaßt werden, der zu

438

einem Lagerhaus fuhr. Während wir so dahinkrochen, fing es zu nieseln an. Unsere Knie versanken im Schlamm.

Neben dem Gebäude entdeckten wir einen Entwässerungsgraben, der fast tief genug war, um aufrecht darin stehen zu können. Wir krochen hinüber zur Flugzeughalle, wo wir uns endlich aufrichten und unsere steifen Glieder massieren konnten.

Murray nahm einen Schluck Kaffee. Wir blieben ein paar Minuten so stehen und lauschten, doch die dicken Betonmauern schluckten alle Geräusche. Ich zog Murrays Kopf zu meinem Ohr herunter und sagte ihm leise, ich würde nach vorne gehen, um das Gelände zu erkunden.

»Wenn ich in fünfzehn Minuten nicht zurück bin, verschwinde und benachrichtige die Polizei.« Für den Fall, daß die Polizisten von Grundy County oder Chicago es wagten, sich die Finger an Gant-Ag zu verbrennen.

Ich schlüpfte um die Ecke des Gebäudes herum und folgte der Westseite in Richtung der blauen Lichter auf der Landebahn. Das Gebäude war ziemlich lang, länger als es meiner Meinung nach für die Hubschrauber und Kleinflugzeuge von Gant-Ag nötig gewesen wäre. In der Dunkelheit erschien es mir endlos.

Als ich endlich am vorderen Teil angelangt war, blieb ich stehen und sah mir die Landebahn mit dem Feldstecher an. Auf der anderen Seite entdeckte ich einen Lastwagen, der wahrscheinlich zu den Lagerhäusern fuhr. Ich schlich um die Ecke herum zum Eingang. Schwere Wellblechtore verschlossen die Vorderseite. Sie waren abgesperrt. Wahrscheinlich hätte ich die Schlösser knacken können, aber die Tore zu öffnen, würde sicher einen Höllenlärm machen. Also suchte ich nach einem normalen Eingang und fand ihn an der Ostseite. Ich öffnete das Schloß mit einem Dietrich und kehrte dann auf der westlichen Seite des Hangar zu Murray zurück.

»Hast ganz schön lange gebraucht, Warshawski. Gerade wollte ich nach dir suchen.«

»Ich glaube, die Luft ist rein«, murmelte ich zurück. »Aber halten wir uns lieber trotzdem auf der Seite des Maisfeldes.«

Als wir vorne angelangt waren, warteten wir ab, bis der nächste Lastwagen den Weg zu den Lagerhäusern entlanggefahren war, und schlüpften dann an den Wellblechtoren vorbei zu dem Seiteneingang. Nachdem Murray mir nach drinnen gefolgt war, verschloß ich die Tür wieder hinter uns.

Im Dunkeln roch ich das Öl der Motoren. Ich knipste die Taschenlampe an und hängte die Decke darüber für den Fall, daß drüben im Bürotrakt jemand das Licht durch die hohen Fenster sähe. So erkundeten wir die Flugzeughalle.

Vorne, gleich neben einem kleinen Jet, standen die Beobachtungshubschrauber, die in dem trüben Licht aussahen wie bösartige Insekten, die Rotorblätter wie riesige Tentakeln, die Füße wie Stachel. Ich bekam eine Gänsehaut, bewegte mich aber weiter in das Gebäude hinein. Murray folgte mir und filmte alles um uns herum.

Auf den Werkbänken entlang der Westseite lagen Schraubenschlüssel und Schweißbrenner, die man zum Reparieren von Flugzeugen braucht. Keilriemen hingen von großen Haken über uns; unter den Bänken befanden sich Ersatzrotorblätter, -fenster und sogar ein paar Türen für die Flugzeuge. Neben der Bank standen einige Gepäckkarren, mit denen normalerweise Lasten zum Flugzeug transportiert werden.

»Eigentlich bräuchten wir ein Bordbuch als Beleg«, meinte Murray und zog einige Schubladen der Werkbank heraus. »Du weißt schon – für den Fall, daß Fabian dich hierhergelockt hat, ohne daß heute abend ein Flugzeug ankommt.«

»Und was würde deiner Meinung nach da drinstehen?« fragte ich spöttisch. »Heute wieder eine Ladung Hundertdollarscheine von den Caymaninseln angekommen?«

Aber ich mußte trotzdem zugeben, daß er recht hatte, also ging ich zum anderen Ende der Halle hinüber, wo ein kleiner Schreibtisch stand, und begann, die Arbeitsanweisungen nach Kraftstoffeintragungen, Motorenteilen und ähnlichem durchzusehen. Murray gesellte sich mit der Kamera zu mir, um alle Unterlagen zur späteren Begutachtung zu filmen.

Ich ging gerade einen Stapel Rechnungen voller Kaffeeflekken durch, als ich einen Schlüssel in der seitlichen Tür hörte. Wir ließen die Papiere fallen und versteckten uns in einem der offenen Hubschrauber. Murray rutschte auf eine Bank gleich neben der Tür. Ich setzte mich neben ihn, nahm meine Waffe aus dem Schulterholster und entsicherte sie.

Schritte waren zu hören, dann Männerstimmen, Gelächter, und plötzlich war die Flugzeughalle taghell. Ich erkannte Jasper Heccombs Stimme. »Kommt sie nun oder kommt sie nicht?«

»Keiner weiß, wo sie steckt.« Das war Alec Gantner. »Als Messenger mich gestern morgen angerufen hat, habe ich ihm gesagt, er soll ihr die Information zukommen lassen, aber nicht so offensichtlich, daß sie die Falle riecht. Wir haben ihren Wagen mit den Videokameras nirgends entdecken können, aber natürlich könnte sie über die Felder geschlichen sein.«

»Das hätten wir früher bedenken sollen«, raunzte Jasper ihn an. »Hast du mir nicht letzte Woche erzählt, daß sie die Videokameras an der Straße entdeckt hat?«

»Ja«, sagte Gantner. »Aber sie konnte nicht hierherkommen, ohne daß wir sie auf der Straße gesehen hätten. Ich habe die Leute in der Gegend gebeten, nach ihrem Wagen Ausschau zu halten, und niemand hat ihn entdeckt.«

»Sie könnte sich einen Wagen gemietet haben«, meldete sich Donald Blakely zum erstenmal zu Wort. »Wie lange wollen wir hier warten?«

»Nun, das Flugzeug kann in dreißig Minuten hier sein, spätestens in einer Stunde«, antwortete Alec. »Wahrscheinlich taucht sie auf, wenn es landet. Es sei denn, der Senator hat sie verschreckt.«

»Du glaubst doch nicht im Ernst, daß dein Alter sie beeindruckt hat, oder?« meinte Jasper.

»Ich dachte, wir haben uns darauf geeinigt, daß es einen Versuch wert ist«, erinnerte ihn Alec in scharfem Tonfall. »Die Chicagoer Polizei scheint ein Auge auf sie zu haben – mein Informant in Landseers Büro sagt, sie wollen sehen, ob sie sie zu dem Mädchen führt. Wir können kaum was unternehmen, solange sie die Überwachung nicht abblasen.«

Ich wußte nicht, ob das Mikrofon an Murrays Kassettenrecorder empfindlich genug war, um ihr Gespräch aufzunehmen, aber jedenfalls holte ich ihn vorsichtig aus meinem Rucksack und schaltete ihn ein. Danach warteten wir zusammen mit den Musketieren auf das Flugzeug.

Sie blieben im vorderen Bereich des Hangars stehen, ganz aufgeregt vor Vorfreude. Das Gespräch wechselte von einer

Diskussion darüber, was Heccomb nun tun wollte – jetzt, wo die Sache mit den illegalen Arbeitern aufgeflogen war, wollte er nicht mehr weitermachen mit Home Free –, zu Wetten darüber, ob die Chicago Bulls wieder Meister werden würden. Immer wieder jedoch sprachen sie über das, was sie mit mir machen wollten, wenn ich aufkreuzte. Ihre Schilderungen waren ziemlich plastisch – ich bekam eine Gänsehaut und hätte fast meine Smith & Wesson fallen lassen.

»Du bist der richtige Mann für den Job, Jaz«, sagte Blakely. »Hat sie dir im College nicht mal schöne Augen gemacht?«

»Gut, daß du dich damals nicht darauf eingelassen hast – das Weib hätte dich fertiggemacht«, mischte sich Gantner ein.

»Wenn ich die Gelegenheit hätte, würde ich das jetzt glatt nachholen«, murmelte ich.

Murray hielt mir die Hand vor den Mund, aber die drei lachten zu laut, als daß sie mich hätten hören können.

»Anton ist ganz scharf auf sie«, meinte Jasper. »Ich hab' ihn mit deinem Jungen vom Sicherheitsdienst am Eingang postiert. Anton ist so heiß, daß er glatt den Auspuff vergewaltigen könnte.«

Wieder schallendes Gelächter. Als ich meinte, ich könnte nicht ein Wort mehr ertragen, hörten wir einen Wagen vor dem Hangar vorfahren. Ein paar Männer schlossen sich den Musketieren an; eine Minute später öffneten sich die Wellblechtore mit lautem Getöse. Jemand ließ einen Motor an – dem Klang nach zu urteilen an einem der Gepäckkarren.

Murray spähte hinaus und flüsterte mir ins Ohr: »Sie sind alle rausgegangen, um zu schauen, was draußen los ist.«

Wir sahen einander an und wogen Neugierde gegen Sicherheit ab. Ich deutete mit dem Kopf in Richtung der Wellblechtore, Murray nickte und rutschte von der Bank herunter in den Hangar. Ich packte den Kassettenrecorder zusammen, verstaute ihn im Rucksack und folgte Murray mit der Waffe in der Hand. Im Schutz der größeren Maschinen schlichen wir auf den Ausgang zu. Wir blieben hinter einem Flugzeug gleich neben der Werkbank stehen, in das wir kriechen konnten, wenn die Musketiere beschlossen, wieder in die Halle zu kommen.

Das Rollfeld glitzerte regennaß in dem Licht, das aus dem

Hangar herausdrang. Im Schutz des Flugzeugflügels beobachteten wir Gantner, wie dieser sich mit einem Mann in wasserdichtem gelbem Arbeitsanzug unterhielt. Sie standen neben dem Gepäckkarren, Heccomb und Blakely hinter ihnen unter dem Vordach der Flugzeughalle. Der Mann im Arbeitsanzug deutete hinauf zum bewölkten Himmel; Gantner schien sich mit ihm zu streiten. Es war frustrierend, sie zu sehen, aber nicht verstehen zu können, was sie sagten.

»Selbst wenn sie den Flug abblasen, haben wir genug Material auf dem Kassettenrecorder, um damit zum Staatsanwalt gehen zu können«, sagte ich mit Grabesstimme zu Murray.

»Die können den Flug nicht abblasen, wenn der Pilot die ganze Strecke von der Karibik hergeflogen ist. Irgendwo muß er landen«, murmelte Murray zurück.

Wie auf ein Zeichen hin nahm der Mann im Overall plötzlich ein paar Leuchtstäbe zur Einweisung von Flugzeugen von dem Gepäckkarren und ging voraus. Die drei Musketiere zogen Regencapes über, kletterten auf den Karren, und ein Mann fuhr sie raus zur Mitte der Landebahn. Nach einer weiteren Minute tauchten die Landelichter eines Flugzeugs unter den Wolken auf.

Murray und ich rannten hinaus: Niemand kümmerte sich um uns. Wir stolperten von der Flugzeughalle in Richtung Maisfeld, wo wir uns in den Entwässerungsgraben drückten. Murray schaltete wieder die Kamera ein. Er filmte den kleinen Jet, als er kreischend auf der Landebahn aufsetzte, und hastete dann ein Stück das Feld hinauf, so daß er sich direkt gegenüber von dem Flugzeug befand. Ich beobachtete alles durch den Feldstecher.

Als das Flugzeug zum Stillstand gekommen war, sprang der Fahrer des Gepäckkarrens ab, um die Räder des Jets mit Keilen festzustellen. Die Musketiere sprangen ebenfalls herunter und warteten. Murray filmte, wie die Flugzeugtür aufging, zwei Männer mit Koffern die Stufen herunterkamen, die Musketiere ihnen auf den Rücken klopften und ihnen die Koffer abnahmen. Mit dem Karren fuhren dann alle wieder in Richtung Hangar.

Der Mann, der das Flugzeug eingewiesen hatte, entfernte die Keile vor den Rädern, sein Partner kam mit dem Karren zurück. Die beiden kletterten ins Flugzeug. Wahrscheinlich kümmerten sie sich um die Wartung.

Wir wollten gerade verschwinden, als ein Wagen des Sicherheitsteams vor dem Hangar vorfuhr. Ich richtete den Feldstecher darauf. Er war stark genug, um damit das Gant-Ag-Logo an der Flanke des Wagens erkennen zu können sowie darunter den großen schwarzen Schriftzug SICHERHEITSDIENST.

Ein Mann in brauner Uniform stieg aus und öffnete die hintere Tür. Ein riesiger Mann mit einem Stetson auf dem Kopf stieg aus und zerrte einen anderen Mann aus dem Auto, den er offenbar gefangengenommen hatte. Mir blieb das Herz vor Schreck stehen. Das war Conrad. Anton hielt ihn an den Armen fest.

59   Furioses Finale

»Was macht der denn hier?« wollte Murray wissen.

Das wußte ich auch nicht. Mit klopfendem Herzen hielt ich den Feldstecher auf den Hangar gerichtet. Der Mann in Uniform sprach mit Gantner und deutete auf Conrad. Blakely und Heccomb beobachteten die Szenerie. Anton hielt Conrad die Arme auf den Rücken, während sie ihn durchsuchten. Ich konnte nicht erkennen, was sie fanden – vielleicht seine Polizeimarke, weil die Musketiere zuerst erschreckt und dann noch bedrohlicher wirkten.

»Ich muß rausfinden, was sie machen«, sagte ich zu Murray. »Lauf zum Wagen zurück und versuch, mit deinem Autotelefon die Bundespolizei zu rufen. Die Beamten hier stecken offenbar mit Gant-Ag unter einer Decke. Wenn die Leute von der Bundespolizei dir nicht zuhören wollen, ruf Bobby Mallory an. Ruf ihn gleich an. Warte eine Stunde im Wagen auf mich. Wenn die Bundespolizei bis dahin nicht reagiert oder nicht da ist, dann hol irgendwo anders Hilfe, so schnell es geht.«

Ich gab ihm Mallorys Privatnummer, die ich auswendig weiß, und schickte ihn durchs Kornfeld zurück. Murray wollte für den Fall, daß es zu einem Kampf kam, bleiben, aber ich überzeugte ihn davon, daß es das sinnvollste war, Hilfe zu holen: Wenn sie uns beide erwischten, hatten wir ausgespielt.

Mittlerweile regnete es richtig, und das Gras im Graben war höllisch rutschig. Ich fiel ein paarmal hin, erhob mich jedoch sofort wieder, ohne auf meine wackeligen Beine oder mein Seitenstechen zu achten. Als ich beim Hangar angelangt war, kletterte ich über die Böschung des Grabens, konnte aber nichts hören – die Mechaniker hatten gerade ein Triebwerk eingeschaltet und wendeten das Flugzeug. Ich rannte noch einmal um das Gebäude herum zu dem seitlichen Eingang. Zwar konnte mich dort jeder vom Bürotrakt aus sehen, aber trotz meiner Angst, entdeckt zu werden, gelang es mir, die Tür einen Spalt zu öffnen. Ich konnte das Gespräch mitverfolgen, die Gesprächspartner aber nicht sehen.

Blakely fragte Conrad gerade, ob er mich kannte.

»Ja, ich habe schon mal von Ms. Warshawski gehört – sie ist Privatdetektivin und kommt der Polizei so oft in die Quere, daß die meisten von uns sie kennen. Arbeitet sie für Sie? Wenn Sie eine Empfehlung brauchen, würde ich sagen, sie arbeitet gründlich, ist aber zu stur für einen guten Arbeitnehmer.«

Trotz meines klopfenden Herzens mußte ich grinsen. Den Spruch mußte ich in seiner Gegenwart wiederholen – vorausgesetzt, wir überlebten beide diese Nacht. Blakely wußte nicht so recht, was er von dieser Antwort halten sollte, also fragte er Conrad, was er hier auf dem flachen Land zu schaffen habe. Nach Conrads Antwort zu schließen, hörte er diese Frage nicht zum erstenmal: Er habe Grund zu der Annahme, hier wichtige Hinweise in einem Chicagoer Mordfall zu finden, sagte er, aber er könne keine weiteren Einzelheiten verraten, ohne vorher mit seinem Vorgesetzten gesprochen zu haben. Den Conrad selbstverständlich befragen würde, wenn Gantner so freundlich wäre, ihn an sein Telefon zu lassen.

»Mr. Rawlings, Sie verstehen sicher, in welcher Lage Sie sich befinden.« Das war Gantners ruhige, angenehme Stimme. »Vielleicht gehören Sie der Chicagoer Polizei an, aber unsere Sicherheitskräfte haben Sie unter ... nun, wie heißt das bei der Polizei? – ›höchst verdächtigen Umständen‹ auf unserem Grund und Boden aufgegriffen. Wenn die Chicagoer Polizei meint, hier draußen fände sie Hinweise auf einen Mordfall, hätte sie uns das auch offiziell wissen lassen können. Deshalb werde ich Deputy Klavin bitten, Sie ein paar Minuten hier festzuhalten, während wir Ihre Geschichte überprüfen. Ich kenne jemanden im Büro des Polizeichefs. Es dauert sicher nicht länger als zehn Minuten.«

Ich hörte einen kurzen Moment nichts, dann platzte Blakely heraus: »Ich hab' gedacht, du hast die Bullen in Chicago im Griff. Sagt der Kerl die Wahrheit, oder hat er was mit Warshawski zu tun?«

»Vielleicht ist er wirklich ein Bulle und macht gerade Überstunden«, meinte Heccomb. »Sie ist normalerweise eine Einzelgängerin, aber es könnte schon sein, daß er bei gewissen Projekten mit ihr zusammenarbeitet.«

»Eigentlich ist es egal, wer er wirklich ist«, sagte Gantner. »Wenn er tatsächlich ein Bulle ist – schließlich hat er eine Dienstmarke –, können wir es uns nicht leisten, daß er die Geschichte von unserem Zusammentreffen und dem Flugzeug weitererzählt.«

»Willst du ihn mit Klavin und Anton wegschicken?« fragte Jasper. »Wenn sie ihn fünfzehn Kilometer südlich von hier absetzen, sind wir längst verschwunden, bis er zu Fuß wieder hier ist.«

»Wir brauchen eine langfristige Lösung«, erwiderte Gantner. »Wenn er wirklich ein Bulle ist, könnte er etwas wissen, was dich und Don mit dem Mord an Deirdre in Verbindung bringt. Du sagst, Tish ist ziemlich durcheinander wegen der Fragen, die Warshawski ihr gestellt hat. Besonders interessiert hat sie sich für den Baseballschläger, den Don vor ein paar Wochen mitgebracht hat. Damit will ich nichts zu tun haben.«

»Verdammt noch mal, Gantner, versuch jetzt ja nicht, einen Rückzieher zu machen. Auch wenn du in der Nacht nicht selbst in Warshawskis Büro gewesen bist, hast du mit der Sache zu tun«, sagte Blakely schwer atmend.

»Ich wüßte nicht, wie jemand von uns etwas mit diesem wahnsinnigen Anton zu tun haben könnte«, meinte Gantner nach kurzem Schweigen aalglatt wie immer. »Hat Charpentier ihn nicht gebeten, zu Deirdre zu gehen, sie davon zu überzeugen, daß sie sich hinsichtlich der Informationen, die sie in Heccombs Akten gefunden hat, getäuscht hatte? Wenn überhaupt jemandem ein Vorwurf zu machen ist, dann Charpentier, denn der hat diesen Versager eingestellt. Vielleicht hat Anton – oder Charpentier – den Baseballschläger von Messenger gesehen. Und da er nicht wußte, daß Don ihn sich ausgeliehen hatte – ein Scherz zu Lasten unseres angesehenen, aber manchmal übersensiblen Kollegen –, hat er ihn mitgenommen, um Messenger den Mord an seiner eigenen Frau in die Schuhe zu schieben.

Jasper, ich sollte dich wirklich rügen, daß du solche Arschlöcher in dein Büro läßt, aber eine andere Verbindung sehe ich nicht zwischen uns und denen. Wenn das Mädchen Jasper nicht dabei gesehen hat, wie er zurück ins Büro ist, um die Festplatte zu löschen, stehen wir mit weißer Weste da. Und mit ihr befassen wir uns, wenn sie wieder auftaucht.«

Es herrschte einen Augenblick Schweigen, dann begann Blakely zu lachen. »Du bist schon ein cooles Schwein, Gantner. Das muß ich dir lassen. Was sollen wir also mit dem Bullen machen?«

»Tatsache ist, daß wir alle heute nacht hier draußen sind, zusammen mit einem Flugzeug, das die örtlichen Fluglotsen nicht registriert haben«, mischte sich Jasper ein. »Wir können es uns nicht leisten, daß die Presse oder die Polizei in Chicago davon was spitzkriegt. Besonders, wenn Warshawski auch noch auftauchen sollte. Wie würde der Senator wohl eine tote Detektivin auf dem Grund und Boden seiner Familie erklären, Al?«

»Meinem Vater ist es bis jetzt gelungen, die Ermittlungen in dem Mordfall zu bremsen, weil er Verbindungen zum Staatsanwalt hat. Aber selbst er dürfte Schwierigkeiten haben, diese Geschichte einzurenken«, erwiderte Gantner.

»Klavin sagt, daß dieser Rawlings allein war, als sie ihn aufgegriffen haben. Wir weisen Klavin an, rund um das Anwesen eine Straßensperre aufzustellen. In der Zwischenzeit kann er in Morris rückfragen, ob Chicago ihnen einen Polizisten angekündigt hat. Wenn Rawlings hier in der Gegend Unterstützung hat, haben wir uns nichts vergeben. Wenn nicht, wird er mit einer Kugel im Kopf gefunden – fünfzehn Kilometer von hier entfernt –, und Chicago kann sich überlegen, was mit ihm passiert ist.«

Das Blut pochte in meinem Kopf. Ich lehnte mich, schwindelig und schwer atmend, gegen das Gebäude. Visionen von einem todesmutigen Einsatz, bei dem ich sie alle niederschießen würde, kamen mir in den Sinn. Durch das Dröhnen in meinem Kopf hindurch hörte ich Gantner etwas rufen. Ich konnte nichts sehen, wußte aber, daß Conrad und Anton allein draußen vor der Flugzeughalle stehen mußten. Jetzt oder nie, Warshawski.

Ich rannte wieder den Hangar entlang und sprang an seiner westlichen Flanke in den Entwässerungsgraben. Nachdem ich ein Ersatzmagazin aus meinem Rucksack geholt und in meine Tasche gesteckt hatte, erkundete ich das Gebiet noch einmal mit dem Feldstecher. Anton und Conrad standen tatsächlich vor dem Hangar, Klavin saß in seinem Streifenwagen auf der anderen Seite des Zauns und wies wahrscheinlich seine Leute an, die Straßensperre für Gantner zu errichten. Die Musketiere konnte ich nicht sehen.

Das Flugzeug hatte inzwischen gewendet. Einer der Mechaniker holte gerade einen Kraftstoffschlauch vom Flügel herunter und rollte ihn auf. Dann kehrte er zum Flugzeug zurück und ließ den kleinen Gepäckkarren neben dem Heck stehen.

Ich kletterte aus dem Graben und sprintete über das nasse Rollfeld zu dem Karren, der mit laufendem Motor dastand, und sprang auf. Nachdem ich ein wenig am Armaturenbrett herumgefummelt hatte, fand ich die Bremse: Sie wurde per Hand betätigt. Ich löste sie und zog an der Gangschaltung. Der Karren fuhr schwankend vorwärts, und der einzelne Wagen, der daranhing, scherte aus wie ein flatternder Schwanz.

Ich rollte über die Landebahn hinüber zum Hangar. Als ich stehenblieb, würdigte Anton mich kaum eines Blickes, weil er mich für einen Mechaniker hielt.

»Conrad!« rief ich. »Steig ein. Ich bin's, Vic. Steig ein!«

Conrad und Anton starrten mich blöde an.

»Conrad! Ich hab' gehört, was sie mit dir machen wollen! Sie bringen dich um. Steig ein!«

Endlich bewegte er sich auf mich zu. Anton stieß eine Warnung aus und griff nach seiner Waffe. Ich feuerte mit meiner Smith & Wesson auf ihn, und er sprang erschreckt zurück.

Als ich den Gepäckkarren wendete, rannte Anton mit einem

riesigen Revolver auf uns zu. Mit der linken Hand steuerte ich das Gefährt, mit der rechten schoß ich. Auch er feuerte seine Waffe ab. Plötzlich preßte er die Hand mit schmerzverzerrtem Gesicht auf den Unterleib.

Während ich den Karren die Landebahn entlanglenkte, hörte ich noch mehr Schüsse. Ich riskierte einen hastigen Blick über die Schulter und sah Blakely hinter uns hersprinten. Ich versuchte, zwischen den Lämpchen auf der Landebahn zu bleiben, stieß aber gegen eines, und der Karren geriet ins Wanken. Ich verlangsamte, damit er nicht kippte. Weitere Schüsse hallten hinter uns durch die Nacht. Conrad schrie auf und fiel nach vorn.

Ich blieb vor dem Flugzeug stehen. In seinem Schutz schaute ich mir Conrad an. Jemand im Cockpit schaltete ein Licht ein, das nicht nur uns beide deutlich sichtbar machte, sondern mich auch Conrads Verletzung besser erkennen ließ. Er blutete aus einer Wunde an der rechten Schulter, war aber bei Bewußtsein.

Ich hatte jetzt keine Zeit, ihn zu verbinden. »Wir müssen versuchen, in diesem Karren ein Maisfeld zu durchqueren. Murray wartet ungefähr eineinhalb Kilometer von hier entfernt mit dem Wagen auf uns.«

Er nickte, schnappte nach Luft und preßte die linke Hand gegen seine rechte Schulter. Ich drückte aufs Gas. Der Karren setzte sich in Bewegung, aber natürlich nicht wie eine Corvette. Die Hände ums Steuer verkrampft, versuchte ich, das Ding gerade zu halten, während wir auf den Rand des Rollfeldes zufuhren.

Hinter uns dröhnten die Triebwerke des Flugzeugs. Conrad wandte den Kopf, sein Gesicht wurde aschfahl im Scheinwerferlicht des Jet. Ich sah über die Schulter. Das Flugzeug rollte auf uns zu. Ich drückte das Gaspedal voll durch, aber wir fuhren deswegen nicht schneller. Der Jet war fünfzig Meter hinter uns und holte rasch auf.

Ich riß das Steuer nach rechts. Der Karren stieß gegen eins der Lichter auf der Landebahn, schwankte und kippte langsam um. Ich versuchte, Conrad vom Rollfeld wegzuzerren, aber der Jet hatte uns schon fast eingeholt. Ich warf mich auf den Boden und begann, wie wild auf seine Reifen zu schießen. Die kreischenden Triebwerke waren so laut, daß ich die Schüsse nicht hörte. Ich leerte das Magazin, während der Jet auf uns zurollte.

Plötzlich begann er zu schwanken wie ein verwundeter Vogel, und Rauch drang aus seinen Rädern. Er kippte nach rechts und landete schwer auf einem Flügel. Sich um die eigene Achse drehend, rammte er den Gepäckkarren. Ein Schwall heißer Luft versengte mir die Augenbrauen. Die Turbinen waren mir so nahe, daß ich jede Einzelheit mit bloßem Auge erkennen konnte.

Ich zwang mich aufzustehen, obwohl meine Knie ganz weich waren. Conrad hatte größte Mühe, nicht das Bewußtsein zu verlieren. Es gelang mir, seinen Arm um meine Schulter zu legen. Irgendwie schaffte ich es, zusammen mit ihm zum Graben zu stolpern. Als ich darin zusammenbrach, explodierte der Jet.

Vor uns erklangen Sirenen und holten mich ins Leben zurück. Ich spähte über den Rand des Grabens. Das Flugzeug brannte mit hoher, weißer Flamme. Ein Feuerwehrwagen fuhr so nahe wie möglich heran und begann, den Jet mit Schaum einzusprühen.

Ich zog meine schlammverschmierten Kleider aus und verband Conrads Schulter mit meinem T-Shirt. Dann hängte ich ihm meinen Pullover um und zog selbst wieder die Windjacke an.

In dem Graben war es naß, er war mit Sicherheit nicht der richtige Ort für einen Verletzten, aber wenigstens bot er Schutz, bis ich wußte, wie ich Conrad transportieren sollte. Ich konnte ihn nicht über das ganze Feld tragen. Ich suchte in meinem Rucksack nach Mr. Contreras' Decke. Conrad wachte kurz auf, als ich ihn darin einwickelte.

»Der alte Mann hat mich angerufen«, flüsterte er mühsam. »Er hat Angst gehabt. Er hat mir gesagt, daß du mit Ryerson hier bist. Die Typen haben mich an der Straße abgefangen. Sie haben immer wieder ›Nigger‹ zu mir gesagt und wollten mir nicht glauben, daß ich Polizist bin.«

»Ist schon in Ordnung, Baby.« Ich legte seinen Kopf in meinen Schoß. »Ich bin ja da. Du erholst dich wieder, aber ich muß erst eine Möglichkeit finden, dich zu transportieren, sonst verblutest du hier, und das würde mir deine Mama nie verzeihen.«

Er lächelte schwach, sagte aber nichts mehr. Ich stopfte ihm den Rucksack unter den Kopf und versuchte, mir eine realistische Strategie auszudenken. Ich konnte nur hoffen, daß sie glaubten, Conrad und ich seien zusammen mit dem Jet in Flammen aufgegangen, als dieser den Karren gerammt hatte. Dann hatte ich vielleicht Zeit, Hilfe zu holen. Das bedeutete jedoch, daß ich mich zu dem Bach zurückkämpfen und darauf vertrauen mußte, daß Murray noch dort war. Ich war mir nicht so sicher, ob mein Körper das mitmachen würde, aber eine andere Alternative fiel mir nicht ein.

»Ich muß dich jetzt eine Weile allein lassen«, sagte ich. »Ich lasse dir meine Waffe da. Aber ich hoffe, daß die Typen denken, wir sind tot, und uns nicht mehr suchen.«

Ich wechselte das Magazin aus und zwang mich, meine zitternden Beine auszustrecken. Gerade wollte ich aus dem Graben kriechen, als ich ein neues Geräusch hörte, lauter als das Knistern des Feuers, lauter auch als der Lärm, den der Feuerwehrwagen machte. Zwei Hubschrauber näherten sich von Norden. Ich duckte mich in den Graben, als sie neben dem Hangar landeten. Vorsichtig spähte ich durch das Gras hinüber. Auf den Seiten der Hubschrauber waren Zeichen aufgemalt.

Ich schob Conrads Kopf ein bißchen zur Seite, um den Feldstecher aus dem Rucksack zu holen. Die Hubschrauber hatten gewendet, so daß ich das Logo nicht erkennen konnte. Männer in braunen Uniformen sprangen aus den Helikoptern, hinter ihnen Murray mit seiner Kamera. Die Bundespolizei. Ich stieß einen Freudenschrei aus und kletterte über den Rand des Grabens.

60 Poeta emergit

Der Rest der Nacht verlief ziemlich wirr. Conrad auf einer Tragbahre im Helikopter. Pfleger, die mich im Krankenhaus von ihm wegzogen. Ich im Krankenhausbett, wo man meine Brandwunden versorgte. Terry Finchley an meiner Seite, der mir immer wieder dieselben Fragen stellte und mir erklärte,

Conrad gehe es gut, aber er brauche Blut. Ich im aussichtslosen Kampf gegen die Schwestern, weil ich ihm Blut spenden wollte – aber mein AB negativ nützte ihm nicht viel. Mrs. Rawlings, die mit Tagesanbruch ins Krankenhaus kam und weinte: »Wieso hast du mein Baby in diese Situation gebracht?«

Lotty kam um Mittag herum, und von da an verlief das Leben wieder in geordneten Bahnen. Sie versuchte mich zu überreden, daß ich zu ihr mit nach Hause kam. Meine Verletzungen waren nicht besonders schlimm – ein paar verbrannte Haare an den Augenbrauen und eine größere Verbrennung am rechten Unterarm –, aber ich wollte Morris nicht verlassen, solange Conrad hier im Krankenhaus lag; also reservierten sie in einem nahegelegenen Motel ein Zimmer für mich.

Die Ärzte hatten Conrad zwar die Kugel rausgeschnitten, sich aber nicht an seine Schulter gewagt: Lotty wollte, daß das die Spezialisten im Beth Israel machten, sobald Conrad wieder kräftig genug war, um nach Chicago gebracht zu werden.

Frisch gewaschen und angekleidet ging ich ihn am Nachmittag besuchen. Er lag so still da, daß sich mein Herz vor Schmerz bei dem Anblick zusammenkrampfte. Ich legte den Kopf auf seine Brust, um sicherzugehen, daß er überhaupt noch atmete.

Er blinzelte. »Hallo, Ms. W. Ich bin rausgefahren, um dich zu retten. Hab' ich gut gemacht, was?«

»Perfekt.« Ich küßte ihn sanft. »Du erholst dich wieder. Lotty ist hier und kommandiert die besten Ärzte rum.«

Er grinste, fast so wie immer. Ich hielt seine Hand, bis er wieder eindöste, und ging dann hinaus, um mich mit einer ganzen Phalanx von Polizisten des Bundes, des Landes und der Stadt Chicago auseinanderzusetzen. Sie hätten sich sofort wie die Terrier auf mich gestürzt, wenn Lotty sie nicht davon abgehalten hätte.

Bobby Mallory repräsentierte zusammen mit Polizeipräsident Kajmowicz und einem ziemlich förmlichen Terry Finchley die Polizei von Chicago. Die Bundespolizei hatte zwei höhere Beamte geschickt, während die örtliche Polizei einen aus der Stadt Morris und einen vom Bezirk abgesandt hatte. Dazu kam noch Klavin, der Leiter von Gant-Ags eigenem Sicherheitsdienst, das Maiskolbenemblem glänzend auf seiner Uniform. Außerdem tauchte noch ein neutraler Beobachter des Bundes auf, so daß das Dutzend fast voll war. Wir alle saßen in einem überfüllten, schlecht gelüfteten Zimmer des örtlichen Polizeireviers. Die abgestandene Luft verstärkte die Gereiztheit aller Beteiligten zusätzlich.

Das Treffen verlief ziemlich chaotisch. Die örtliche Polizei hatte Anweisungen von Gant-Ag, mich wegen Hausfriedensbruchs und Zerstörung privaten Eigentums zu verhaften – sie meinten damit den Jet. Nachdem ich Bobby von dem Plan der Musketiere erzählt hatte, Conrad zu töten, mußten sich die örtlichen Beamten der Wut von Mallory beugen. Die örtlichen Behörden hätten wahrscheinlich nach wie vor behauptet, mein Wort stehe gegen das von Gantner – und welches wog wohl schwerer? –, wenn Murray nicht alles auf Video aufgenommen hätte, und die Bänder hatten mittlerweile alle angeschaut.

Unglücklicherweise war die Diskussion der Musketiere über Conrad nicht auf dem Film; sie hatte stattgefunden, als ich vor dem Hangar herumgeschlichen war und Murray Hilfe geholt hatte. Niemand, nicht einmal die Bundespolizei, war bereit, Alec Gantner lediglich aufgrund meiner Aussage festzunehmen. Andererseits hatte Conrad eine Schulterverletzung davongetragen, und Anton hatte eine Aussage gemacht. Gant-Ag habe ihn angeheuert, um »den Schwarzen zu erschießen, der im Dunkeln auf dem Firmengelände rumgeschnüffelt hat«. Also zogen die örtlichen Beamten den Schwanz ein, wenn auch mit so schmutzigen Blicken, daß ich nach dem Treffen das Bedürfnis hatte, meine Kleidung zu waschen.

Schließlich brachte ich sie dazu, mir zu erzählen, was aus den Männern im Flugzeug geworden war. Einer der Mechaniker hatte durch den hinteren Ausgang entkommen können, als der Jet umkippte. Er hatte Verbrennungen zweiten Grades an Gesicht und Armen, aber die Aussichten auf seine Wiederherstellung waren gut. Blakely und der andere Mechaniker waren bei der Explosion ums Leben gekommen. Anton lag im selben Krankenhaus wie Conrad und erholte sich von dem Schuß in den Unterleib. Daß ich ihn getroffen hatte, war Zufall gewesen, weil ich überhaupt nicht hatte zielen können.

Die Stadt Chicago wollte wegen Antons Angriff auf Conrad Anklage gegen ihn erheben, sobald er das Krankenhaus wieder verlassen konnte. Diskutiert wurde noch, ob man ihm auch den Mord an Deirdre zur Last legen sollte. Anton jedoch wehrte sich und belastete offenbar nicht nur Charpentier, sondern auch Heccomb. Um sich selbst reinzuwaschen, behaupteten die Leute von Gant-Ag, Conrad habe sich aus unerfindlichen Gründen auf ihrem Anwesen herumgetrieben. Trotz meiner gegenteiligen Aussage gaben sie zu Protokoll, Anton habe Conrad bei der Festnahme angeschossen. Die ganze Diskussion endete in einer Sackgasse: Niemand kam Gant-Ags Forderung nach, mich zu verhaften, aber ohne belastendere Beweise als die, die Murray und ich gesammelt hatten, war auch niemand bereit, gegen Gantner vorzugehen.

Bobby wollte Gantner und Heccomb zumindest verhören, doch Kajmowicz widersetzte sich seiner Bitte. Bobby würde in ein paar Jahren in den Ruhestand gehen, doch Kajmowicz war erst fünfzig. Er wollte sich den Rest seiner Karriere nicht durch einen rachsüchtigen Senator der Vereinigten Staaten ruinieren lassen.

Zwei Tage später war Conrad kräftig genug, um nach Chicago zurückzufahren. Lotty nahm ihn im Beth Israel auf, wo es erfahrene Spezialisten für schußbedingte Knochenverletzungen gab.

Terry wartete zusammen mit Mrs. Rawlings, Conrads vier Schwestern und mir vor dem Operationssaal. Sogar Janice, die Neurologin, war von Atlanta eingeflogen, um aufzupassen, daß die Ärzte in Chicago ihren Bruder auch richtig behandelten. Die Operation dauerte vier Stunden, aber am Ende kam der Chirurg mit erfreulichen Nachrichten aus dem OP. Das Schultergelenk war nicht verletzt, und das Schlüsselbein hatte er wieder zusammenflicken können.

Mrs. Rawlings war so erleichtert über diese Nachricht, daß ich zusammen mit ihr und den anderen Familienmitgliedern als erste in Conrads Zimmer durfte. Conrad nahm meine Hand kraftlos in die seine, schlief aber sofort wieder ein.

Sobald Conrad sich erholte, distanzierte er sich immer mehr von mir. Ich versuchte, das zu ignorieren, und besuchte ihn weiterhin täglich, gab mir sogar größte Mühe, mich mit seiner Mutter besser zu verstehen. Camilla gab sich optimistisch, aber am Tag seiner Entlassung schickte Conrad seine Mutter und seine Schwestern aus dem Zimmer, damit er sich mit mir allein unterhalten konnte.

Er saß mit ernstem Blick auf der Bettkante. »Vic, ich verdanke dir mein Leben, das weiß ich. Aber mein Leben wäre nie in Gefahr gewesen, wenn du nicht einfach nach Morris rausgefahren wärst, ohne mir von deinen Plänen zu erzählen.«

Ich kniff die Augen zusammen. Ich durfte meine letzte Chance nicht vertun, indem ich ihm erklärte, daß Murray und ich genauso unauffällig wieder durch die Maisfelder davongeschlichen wären, aus denen wir gekommen waren, wenn Conrad mir nicht zu Hilfe geeilt wäre.

»Ich hab' mir gedacht, wenn ich dir was davon sage, hältst du mir sicher wieder Vorträge.« Ich versuchte, locker zu wirken, aber meine Worte klangen bockig.

»Da könntest du recht haben.« Conrad nahm meine Hand. »Ich glaube, wir sollten beide erst mal Abstand gewinnen. Der letzte Monat war eine ganz schöne Zerreißprobe für meine Liebe zu dir. In deiner Brust ist einfach nicht genug Platz für Kompromisse.«

»Aber Conrad, Terry wollte doch Emily Messenger festnehmen. Wenn ich die Kassettenaufnahme des Gesprächs zwischen Gantner und Blakely nicht vorgelegt hätte, hätte der Staatsanwalt den Haftbefehl möglicherweise nie rückgängig gemacht.«

»Und du hast nicht genug Vertrauen in unsere Gerichte, daß sie das alles auseinandersortieren? Du bist mir schon eine schöne Juristin, Ms. W.« Er wollte einen Scherz machen, aber seine Worte trafen mich.

Als ich ihm keine Antwort gab, fügte er hinzu: »Es hat sich herausgestellt, daß du mit fast allen deinen Behauptungen recht hattest – außer daß Fabian seine Frau ermordet hat, wie du es ja irgendwie gehofft hast. Aber noch so eine Episode stehe ich nicht durch, Vic. Es macht mir nichts aus, daß du recht hast; es geht auch gar nicht um die Kugel in meiner Schulter. Nein, ich kann dir bloß nicht mehr dabei zusehen, wie du ohne Rücksicht auf Verluste deine ganz persönliche Auffassung von Gerechtigkeit durchsetzt.«

Ich weinte so sehr, als ich das Zimmer verließ, daß ich nichts mehr sah. Camilla sprang von ihrem Stuhl auf, um mich zur Toilette zu begleiten. Ich blieb allein dort, bis ich sicher sein konnte, daß Conrad mit seiner Familie das Krankenhaus verlassen hatte.

Danach brachte ich kein allzu großes Interesse mehr für den Fall auf; der einzige Aspekt, der mich auch weiterhin berührte, war Emily Messengers Schicksal: Noch während Conrad in Morris gewesen war, hatte ich angefangen, den Staatsanwalt zu bearbeiten, daß er den Haftbefehl gegen sie aufhob. Terry half mir dabei. Er war mir böse, weil Conrad wegen mir verletzt worden war, und gleichzeitig verlegen, weil er seinen Fehler einsehen mußte, aber immerhin war er ein gerechter Polizist.

An dem Tag, an dem ich mir sicher sein konnte, daß Emily nichts mehr zur Last gelegt wurde, fuhr ich zu Arcadia House. »Ich hoffe, daß Mary Louise Neely Emily Messenger zu euch gebracht hat«, sagte ich zu Marilyn Lieberman.

Sie schenkte mir ihr typisches, schiefes Lächeln. »Du weißt ganz genau, daß wir die Identität unserer Bewohner nicht preisgeben, Vic.«

»Mach keinen Narren aus mir, Lieberman. Ich bin ihr nicht nahegekommen, habe ihr nicht mal einen Brief geschrieben, sie auch nicht angerufen, solange ich befürchten mußte, daß ich ihr damit Schwierigkeiten einhandeln könnte. Der Staatsanwalt hat den Haftbefehl gegen sie aufgehoben. Der Typ, der versucht hat, sie umzubringen, liegt mit einem Loch im Unterleib im Grundy County Hospital. Der wird nie mehr der Macho von früher sein. Und Donald Blakely ist in der großen Geldwäscherei im Himmel.

Emily kann sich wieder an die Öffentlichkeit wagen. Sie kann zurück in die Schule und überlegen, was sie mit ihrem Leben anfangen möchte. Ist sie hier? Oder muß ich die ganze Stadt mitsamt Schächten durchsuchen, um sie zu finden?«

Marilyn grinste und nickte. Ich war mir sicher gewesen, hundertprozentig sicher, daß Mary Louise Neely sie zu Marilyn gebracht hatte. Aber ich mußte das erst aus Marilyns Mund hören, bevor ich mich endgültig entspannen konnte.

»Was ist mit ihrem Vater?« erkundigte sich Marilyn. »Sie ist minderjährig; wir werden ihre Anwesenheit hier nicht offiziell bestätigen, wenn sie zu ihm zurückmuß.«

»Fabian? Ich glaube, das kann ich regeln. Aber zuerst würde ich gern erfahren, welche Pläne sie selbst für die Zukunft hat.«

Marilyn ließ Eva Kuhn holen. Ich erklärte ihr die neuesten Entwicklungen, dafür berichtete mir Eva von den psychischen Fortschritten, die Emily machte.

»Wir sind hier nicht in Hollywood, Vic – schließlich ist sie erst seit zwei Wochen bei uns. Sie braucht eine stabile Umgebung mit festen Strukturen, viel, viel Unterstützung und eine langfristige Therapie. Das ist mehr, als ich ihr geben kann. Aber im Grunde ist sie ein gesundes Mädchen und hat viele Talente. Mit der richtigen Hilfe müßte sie es eigentlich schaffen. Ich möchte gern, daß sie noch einen Monat oder so hierbleibt, bis sie sich stark genug fühlt wegzugehen. Aber wo sie dann hinsoll, ist die große Frage.«

Als sie mich zu Emily führte, war ich erstaunt über ihre Veränderung. Sie sah jünger aus, als ich sie in Erinnerung hatte, und sie trug eine Jeans, die ihr tatsächlich paßte, dazu ein kräftig türkisfarbenes T-Shirt mit der Aufschrift »Our Bodies, Our Lives«. Eine der Mütter, die ebenfalls in dem Frauenhaus wohnte, erzählte mir Marilyn, hatte ihr krauses Haar zu Zöpfen geflochten und mit bunten Perlen geschmückt.

Emily sah mich wie üblich ernst an, verzog aber das Gesicht zu einem Grinsen, als Eva sagte: »Vic glaubt, sie ist hart, aber mir hat sie beim Basketball noch nie das Wasser reichen können. Laß dir von ihr nichts aufschwatzen, was du nicht möchtest.«

»Spielst du Basketball mit Eva?« fragte ich. »Nimm dich in acht vor ihren Ellbogen – für die braucht sie einen Waffenschein.«

Ich erzählte ihr von den letzten Tagen, erklärte ihr, wer ihre Mutter umgebracht hatte und warum und wieso sie sich keine Sorgen mehr machen mußte, daß irgend jemand versuchte, ihr weh zu tun.

»Ich hab' im Fernsehen den explodierten Jet gesehen. Waren Sie das?« fragte sie mich mit ihrer schüchternen, leisen Stimme.

»Die wollten mich überfahren, also habe ich die Reifen kaputtgeschossen.« Als sie mich voller Ehrfurcht anschaute, fügte ich hinzu: »Ich hab' mein Lebtag noch keine solche Angst gehabt, das kannst du mir glauben.«

»Und Sie wissen wirklich sicher, daß der Mann im Krankenhaus meine Mutter getötet hat? Sie sagen das nicht nur, damit
ich mir keine Gedanken mehr mache?«

»Keine Gedanken mehr...? Ach so. Du denkst an das, was
Dr. Zeitner dir einzureden versucht hat, daß du verdrängst, sie
umgebracht zu haben. Nein, Emily. Ich fürchte, so weit geht
meine Fähigkeit zu lügen nicht.«

»Aber wen habe ich dann in der Nacht in Ihrem Büro
gesehen? Ich hab' doch Daddy gesehen.«

Ich verzog das Gesicht. »Dr. Zeitner hat leider in einem
Punkt recht: Unser Gedächtnis ist nicht immer sehr zuverlässig. Wenn wir davon überzeugt sind, etwas gesehen zu haben,
dann erinnern wir uns auch daran. Du hast die Füße eines
Mannes gesehen, und du warst dir sicher, daß es die von Fabian
waren. Aber denk doch mal logisch drüber nach: Du weißt,
daß er an jenem Abend nicht zu Hause war. Nachdem er sich
über dich hergemacht hatte, ist er in sein eigenes Zimmer. Dort
war er auch, als du das Haus verlassen hast.

Als du in der Innenstadt angekommen bist, war deine Mutter
schon tot. Dein Vater kann unmöglich in die Stadt gefahren
sein, deine Mutter umgebracht und das Büro wieder verlassen
haben, bevor du dort eingetroffen bist. Nicht einmal dann,
wenn er mit dem Wagen gefahren ist, während du den Bus
genommen hast.«

Als sie über das, was ich gesagt hatte, nachdachte, kehrte der
verkniffene Ausdruck auf ihr Gesicht zurück. »Bedeutet das,
daß er recht hat, daß ich mir... das andere... auch nur ausgedacht habe? Daß ich mir das so denke, weil ich es mir eigentlich
wünsche?«

»Meinst *du* das denn, Emily?« fragte ich.

»Ich weiß es nicht«, flüsterte sie. »Manchmal habe ich das
Gefühl, daß ich verrückt bin und mir das alles bloß einbilde.«

»Ich weiß, daß du nicht verrückt bist, Emily. Schließlich
haben wir uns oft genug unterhalten in den letzten Tagen, und
ich habe miterlebt, daß du dich genauso verhältst wie andere
Menschen auch«, sagte Eva, die so selbstsicher und beruhigend
klang wie eine Göttin. »Ich kenne deinen Vater nicht, aber ich
habe schon eine Menge Väter kennengelernt, die sich so schämen für das, was sie ihren Frauen und Töchtern angetan haben,

daß sie sich einreden, es wäre nie passiert. Sie werden wütend, sie erzählen Lügen, und sie versuchen, ihren Töchtern die Schuld für das in die Schuhe zu schieben, was sie selbst gemacht haben.«

Wir ließen Emily ein paar Minuten Zeit, das zu verdauen, bevor ich wieder etwas sagte. »Die Frage ist nur: Was möchtest du als nächstes tun? Eva, Marilyn und ich glauben, es wäre sinnvoll, wenn du noch einen Monat oder so hierbleibst. Dann könnten wir dir einen Platz suchen, wo du dich sicher und geborgen fühlen kannst. Und wo du dich weiterhin mit einer guten Therapeutin treffen kannst – mit einer Frau wie Eva, die nur noch mehr Zeit für dich hat. Du solltest darüber nachdenken, ob du in deine alte Schule zurück möchtest im Herbst. Es gibt viele Fragen, die du überlegen solltest.«

»Ich kann die Jungs nicht im Stich lassen«, flüsterte sie.

»Das verlangt auch niemand von dir. Ich sage nur, wir müssen einen besseren Ort für dich finden als dein bisheriges Zuhause. Du hast nicht nur Pflichten, sondern auch Rechte, Emily. Du hast Anrecht auf ungestörten Schlaf.«

Sie fing zu weinen an. »Wenn ich ausziehe, darf ich sie nie wiedersehen. Er wird zornig sein auf mich. Ich kann nicht...«

»Überlaß das ruhig mir. Ich sorge dafür, daß du deine Brüder so oft sehen kannst, wie du möchtest. Mach dir keine Sorgen darüber, ob dein Vater wütend sein wird oder nicht. Auch darum kümmere ich mich. Glaub mir.«

»Aber wo soll ich hin?« jammerte sie.

»Wir überlegen uns gemeinsam was«, antwortete Eva. »Du mußt nicht von hier weggehen, bevor wir ein gutes Zuhause für dich gefunden haben.«

Eva gab mir ein Zeichen, daß ich gehen solle, und bat mich, in Marilyns Büro auf sie zu warten. Als ich mich erhob, fiel mir etwas ein.

»Schreibst du eigentlich immer noch, Emily?«

Sie hielt den Kopf gesenkt, schüttelte ihn aber sehr heftig.

»Ich glaube, du solltest wieder damit anfangen. Führ ein Tagebuch. Schreib Gedichte. Deine Gedichte sagen dir, was du machen sollst.«

Sie hob den Blick mit einem so aufmerksamen Gesichtsausdruck, wie ich ihn noch nie an ihr gesehen hatte. Das war das

Gesicht der jungen Frau, die »Eine Maus zwischen zwei Katzen« geschrieben hatte. Ich ertappte mich dabei, wie ich auf dem Weg zu Marilyns Büro lächelte.

61   Mal du Père

Eva gesellte sich ungefähr zehn Minuten später in Marilyns Büro zu uns. »Wir wissen wirklich nicht, was wir mit Emily machen sollen. Sie darf auf keinen Fall zu ihrem Vater zurück. Und von Rechts wegen müßte ihm das Sorgerecht für die Kinder überhaupt entzogen werden. Aber wenn wir offiziell Beschwerde einreichen, beschwören wir nur eine Menge neuer Probleme herauf. Wenn die Behörden uns glauben, kommen die Kinder in Pflegeheime, jedes wahrscheinlich in ein anderes. Und wenn sie uns nicht glauben, müssen wir uns auf langwierige Beweisverfahren gefaßt machen. Aber beide Wege führen, wenn man bedenkt, welch einen guten Ruf Fabian allgemein genießt, doch nur dazu, daß die Kinder wieder zu ihm müssen.«

»Es gibt noch eine Großmutter«, sagte ich. »Könnten sie zu ihr? Oder haben die Kinder noch andere Verwandte?«

Marilyn schüttelte den Kopf. »Jedenfalls keine, die Emily gut kennt. Deirdre hatte eine zehn Jahre ältere Schwester, die in der Nähe von Los Angeles lebt, doch sie und Deirdre hatten schon seit Jahren keinen Kontakt mehr. Fabian hat eine Schwester in Baltimore, aber in seiner Familie trau' ich niemandem.«

Ich pfiff leise vor mich hin. »Angenommen, ich kann Fabian dazu bringen, die Kinder wegzugeben – wäre es besser oder schlechter für Emily, wenn sie mit ihren Brüdern zusammenbleibt? Sie hat so lange auf sie aufgepaßt ... meinst du, es würde ihr guttun, wenn sie sich eine Weile nicht um sie kümmern müßte?«

Marilyn und ich sahen Eva an, die eine Weile überlegte, bevor sie uns eine Antwort gab. »Die drei hängen zusammen wie die Kletten. Wenn wir einen richtigen Platz für sie finden könnten, bei Pflegeeltern, die sie zusammen großziehen, würde ich sagen, lassen wir sie zusammen. Fabian sollte sich nicht weiter um die beiden Jungen kümmern dürfen, obwohl die Gefahr, daß er auch sie vergewaltigt, relativ gering ist. Ihn allerdings dazu zu bringen, daß er sie ziehen läßt, wird mit Sicherheit schwierig; der Typ muß jemanden bevormunden können.«

»Ich kümmere mich schon um Fabian, wenn ihr inzwischen überlegt, wo man die Kinder unterbringen könnte.« Ich machte Anstalten zu gehen.

»Was willst du machen?« fragte Marilyn. »Du kannst ihm doch nicht die Pistole auf die Brust setzen.«

»Jetzt hörst du dich fast an wie Lotty«, antwortete ich. »Stell keine Fragen. Es ist besser für dich, wenn du nicht weißt, wie ich es mache.«

Mary Louise Neely stieg gerade aus ihrem Wagen, als ich die Stufen vor dem Haus hinunterging. »Ihrem Gesicht nach zu urteilen, geht's Emily gut«, begrüßte sie mich.

»Sie wird's schaffen.« Als ich selbst in meinen Wagen stieg, merkte ich, daß ich immer noch leise vor mich hin pfiff – »Se vuol ballare« aus *Figaros Hochzeit*.

Als ich mich am Samstag mit Fabian unterhielt, fand ich das Gespräch eher ermüdend als schwierig. Seine Reaktionen reichten von Wut über Leugnen, daß in seinem Verhältnis zu Emily jemals etwas schiefgegangen war, bis zu seiner Behauptung, seine Tochter sei ein sehr, sehr krankes Mädchen, das dringend Hilfe benötige.

»Da haben wir doch einen gemeinsamen Nenner gefunden«, sagte ich. »Wir wollen ihr helfen. Mein Angebot sieht folgendermaßen aus: Wir bringen Emily, Joshua und Nathan zusammen bei Pflegeeltern unter. Du finanzierst die tägliche Betreuung deiner Söhne, meinetwegen einen Kindergarten, wo sie sich mit anderen Kindern treffen und mit ihnen spielen können. Du zahlst die Schulgebühren und die Kosten der Psychotherapie für Emily. Und Tamar Hawkings – das ist die Frau, die Emily dabei geholfen hat, eine Woche lang in den Schächten zu überleben – bringst du in einem erstklassigen Wohnheim unter, wo sie ihre Kinder bei sich hat und ihr geholfen werden kann. Zum Ausgleich dafür kannst du deinen Job behalten.«

»Wie kannst du es wagen?« Er zitterte vor Wut. »Wie kannst du es wagen, dich zwischen mich und meine Kinder zu stellen.

Ich lasse dich verhaften, wenn du ihnen noch einmal zu nahe kommst. Und jetzt verschwinde aus meinem Haus!«

Ich lehnte mich in meinem Sessel zurück und wartete darauf, daß er aufhörte zu schreien. Als er nach über zwanzig Minuten fertig war, klangen mir die Ohren.

»Du verstehst mich nicht richtig, Fabian. Meine guten Absichten in bezug auf deine Kinder sind das einzige, was zwischen dir und einem höchst unangenehmen Treffen mit der Anwaltskammer steht. Den Leiter der juristischen Fakultät möchte ich lieber gar nicht erwähnen.«

Als er wieder mit seiner Litanei anfing, erklärte ich ihm alles noch einmal: Daß ich Kassettenmaterial besaß, das seine Zusammenarbeit mit Alec Gantner belegte und nicht nur sein Wissen um die Geldwäsche, sondern auch um die gegen mich gerichteten Mordpläne bewies. Natürlich entsprach das nicht ganz der Wahrheit – auf der Kassette war nichts von seiner Mitwisserschaft erwähnt –, aber wie ich Fabian schon früher einmal erläutert hatte: In der South Side galt nun mal nicht der Knigge.

Ich wäre durchaus bereit, dieses Kassettenmaterial zu veröffentlichen, warnte ich Fabian, um seine Verwicklung in die Gant-Ag-Affäre – die Verletzung des Handelsembargos gegen den Irak – publik zu machen. Wenn er sich weiterhin stur stelle, fügte ich hinzu, würde ich Emily in einem Prozeß gegen ihn unterstützen.

»Vielleicht behalten sie dich ja weiter an der Uni, aber jedenfalls würde es ein interessantes Jahr für dich. Ich habe unsere kleine Vereinbarung schriftlich fixiert. Ehrlich gesagt, war das nicht ich, sondern Manfred Yeo – ich habe mich nicht genug mit Verträgen beschäftigt, um so etwas wirklich hieb- und stichfest formulieren zu können.«

»Du bist zu Manfred gegangen?« Fabian war entsetzt.

Ich nickte mit einem engelsgleichen Lächeln und hielt ihm eine Kopie des zehnseitigen Dokuments hin, das unser alter Professor für mich entworfen hatte. Ich war am Dienstag zu ihm gegangen, nachdem ich Arcadia House verlassen hatte. Mir erschien es nur passend, daß er dazu beitrug, die Geschichte zu einem Ende zu bringen, weil ja alles während der Abschiedsparty für ihn begonnen hatte.

Manfred war bekümmert, aber nicht schockiert gewesen über meine Schilderungen. Natürlich hatte er die Gantner-Story in der Presse verfolgt, aber darin war nie die Rede von Fabian gewesen. Manfred pflichtete mir bei, daß es das beste war für Emily, wenn man sie nicht durch ein anstrengendes Gerichtsverfahren gegen ihren Vater hetzte, und versprach, ein entsprechendes Vertragswerk für mich auszuarbeiten.

»Fabian war einer meiner brillantesten Studenten«, erzählte er mir am Ende unseres Gesprächs. »Ich habe seine Berufung an die Uni unterstützt, aber ein Vorfall ganz zu Beginn seiner Professur hat mir sehr zu denken gegeben. Er hat sich an einem Fall versucht – an einem Riesenverfahren gegen Trusts –, und die Anwaltskosten haben sich auf zwanzig Millionen Dollar belaufen. Der Fall wurde im Harvard Law School Journal besprochen. Eine Jury angesehener Anwälte sollte die Durchführung des Verfahrens beurteilen. Sie waren nicht der Meinung, daß er gegen das Standesrecht verstoßen habe, meinten aber, schlampige Arbeit habe letztendlich zu den horrenden Gebühren geführt. Damals wurde das als typisches Beispiel dafür betrachtet, wie weit sich die Anwälte mit akademischen Ambitionen von der Realität der Gerichte entfernt haben.

Als der Artikel erschienen ist, hat Fabian sich völlig zurückgezogen. Eines Tages habe ich ihn zusammengekauert auf dem Boden der Herrentoilette gefunden. Ich habe ihm wieder auf die Beine geholfen und ihm erklärt, daß er sich unbedingt in psychiatrische Behandlung begeben müsse. Obwohl ihn das verletzt hat, schien ihn diese Bemerkung auch wieder ins Leben zurückzukatapultieren. Doch seit damals mache ich mir Gedanken darüber, ob ein so instabiler Mensch tatsächlich zuverlässig sein kann.«

Natürlich hatte Manfred diese Episode niemandem erzählt. Doch Fabian dachte mit ziemlicher Sicherheit daran, als ich ihm erklärte, ich sei bei unserem alten Professor gewesen – es war der Gedanke daran, daß Manfred in seine schändlichsten Geheimnisse eingeweiht war, der ihn aufhören ließ, sich weiter mit mir wegen Emily zu streiten.

»Du kannst allen erzählen, Deirdres Tod hätte dich so sehr mitgenommen, daß du deinen Kindern im Moment kein ordentliches Zuhause mehr bieten kannst«, schlug ich ihm vor, als ich mich erhob, um zu gehen.

Fabian fing hinter seinem alten Schreibtisch zu zittern an. Nachdem seine Wut verraucht war, war er erstaunlich schnell in sich zusammengefallen. Auf meinem Weg nach draußen teilte ich dem Kindermädchen mit, daß Fabian sich nicht wohl fühle und sie die Jungen von ihm fernhalten solle.

In jener Nacht unterhielt ich mich mit Lotty über Fabian. Ich versuchte zu verstehen, warum er die Polizei fast schon gedrängt hatte, Emily festzunehmen. »Die Polizisten und ich haben uns darüber gestritten, ob er oder Emily Deirdre umgebracht hatte, aber für ihn hat sich diese Frage überhaupt nicht gestellt. Er hat nicht versucht, die Schuld auf seine Tochter abzuschieben, damit er nicht belangt wird – er ist so egozentrisch, daß ihm nicht einmal in den Sinn gekommen ist, er könne verdächtigt werden.«

»In einer Hinsicht allerdings wollte er schon wie ein Unschuldslamm dastehen«, erwiderte Lotty. »Der Mord an Deirdre war nicht so wichtig für ihn, aber die Tatsache, daß er Emily vergewaltigt hat. Er ist nicht der rationale Typ – soll heißen, er hat sich nicht hingesetzt und ist logisch alle Alternativen durchgegangen –, aber wenn er sich selbst davon überzeugen konnte, daß Emily Deirdre umgebracht hat, aus genau den Gründen, die sein Lieblingspsychiater ausgeführt hat, konnte er sich auch einreden, seine Tochter nie angerührt zu haben. Alles, was du mir erzählt hast, deutet für mich darauf hin, daß er unter einer besonderen Form von Paranoia leidet: Er kommt wunderbar zurecht im Berufsleben – wahrscheinlich hält es ihn sogar aufrecht. Aber gleichzeitig weiß er nichts von all den schrecklichen Dingen, die er macht – er weiß nicht mehr, daß er seine Frau geschlagen oder seine Tochter vergewaltigt hat: Diese Dinge vergißt er wirklich.«

»Das ist ja ekelhaft.« Ich schenkte mir noch einen Whisky ein. »Dann heiratet er also über kurz oder lang wieder und gründet eine neue Familie.«

»Unsere Welt ist eben nicht perfekt«, meinte Lotty. »Kannst du ihn nicht wenigstens der Mittäterschaft bei den Verbrechen von Gant-Ag beschuldigen?«

Ich schüttelte den Kopf. »Wir brauchen ihn – er muß den

Kindergarten und die Schule und die Therapie und die ganzen Sachen zahlen. Außerdem haben wir schon unsere liebe Mühe damit, die Musketiere wegen der Gant-Ag-Sache ins Gefängnis zu kriegen. Fabian war auch gar kein richtiger Mittäter, er hat dem Senator nur einen wertvollen juristischen Rat gegeben. Und mir hat er deswegen das Leben schwergemacht, weil er sich damit bei Gantner einschmeicheln wollte. Er wußte um die ganze Geschichte, aber er hat keinen direkten Nutzen daraus gezogen. Er wollte lediglich diese verdammte Bundesrichterstelle.«

Ich trank weiter, auch noch, nachdem mich Lotty vor einem gewaltigen Kater am nächsten Morgen gewarnt hatte. Aber ich wurde einfach nicht betrunken. Nicht einmal Black Label konnte Fabians Geschmack aus meinem Mund herausbrennen.

62 Märchenerzähler

Eva Kuhn und Officer Neely waren entzückt über das, was ich bei Fabian erreicht hatte, aber sobald ich Emilys Probleme gelöst hatte, verfiel ich selbst in eine Lethargie, die ich nicht mehr abschütteln konnte. Ich legte dem Staatsanwalt eine eidesstattliche Versicherung über Antons Angriff gegen Emily und mich im Krankenhaus vor. Ich sprach mit zahllosen Bundesbehörden über die illegalen Arbeiter aus Rumänien und überlegte lustlos, warum die Beamten der obersten Finanzbehörde mir bezüglich der Geldwäscherei keine Fragen stellten.

Murray kam fast täglich vorbei und berichtete mir voller Energie von seinen Bemühungen, Alec Gantner senior und junior festzunageln. Er versuchte immer wieder, mich für seine Nachforschungen zu begeistern. Ich kam mir vor, als würde ich von einer gigantischen Stechmücke angegriffen, und verzog mich immer häufiger mit den Hunden an den See.

Ein paar Tage nachdem Fabian meinen Vertrag unterzeichnet hatte, wurde mir mitgeteilt, daß mich Gant-Ag wegen einer Entschädigung für das Flugzeug, das meinetwegen in Flammen aufgegangen war, verklagen wolle. Depressionen sind ein wun-

465

derbarer Schutz gegen Angst – ich spürte weit weniger Panik in mir aufkommen, als das sonst vielleicht der Fall gewesen wäre. Ich las den Brief sorgfältig durch, wählte dann die Nummer von Gantners Chicagoer Büro und ließ mich mit Eric Bendel verbinden.

»Richten Sie Senator Gantner hinsichtlich des Rechtsstreits gegen mich etwas aus.« Ich überging Bendels Beteuerungen, er wisse gar nicht, warum ich anriefe.

»Sagen Sie ihm folgendes: Wenn es sich bei dem Jet tatsächlich um ein Flugzeug von Gant-Ag gehandelt hat, ergeben sich doch ein paar interessante Fragen: zum Beispiel, wieso es so viel Geld von den Caymaninseln eingeflogen hat, und das so ganz ohne Bordbuch oder andere Registrierung durch die Chicagoer Fluglotsen. Sagen Sie ihm, ich habe die Unterlagen über alle in dieser Nacht registrierten Flugzeuge von O'Hare und Aurora.«

Das war ein Ergebnis von Murrays eifrig betriebenen Nachforschungen. Nachdem das Flugzeug explodiert war, hatte Murray am nächsten Morgen mit ein paar Leuten von der Luftfahrtbehörde gesprochen, die er kannte. Niemand wollte auf seine Fragen eingehen, aber schon zwei Tage später erhielt er anonym eine Kopie der gesamten Bordbücher des nördlichen Illinois. Derjenige, der sie ihm geschickt hatte, hatte sich größte Mühe gegeben, seine Identität zu verbergen – schließlich ist ein Fluglotse Bundesbeamter, und ein wütender Senator konnte dafür sorgen, daß er seinen Job verlor.

Bendel legte auf, ohne etwas zu sagen, aber als ich ein oder zwei Tage später vom Joggen zurückkam, wartete er vor meiner Tür auf mich. Seine marineblaue Limousine stand wieder in zweiter Reihe vor meinem Haus, und einige Kinder tanzten drum herum – Limousinen waren in unserem Viertel immer noch ein seltener Anblick, obwohl die Gegend von Tag zu Tag besser wurde.

Bendel stieg auf der Beifahrerseite aus, als er mich den Gehsteig entlangkommen sah. »Senator Gantner würde sich gern mit Ihnen unterhalten.«

Ich rief die Hunde zurück – sie waren einfach zu freundlich, und ich wollte nicht, daß sie sich irgendwelche gräßlichen Krankheiten holten, wenn sie ihn ableckten. »Dann soll er einen Termin mit mir vereinbaren. Ich werde sehen, ob ich ihn noch irgendwo einschieben kann.«

Die hintere Tür der Limousine öffnete sich, und die gutge-kleidete Gestalt, die ich von den Wahlkampfplakaten kannte, stieg aus. »Tun Sie mir den Gefallen, Ms. Warshawski. Ich bin nur sehr kurze Zeit in Chicago.«

Ich sah mit großer Geste auf die Uhr. »Na schön. Zehn Minuten.«

Als sie mir ins Haus folgten, streckte Mr. Contreras den Kopf zur Tür heraus. »Kommen Sie mit rauf«, sagte ich zu ihm. »Sie haben jetzt die einmalige Gelegenheit, einen Senator der Vereinigten Staaten persönlich kennenzulernen. Und Sie kön-nen Zeuge sein für alle Drohungen oder Bestechungsversuche, die er unternimmt.«

Der alte Mann war verblüfft, folgte mir aber sofort die Treppe hinauf. Als wir alle in meinem Wohnzimmer saßen, ich in meiner verschwitzten Shorts, Gantner und Bendel in maß-geschneidertem Sommerkammgarn, kam Gantner ziemlich schnell zur Sache.

»Ich habe von Eric gehört, daß Sie Kommunikationspro-bleme mit dem Unternehmen meines Bruders, mit Gant-Ag, hatten. Gant-Ag ist ein Konzern mit Niederlassungen auf der ganzen Welt. Sie wissen, daß er in Privatbesitz ist, aber es ist kein Geheimnis, daß der jährliche Umsatz mehr als dreißig Milliarden Dollar beträgt. Mein Bruder, der das Unternehmen leitet, seit ich im Kongreß bin, hat nicht immer die Zeit, sich um alle Einzelheiten zu kümmern. Das sollte er in seiner Position auch nicht. Als ich mich heute morgen mit ihm unterhalten habe, hat er mir mitgeteilt, daß er sich bezüglich des Flugzeu-ges, das Sie zerstört haben, getäuscht hat – es gehört nicht uns, sondern einem privaten Unternehmen mit Sitz in der Karibik, das kein Interesse daran hat, Schadensersatzforderungen zu stellen. Craig wird Ihnen einen Brief dieses Inhalts zuschicken – er müßte eigentlich noch heute rausgehen.«

»Das ist natürlich eine große Erleichterung, Senator«, sagte ich und lehnte mich in meinem Sessel zurück. »Nicht nur für mich, sondern auch für ihn.«

»Und was die anderen Dinge anbelangt, die Ihnen am Her-zen liegen: Ich fürchte, mein Sohn ist in seinem Wunsch, einem gemeinnützigen Unternehmen hier in Chicago unter die Arme zu greifen, ein wenig übers Ziel hinausgeschossen. Er ist so sehr an das sorglose Leben gewöhnt, daß er dem Stiftungsbeirat einfach beigetreten ist, als zwei Freunde das vorgeschlagen haben. Er hat sich mittlerweile aus dem Unternehmen zurückgezogen und nichts mehr damit zu tun.

Alec war ein bißchen naiv. Besonders verwirrt wurde er durch seinen langjährigen Freund Donald Blakely. Blakely hat offenbar einem der bei Home Fee beschäftigten Bauunternehmer einen Auftrag gegeben, der zu dem Mord an Deirdre Messenger geführt hat. Meine Familie und die Angehörigen meines Unternehmens hat es sehr bekümmert, daß ein Banker, dem wir alle vertraut haben, uns so hinters Licht führen konnte. Anscheinend hat Donald Blakely nicht nur unser Unternehmen, sondern auch seine eigene Bank – Gateway – für die Geldwäsche benutzt, die über Home Free abgelaufen ist.

Als Mrs. Messenger das entdeckt hat, hätte sie zur Polizei gehen sollen. Statt dessen hat sie selbst heldenhaft Don zur Rede zu stellen versucht, was die tragischen Folgen hatte, die wir alle kennen. Ich werde Clive Landseer veranlassen, alles daranzusetzen, daß der Täter, Anton Radescu, seiner gerechten Strafe zugeführt wird. Seinen Chef Gary Charpentier müssen wir wohl von jeder Schuld – außer der der Unwissenheit – lossprechen.«

»Sehr geschickt«, sagte ich. »Denn sonst könnte der Heccomb Feuer unterm Hintern machen, und Heccomb wiederum könnte über den naiven Alec junior auspacken.«

Gantner brachte mich mit einer gebieterischen Geste zum Schweigen. »Unter den gegebenen Umständen, Ms. Warshawski, halte ich es für ratsam, daß wir uns gegenseitig keine Anschuldigungen an den Kopf werfen. Eric?«

Sie verschwanden so schnell, daß ich vorübergehend an ihrer tatsächlichen Anwesenheit zweifelte.

Als Murray von der dreisten Verteidigungsstrategie der Gantners erfuhr, ließ er einen Wutschrei los. Er war in den Hinterhof gekommen, wo ich mit den Hunden Mr. Contreras zusah, wie er sich um seine Pflanzen kümmerte. Mein Nachbar legte die Hacke lange genug weg, um Murray von unserer Begegnung mit dem Senator zu erzählen – er freute sich wie ein

Schneekönig über die Tatsache, daß er einen Logenplatz bei dem Ereignis gehabt hatte, während Murray sich weit weg im Schweiße seines Angesichts sein Brot verdiente.

»Was für eine fadenscheinige Lügengeschichte«, meinte Murray, ohne den gehässigen Blicken Mr. Contreras' Beachtung zu schenken. »Gantner muß das ganze Justizministerium an der Kandare haben, wenn die ihm eine solche Geschichte abkaufen. Und mein Chef erklärt mir, daß die Fahrt raus nach Morris eine freiberufliche Einlage war. Das heißt, weitere Nachforschungen in dieser Richtung bezahlt er mir nicht.«

»Soso.« Ich spielte mit Peppys Ohren.

»Was willst du jetzt unternehmen, Warshawski?«

»Am besten führen wir einen Regentanz auf. Beschwören wir doch alle Wasser des Himmels auf die Gantnerschen Maisfelder im Mittleren Westen herab.«

»Mal im Ernst. Du kannst doch nicht untätig hier rumsitzen, während die mit der Gerechtigkeit Schindluder treiben.«

»Das heißt also, ich soll dir gratis dabei helfen, *die* Story deiner Laufbahn zu schreiben. Ich mache nichts mehr – für niemanden, auch nicht, wenn ich eine größere Summe in bar geboten kriege.«

Murray packte mich bei den Schultern und schüttelte mich. »Das geht doch nicht, Warshawski. Du kannst nicht einfach so aufgeben.«

»Das sage ich ihr auch die ganze Zeit«, pflichtete ihm Mr. Contreras bei. »Wann haben Sie sich schon mal so unterkriegen lassen, Süße?«

»Ich bin erschöpft. Ich habe einen Monat damit verbracht, mein Leben für ein abstraktes Konzept der Gerechtigkeit aufs Spiel zu setzen, und was kam am Ende dabei raus: Mein Freund hat mich verlassen. Geht doch zu einer von den großen Detekteien. Die arbeiten für Geld, deshalb zerbrechen die auch nicht an ihren Leidenschaften.«

»Ach was, Warshawski. Nun spiel mal nicht Achilles – das ist eine Rolle für einen griechischen Adeligen, nicht für einen polnischen Dickschädel aus der Gosse.«

Ich rief Peppy herbei und ging ins Haus. Natürlich war die Geschichte abscheulich, aber ich war völlig ausgelaugt. Wenn das keine Ironie des Schicksals war: Jetzt, wo ich nichts tun wollte, boten mir die Leute scharenweise Jobs an. Nicht einmal ein Treffen mit Phoebe Quirk inspirierte mich. Etwa eine Woche nach meiner letzten Unterhaltung mit ihr hatte sie mich zum Mittagessen im Filigree eingeladen. Sie wirkte dabei ganz untypisch gedrückt. Ich hatte sogar den Eindruck, als wolle sie sich entschuldigen.

»Ich hab' dir ziemlich viele Probleme bereitet, stimmt's? Vielleicht hätte Conrad sich nicht von dir getrennt, wenn ich dich da nicht hineingezogen hätte.«

»Ich weiß es nicht, aber Deirdre Messenger wäre trotzdem ermordet worden, und ich hätte sicher versucht, Emily Messenger zu beschützen. Was passiert jetzt übrigens mit Lamia?«

»Home Free wird völlig umstrukturiert und erhält einen neuen Beirat. Tish Coulomb übernimmt die Leitung. Sie will den Obdachlosen wieder direkt Unterkünfte vermitteln; außerdem ist noch genug Geld da für ein letztes Bauvorhaben, und die Lamia-Frauen können mitbieten. Wir machen uns Hoffnungen.«

Phoebe schwieg einen Augenblick, spielte an ihrem Weinglas herum und sprach dann schnell, fast ohne Luft zu holen: »Ich weiß, das letzte Mal war ich ziemlich wütend auf dich, aber würdest du vielleicht doch wieder einen Auftrag für mich übernehmen? Ich habe da einen heißen Tip – ein kleines biotechnisches Unternehmen, das ein paar Professoren aus der Pharmazie aufgezogen haben, aber ich hab' noch nie was von denen gehört. Ich würde dir sechshundert am Tag plus Auslagen zahlen.«

»Kein Interesse.«

»Vic, ich habe dir doch gesagt, daß es mir leid tut«, sagte Phoebe, fast wieder so arrogant wie immer, doch dann fiel ihr wieder ein, daß sie ja als Bittstellerin zu mir gekommen war, und lächelte. »Kein anderer Detektiv, mit dem wir zusammenarbeiten, ist so gründlich wie du. Wie lange würdest du dafür brauchen?«

Ich überlegte. »Du könntest mir auch einen Gefallen tun: Sorge dafür, daß Ken Graham bei Tish Coulomb arbeiten darf. Wenn sie Home Free umorganisiert, braucht sie Hilfe. Wenn das klappt, denke ich über dein Problem nach – aber das ist kein Versprechen.«

Am nächsten Tag rief Phoebe mich an, um mir zu sagen, daß Ken anfangen könne, die Akten von Home Free auf Vordermann zu bringen. Ich riß mich zusammen und verfaßte einen Brief, den Ken seinem Bewährungshelfer vorlegen konnte. Darraugh war so erfreut darüber, daß er mir einen Scheck über zehntausend Dollar ausschrieb. Ich versuchte, ihn auszuschlagen, weil mir das zuviel für den Job erschien.

Er gab sich knapp wie immer: »Ich weiß, was Sie durchgemacht haben, Vic. Mehr, als Sie glauben. Vor ein paar Wochen ist so ein Arschloch aus Gantners Büro, ein Eric Bundle oder Bindle oder so ähnlich, zu mir gekommen, um mir zu sagen, daß Kens Bewährung zurückgenommen wird, wenn ich Sie weiter beschäftige. Diese Drohung hat mir sehr mißfallen. Ich habe Sie damals nicht damit belästigt, aber als die Gant-Ag-Story ein oder zwei Tage später in allen Zeitungen stand, habe ich erst gemerkt, was Sie da eigentlich geleistet haben. Sie haben sich das Geld verdient. Lösen Sie den Scheck ein. Suchen Sie sich ein ordentliches Büro. Gönnen Sie sich einen Urlaub.«

Ich löste den Scheck ein. Ich konnte sogar Mr. Contreras überreden, einen Tausender für seine Steuer anzunehmen. Ich brachte immer noch keine Energie zum Arbeiten auf, aber vielleicht hatte Darraugh gar nicht so unrecht mit seinem Vorschlag, ich solle mir einen Urlaub gönnen. In letzter Zeit hatte ich öfter mal Prospekte über die Reichenbach-Wasserfälle gewälzt.

Ich ließ mir dieses Problem beim Joggen durch den Kopf gehen. Kurz darauf schaute Officer Neely überraschend vorbei. Sie wartete im Wohnzimmer auf mich, während ich mich duschte und Kaffee machte.

Wir unterhielten uns ein bißchen über Emily, dann sagte Mary Louise Neely plötzlich: »Ich habe gekündigt. Ich habe begriffen, daß ich in einer Hierarchie, die ich nicht akzeptiere, nichts zu suchen habe. Was für ein Glück, daß Terry mein Vorgesetzter gewesen ist – er hat mir andere Aufgaben übertragen, aber er hat mich nicht verraten. Doch ich bin sicher, daß ich so eine Situation nicht noch einmal erleben möchte.

Was ich eigentlich fragen wollte... Warum ich zu Ihnen gekommen bin... Es sind eine Menge Gerüchte im Umlauf darüber, daß Sie aufhören wollen. Das wollte ich Sie fragen.«

Die Sache war ihr so peinlich, daß sie ganz rot wurde und mit der leeren Kaffeetasse herumspielte.

Als ich ihr erzählte, was ich in der letzten Zeit getan hatte, atmete sie tief durch. »Ich möchte Ihnen etwas vorschlagen: Ich würde gern für Sie arbeiten. Wenn Sie sich einen Urlaub gönnen wollen, könnte ich sogar das Geschäft vorübergehend für Sie übernehmen. Ich habe Emily angeboten, daß sie mit ihren Brüdern bei mir wohnen kann. Sie ist einverstanden, und auch Eva Kuhn hält das für eine gute Lösung, insbesondere deshalb, weil Fabian die Kosten für ein Kindermädchen übernimmt. Fabian zahlt auch die Schule, aber es reicht trotzdem nicht – ich brauche Arbeit, wenn ich bei der Polizei kündige.«

Ich lachte. »Wenn Sie meinen, ein Geschäft wie meines könnte zwei Leute ernähren und obendrein noch drei Kinder, täuschen Sie sich gewaltig.«

Sie wurde wieder rot, ließ sich aber nicht so schnell entmutigen. »Wenn wir zu zweit arbeiten, könnten wir mehr und unterschiedlichere Aufträge annehmen. Ich bin gut organisiert. Sie müßten sich nicht mehr um die Details kümmern, die Sie ohnehin nicht interessieren. Und mir würden die langweiligen, monotonen Sachen nichts ausmachen, jedenfalls nicht am Anfang: Das würde bedeuten, daß ich etwas Regelmäßiges hätte. Ich bin neunundzwanzig Jahre alt, körperlich fit und habe, wie Sie wissen, Erfahrung.«

Der Vorschlag kam so unerwartet, daß ich nicht wirklich wußte, was ich davon halten sollte. Ich versprach, es mir zu überlegen.

63   Aus ist noch lang nicht vorbei

Am 27. Juli herrschte eine Affenhitze. Auf Mr. Contreras' Drängen hin packte ich die Hunde in meinen Wagen und fuhr zum Picknicken und Schwimmen hinunter zu den Indiana Dunes. Er blieb zu Hause und wollte sich um seine Pflanzen kümmern. Er freute sich schon auf das Mulchen oder Mähen oder was er sonst vorhatte.

Es war sechs, als ich wieder nach Hause kam. Auf dem Weg

zur Tür glaubte ich, Lachen aus dem hinteren Teil der Wohnung zu hören. Ich ging durch den engen Durchgang und sah, daß der ganze Hof voller Leute war. Als ich hereinkam, riefen alle »Überraschung!« und »Happy Birthday!«

Jemand – später erfuhr ich, daß dieser Jemand Ken Graham gewesen war – hatte meinen Namen und dazu den Spruch »Das Leben beginnt mit Vierzig« aus Lämpchen arrangiert. Ich stand mit einem albernen Lächeln auf den Lippen vor der versammelten Gesellschaft.

Mr. Contreras stürzte mit einem Glas Champagner in der Hand auf mich zu. »Sie haben wohl gedacht, ich vergesse Ihren Geburtstag, was? Alles Gute.«

Lotty und Max kamen herüber, um mir einen Kuß zu geben. Max überreichte mir eine chinesische Vase mit Blumen aus seinem eigenen Garten. Gerührt brachte ich sie ins Innere des Hauses, damit sie nicht kaputtging, und ließ mich dann wieder draußen blicken, um die restlichen Gäste zu begrüßen.

Sal war da mit ihrer neuesten Flamme, einer jungen Schauspielerin. Mary Louise Neely hatte Emily und ihre Brüder mitgebracht. Mary Louise arbeitete mittlerweile freiberuflich für mich – wir hatten sechs Monate Probezeit vereinbart, bevor wir vielleicht einen formellen Vertrag schlossen. Emily wirkte mit ihren widerspenstigen Haaren, die ihr vom Kopf abstanden wie ein riesiger Busch, ihrer Jeans und einem purpurroten Pullunder aufgeweckt und jung. Sie hatte ein witziges Gedicht für mich verfaßt und es mir als kalligraphisches Kunstwerk geschenkt.

Darraugh und Ken waren zusammen da und machten auf Familie. Ken hatte gedacht, er könne die Lücke füllen, die Conrad in meinem Leben hinterlassen hatte, und war in der Stadt geblieben, um hier die Sommerschule zu besuchen. Wir hatten im Filigree zu Abend gegessen wie ausgemacht, und ich war ein paarmal mit ihm zum Segeln gegangen – es hatte mir sogar gefallen. Aber Kens Schwärmerei ließ allmählich nach – im Herbst wollte er sich dem Friedenskorps in Osteuropa anschließen. Darraugh hatte seine Enttäuschung darüber besser verwunden, als ich erwartet hatte.

Außerdem waren noch Bobby Mallory und seine Frau Eileen, Phoebe Quirk, Camilla Rawlings, Marilyn Lieberman,

Eva Kuhn und das restliche Basketballteam da. Sogar Manfred Yeo schaute vorbei. Ich hob spöttisch die Augenbrauen, als Murray zusammen mit Tish Coulomb aufkreuzte. Er lächelte mich ein bißchen verlegen an, aber die beiden wirkten ganz glücklich miteinander.

Mr. Contreras gab mir das Bild meiner Mutter von den Uffizien zurück. Der Walnußholzrahmen war so meisterhaft repariert, daß ich die Bruchstellen nur nach längerem Suchen entdeckte.

Darraugh überreichte mir so schroff wie möglich ein Rückflugticket nach Mailand. »Ich habe Ihnen doch gesagt, daß Sie sich einen Urlaub gönnen sollen. Besichtigen Sie das Haus Ihrer Mutter. Und wenn Sie schon mal da sind, können Sie gleich eine meiner Tochtergesellschaften außerhalb von Mailand besuchen. Ich brauche jemanden, der Italienisch kann und dort nach dem Rechten sieht. Ich schicke Ihnen die Einzelheiten morgen früh per Boten.«

Was soll ich noch sagen? Vielleicht, daß gute Freunde Balsam auf die wunde Seele sind. Und daß Mitch – unterstützt von Nathan – sich den größten Teil des Kuchens einverleibte. Und daß der Champagner in Strömen floß und wir tanzten, bis der Mond am Himmel verblaßte.

Dank

Wie immer habe ich mich von Experten beraten lassen. Egidio Berni legte durch seine Beschreibung der Ereignisse in Kapitel neununddreißig den Grundstein zu diesem Buch. Dave Sullivan und Bill Boardman lieferten mir Informationen über das Bauwesen in Chicago. Allan Fenske erklärte mir, wie man eine Alarmanlage mit automatischer Schaltung zur Polizei austricksen kann.

Normalerweise recherchiere ich gründlich, insbesondere wenn die Orte, die ich beschreibe, tatsächlich existieren, doch zu denen in Kapitel zweiundvierzig und dreiundvierzig hatte ich keinen Zutritt. Deshalb beruhen die Schilderungen dieser Szenen zum Teil auf Fotos – die mir Mary Lynn Dietsche zur Verfügung stellte –, hauptsächlich jedoch auf meiner eigenen Phantasie.

Jeri Linas, die Leiterin von Rainbow House, hat mir Zutritt zu diesem Chicagoer Frauenhaus verschafft. Anne Parry, die im Rainbow House arbeitet, hat mir Informationen zukommen lassen und die nötigen Verbindungen hergestellt. Arcadia House ist rein fiktiv und ähnelt Rainbow House lediglich insofern, als es sich dabei ebenfalls um ein Haus für mißhandelte Frauen handelt.

Noch immer wird mir Hilfe angeboten: Sue Riter zum Beispiel gab mir Ratschläge zur Behandlung von Jessie Hawkings; Marilyn Martin erklärte mir, was mit Leuten passiert, die für unzurechnungsfähig erklärt werden; Jay Topkis stand mir wieder einmal in technischen Dingen bei. »The Mad Go Player« gab mir Tips in puncto Hacking. Professor Wright und Dr. Cardhu haben mich wie immer auf bewundernswerte Weise unterstützt.

Zu besonderem Dank bin ich den Männern und Frauen verpflichtet, die einen wunderbaren Arbeitsraum für mich schufen. Das Bauer-Latoza Studio sorgte für das Design. Firehouse Construction arbeitete sorgfältig daran, als handle es sich um ihr eigenes Heim. Mein Dank geht an: Al, Bill und Bill, Bob, Carlos, Carm, Daniel, Dave, Doug, Fausto, Gerardo, Gino, Greg, Hannah, Joanne, John und John sowie Paula. Ein Dankeschön außerdem an die Withers, Charlie sen., Charlie jun. und John. Gerardo – möge Gottes Segen dich immer begleiten.

V. I. ist eine Figur, die als Zeitgenossin auch älter wird. Normalerweise erlebt sie ihre Abenteuer in dem Jahr, in dem ich das Buch schreibe. Aus besonderen historischen Gründen jedoch, die im Verlauf der Geschichte klar werden, handelt *Engel im Schacht* im April 1992.

Abgesehen von den historischen Ereignissen, die ich in diesem Buch beschreibe, ist alles Fiktion. Deshalb sollte der Leser keinerlei Verbindung zwischen lebenden oder toten Personen und den Figuren in diesem Roman herstellen. In Illinois gibt es keine republikanischen Senatoren. Aus diesem Grund habe ich aus Alec Gantner, dem amerikanischen Senator in dieser Geschichte, einen Republikaner gemacht. Das soll nicht heißen, daß ich Republikaner für korrupter halte als Demokraten – oder umgekehrt.

Zum Abschluß ein Gedanke von Cervantes: Müßiger Leser, glaube mir, auch ohne einen Schwur, daß ich hoffe, dieses Buch, das Kind meiner Phantasie, möge die schönste, lebhafteste und klügste Geschichte geworden sein, die man sich vorstellen kann. Doch ich habe mich nicht über das Gesetz der Natur hinwegsetzen können, daß Gleiches Gleiches gebiert. Es kommt vor, daß eine Mutter ein von Fortuna vernachlässigtes Kind hat, dieses Kind aber so sehr liebt, daß sie seine Fehler nicht sieht, sondern sie für Tugenden hält. Ich aber, die Mutter von V. I. Warshawski, will nicht mit dem Strom schwimmen oder dich, geneigter Leser, fast mit Tränen in den Augen anflehen, die Fehler, die du an diesem meinem Kind entdeckst, zu entschuldigen oder zu übergehen.